CORPVS CHRISTIANORVM

Series Latina

CLX

CORPVS CHRISTIANORVM

Series Latina

CLX

CORPVS ORATIONVM

TOMVS I

TVRNHOLTI

TYPOGRAPHI BREPOLS EDITORES PONTIFICII

MCMXCII

CORPVS ORATIONVM

TOMVS I

A - C

Orationes 1-880

inchoante Eugenio MOELLER †
subsequente Ioanne Maria CLÉMENT †

totum opus perfecit
BERTRANDVS COPPIETERS 'T WALLANT

TVRNHOLTI

TYPOGRAPHI BREPOLS EDITORES PONTIFICII

MCMXCII

Svmptibvs svppeditante
Svpremo Belgarvm Magistratv
Pvblicae Institvtioni
atqve Optimis Artibvs Praeposito
editvm

PRÉLIMINAIRES

Quelque quarante ans après la parution des *Oraisons du Missel Romain* par dom Placide Bruylants OSB, décédé le 18 octobre 1966 (1), une vingtaine d'années après le *Corpus Benedictionum Pontificalium* par dom Eugène Moeller OSB (2) et dix ans après le *Corpus Praefationum* par le même érudit, décédé le 3 avril 1991 (3), voici que paraît le premier tome du *Corpus Orationum*.

Ce recueil comprend la série alphabétique de toutes les pièces euchologiques proprement dites, transmises par des sacramentaires ou des missels latins, depuis l'antiquité tardive jusqu'à la fin du moyen âge, notamment les collectes, secrètes, postcommunions et oraisons "super populum", pour s'en tenir à la terminologie habituelle du rite romain.

Le système, inventé et mis au point par dom Bruylants et son confrère de l'abbaye du Mont-César à Louvain, dom Moeller, a fait ses preuves. C'est une approche originale des textes qui forment la substance même de la prière liturgique.

On a certes édité un nombre déjà imposant de sacramentaires et de missels anciens, parmi les centaines qui ont été conservés, soit au complet - ce qui est rare -, soit de façon fragmentaire. Ces éditions sont indispensables pour connaître la manière de célébrer l'Eucharistie à une époque et dans une région déterminées. Chaque sacramentaire, chaque missel manuscrit constitue un état du texte et du contexte liturgiques que bien souvent on peut dater et localiser, parfois avec une précision rigoureuse. Mais c'est toujours le recueil comme tel dont on peut fixer et la date et l'origine. Cela ne dit encore rien au sujet des prières elles-mêmes dont il est composé; or, celles-ci sont souvent notablement plus anciennes et peuvent venir d'un peu partout. Pratiquement, tous les livres liturgiques sont faits d'emprunts à des recueils antérieurs, mais chaque compilateur y ajoute aussi du sien, souvent en utilisant des phrases et des tournures trouvées ailleurs. Le degré d'originalité n'est généralement pas très élevé. Et c'est d'autant mieux, la prière de l'Église

---

(1) Deux volumes, Louvain, 1962.

(2) *Corpus Christianorum Series Latina*, t. 162. 162 A-B-C; quatre volumes, Turnhout, 1971/1979.

(3) *Corpus Christianorum Series Latina*, t. 161. 161 A-B-C-D; cinq volumes, Turnhout, 1981/1982.

ne devant pas être une composition individuelle trop marquée.

Si les éditions modernes des anciens sacramentaires indiquent normalement les sacramentaires apparentés où se rencontrent les mêmes prières, l'histoire et l'évolution du texte liturgique lui-même, au cours des siècles et dans des régions éloignées, n'est pas l'affaire d'un éditeur de sacramentaires; il est plutôt tenu à respecter la forme que revêt chaque oraison dans la source qu'il édite, quitte à corriger une erreur patente de transcription, par conjecture ou, s'il y a lieu, en s'appuyant sur le texte d'un sacramentaire apparenté plus correct.

Le classement alphabétique d'après leur *incipit* des oraisons de provenance diverse, commencé par dom Bruylants, vise précisément à faire connaître l'évolution du texte et de l'affectation de chaque pièce euchologique dans les différents rites latins. Bien sûr, l'étude de chaque pièce en particulier dépasserait de beaucoup le cadre qu'on a dû se fixer, mais le lecteur trouvera dans le présent recueil l'essentiel de la documentation dont il aurait besoin, ainsi que le renvoi à des instruments de travail offrant de plus amples informations, soit aux *Oraisons* de Placide Bruylants (sigle "Br"), soit aux *Codices Liturgici Latini Antiquiores* de Klaus Gamber (sigle "CLLA") (4). A ce propos, on se rappellera la boutade de dom Donatien De Bruyne: "Le savant ne désire pas tant une édition critique que les éléments pour s'en faire une."

*
* *

Dom Bruylants a su réaliser ce programme pour les oraisons du Missel Romain en usage à cette époque, à savoir la réédition de l'*editio typica* de 1570, augmentée des oraisons pour les fêtes plus récentes. Dom Moeller a fait le même travail pour les bénédictions pontificales trouvées dans les sources anciennes; elles ne figurent pas comme telles dans les missels romains promulgués par Pie V ou Paul VI. Viennent ensuite les préfaces dont le missel de Pie V n'offrit qu'une sélection, limitée à une vingtaine, triplée maintenant dans le missel de Paul VI; or, les anciens sacramentaires en

---

(4) KL. GAMBER, *Codices Liturgici Latini Antiquiores*, 2ᵉ édition, deux volumes, Fribourg-en-Suisse, 1968; *Supplément*, 1988.

contiennent plus de quinze cents, toutes réunies dans le *Corpus Praefationum* de dom Moeller.

Il reste donc à reprendre et à compléter la série des oraisons, dont le Père Bruylants n'a édité que celles qui ont trouvé place dans le Missel Romain de son temps. Comme pour les préfaces, la moisson est ici également surabondante: plus de six mille pièces, et tout autant de recensions divergentes, au lieu des douze cents du Missel Romain de l'époque.

Un volume supplémentaire contiendra les diverses recensions de l'*Ordinarium Missae* avec ses éléments variables: *Communicantes*, *Hanc igitur*, *Quam oblationem*, *Qui pridie*, pour ne citer que le rite romain.

*
* *

Ce n'est pas uniquement dans la quantité plus grande des prières recensées que réside l'intérêt des recueils alphabétiques "intersacramentaires". Ils rendent plus aisé d'établir les coordonnés de chaque pièce, de relever les variantes textuelles entre les différents sacramentaires et de cerner la diversité des emplois de pièces identiques au cours de l'année liturgique. Ce système permet également de sérier les titres et les rubriques qui accompagnent les prières proprement dites. Ces indications sont parfois très précieuses pour orienter les recherches sur l'appartenance d'un sacramentaire, ou d'un fragment de sacramentaire, à telle ou telle famille.

Le relevé de tous les témoins manuscrits pour chaque oraison - relevé aussi exhaustif que possible - manifeste clairement la ou plus souvent les sources, directes ou indirectes, où le rédacteur d'un nouveau sacramentaire a pris son bien. Ainsi, pas à pas, les lignes de dépendance se dessinent. C'est tantôt une seule oraison qui est reprise à un sacramentaire d'une tout autre lignée, tantôt un formulaire de messe en entier qui est emprunté. Des groupes de sacramentaires se forment, tout en restant des entités ouvertes, ajoutant ou supprimant des oraisons à chaque transcription. Ceci est très caractéristique, par ex., pour les soi-disant "Gélasiens du VIIIᵉ siècle", pour le groupe des sacramentaires anglo-normands, ou celui des régions tridentines, etc. L'étude des sacramentaires pourra désormais s'appuyer sur une documentation notablement élargie et plus diversifiée, et d'un accès plus facile.

*
* *

On trouvera plus loin la liste des sacramentaires analysés ainsi que celle des éditions employées. Nous n'avons pu songer à dépouiller aussi les sacramentaires manuscrits non encore édités. Vu leur nombre – le chanoine Victor Leroquais en décrit près de mille, conservés dans les seules bibliothèques publiques de France (5) – cela aurait ajourné aux Calendes grecques l'édition projetée. Il est d'ailleurs fort douteux qu'on y trouve beaucoup d'oraisons qui ne figureraient pas dans le présent recueil. Certes, en multipliant les témoins, les lignes d'interdépendance peuvent être esquissées plus nettement; mais il revient plutôt aux éditeurs de sacramentaires de déterminer à quels autres recueils est apparenté le manuscrit qu'ils éditent.

Il est peut-être plus regrettable que nous n'ayons même pas pu dépouiller tous les sacramentaires, fragmentaires surtout, qui ont été édités. Parfois l'édition d'un fragment de sacramentaire, parue dans une revue locale, n'est arrivée à notre connaissance que trop tardivement. En d'autres cas, la façon d'éditer, par ex. en donnant seulement le nº que porte l'oraison dans un, ou plusieurs sacramentaire(s) apparenté(s), n'invitait pas à insérer, dans un recueil de textes, des pièces dont la teneur exacte n'était pas donnée. D'autres fragments, surtout palimpsestes, sont tellement endommagés ou lacuneux, qu'une reconstruction du texte de leurs oraisons ne pouvait être qu'hypothétique, s'appuyant sur des témoins plus complets du présent dossier.

Finalement, après avoir dépouillé près de deux cents sacramentaires ou missels, cent quatre-vingt treize plus exactement, nous constations que l'analyse de nouveaux témoins n'apportait plus guère de données nouvelles. Nous nous faisons peut-être des illusions, mais nous avons confiance que le recueil, tel qu'il se présente maintenant, contient à peu près toutes les pièces euchologiques des anciens sacramentaires et missels latins.

Ajoutons que de certains sacramentaires manuscrits nous ne disposions que d'un dépouillement incomplet. Nous n'a-

---

(5) V. Leroquais, *Les Sacramentaires et les Missels manuscrits des Bibliothèques publiques de France*, I-III, Paris, 1924.

vons pas voulu l'exclure de notre incipitaire. C'est le cas, p. ex., du Missel de la Curie, pour lequel nous n'avions que les textes et les variantes donnés par Placide Bruylants, donc uniquement pour les oraisons reprises dans le *Missel Romain*; de même pour les sacramentaires anglo-normands dont John Wickham Legg a extrait un certain nombre de pièces, revenant aussi ailleurs, mais présentant quelque particularité. La liste des sacramentaires et des éditions employés signale par un astérisque ces documents dépouillés partiellement ou ces emprunts de seconde main.

*
* *

Nous avons hésité un long moment avant d'exclure de ce recueil les oraisons du nouveau *Missel Romain*, promulgué par Paul VI. Ce missel met souvent en oeuvre des éléments traditionnels, des expressions, parfois des sentences entières, empruntés aux anciens sacramentaires; la rédaction finale n'en est pas moins d'une facture originale et contemporaine. De ce fait, l'insertion de leurs premiers mots dans notre incipitaire risquerait d'égarer le lecteur au lieu de l'orienter. Mais il est souhaitable, d'autre part, que soit dressée une liste alphabétique des oraisons de ce nouveau missel, comme il a été fait récemment pour le nouveau missel latin de rite ambrosien (6), et comme il sera fait sans doute aussi pour la liturgie hispanique.

*
* *

Le lecteur sera peut-être étonné de trouver ici un système d'abréviations et de sigles très différents de ceux utilisés par dom Bruylants ou par dom Moeller. Nous avons donné la préférence à des abréviations "parlantes", si l'on peut s'exprimer ainsi, par rapport aux sigles réduits à quelques lettres et qui n'ont pas toujours la même signification dans les différentes éditions. Les abréviations choisies pour leur valeur mnémotechnique rappelleront immédiatement au lecteur tant soit peu familier avec la matière, le manuscrit

---

(6) CL. MAGNOLI, *Elenco generale delle formule eucologiche nel "Missale Ambrosianum 1981"*, dans *La Scuola Cattolica*, t. 120, 1992, pp. 208-277.

désigné. Ainsi on n'aura pas besoin de consulter à chaque instant la liste des sigles. Si ces abréviations demandent plus de place que des sigles, la lecture de l'apparat critique en devient plus aisée. Nous avons seulement gardé quelques sigles en usage dans d'autres publications pour désigner des fragments qui ne reviennent ici que très rarement.

Les témoins de chaque oraison sont classés d'après l'ordre alphabétique des abréviations employées. Ce système n'est pas tout à fait satisfaisant, mais il s'avère, à la longue, le plus pratique. En principe, il aurait été préférable de grouper les témoins d'après la famille à laquelle ils appartiennent. Cependant, sauf quelques témoins parmi les plus anciens et quelques fragments ne contenant que peu d'oraisons, les manuscrits nous transmettent des collections hybrides, appartenant par tel aspect à un groupe déterminé, et par tel autre à une famille différente. Certes, il y a des familles relativement uniformes ou nettement distinctes des autres, comme les soi–disant "Gélasiens du VIIIᵉ siècle" ou les sacramentaires grégoriens du type dit "Hadrianum corrigé", mais c'est plutôt exceptionnel. En voulant classer les sigles par groupes, on risque de suggérer une appartenance qui n'est, en somme, que toute relative et qui n'affecte en réalité qu'un nombre réduit de prières et une quantité plus réduite encore de rubriques et d'affectations communes. Devant la complexité des relations "intersacramentaires" un groupement des sigles donnerait une idée déformée de la réalité. Ceci serait particulièrement dommageable dans un recueil alphabétique de prières détachées, classées indépendamment de la structure des sacramentaires auxquels elles sont empruntées.

D'autre part, nous avons cru faire oeuvre utile en soulignant que certains manuscrits présentent les mêmes variantes, tant dans le texte des oraisons que dans les rubriques (7). Elles sont marquées dans l'apparat critique de la façon suivante: *codd.* ° *distincti.* Pour sérier tant soit peu de nombreux témoins, parfois une cinquantaine, ces signes distinctifs ont dû être multipliés: *codd.* ° (vel + " μ & #) *distincti.*

De même, nous avons régulièrement sous–divisé en a b c d etc. les notices sur les oraisons présentant un texte en grande

---

(7) Nous avons jugé superflu d'indiquer chaque fois, dans l'apparat critique, le nom du saint, quand ce nom se trouve déjà dans la rubrique correspondante.

partie identique, mais dont il existe des recensions différentes voulues comme telles. De plus, les oraisons dont le texte est entièrement identique dans tous les témoins, sont marquées par les lettres majuscules A B C D etc., quand leur affectation à telle ou telle fête forme des groupes de manuscrits nettement définis.

*
* *

Dans la constitution du texte même des prières, des titres et des rubriques, nous avons été très prudents. Une recension qui semble primitive a eu certes la préférence et les variantes sont reléguées dans l'apparat; mais bien souvent on hésite. Nous avons plutôt multiplié les recensions secondaires, préférant ne pas devoir trancher si l'on a affaire à une erreur, parfois corrigée maladroitement par quelque copiste, ou à une adaptation mûrement réfléchie. Cela demanderait dans chaque cas une étude approfondie que nous ne pouvions envisager.

L'orthographe de nos textes a été normalisée aussi peu que possible, mais devant certains fragments, surtout irlandais ou mérovingiens, cette normalisation devait forcément aller assez loin. Nous étions d'ailleurs tributaires des normalisations déjà effectuées par les éditeurs.

Nous n'avons pas cru devoir signaler dans l'apparat les variantes purement orthographiques, sauf quand la graphie du manuscrit pouvait révéler une autre compréhension du texte. Le lecteur qui s'intéresse à l'orthographe particulière de tel lieu ou de telle époque, peut toujours se reporter aux éditions originales auxquelles nous avons emprunté nos textes.

*
* *

Les annotations sont peu nombreuses. Elles ne servent en général qu'à orienter le lecteur, soit en identifiant un saint ou une sainte parmi ses homonymes, soit en rappelant un détail de l'histoire du culte, soit en signalant un texte parallèle présentant un *incipit* différent.

Ces notes pourraient être multipliées aisément. Nous avons toutefois estimé faire oeuvre plus utile en signalant

dans la bibliographie quelques ouvrages bien connus des
spécialistes et dont l'utilité pour des recherches ultérieures
est évidente. Des études sur un groupe particulier d'oraisons
sont également indiquées dans la bibliographie, sans que cela
soit noté de nouveau à chaque oraison étudiée.

Sous la rubrique *Fontes* nous avons signalé les citations
et les réminiscences bibliques, mais nous n'avons pas indiqué
les parallèles patristiques. De nombreux chercheurs en ont
déjà relevé beaucoup, surtout pour les oraisons plus anciennes, sans parvenir toutefois à des résultats qui ont fait
l'unanimité. On trouvera dans la bibliographie les études qui
semblent les plus averties et les mieux fondées, même si
elles menaient à des conclusions diamétralement opposées.

*
* *

Nous ne pouvons terminer cette introduction sans rappe-
ler la mémoire de dom Placide Bruylants et de dom Eugène
Moeller, dont les noms resteront attachés à la méthode sui-
vie ici. Probablement sans le savoir ils ont réalisé un voeu
exprimé par dom Marius Férotin, décédé le 15 septembre 1914,
introduisant ainsi son "Index alphabétique des formules",
employées dans les livres liturgiques du rite mozarabe: "C'est
par une série de travaux de ce genre, appliqués à toutes les
formules des diverses liturgies, qu'on peut arriver à jeter un
peu de lumière dans un domaine d'une exploitation particulièrement difficile ... J'apporte ici ma pierre à cet édifice
que d'autres voudront peut-être continuer et achever" (8).

Ce souhait de l'éminent connaisseur de la liturgie hispanique a trouvé dans les travaux des deux savants moines du
Mont-César une réalisation à la fois partielle et plus com-
plète. Au lieu des *initia* auxquels se limitait dom Férotin, on
trouvera ici *in extenso* le texte même des formules liturgiques. D'autre part, les prières insérées dans le Bréviaire, le
Rituel ou le Pontifical, ne figurent normalement pas dans
notre recueil. En effet, les prières récitées au cours de
l'office divin sont souvent les mêmes que les collectes employées dans la liturgie eucharistique. De plus, les éditions

----

(8) M. Férotin, *Le "Liber Ordinum" en usage dans l'Église wisigo-
thique et mozarabe d'Espagne*, Paris, 1904, pp. 579-580.

récentes des Pontificaux par Michel Andrieu, Cyrille Vogel et Reinhard Elze comportent des *indices* très complets groupant toutes les formules, oraisons et autres. En extraire les seules oraisons pour les intégrer dans le présent recueil paraît assez peu pratique (9).

Il est parfois difficile de déterminer, surtout pour les livres liturgiques hispaniques, si l'on a affaire à une collecte proprement dite, à une formule d'invitation à la prière, ou même à une prière variable à insérer dans l'*Ordinarium Missae*. Chaque fois qu'il y avait lieu d'hésiter, la prière a été admise dans notre incipitaire.

*
*   *

Sans l'exemple et l'initiative de dom Bruylants et de dom Moeller, ce travail n'aurait jamais vu le jour. De dom Moeller en particulier, nous avons hérité un texte provisoire, avec des apparats encore incomplets, de quelque deux mille pièces. Ces notes, bien qu'inachevées, nous ont été de la plus grande utilité.

Nous tenons aussi à remercier dom Jean-Marie Clément qui a dépouillé avec une patience inlassable près de quatre-vingts sacramentaires, complets ou fragmentaires, sur lesquels repose partiellement notre travail. Ses vingt fichiers, avec chacun deux mille à deux mille cinq cents fiches, nous ont permis de mener le travail à bonne fin en quelques années.

En nous remettant toute cette documentation, Dom Eligius Dekkers nous a témoigné une grande confiance. De plus, son assistance infatigable nous a été extrêmement précieuse. Ce nous est un devoir - combien agréable - de l'en remercier sincèrement.

Notre gratitude va également à Monsieur Roland Demeulenaere, du secrétariat du *Corpus Christianorum*, pour ses

---

(9) Ajoutons que les très nombreuses prières citées par dom Edmond Martène dans son *De antiquis Ecclesiae ritibus* (I-IV, Anvers, 1736/1738) sont désormais, elles aussi, facilement repérables grâce au *Répertoire des pièces euchologiques citées dans le "De antiquis Ecclesiae ritibus" de dom Martène* (Rome, 1991), par dom Benoît Darragon.

conseils judicieux quant à l'ordonnance d'une matière abondante et tout particulière, que seule une expérience déjà longue en fait d'éditions critiques a su maîtriser. Nous fûmes aussi assistés par un technicien aussi serviable qu'expérimenté qu'est Monsieur Johan Desmet.

Rappelons aussi les services que nous ont rendus les responsables de plusieurs bibliothèques, qui nous ont permis d'emprunter, parfois pour bien longtemps, de nombreux volumes de leurs fonds: les bibliothèques de l'Université Catholique de Leuven, des abbayes du Mont-César, de Maredsous, de Saint-André, et - bien sûr - de Steenbrugge, et celle du Grand Séminaire de Bruges. Sans leur bienveillante compréhension, notre travail serait encore très loin de son achèvement. Et j'ajoute volontiers un mot de sincères remerciements à mes chers parents qui m'ont permis de travailler dans les meilleures conditions.

Nous avons le regret de devoir ajouter que le collaborateur de la première heure, dom Jean-Marie Clément, vient de nous quitter, quelques semaines seulement avant la parution de ce premier volume (24 octobre 1992). "Concede, quaesumus, omnipotens Deus, ut anima famuli tui Iohannis Mariae, monachi atque diaconi, per sancta mysteria in tuo conspectu semper clara consistat, quae fideliter ministravit" (*Orat.* 740).

BIBLIOGRAPHIE

A. Sources*

Adelp(retianus)   CLLA S 986**

Cod.: Wien, Österreichische Nationalbibliothek, Ser. Nov., 206 (saec. XII).

Ed.: F. DELL'ORO, *Sacramentarium Adelpretianum*, dans F. DELL'ORO - H. ROGGER, *Monumenta Liturgica Ecclesiae Tridentinae saeculo XIII antiquiora. Fontes liturgici. Libri Sacramentorum* (= Collana di Monografie edita dalla Società per gli Studi Trentini, XXXVIII/2, Tomo secondo), vol. II/B, Trento, 1987, pp. 1037-1237.

Alcuin(us)   CLLA 1385 b

Codd.: Sacramentaire de Saint-Martin de Tours (dernier quart du IXe s.):

    a) Tours, Bibl. mun., 184;
    b) Paris, B.N. lat. 9430.

Ed.: J. DESHUSSES, *Les messes d'Alcuin*, dans *Archiv für Liturgiewissenschaft*, 14, 1972, pp. 7-41.

Anderson   CLLA 215

Cod.: London, Wilfred Merton Collection, MS. 21 (avant 750), originaire du N.E. de la France.

Ed.: W. J. ANDERSON, *Fragments of an eighth-century Gallican Sacramentary*, dans *Journal of Theological Studies*, 29, 1928, pp. 337-345.

---

* Sauf indication contraire, le n° renvoie au n° de l'oraison dans l'édition employée.

** Ce numéro renvoie aux *Codices Liturgici Latini Antiquiores* de KL. GAMBER, I, 1-2, (deuxième édition, et Supplément), Fribourg-en-Suisse, 1968/88. On y trouvera de plus amples renseignements, bibliographiques et autres, sur les manuscrits analysés ici.

Aquilea   CLLA 596

Ed.: Missale Aquileyensis Ecclesiae cum omnibus requisitis atque figuris ... , anno 1519, die XV° Septembris, Venetiis, ex officina litteraria Gregorii de Gregoriis (réimpression anastatique: *Culture et Civilisation*, Bruxelles, 1963).

Nota: Le chiffre renvoie au numéro du folio, soit recto soit verso.

Arbuth(nott)

Cod.: Liber Ecclesiae beati Terrenani de Arbuthnott, missale secundum usum Ecclesiae sancti Andreae in Scotia.

Ed.: A. P. FORBES, Burntisland, 1864.

Nota: Le chiffre renvoie au numéro de la page.

Ariberto   CLLA 530

Cod.: Milano, Biblioteca del Capitolo Metropolitano, D 3, 2 (saec. XI).

Ed. : A. PAREDI, *Il Sacramentario di Ariberto*, dans *Miscellanea Adriano Bernareggi*, a cura di L. Cortesi, Bergamo, 1958, pp. 329-488.

Augiense   CLLA 885

Cod.: Karlsruhe, Badische Landesbibliothek, Fragmentum Augiense 23 (Reichenau; après 800).

Ed.: A. HOLDER, *Die Reichenauer Handschriften*, II, Leipzig, 1906, p. 389 ss.; A. DOLD - KL. GAMBER, *Das Sakramentar von Salzburg*, dans *Texte und Arbeiten*, 4. Beiheft, Beuron, 1960, p. 4 ss., 20* ss.

Nota: Les chiffres renvoient au numéro du formulaire de la messe et au numéro de l'oraison.

Avellan[1]

Cod.: Sacramentaire provenant du monastère des ermites de Fontavellane, antérieur à 1323.

Ed.: O. Turcius, *Excerpta ex veteribus codicibus Fontavellanensibus duplici sacramentario* ... , Venetiis, 1756 (repris dans *PL* 151, col. 879-910).

Nota: Le chiffre renvoie à la colonne de la *PL*.

Avellan[2]

Cod.: Sacramentaire provenant du monastère des ermites de Fontavellane, datant du XIIIe siècle.

Ed.: O. Turcius, *Excerpta ex veteribus codicibus Fontavellanensibus duplici sacramentario* ... , Venetiis, 1756 (repris dans *PL* 151, col. 909-950).

Nota: Le chiffre renvoie à la colonne de la *PL*.

Avellan[3]   CLLA 938

Cod.: Frontale, Chiesa parrochiale di S. Anna (saec. XI), "Vetus Sacramentarium", Grégorien mixte authentique, passé ensuite au monastère de Monte Vicino, par l'intermédiaire de Pierre Damien.

Ed.: O. Turcius, *Sacramentarium festivum Venetiae*, Venetiis, 1756 (repris dans *PL* 151, col. 836-876).

Nota: Le chiffre renvoie à la colonne de la *PL*.

Baltimore   CLLA S 445

Cod.: Baltimore, Walter's Art Gallery, MS. W 6 (saec. XI).

Ed.: Kl. Gamber, *Eine "Missa communis" auf einem "fliegendem Blatt"*, dans *Fragmenta liturgica*, II, *Sacris Erudiri*, 17, 1966, pp. 251-252.

Nota: Le chiffre (entre parenthèses) renvoie à la page des *Fragmenta liturgica*.

Bamberg[1]   CLLA 845

Cod.: Bamberg, Staatliche Bibl., Cod. Bibl. 133 (saec. X), fragment de sacramentaire de l'Italie septentrionale.

Ed.: KL. GAMBER, *Ein Oberitalienisches Sakramentar-Fragment in Bamberg*, dans *Sacris Erudiri*, 13, 1962, pp. 360-367.

Nota: Le chiffre (entre parenthèses) renvoie à la page de l'article dans *Sacris Erudiri*.

Bamberg[2]   CLLA 1472 d; CLLA S 1420

Cod.: Bamberg, Staatliche Bibl., un f° dans la Fragmentenmappe IX A 196 (vorher IX A 2 ?) (Anfang des 11. Jh.).

Ed.: KL. GAMBER, *Plenarmissale-Fragment in Bamberg*, dans *Fragmenta liturgica*, IV, *Sacris Erudiri*, 19, 1969/70, pp. 248-252.

Nota: Le chiffre (entre parenthèses) renvoie à la page des *Fragmenta liturgica*.

Barcinon(ensis)   CLLA S 964

Cod.: Barcelona, Bibl. Universitaria, 827 (saec. XI).

Ed.: J. JANINI, *Sacramentario benedictino del s. XI*, dans *Analecta Sacra Tarraconensia*, 53/54, 1980/81, pp. 259-260.

Nota: Le chiffre renvoie au numéro du formulaire de la messe.

Basil(eiensis)   CLLA 417 S

Cod.: Basel, Universitätsbibl., N I,1 (3a und 3b): palimpseste du début du IXe siècle, provenant d'un centre anglosaxon du continent.

Ed.: KL. GAMBER, *Das Basler Fragment. Eine weitere Studie zum altkampanischen Sakramentar und zu dessen Präfationen*, dans *Revue bénédictine*, 81, 1971, pp. 14-29.

Bec(censis)   CLLA p. 547

Cod.: Paris, B.N. lat. 1105: missale plenum of the use of the abbey of Bec (Le Bec-Hellouin), written between 1265 and 1272.

Ed.: A. HUGHES, *The Bec Missal* (= *Henry Bradshaw Society*, 94), 1963.

Nota: Le chiffre renvoie au numéro de la page.

Benevent[1]   CLLA S 445

Cod.: Baltimore, Walter's Art Gallery, MS. W 6 (saec. XI).

Ed.: S. REHLE, *Missale Beneventanum von Canosa* (= *Textus Patristici et Liturgici*, Fasc. 9), Regensburg, 1972.

Benevent[2]   CLLA 430

Cod.: Benevento, Archivio arcivescovile, Cod. VI 33 (saec. X-XI).

Ed.: S. REHLE, *Missale Beneventanum*, dans *Sacris Erudiri*, 21, 1972/73, pp. 323-405.

Nota: Le chiffre renvoie au numéro du formulaire de la messe.

Benevent[3]   CLLA 440

Cod.: Roma, Vatic. Ottob. Lat. 576 (saec. XII).

Ed.: KL. GAMBER, *Fragmente eines Missale Beneventanum als Palimpsestblätter des Cod. Ottob. Lat. 576*, dans *Revue bénédictine*, 84, 1974, pp. 367-372.

Benevent[4]   CLLA 432

Cod.: Roma, Vatic. Lat. 10.645, ff. 3^r-6^v (saec. X-XI), missel plénier bénéventain du Sud de l'Italie.

Ed.: A. Dold, *Fragmente eines um die Jahrtausendwende in beneventanischer Schrift geschriebenen Vollmissales*, dans *Jahrbuch für Liturgiewissenschaft*, 10, 1930, pp. 40-55.

Nota: Les chiffres renvoient au numéro du formulaire de la messe et au numéro de l'oraison.

Benevent[5]   CLLA 441

Cod.: Monte Cassino, Archivio della Badia: 9 Einzelblätter eines weiteren Messbuches des 11./12. Jhs., heute in der "Compactura VII" betitelden Mappe aufbewahrt.

Ed.: Kl. Gamber, *Fragmente eines beneventanischen Missale in Montecassino*, dans *Fragmenta liturgica*, V, *Sacris Erudiri*, 21, 1972/73, pp. 241-247.

Nota: Le chiffre renvoie au numéro du formulaire de la messe.

Berceto   CLLA 849

Codd.: Milano, Bibl. Ambrosiana, Codd. B 27 inf., B 28 inf. et B 48 inf. (saec. XI-X), fragments de sacramentaire de l'Italie septentrionale, passé ensuite à Berceto (diocèse de Parme), Gélasien mixte du type "S" (*Sangall*).

Ed.: G. Morin, *Débris d'ancien sacramentaire dans les reliures de manuscrits de l'Ambrosienne*, dans *Revue bénédictine*, 46, 1934, pp. 381-392.

Nota: Le chiffre renvoie au numéro de la page de la *Revue bénédictine*.

Bergom(ensis)   CLLA 547

Cod.: Bergamo, Bibl. di S. Alessandro in Colonna, de la seconde moitié du IXe siècle, originaire de l'Italie septentrionale (Milan?).

Edd.: P. Cagin, *Codex Sacramentorum Bergomensis*, dans *Supplementum sive Auctarium Solesmense*, fasc. 1, 1900, pp. 1-176; A. Paredi - G. Fassi, *Sacramentarium Bergomense*, dans *Monumenta Bergomensia*, VI, Bergamo, 1962.

Bergom-A   CLLA 809

Cod.: Roma, Vatic. Lat. 37, ff. I-II (saec. IX).

Ed.: KL. GAMBER, *Ein Oberitalienisches Sakramentarfragment des M-Typus*, dans *Sacris Erudiri*, 13, 1962, pp. 368-372.

Nota: Le chiffre renvoie au numéro du formulaire de la messe.

Beuron[1]   CLLA 884

Codd.: Beuron, Klosterbibl., Fragment 56 + Donaueschingen, B II 3, f° 2 (saec. IX).

Ed.: A. DOLD, *Unbekannte und bekannte Reichenauer Sakramentarfragmente aus dem 9. Jahrhundert*, dans *Jahrbuch für Liturgiewissenschaft*, 2, 1922, pp. 39-43.

Nota: Les chiffres renvoient au numéro du formulaire de la messe et au numéro de l'oraison.

Beuron[2]

Cod.: Beuron, Klosterbibl., 2 (saec. XI medio).

Ed.: A. DOLD, *Zwei neue Sakramentarfragmente* ... , dans *Jahrbuch für Liturgiewissenschaft*, 7, 1927, 136-139.

Nota: Les chiffres renvoient au numéro du formulaire de la messe et au numéro de l'oraison.

Biasca   CLLA S 526*

Cod.: Milano, Bibl. Ambrosiana, A 24 bis inf. (saec. X), originaire de Biasca.

Ed.: O. HEIMING, *Das Ambrosianische Sakramentar von Biasca*, dans *Corpus Ambrosiano-liturgicum* II (= *Liturgiewissenschaftliche Quellen und Forschungen*, Heft 51), Münster, 1969.

Bickell CLLA 217

Cod.: Cambridge, Gonville and Caius College, 820 [k], moitié du VIIIᵉ siècle.

Edd.: G. BICKELL, *Ein neues Fragment einer gallikanischen Weihnachtsmesse*, dans *Zeitschrift für katholische Theologie*, 6, 1882, pp. 370-372; L. C. MOHLBERG e.a., *Missale Gallicanum Vetus*, Roma, 1958, pp. 95-96.

Bobbio CLLA 220

Cod.: Paris, B.N. lat. 13.246 (saec. VIII).

Ed.: E. A. LOWE - A. WILMART - H. A. WILSON, *The Bobbio-Missal. A Gallican Mass-Book* (= *Henry Bradshaw Society*, 58, 1920 et 61, 1924; réimpression anastatique, 1991).

Bologna¹ CLLA S 1398

Cod.: Bologna, Bibl. dell'Università, 2217, ff. 153-154. 169-170 (saec. X), région de Bologne.

Ed.: KL. GAMBER, *Fragment eines Antiphonale-Sakramentars in Bologna*, dans *Fragmenta liturgica*, IV, *Sacris Eruditi*, 19, 1969/70, pp. 228-233.

Nota: Le chiffre (entre parenthèses) renvoie à la page des *Fragmenta liturgica*.

Bologna²

Cod.: Bologna, Bibl. dell'Università, 2217, ff. 171. 174. 175-176 (saec. X-XI).

Ed.: KL. GAMBER, *Zwei Plenarmissale-Fragmente in Bologna*, dans *Fragmenta liturgica*, IV, *Sacris Eruditi*, 19, 1969/70, pp. 253-260.

Nota: Le chiffre - qui suit l'indication du fragment A ou B - renvoie au numéro du formulaire de la messe.

Bonifatius   CLLA 412

Codd.: a) Das Regensburger Fragment: Regensburg, Bi-
           schöflich-Domkapitelschen Archivalien, Bischöfli-
           ches Zentralarchiv, Cim. I;
       b) Das Berliner Fragment: Berlin, Staatsbibliothek,
           lat. f° 877;
       c) Das Basler Fragment: Basel, Universitätsbibliothek,
           N I 1, n° 3a, 3b;
       d) Das Pariser Fragment: Paris, B.N. lat. 9488, f° 5;
       e) Formular für Christi Himmelfahrt im Martyro-
           logium von Echternach: Paris, B.N. lat. 10.837;
       f) Das Fragmentblatt von St-Paul: Kärnten, Stiftsbi-
           bliothek von St-Paul, Cod. 979 (f° 4).

   Ed.: KL. GAMBER, *Das Bonifatius-Sakramentar* (= *Textus
Patristici et Liturgici*, Fasc. 12), Regensburg, 1975, pp. 11-12
et 40-88.

Brugen(sis)   CLLA 854

   Cod.: Brugge, Bibl. de la Ville, MS. 254 (début IXᵉ s.),
originaire de la région parisienne ou du N.E. de la France.

   Ed.: G. VAN INNIS, *Un nouveau témoin du sacramentaire
gélasien du VIIIᵉ siècle*, dans *Revue bénédictine*, 76, 1966,
pp. 59-86; 82, 1972, pp. 169-187.

   Nota: Les chiffres renvoient au numéro du formulaire de
la messe et au numéro de l'oraison.

Brux(ellensis)[1]

   Cod.: Bruxelles, Bibl. Roy., 10.127-10.144, ff. 125²-136²
(saec. VIII-IX), un Gélasien du type "S" (*Sangall*) de France.

   Ed.: C. COEBERGH – P. DE PUNIET, *Liber Sacramentorum
Excarpsus*, dans *Testimonia Orationis Christianae Antiqui-
oris* (= *CCCM*, 47), Turnhout, 1977.

Buchsheim   CLLA 1388

   Cod.: München, Staatsbibl., Fragmentmappe I des Clm
29.164, ff. 29-31 (saec. X), originaire de l'Italie septen-

trionale ou du Sud de l'Allemagne, passé au monastère de Buchsheim, Souabe: Gélasien mixte du type "S" (*Sangall*).

Ed.: KL. GAMBER, *Fragment eines Antiphonale-Sakramentars aus dem Kloster Buchsheim*, dans *Fragmenta liturgica*, I, *Sacris Eruditi*, 16, 1965, pp. 443-452.

Nota: Le chiffre (entre parenthèses) renvoie à la page des *Fragmenta liturgica*.

Camp(ania)   CLLA 107. S 419*

Codd.: Sankt Paul-in-Kärnten, Stiftsbibliothek, 979, f° 4 (saec. VIII-IX); München, Clm 29.163a (saec. VIII).

Ed.: KL. GAMBER, *Das altkampanische Sakramentar*, dans *Revue bénédictine*, 79, 1969, pp. 333-340.

Nota: Le chiffre renvoie au numéro de la page de la *Revue bénédictine*.

Cantuar(iensis)

Cod.: Cambridge, Corpus Christi College, 270 (fin XIe ou début XIIe s.). Gélasien grégorianisé.

Ed.: M. RULE, *The Missal of St-Augustine's Abbey Canterbury*, Cambridge, 1896.

Nota: Le chiffre renvoie au numéro de la page.

Cantuar-A

Codd.: Roma, Vatic. Reg. Lat. 646, f° 49 et 598, f° 8[r] (début XII[e]s.): deux fragments dispersés d'un missel originaire de Christ's Church à Cambridge, passé ensuite à Rochester.

Ed.: D.-J. SHEERIN, *Masses for Saints Dunstan and Elphege from the Queen of Sweden's Collection at the Vatican*, dans *Revue bénédictine*, 85, 1975, pp. 199-206.

Nota: Le chiffre renvoie au numéro de la page de la *Revue bénédictine*.

Casin(ensis)[1]

Cod.: Roma, Vatic. Ottobon. Lat. 145 (saec. XI).

Ed.: KL. GAMBER - S. REHLE, *Manuale Casinense* (= *Textus Patristici et Liturgici*, Fasc. 13), Regensburg, 1977.

Casin[2]   CLLA 701

Cod.: Monte Cassino, 271 (Palimpsest-Texte in Unziale) (saec. VII-VIII).

Ed.: A. DOLD - A. BAUMSTARK, *Vom Sakramentar, Comes und Capitulare zum Missale* (= *Texte und Arbeiten*, 1. Abt., Heft 34), Beuron, 1943.

Nota: Les chiffres renvoient au numéro du formulaire de la messe et au numéro de l'oraison.

Coloniensis   CLLA 415

Cod.: Köln, Stadtarchiv, GB Kasten B N° 24 (saec. VIII), provenant de Gross-Sankt-Martin de Cologne, originaire probablement de Northumbrie.

Ed.: H. M. BANNISTER, *Fragments of an Anglo-Saxon Sacramentary*, dans *Journal of Theological Studies*, 12, 1911, pp. 451-454.

Nota: La lettre (a, b, c ou d) renvoie au folio.

*Curia

Codd.: Avignon, Bibl. mun., 136 (*Curia-Av*) et Roma, Vatic. Ottob. Lat. 356 (*Curia-Ott*): Missel de la Curie Romaine (saec. XIV).

[Ed.]: sacramentaires utilisés par P. BRUYLANTS dans *Les Oraisons du Missel Romain*.

Nota: Le chiffre renvoie au numéro du folio, soit recto soit verso.

De Bruyne

Cod.: Paris, B.N. lat. 256, f° 103ᵛ, (saec. VIII).

Ed.: D. De Bruyne, *Une messe gallicane inédite "Pro defuncto"*, dans *Revue bénédictine*, 34, 1922, 156-158.

Digby

Cod.: Oxford, Bodleian Library, Digby 39, f° 56ʳ: un "libellus sancti Birini", de l'abbaye d'Abingdon (saec. XII).

Ed.: en annexe, dans l'édition de *Leofric* (voir infra).

Nota: Le chiffre (entre parenthèses) renvoie au numéro de la page dans *Leofric*.

*Donauesch(ingen)   CLLA 1552

Cod.: Donaueschingen, Fürstl. Fürstenberg. Bibl., 192: Pontifical de Constance (fin IXᵉ s.), provenance probable: Sankt-Gallen.

Ed.: M. J. Metzger , *Zwei Karolingische Pontifikalien vom Oberrhein* (= *Freiburger Theologische Studien*, 17), Freiburg i. Br., 1914.

Douce   CLLA 850

Cod.: Oxford, Bodl. Bibl., Douce, f° I [21.999], originaire du monastère de Chelles (saec. VIII-IX).

Ed.: Kl. Gamber , *Ein fränkisches Sakramentarfragment des S-Typus in merowingischer Minuskel (ca 750/800)*, dans *Sacris Erudiri*, 10, 1958, pp. 127-141.

Drumm(ond)   CLLA p. 140

Cod.: London, Brit. Libr., C 35. i. II: Missale Drummondiense (saec. XI).

Ed.: G. H. FORBES, *The Ancient Irish Missal in the Possession of the Baroness Willoughby de Eresby, Drummond Castle, Perthshire*, Edinburgh, 1882.

Nota: Le chiffre renvoie au numéro de la page.

Dublin   CLLA 1462

Cod.: Dublin, National Library, 2291, ff. I-II (saec. IX-X), originaire de l'Italie septentrionale.

Ed.: KL. GAMBER, *Fragment eines Plenarmissale in Dublin*, dans *Fragmenta liturgica*, V, *Sacris Erudiri*, 21, 1972/73, pp. 254-256.

Nota: Le chiffre (entre parenthèses) renvoie à la page des *Fragmenta liturgica*.

*Egbert   CLLA 1570

Cod.: Paris, B.N. lat. 10.575, ff. 78-130 (saec. X).

Ed.: W. GREENWELL, *Pontifical of Egbert, Archbishop of York (A° Domini 732-766), from a manuscript of the tenth century in the Imperial Library, Paris* (= *Publications of the Surtees Society*, 27), Durham, 1853.

Engol(ismensis)   CLLA 860

Cod.: Paris, B.N. lat. 816 (saec. VIII-IX), probablement originaire du Sud de la Loire, puis passé à Angoulême. Gélasien mixte, du type "S" (*Sangall*).

Ed.: P. SAINT-ROCH, *Liber Sacramentorum Engolismensis* (= *CCSL* CLIX C), Turnhout, 1987.

Escorial   CLLA 433

Cod.: Escorial, fragment R III 1 (ca 1000): Missel plenier bénéventain, du Sud de l'Italie.

Ed.: KL. GAMBER, *Die Mittelitalienisch-beneventanische Plenarmissalien, Fragment V*, dans *Sacris Erudiri*, 9, 1957, pp. 283-285.

Nota: Le chiffre (entre parenthèses) renvoie à la page des *Fragmenta liturgica.*

Franc(orum, Missale)   CLLA 410

Cod.: Roma, Vatic. Reg. Lat. 257. Il serait anglo-saxon, mais originaire du triangle: Paris, Corbie, Soissons (ou Épernay), passé ensuite à Saint-Denis, et daterait de la mission anglo-saxonne en France et en Bavière; il serait gélasien dans ses sources.

Ed.: L. C. MOHLBERG - L. EIZENHÖFER - P. SIFFRIN, *Missale Francorum* (= *Rerum Ecclesiasticarum Documenta, Series Maior, Fontes*, II), Roma, 1957.

*Freiburg   CLLA 1551

Cod.: Freiburg i. Br., Universitätsbibl., 363: Pontifical de Bâle (saec. IX).

Ed.: M. J. METZGER, *Zwei Karolingische Pontifikalien vom Oberrhein* (= *Freiburger Theologische Studien*, 17), Freiburg i. Br., 1914.

Fürstenfeld   CLLA 796 h

Cod.: München, Clm 29.164 / II-IV (saec. XII).

Ed.: KL. GAMBER, *Sakramentarfragment vom Kloster Fürstenfeld*, dans *Fragmenta liturgica*, II, *Sacris Erudiri*, 17, 1966, pp. 260-266.

Nota: Le chiffre renvoie au numéro du formulaire de la messe.

Fulda   CLLA 970

Cod.: Göttingen, Universitätsbibl., Cod. Theol. 231 (ca 975). Grégorien mixte de type particulier, originaire du monastère de Fulda. Témoin important du Grégorien gélasianisé (ou vice-versa).

Ed.: G. Richter - A. Schönfelder, *Sacramentarium Fuldense saeculi X* (= *Quellen und Abhandlungen zur Geschichte der Abtei und der Diözese Fulda*, IX), Fulda, 1912 (réimpression anastatique: *Henry Bradshaw Society*, 101, 1977).

Gallic(anum Vetus)   CLLA 212-214

Cod: Roma, Vatic. Palat. Lat. 493 (saec. VIII).

Ed.: L. C. Mohlberg - L. Eizenhöfer - P. Siffrin, *Missale Gallicanum Vetus* (= *Rerum Ecclesiasticarum Documenta, Series Maior, Fontes*, III), Roma, 1958.

*GaM (Gallicum Mediolanense)   CLLA 205

Cod.: Milano, Biblioteca Ambrosiana, M 12 sup. (palimpseste), originaire du Sud de la France (vers 700), sacramentaire gallican, s'inspirant de formulaires wisigothiques.

Ed.: A. Dold, *Das Sakramentar im Schabcodex ... mit hauptsächlich altspanischem Formelgut in gallischem Rahmenwerk* (= *Texte und Arbeiten*, I. Abt., Heft 43), Beuron, 1952.

Nota: Les 3 chiffres renvoient à la page de l'édition, à la section de cette page et à la ligne de cette section.

GelasV (Gelasianum Vetus)   CLLA 610

Codd.: Roma, Vatic. Reg. Lat. 316 + Paris, B.N. lat. 7193, ff. 41/56 (saec. VIII).

Ed.: L. C. Mohlberg - L. Eizenhöfer - P. Siffrin, *Liber sacramentorum Romanae Ecclesiae ordinis anni circuli* (= *Rerum Ecclesiasticarum Documenta, Series Maior, Fontes*, IV), Roma, 1960.

Gellon(ensis)   CLLA 855

Cod.: Paris, B.N. lat. 12.048: Sacramentaire de Gellone (fin VIIIe siècle), probablement originaire de Sainte-Croix à Meaux, passé au IXe s. à Gellone. Gélasien mixte du type français de "S" (*Sangall*).

Ed.: A. Dumas, *Liber Sacramentorum Gellonensis* (= *CC-SL* CLIX), Turnhout, 1981, vol. A: Introductio, tabulae et indices; vol. B: Textus.

Gemm(eticensis)   CLLA p. 419-420

Cod.: Rouen, Bibl. mun., Y 6 (A° Domini 1013-1017), écrit à l'abbaye de Winchester, à l'usage de Jumièges; Grégorien mixte authentique anglais.

Ed.: H. A. Wilson, *The Missal of Robert of Jumièges* (= *Henry Bradshaw Society*, 11), London, 1896.

Nota: Le chiffre renvoie au numéro de la page.

Goth(icum)   CLLA 210

Cod.: Vatic. Reg. Lat. 317 (début VIIIᵉ s.), originaire de l'Est de la France, probablement d'Autun, sacramentaire gallican.

Ed.: L. C. Mohlberg, *Missale Gothicum* (= *Rerum Ecclesiasticarum Documenta, Series Maior, Fontes*, V), Roma, 1961.

Graz   CLLA 818

Codd.: Graz, Universitätsbibl., Codd. 187, 171 et 778 (saec. IX-X), fragments originaires de l'Italie septentrionale, sacramentaire gélasien mixte du type "M" (*Monza*).

Ed.: Kl. Gamber, *Sakramentarfragment in Graz*, dans *Fragmenta liturgica*, II, *Sacris Erudiri*, 17, 1966, pp. 256-259.

Nota: Le chiffre renvoie au numéro du formulaire de la messe.

Gregor(ianum)   CLLA 720

Cod.: Cambrai, Bibl. munic., 164: Hadrianum authentique, sacramentaire d'Hildoard de Cambrai, écrit en 811-812, directement copié sur l'original romain.

Ed.: J. Deshusses, *Le sacramentaire grégorien. Ses principales formes d'après les plus anciens manuscrits* (tome I), (= *Spicilegium Friburgense*, 16, Fribourg-en-Suisse, 1971), pp. 1-348 + pp. 687-718 (= additiones interpositae variis codicibus).

GregorTc (Grégorien, Textes complémentaires)

Ed.: J. Deshusses, *Le sacramentaire grégorien. Ses principales formes d'après les plus anciens manuscrits*:

- tome II, textes complémentaires pour la messe (= *Spicilegium Friburgense*, 24), Fribourg-en-Suisse, 1979.
- tome III, textes complémentaires divers (= *Spicilegium Friburgense*, 28), Fribourg-en-Suisse, 1982.

Herford

Editio princeps: 1502.

Ed.: W. G. Henderson, *Missale ad usum percelebris Ecclesiae Herfordensis*, Leeds, 1874 (réimpression anastatique, Farnborough, 1969).

Nota: Le chiffre renvoie au numéro de la page.

Herford-M

Cod.: Oxford, University College (saec. XIV).

Ed.: Cfr *Herford*.

Nota: Le chiffre renvoie au numéro de la page.

Iena   CLLA 795

Cod.: Jena, Universitätsbibl., Bud. M.F. 366 (vers 1200). Grégorien tardif, originaire de Thuringe (Erfurt?).

Ed.: Kl. Gamber, *Das Sakramentar von Jena* (= *Texte und Arbeiten*, 1. Abt., Heft 52), Beuron, 1962.

Nota: Le chiffre renvoie soit au numéro de l'oraison (pour la section "Sakramentar" [Grossdruck]) soit au numéro du folio, soit recto soit verso (pour la section "Plenarmissale" [Kleindruck]).

Iena–A

Codd.: Fragmente später Gelasiana aus Oberitalien:

a) Oxford, Bod. lat. liturg. d. 3 [31.378] ff. 1 und 2;
CLLA 628
b) Oxford, Bod. 314 ff. II und 99;   CLLA 622
c) München, Clm 29.164 II;   CLLA 796h
d) Oxford, Bod. Auct. F. 4. 22 [8854].   CLLA 812

Ed.: Cfr. *Iena*.

Juan   CLLA S 966*

Cod.: Las Abadesas, Archivo Arciprestal, carpeta 539 (saec. XI), Grégoriem mixte.

Ed.: J. JANINI, *El fragmento del Sacramentario de San Juan de las Abadesas*, dans *Analecta Sacra Tarraconensia*, 34, 1961, pp. 226–230.

Lateran   CLLA p. 469

<Cod.: Missale Lateranense> (saec. XIII).

Ed.: E. DE AZEVEDO, *Vetus Missale Romanum monasticum Lateranense*, Romae, 1754.

Nota: Le chiffre renvoie au numéro de la page.

Leningrad[1]   CLLA 796 i

Cod.: Saint-Pétersbourg, MS. Lat. Q. v. I. 242, fr. 4 (saec. XI-XII). Fragments d'un "Gélasien du VIIIe siècle".

Ed.: M. MURJANOFF, *Leningrader Sakramentartexte*, dans *Sacris Erudiri*, 16, 1965, pp. 462–464.

Leningrad²   CLLA 1293

Cod.: Saint-Pétersbourg, Akademiebibliothek, MS. lat. Q
556, originaire de l'Italie septentrionale (saec. X–XI).

Ed.: M. Murjanoff, *Lektionar-Sakramentar in Leningrad*,
dans *Ephemerides Liturgicae*, 90, 1966, pp. 193-204.

Nota: Le chiffre renvoie au numéro de la page.

Leningrad³   CLLA S 1424*

Cod.: Saint-Pétersbourg, MS. Lat. F. v. I, n° 142 (saec. X–
XI), originaire de l'Italie centrale.

Ed.: Kl. Gamber, *Fragment eines Plenarmissale in Leningrad*, dans *Fragmenta liturgica*, V, *Sacris Erudiri*, 21, 1972-
73, pp. 256-258.

Nota: Le chiffre (entre parenthèses) renvoie à la page
des *Fragmenta liturgica*.

Leofric   CLLA 950

Cod.: Oxford, Bodleiana, 579 (2675). Grégorien mixte
authentique, provenant d'Arras, passé ensuite à la cathédrale
d'Exeter, pendant l'épiscopat de son premier évêque Leofric
(1050-1072).

Ed.: F. E. Warren, *The Leofric Missal*, Oxford, 1883 (réimpression anastatique, Farnborough, 1968).

Nota: Le chiffre renvoie au numéro de la page.

Leon(ianum)   CLLA 601

Cod.: Verona, Bibl. Capit., LXXXV [80] (saec. VI-VII):
recueil, dit Léonien, de "libelli missae" romains d'époques
différentes.

Ed.: L. C. Mohlberg – L. Eizenhöfer – P. Siffrin, *Sacramentarium Veronense* (= *Rerum Ecclesiasticarum Monumenta, Series Maior, Fontes*, I), Roma, 1956.

Limoges   CLLA 852

Cod.: Paris, B.N. lat. 2026, ff. 121ʳ-122ᵛ (saec. IX), originaire de la région parisienne, passé ensuite à Limoges; Gélasien mixte du type "S" (*Sangall*) français.

Ed.: F. COMBALUZIER, *Un Gélasien de Saint-Martial de Limoges*, dans *Ephemerides Liturgicae*, 73, 1969, pp. 427-430.

Nota: Le chiffre renvoie au numéro du folio, soit recto soit verso.

Lodi   CLLA 1460 S

Cod.: München, Clm 29.164 / I, Lit. 18 (saec. IX).

Ed.: KL. GAMBER, *Ein neues Blatt des Plenarmissale von Lodi*, dans *Fragmenta liturgica*, V, *Sacris Erudiri*, 21, 1972/73, pp. 252-254.

Nota: Le chiffre (entre parenthèses) renvoie à la page des *Fragmenta liturgica*.

London[4]   CLLA 305

Cod.: London, British Library, Add. 30.844, provenant de l'abbaye de Silos (saec. X).

Ed.: J. JANINI, *Liber Misticus*, dans *Hispania sacra*, 29, 1976, pp. 325-381.

Nota: Le chiffre renvoie au numéro de l'oraison; [le chiffre (entre parenthèses) renvoie au numéro de l'oraison dans *Toledo[3]*].

London[5]   CLLA 306

Cod.: London, British Library, Add. 30.845, provenant de l'abbaye de Silos (saec. X-XI).

Ed.: J. JANINI, *Liber Misticus*, dans *Hispania sacra*, 31, 1978-79, pp. 357-465.

Nota: Le chiffre renvoie au numéro de l'oraison; [le chiffre (entre parenthèses) renvoie au numéro de l'oraison dans *Toledo*[3]].

London[6]   CLLA 307

Cod.: London, British Library, Add. 30.846, provenant de l'abbaye de Silos (saec. X).

Ed.: J. JANINI, *Liber Misticus*, dans *Hispania sacra*, 30, 1977, pp. 331-418.

Nota: Le chiffre renvoie au numéro de l'oraison; [le chiffre (entre parenthèses) renvoie au numéro de l'oraison dans *Toledo*[3]].

Lucca   CLLA 971

Cod.: Lucca, Bibl. Governativa, MS. 1275 (saec. X), sacramentaire grégorien du groupe de Fulda.

Ed.: V. SAXER, *Le manuscrit 1275 de la Biblioteca Governativa de Lucques*, dans *Rivista di Archeologia Cristiana*, 49, 1973, pp. 311-360.

Luzern   CLLA 431

Cod.: Luzern, Stiftsarchiv von Sankt-Leodegar, ff. 17[r]-18[v], missel plénier bénéventain de la région de Bari (saec. XI).

Ed.: A. DOLD, *Neuentdecktes Luzerner Doppelblatt*, en supplément à *Die Zürcher und Peterlinger Messbuch-Fragmente* (= *Texte und Arbeiten*, I. Abt., Heft 25), Beuron, 1934, p. 32[1-8].

Nota: Les chiffres renvoient au numéro du formulaire de la messe et au numéro de l'oraison.

Madrid   CLLA 319; p. 225

Cod.: Madrid, B.N. 11.556 (feuille de garde) (saec. XI).

Ed.: J. JANINI, *Los fragmentos visigoticos de san Zoilo de Carrión*, dans *Liturgica*, 3, Abadia de Montserrat, 1966, pp. 78-83.

Madrid–A   CLLA 365 b.; S 324*

Cod.: Madrid, B.N. 494 (saec. X–XI).

Ed.: J. JANINI, *Misa de santo Tomás*, dans *Toledo*[3] (voir infra), tome II, appendice I, pp. 321-324.

Mainz

Cod.: Mainz, Seminarbibliothek, Fragmentenmappe, zwei kleine Bruchstücke eines Sakramentars des 12. Jahrhunderts mit Sonntagsmessen.

Ed.: KL. GAMBER, *Ein Mainzer Fragment mit Sonntagsmessen*, dans *Fragmenta liturgica*, I, *Sacris Erudiri*, 16, 1965, pp. 440-442.

Nota: Le chiffre (entre parenthèses) renvoie à la page des *Fragmenta liturgica*.

***Man(uale) Ambr(osianum)**   CLLA et S 580. 582

Codd.: Milano, Bibl. del Capitolo Metrop., D 2. 30 (2102), provenant de Val Travaglia, San Vittore (saec. XI) + Bibl. Ambros., T 103 sup. (saec. X–XI).

Ed.: M. MAGISTRETTI, *Manuale Ambrosianum* I / II, Mediolani, 1895.

Marienberg   CLLA S 943*

Cod.: Marienberg, Stiftsarchiv (saec. X).

Ed.: F. DELL'ORO, *Fragmenta liturgica Tyrolensia*, dans *Monumenta liturgica Ecclesiae Tridentinae saeculo XIII antiquiora. Fontes liturgici. Libri Sacramentorum. Appendix II* (= Collana di Monografie edita dalla Società per gli Studi Trentini, XXXVIII/3), Trento, 1988, pp. 87-100.

Nota: Le chiffre (muni d'un *) renvoie au numéro de l'oraison.

Mateus

Cod.: Braga, Bibl. Publica e Arquivo distrital, MS. 1000; copie d'un original limousin de la province d'Aquitaine (A° Domini 1130-1150), passé au XVe s. à la paroisse Saint-Martin de Mateus.

Ed.: J. O. BRAGANÇA, *Missal de Mateus*, Lisboa, Fundação Calouste Gulbenkian, 1975.

Mauric(ius)   CLLA 507

Cod.: Milano, Archivio di Stato, fondo monasteri, cartella 439 (2e moitié du IXe s.), un fragment de sacramentaire ambrosien provenant du monastère bénédictin de S. Maurizio Maggiore à Milan.

Edd.: A. PAREDI, *Fragmentum Sancti Mauricii*, dans *Bergom* (cfr *supra*), pp. 367-378; réédité par B. RIZZI, *Il Frammento di San Maurizio, Contributo alla eucologia ambrosiana dei defunti*, dans *Ecclesia orans*, 1986/2, pp. 147-173.

Medinaceli

Cod.: Medinaceli, Archivo Ducal, Sección Histórica, legajo 236, doc. 56 (saec. X-XI).

Ed.: P. OSTOS SALCEDO - M. RAMOS, *Sacramentario del Archivo Ducal de Medinaceli (Fragmento)*, dans *Historia, Institutiones, Documentos*, 10, Publicaciones de la Universidad de Sevilla, 1983, pp. 9-117.

Ménard   CLLA 901

Cod.: Paris, B.N. lat. 12.051: "Missale S. Eligii" de Corbie (2e moitié du IXe s.), Grégorien mixte authentique, le plus ancien et important, très proche des sacramentaires de Saint-Amand, surtout le B.N. 2291.

Ed.: N. H. Ménard, *Sancti Gregorii Magni Romani Pontificis Liber Sacramentorum*, Paris, 1642 (réédité dans *PL* 78, 25-582).

Nota: Le chiffre renvoie à la colonne de la *PL*, complétée par les majuscules A, B, C ou D.

Mercati   CLLA 602

Codd.: Milano, Biblioteca Ambrosiana, O 210 sup. (saec. VI-VII) (f° 46 = 17 formules).

Edd.: G. Mercati, *Frammenti liturgici apparentati col Sacramentario Leoniano*, dans G. Mercati, *Antiche reliquie liturgiche Ambrosiane e Romane* (= *Studi e Testi*, 7), Roma, 1902, pp. 33-44; L. C. Mohlberg e.a., *Sacramentarium Veronense*, Roma, 1956, pp. 178-179.

Metz[1]   CLLA 912

Cod.: Paris, B.N. lat. 9428 (milieu du IXe s.), Grégorien mixte authentique, avec des influences ambrosiennes.

Ed.: J. B. Pelt, *Le sacramentaire de Drogon de Metz (826-855)*, dans *Études sur la cathédrale de Metz. La Liturgie*, I, Metz, 1936/37, pp. 51-112; cfr Fr. Unterkircher, *Zur Ikonographie und Liturgie des Drogo-Sakramentars*, Graz, 1977.

Nota: Le chiffre renvoie au numéro de la page.

Metz[2]

Cod.: Metz, Bibliothèque municipale, 334 (saec. XI).

Ed.: J. B. Pelt, *Pontifical du XIe siècle*, dans *Études sur la cathédrale de Metz. La Liturgie*, I, Metz, 1936/37, pp. 161-212.

Nota: Le chiffre renvoie au numéro de la page.

Metz[3]   CLLA 1217; S 796* 1

Cod.: Metz, Bibliothèque municipale, 732, ff. 18-19 (saec. XI-XII).

Ed.: Kl. Gamber - S. Rehle, *Sakramentarfragment in Metz*, dans *Fragmenta liturgica*, VI, *Sacris Erudiri*, 23, 1978/ 79, pp. 343-346.

Nota: Le chiffre (entre parenthèses) renvoie à la page des *Fragmenta liturgica*.

Milano   CLLA 510 S

Cod.: Milano, Bibl. del Capitolo Metropol., D 3-3, de la fin du IXe siècle, ayant appartenu au monastère Saint-Simplicien de Milan.

Ed.: J. Frei, *Das Ambrosianische Sakramentar D 3-3 aus dem Mailändischen Metropolitankapitel*, dans *Corpus Ambrosiano-liturgicum* , III (= *Liturgiewissenschaftliche Quellen und Forschungen*, 56), Münster, 1974.

*Mis. Vet. Angl.

Cod.: (Köln, St-Pantaleon: "an ancient MS. English Missal"): "it is there no longer ... ; not earlier than the ninth century" d'après F. E. Warren, *The Leofric Missal*, Oxford, 1883; nous empruntons à cette édition les renvois à Ch. Schulting.

Ed.: C. Schultingius Steinwichius, *Missale Vetus Anglicanum*, dans *Bibliothecae ecclesiasticae seu commentariorum sacrorum de expositione et illustratione Missalis et Breviarii Tomi Quatuor*, Coloniae Agrippinae, 1599, Tomus III, p. 45 ss.

Nota: Le chiffre renvoie au numéro de la page, suivi du numéro (entre parenthèses) de la page dans *Leofric*.

Monac¹   CLLA 211

Cod.: München, Clm 14.429 (milieu du VIIe s.), originaire d'Irlande, passé ensuite à Reichenau; sacramentaire gallican.

Ed.: A. Dold - L. Eizenhöfer , *Das Irische Palimpsestsakramentar im Clm 14.429* (= *Texte und Arbeiten*, Heft 53-54), Beuron, 1964.

Monac²   CLLA 1450 S

Cod.: München, Clm 23.281 (saec. IX).

Ed.: S. Rehle , *Ein Plenarmissale des IX. Jh. aus Oberitalien, zuletzt in Regensburg*, dans *Sacris Erudiri*, 21, 1972-73, pp. 291-321.

Nota: Le chiffre renvoie au numéro du formulaire de la messe.

Monac³   CLLA 635

Cod.: München, Clm 28.547, originaire du Sud de l'Allemagne, passé ensuite à Tegernsee; Gélasien ancien, proche du sacramentaire de Padoue.

Ed.: A. Dold, *Reste eines Reisemessbuches des 8./9. Jhs. in Taschenformat*, dans *Ephemerides Liturgicae*, 66, 1952, pp. 321-351.

Nota: Les chiffres renvoient au numéro du formulaire de la messe et au numéro de l'oraison.

Monac⁴   CLLA 755

Cod.: München, Clm 29.164 Lit. 18. 7. 6 (Fragmentenmappe II) (saec. IX-X).

Ed.: Kl. Gamber, *Fragmente eines Gregorianum in München*, dans *Fragmenta liturgica*, I, *Sacris Erudiri*, 16, 1965, pp. 437-439.

Nota: Le chiffre (entre parenthèses) renvoie à la page des *Fragmenta liturgica*.

Monac⁵

Cod.: München, Clm 29.164 / 2a, 29 (aus: Inkunabel 8838) (saec. XI).

Ed.: Kl. Gamber, *Ein bayerisches Kollectar-Fragment aus dem 12. Jh.*, dans *Fragmenta liturgica*, IV, *Sacris Erudiri*, 19, 1969/70, pp. 219-224.

Nota: Le chiffre (entre parenthèses) renvoie à la page des *Fragmenta liturgica*.

Monac[6]   CLLA 890, 3

Cod.: München, Clm 29.163 e (Wende vom 8. zum 9. Jh.; südostdeutsche Schrift).

Ed.: KL. GAMBER, *Eine ältere Schwester-Handschrift des Sakramentars von Padua*, dans *Fragmenta liturgica*, IV, *Sacris Erudiri*, 19, 1969/70, pp. 234-237.

Nota: Le chiffre (entre parenthèses) renvoie à la page des *Fragmenta liturgica*.

Monac[7]

Cod.: München, Clm 29.164 Lit. (saec. XII).

Ed.: KL. GAMBER, *Sakramentarfragment mit Totenmesse in München*, dans *Fragmenta liturgica*, II, *Sacris Erudiri*, 17, 1966, pp. 267-268.

Nota: Le chiffre (entre parenthèses) renvoie à la page des *Fragmenta liturgica*.

Monac[8]

Cod.: München, Clm 29.163 f (saec. IX).

Ed.: KL. GAMBER, *Der fränkische Anhang zum Gregorianum im Licht eines Fragments aus dem Anfang des 9. Jh.*, dans *Sacris Erudiri*, 21, 1972/73, pp. 267-289.

Nota: Le chiffre (entre parenthèses) renvoie à la page de l'édition.

Monac[9]

Cod.: München, Clm 29.164 / 1 Bl. 13 (saec. VIII-IX).

Ed.: A. DOLD, *Liturgische Fragmente aus einem unbekannten gelasianischen Sakramentar*, dans *Jahrbuch für Liturgiewissenschaft*, 12, 1932, pp. 156-160.

Monac[10] CLLA 838

Cod.: München, Clm 29.164 / 1a Bl. 16 (saec. VIII-IX).

Ed.: A. DOLD, *Ein seltsamer Textzeuge für die Prophetien des Karsamstags und ihrer Gebete*, dans *Ephemerides Liturgicae*, 48, 1934, pp. 301-309.

Mone CLLA 203; 205 b

Cod.: Karlsruhe, Badische Landesbibliothek, Cod. Augiensis perg. CCLIII: 22 Palimpsest-Doppelblätter des VII. Jhs. (75 Formeln).

Edd.: FR. J. MONE, *Lateinische und griechische Messen aus dem zweiten bis sechsten Jahrhundert*, Frankfurt am Main, 1850, pp. 15-38 (repris par L. C. MOHLBERG e.a., *Sacramentarium Veronense*, Roma, 1956, pp. 135-138).

Mone-A

Cod.: Karlsruhe, Fragm. Augiense perg. CCLIII, Bl. 96ᵛ; VI. Jh. (2 Formeln).

Edd.: FR. J. MONE, *Lateinische und griechische Messen aus dem zweiten bis sechsten Jahrhundert*, Frankfurt am Main, 1850, pp. 12. 38-39. 151 (n° 17); L. C. MOHLBERG e.a., *Sacramentarium Veronense*, Roma, 1956, pp. 200-201.

*Montserrat[1] CLLA 421, 2; 963 a

Cod.: Montserrat, Bibl. del Monasterio, MS. 815 (saec. XII), sacramentaire aragonais d'Osca, Grégorien, avec des éléments hispaniques.

Ed.: A. OLIVAR, *El sacramentario aragonés MS. 815 de la Biblioteca de Montserrat*, dans *Hispania sacra*, 17, 1964, pp. 61-97.

Nota: Les chiffres renvoient au numéro du formulaire de la messe et au numéro de l'oraison.

*Montserrat²   CLLA 421, 1

Cod.: Montserrat, Bibl. del Monasterio, MS. 819 (saec. XII).

Ed.: A. OLIVAR, *El fragmento de sacramentario MS. 819 de Montserrat*, dans *Hispania sacra*, 1, 1948, pp. 415- 423.

Nota: Les chiffres renvoient au numéro du formulaire de la messe et au numéro de l'oraison.

Monza   CLLA 801

Cod.: Monza, Bibl. Capitolare, F-1/101 (saec. IX). Chef de file du type "M" du Gélasien mixte, originaire de Bergame, passé ensuite à Monza.

Ed.: A. DOLD - KL. GAMBER , *Das Sakramentar von Monza*, dans *Texte und Arbeiten*, 3. Beiheft, Beuron, 1957.

Nivern(ensis)   CLLA 1572

Cod.: Paris, B.N. lat. 17.333; pontifical et sacramentaire d'Hugues-le-Grand, évêque de Nevers (A° Domini 1013-1066).

Ed.: CROSNIER, *Sacramentarium ad usum Ecclesiae Nivernensis*, Nevers, 1873 (réimpression anastatique, Farnborough, 1969).

Nota: Le chiffre renvoie au numéro de la page.

Otton(ianus)   CLLA S 921*

Cod.: Trento, Museo Diocesano, 43 (saec. XI).

Ed.: Édition partielle: F. DELL'ORO, *Sacramentarium Gregorianum "Ottonianum"*, in: F. DELL'ORO-H. ROGGER , *Monumenta Liturgica Ecclesiae Tridentinae saeculo XIII antiquiora. Fontes liturgici. Libri Sacramentorum* (= Collana di Monografie edita dalla Società per gli Studi Trentini, XXXVIII/2-3), Vol. I A/B (in apparato critico) + Vol. III, Appendix I, pp. 3-85.

Nota: Le chiffre renvoie au numéro du folio du manuscrit, soit recto soit verso, pour l'apparat critique; au numéro de l'oraison (muni d'un *) pour l'Appendix I.

Oxford

Cod.: Oxford, Corpus Christi College, 504 (saec. XII), originaire probablement de l'abbaye des Augustins de Clones, dédiée aux saints Pierre et Paul.

Ed.: F. E. WARREN, *The Manuscript Irish Missal belonging to the President and Fellows of Corpus Christi College, Oxford*, London, 1879.

Nota: Le chiffre renvoie au numéro de la page.

Pa(limpseste) Ang(elica)   CLLA 833

Cod.: Roma, Bibl. Angelica, F. A. 1408 (olim T. 6. 22), sacramentaire gélasien mixte du type "S" (*Sangall*), originaire de Nonantola (?), passé à Salerne.

Ed.: L. C. MOHLBERG, *Sacramentario Palinsesto del secolo VIII dell'Italia Centrale*, dans *Rendiconti della Pont. Accad. Romana di Archeologia*, Vol. III, Roma, 1925, pp. 391-450.

Pa(limpseste) Aug(iensis)   CLLA 835

Cod.: Karlsruhe, Badische Landesbibl., Codex Augiensis CXII, sacramentaire de Reichenau (saec. VIII-IX): Gélasien mixte du type "S" (*Sangall*).

Ed.: A. DOLD - A. BAUMSTARK, *Das Palimpsest-Sakramentar im Codex Augiensis CXII. Ein Messbuch älters/er Struktur aus dem Alpengebiet* (= *Texte und Arbeiten*, 1. Abt., Heft 12), Beuron, 1925.

Nota: Les chiffres renvoient au numéro du formulaire de la messe et au numéro de l'oraison.

Pad(ova)   CLLA 880

Cod.: Padova, Bibl. Capitolare, D 47, ff. 11^r-100^r (milieu du IXe siècle), sacramentaire gélasien mixte, chef de file du type "P", écrit dans l'atelier impérial de Lothaire pour Vérone, passé plus tard à Padoue, où il a été complété. [Précèdent les numéros 1319-1323 et 1*-48*, suivent les numéros 960-1318.]

Ed.: L. C. MOHLBERG - A. BAUMSTARK, *Die älteste erreichbare Gestalt des Liber Sacramentorum anni circuli der römischen Kirche* (= *Liturgiegeschichtliche Quellen*, Heft 11/12), Münster, 1927, XLIII + 104 (= les numéros de 1 à 965) + 199* pp.

Pa(limpseste) Darm(stadtensis)   CLLA 714 (1387)

Cod.: Darmstadt, Hessische Landesbibliothek, Codex 754, Blatt 175ᵃ (saec. IX).

Ed.: A. DOLD, *Palimpsest-Studien I*, dans *Texte und Arbeiten*, 1. Abt., Heft 45, Beuron, 1955, p. 108.

Nota: Les chiffres renvoient aux numéros des lignes.

Palat(inus)   CLLA 1508

Cod.: Roma, Vatic. Palat. Lat. 243, ff. 49-51 (saec. IX-X), originaire de France, probablement de Sens.

Ed.: KL. GAMBER, *Ein fränkisches Kollektar-fragment aus dem 9./10. Jh.*, dans *Fragmenta liturgica*, II, *Sacris Erudiri*, 19, 1969/70, pp. 224-228.

Nota: Le chiffre (entre parenthèses) renvoie à la page des *Fragmenta liturgica*.

Pamel(ius)   CLLA 746

Codd.: Köln, Bibl. des Metropolitankapitels, 87, 88 (fin du IXᵉ ou début du Xᵉ s.) et 137 (un peu avant la fin du IXᵉ s.), pour la cathédrale de Cologne.

Ed.: J. PAMELIUS, *Liturgia Latinorum, duobus tomis digesta*, II, Coloniae Agrippinae, 1571, pp. 177-610; (réimpression anastatique, Farnborough, 1970) (repris partiellement dans *PL* 121, col. 795-926).

Nota: Le chiffre renvoie au numéro de la page du volume II.

Pa(limpseste) Mog(untinus)   CLLA 722

Cod.: Mainz, Priesterseminar, MS. 42: palimpseste d'Arnstein (saec. VIII).

Ed.: A. DOLD, *Ein vorhadrianisches gregorianisches Palimpsest-Sakramentar in Gold-Unzialschrift* (= *Texte und Arbeiten*, 1. Abt., Heft 5), Beuron, 1919.

Nota: Le chiffre renvoie au numéro du folio, soit recto soit verso.

Pa(limpseste) Mon(acensis)   CLLA 704. 706. 707. 708

Codd.: München, Clm 6333: quatre fragments palimpsestes de Benediktbeuern:

- **Ben**: postérieur à 800, passé ensuite à Freising;
- **Alp**: bref sacramentaire "aus dem Alpengebiet", de la même époque;
- **Sup**: "Libellus Missae" (après 800);
- **Lib**: autre "Libellus Missae" (saec. VIII–IX), passé ensuite à Freising.

Ed.: A. DOLD, *Palimpsest-Studien II. Altertümliche Sakramentar- und Litanei-fragmente im Cod. lat. Monac. 6333*, (= *Texte und Arbeiten*, 1. Abt., Heft 48), Beuron, 1957.

Nota: Les chiffres renvoient au numéro du formulaire de la messe et au numéro de l'oraison.

Panorm

Cod.: Palermo, Archivio Storico Diocesano, 2 (antérieur à septembre 1130), d'origine normande bénédictine.

Ed.: FR. TERRIZZI, *Missale antiquum S. Panormitanae Ecclesiae* (= *Rerum Ecclesiasticarum Documenta, Series Maior, Fontes*, XIII), Roma, 1970.

Paris[1]   CLLA 805

Cod.: Paris, B.N. lat. 2296 (fragment Colbert 1348) (saec. IX-X).

Edd.: S. REHLE, *Sacramentarium Gelasianum mixtum von Saint-Amand* (= *Textus Patristici et Liturgici*, 10), Regensburg, 1973; réédité par C. COEBERGH - P. DE PUNIET, *Liber Sacramentorum Romanae Ecclesiae ordine exscarpsus*, dans *CCCM* XLVII, Turnhout, 1977, pp. 111-177.

Paris[2]   CLLA 152. 416. 803.

Cod.: Paris, B.N. lat. 9488 (fin VIIIe s.), provenant probablement du Nord de l'Angleterre.

Ed.: H. M. BANNISTER, *Anglo-Saxon Sacramentaries (Liturgical Fragments A)*, dans *Journal of Theological Studies*, 9, 1908, pp. 398-406.

Nota: Les chiffres renvoient au numéro du folio et au numéro de la colonne.

Paterniac(ensis)   CLLA 431

Cod.: Peterlingen, Communalarchiv, sans n° (saec. X-XI): fragment d'un missel plénier bénéventain de la région de Bari.

Ed.: A. DOLD, *Die Zürcher und Peterlinger Messbuch-Fragmente aus der Zeit der Jahrtausendwende im Bari-Schrifttyp mit eigenständiger Liturgie* (= *Texte und Arbeiten*, 1. Abt., Heft 25), Beuron, 1934.

Nota: Les chiffres renvoient au numéro du formulaire de la messe et au numéro de l'oraison.

Phill(ipps)   CLLA 853

Cod.: Berlin, Öffentliche Wissenschaftliche Bibliothek, MS. Phillipps, lat. 105 (olim Phillipps 1667). Originaire de l'Est de la France (Autun?), datant du VIIIe-IXe siècle, ce sacramentaire est un Gélasien mixte, très apparenté à *Leon*.

Ed.: O. HEIMING, *Liber Sacramentorum Augustodunensis* (= *CCSL* CLIX B), Turnhout, 1984.

Piacenza   CLLA 125

Cod.: Piacenza, Archivio S. Antonino (saec. IX), fragment d'un sacramentaire celtique (provenant de Bobbio?).

Ed.: H. M. BANNISTER, *Some recently discovered Fragments of Irish Sacramentaries (Fragment C)*, dans *Journal of Theological Studies*, 5, 1904, pp. 66-70.

Nota: Le chiffre renvoie au numéro de la page.

*Pont(ificale) Ambr(osianum)   CLLA 570

Cod.: Milano, Biblioteca del Capitolo, D. I, 12 (saec. X).

Ed.: M. MAGISTRETTI, *Pontificale Ambrosianum*, dans *Monumenta veteris liturgiae Ambrosianae*, I, 1897, pp. 1-96.

Praem

Codd.: Fontes Praemonstratenses:

- **BS**: Breviarium manuscriptum s. XIII (Soissons, Bibl. mun., 103);
- **B1507**: Breviarium typis impressum a. 1507;
- **B1574**: Breviarium typis impressum a. 1574;
- **CG**: Collectarium manuscriptum a. 1401 (Grimbergen, Abbatia);
- **CM**: Collectarium manuscriptum s. XII (Metz, Bibl. mun., 469);
- **MA**: Missale manuscriptum s. XII (Autun, Bibl. mun., 187);
- **MB**: Missale manuscriptum s. XII (Berchem [Anvers], Ecclesia S. Willibrordi);
- **MC**: Missale manuscriptum s. XII (Charleville, Bibl. mun., 3);
- **MC'**: Missale manuscriptum s. XII/XIII (Charleville, Bibl. mun., 247);
- **MK**: Missale manuscriptum s. XII (Köln, Schnütgen Museum);

- **ML**: Missale manuscriptum s. XII/XIII (Laon, Bibl. mun., 225);
- **MP**: Missale manuscriptum s. XII (Paris, B.N. lat. 833);
- **M1508**: Missale typis impressum a. 1508;
- **M1578**: Missale typis impressum a. 1578;
- **P1584**: Processionale typis impressum a. 1584;
- **RC**: Rituale manuscriptum s. XII (Charleville, Bibl. mun., 13).

Ed.: N. I. WEYNS, *Sacramentarium Praemonstratense* (= *Bibliotheca Analectorum Praemonstratensium*, fasc. 8), Averbode, 1968.

Nota: Le chiffre renvoie au numéro de la page.

Prag   CLLA 630 S

Cod.: Prague, Bibl. du Chapitre Métropolitain, Cod. O. 83 (ff. 1-120), antérieur à 788, originaire de Ratisbonne, sous le duc Tassilo probablement, passé ensuite à Prague. Gélasien grégorianisé.

Ed.: A. DOLD - L. EIZENHÖFER, *Das Prager Sakramentar* (= *Texte und Arbeiten*, I. Abt., Heft 38-42), Beuron, 1949.

Nota: Les chiffres renvoient au numéro du formulaire de la messe et au numéro de l'oraison.

Ragusa   CLLA p. 245, 1

Cod.: Oxford, Bodleian Library, Canon. Liturg. 342, a much damaged and worn missal of the late thirteenth century from Dubrovnik ("Ragusa" in Latin), also remarquable for its ties with other liturgical books of the Beneventan region.

Ed.: R. F. GYUG, *Missale Ragusinum. The Missal of Dubrovnik*, (= *Pontifical Institute of Mediaeval Studies*, 59), Toronto/Ontario, 1990.

Ratisb(onnensis)   CLLA 726. 811; p. 341, 1

Cod.: Verona, Biblioteca Capitolare, LXXXVI (82), in den Jahren 993/994 in Regensburg geschrieben.

Ed.: KL. GAMBER - S. REHLE, *Das Sakramentar-Pontificale des Bischofs Wolfgang von Regensburg* (= *Textus Patristici et Liturgici*, Fasc. 15), Regensburg, 1985.

Ratisb–A   CLLA 941

Cod.: Roma, Vatic. Lat. 3806, ("das älteste erhaltene Regensburger Proprium").

Ed.: KL. GAMBER, *Das Bonifatius-Sakramentar und weitere frühe Liturgiebücher aus Regensburg*, Appendix II: *Ein Regensburger Proprium aus dem 10./11. Jahrhundert*, dans *Textus Patristici et Liturgici*, Fasc. 12, Regensburg, 1975, pp. 104-115.

*Red Book of Derby   CLLA pp. 419-420

Cod.: Cambridge, Corpus Christi College, Parker Collection, MS. n° 422 (olim S. 16), written shortly after A° Domini 1061 in some monastery in the diocese of Winchester.

Ed.: Cfr *Leofric*, pp. 271-275.

Nota: Le chiffre renvoie au numéro de la page du manuscrit. [Le chiffre (entre parenthèses) renvoie au numéro de la page de *Leofric*].

Reichenau   CLLA 120. 121

Codd.: Karlsruhe, Badische Landesbibliothek, Fragmenta Augiensia XVII A et XVIII B, originaires du monastère de Clondalkin (Dublin), datant du début du IXe siècle, passés ensuite à Reichenau.

Ed.: H. M. BANNISTER, *Some recently discovered Fragments of Irish Sacramentaries (Reichenau Fragments A and B)*, dans *Journal of Theological Studies*, 5, 1904, pp. 55-66.

Nota: Le chiffre renvoie au numéro de la page.

Rhen(augiensis)   CLLA 802

Cod.: Zürich, Zentralbibl. Rh 30, ff. 27^r-165^r (fin VIIIe s.), Gélasien mixte du type "M" (*Monza*), originaire de Coire (Suisse)?, passé ensuite au monastère de Rheinau.

Ed.: A. Haenggi - A. Schönherr, *Sacramentarium Rhenaugiense* (= *Spicilegium Friburgense*, 15), Freiburg/Schweiz, 1970.

Ripoll   CLLA 963

Cod.: Vich, Museo episcopal, 67 (saec. XI-XII), sacramentaire grégorien mixte d'Espagne.

Ed.: A. Olivar, *Sacramentarium Rivipullense* (= *Monumenta Hispaniae Sacra. Serie litúrgica*, vol. VII), Madrid-Barcelona, 1954.

Rossian(um)   CLLA 985

Cod.: Roma, Bibl. Vatic., Ross. lat. 204 (vers 1050), Grégorien mixte de Fulda, originaire de Niederaltaich.

Ed.: J. Brinktrine, *Sacramentarium Rossianum* (= *Römische Quartalschrift für Christliche Altertumskunde und für Kirchengeschichte*, 25. Supplementheft), Freiburg i. Br., 1930.

Nota: Les chiffres renvoient au numéro du formulaire de la messe et au numéro de l'oraison.

Rosslyn   CLLA p. 140

Cod.: Edinburgh, Advocates Library, MS. 18. 5. 19 (formerly A. 6. 12): XIIe s., copie du XIIIe-XIVe s.

Ed.: H. H. Lawlor, *The Rosslyn Missal. An Irish Manuscript ...* (= *Henry Bradshaw Society*, 15), London, 1898.

Nota: Le chiffre renvoie au numéro de la page.

Salzb(urgensis)   CLLA 883

Codd.: Le fragment de Salzbourg a été reconstitué avec 19 ff. disséminés dans trois fonds principaux:

- München, Clm 15.815;
- Salzburg, Studienbibl., M II 296;
- Wien, Österr. Nationalbibl., Cod. Vind. series nov. 4225.

Il daterait du premier quart du IXe s., en provenance des Alpes, et serait passé ensuite à la Dombibliothek de Salzbourg.

Ed.: A. DOLD - KL. GAMBER, *Das Sakramentar von Salzburg, seinem Typus nach, auf Grund der erhaltenen Fragmente rekonstruiert, in seinem Verhältnis zum Paduanum untersucht* (= *Texte und Arbeiten*, 1. Abt., 4. Beiheft), Beuron, 1960.

Salzb I   CLLA 810

Cod.: Verona, Biblioteca Capitolare, XCI (86) (saec. IX).

Ed.: Cfr *Salzb*: Anhang I: *Der Sonntagsmessen-Libellus im Codex Veronensis 91*.

Salzb II

Cod.: Vercelli, Biblioteca Capitolare, CXXVI (saec. IX).

Ed.: Cfr *Salzb*: Anhang II: *Ein Sakramentarfragment aus dem Val di Non*.

Salzb III   CLLA 882

Codd.: a) Giessen, Bibl. der Justus-Liebig Hochschule, vorm. Universitätsbibliothek, NF 43;
b) Trier, Dombibliothek, 400, ausgelöst aus Cod. 60;
c) Marburg, Staatsarchiv, Hr 1, 4.

Ed.: cfr *Salzb*: Anhang III: *Die Fragmente von Giessen, Trier und Marburg*.

Salzb-A

Cod.: München, Clm 29.164 (saec. X).

Ed.: KL. GAMBER - S. REHLE, *Fragmente eines Salzburger Sakramentars aus dem Ende des 10. Jh.*, dans *Fragmenta liturgica*, VI, *Sacris Erudiri*, 23, 1978/79, pp. 320-343.

Nota: Le chiffre renvoie au numéro du formulaire de la messe.

Sangall(ensis) CLLA 830

Cod.: Sankt-Gallen, Stiftsbibl., 348 (saec. VIII-IX), originaire de Chur (Coire), sous l'évêque Remedius (796-806), passé dès le IXe s. à Sankt-Gallen. Il est le chef de file du type "S" du Gélasien mixte (= S^1). Il a été retouché pour l'adapter au Grégorien (= S^2).

Ed.: L. C. MOHLBERG , *Das fränkische Sacramentarium Gelasianum im alamannischer Überlieferung* (= *Liturgiegeschichtliche Quellen* 1-2), Münster, 1939[2].

Sangall(ensis)-A CLLA 1501

Cod.: Sankt-Gallen, Stiftsbibliothek, 349.

Ed.: L. C. MOHLBERG , *De ignoto quodam Sacramentarii "Gelasiani" Sancti Galli fragmento*, dans *Ephemerides Liturgicae*, 41, 1928, pp. 65-73.

Sangall-B

Cod.: Sankt-Gallen, Stiftsbibliothek, 348, S. 9-30 (saec. IX).

Ed.: Cfr *Sangall*, pp. 245-258: *Beigaben aus St-Gallen 348*.

Sangall* CLLA 831

Cod.: Sankt-Gallen, Stiftsbibliothek, 350 (saec. VIII).

Ed.: G. MANZ , *Ein Sankt-Galler Sakramentar-Fragment* (= *Liturgiegeschichtliche Quellen und Forschungen*, Heft 31), Münster, 1939.

Sarum

Editio princeps: London, 1554, in f°, 136 ff.

Ed.: F. H. Dickinson, *Missale ad usum insignis et prae-clarae ecclesiae Sarum*, Oxford and London, 1861-1883 (ré-impression anastatique, Farnborough, 1969).

Nota: Le chiffre renvoie au numéro de la colonne.

Schäftlarn   CLLA S 712

Cod.: München, Clm 29.164 I, 1a (saec. IX), peut-être originaire de la région de Mainfranken et de Hesse (Mün-sterschwarzach?), passé au monastère de Schäftlarn et finale-ment à Tegernsee.

Ed.: Kl. Gamber, *Fragmente eines vorhadrianischen Gre-gorianum aus Schäftlarn*, dans *Fragmenta liturgica*, V, *Sa-cris Erudiri*, 21, 1972/73, pp. 258-264.

Nota: Le chiffre renvoie au numéro du formulaire de la messe.

Schir(ensis)   CLLA 808 S

Codd.: a) München, Hauptstaatsarchiv: zwei Einzelblätter, die als Einbanddecken zu Literalien des Klos-ters Scheyern verwendet waren;
b) München, Clm 29.164, Blatt 27 (saec. IX).

Ed.: Cfr *Monza*: Anhang: *Ein Scheyerer Sakramentar-fragment im Monza-Typ*.

Sens   CLLA 866

Cod.: Roma, Vatic. Reg. Lat. 567, ff. 19-57 (saec. IX-X).

Ed.: A. Nocent, *Un fragment de sacramentaire de Sens au Xe siècle*, dans *Miscellanea liturgica in onore di Sua Eminenza il Cardinale Giacomo Lercaro*, II, Roma, 1967, pp. 649-794.

*Sidney

Cod.: Cambridge, Library of Sidney Sussex College, D. 5. 15, un Pontifical du XIe s. qui se termine par un "Liber sancti Cuthberti".

Ed.: Cfr *Leofric*, p. 302.

Silos³   CLLA 392 S

Cod.: Silos, Archivo monástico, 3 (A° Domini 1039).

Ed.: J. Janini, *Liber Ordinum Sacerdotal* (= *Studia Silensia*, VII), Abadia de Silos, 1981, pp. 11-248.

Silos⁶   CLLA 309

Cod.: Silos, Archivo monástico, 6 [E] (saec. XI).

Ed.: I. Fernández de la Cuesta, *El "Breviarium Gothicum" de Silos*, dans *Hispania sacra*, 17, 1964, pp. 393-494.

Splitt   CLLA 715 S

Cod.: Splitt, Domschatz, Fragm. 211 und 214 (saec. IX).

Ed.: Kl. Gamber - S. Rehle, *Fragmente eines Gregorianum in Splitt (Spalato)*, dans *Fragmenta liturgica*, VI, *Sacris Erudiri*, 23, 1978/79, pp. 299-303.

Nota: Le chiffre renvoie au numéro du formulaire de la messe.

Stockholm   CLLA 651

Codd.: Stockholm, Kungl. Biblioteket, A 135 ; Wroclaw, Bibliot. Univers., fragm. sans cote (saec. VII-VIII).

Ed.: Kl. Gamber, *Die Fragmente von Stockholm und Breslau*, dans *Fragmenta liturgica*, II, *Sacris Erudiri*, 17, 1966, pp. 243-245.

Nota: Le chiffre renvoie au numéro du formulaire de la messe.

Stowe   CLLA 101

Cod.: Dublin, Library of the Royal Irish Academy, D. II. 3 (postérieur à 792), sacramentaire celtique, probablement originaire de Tallaght.

Ed.: G. F. Warner, *The Stowe Missal* (= *Henry Bradshaw Society*, 32), London, 1915, vol. II: Printed Text.

Nota: Le chiffre renvoie au numéro de la page.

Stuttgart[1]

Cod.: Stuttgart, Württembergische Landesbibl., f° Q 203 (saec. X).

Ed.: A. Dold, *Fragmente zweier eigentümlicher Sakramentar-Formulare aus der Epiphaniezeit*, dans *Sacris Eruditi*, 5, 1953, pp. 167-173.

Nota: Les chiffres renvoient au numéro du formulaire de la messe et au numéro de l'oraison.

Stuttgart[2]   CLLA 1416 S

Cod.: Stuttgart, Württembergische Landesbibliothek, Fragment 5 (aus Inkun. 8774) (zweite Hälfte des 10. Jh.).

Ed.: Kl. Gamber, *Plenarmissale-Fragment in Stuttgart*, dans *Fragmenta liturgica*, III, *Sacris Eruditi*, 18, 1967/68, pp. 319-322.

Nota: Le chiffre (entre parenthèses) renvoie à la page des *Fragmenta liturgica*.

Stuttgart[3]

Cod.: Stuttgart, Württembergische Landesbibliothek, Inkun. 15.370 b.

Ed.: Kl. Gamber: *Fragment mit Votivmessen in Stuttgart*, dans *Fragmenta liturgica*, II, *Sacris Eruditi*, 17, 1966, pp. 247-249.

Nota: Le chiffre renvoie au numéro du formulaire de la messe.

Stuttgart[4]

Cod.: Stuttgart, Württembergische Landesbibliothek, HB I Asc 227 (saec. X-XI).

Ed.: A. Dold, *Zwei neue Sakramentarfragmente*, dans *Jahrbuch für Liturgiewissenschaft*, 7, 1927, pp. 136-139.

Nota: Les chiffres renvoient au numéro du formulaire de la messe et au numéro de l'oraison.

Stuttgart[5]   CLLA 650

Cod.: Stuttgart, Württembergische Landesbibliothek, Fragm. 100 A (aus MS. HB VII 10) (Unzialschrift der Wende des VII./VIII. Jahrhunderts).

Ed.: Kl. Gamber, *Das Stuttgarter Sakramentar Palimpsestblatt*, dans *Archiv für Liturgiewissenschaft*, 6, 1960, pp. 455-460. Cfr A. Dold, *Konstanzer altlateinische Propheten- und Evangelienbruchstücke*, dans *Texte und Arbeiten*, I. Abt., Heft 7-9, Beuron, 1923, pp. 10-11, Anm. 1.

Suppl(ementum)   CLLA 741

Cod.: Autun, Bibl. munic., 19 (Grand Séminaire, MS. 19 bis): sacramentaire de Marmoutier, écrit vers 845, sous l'abbé Regnault, manuscrit de base pour l'Hadrianum de Benoît d'Aniane.

Ed.: Cfr *Gregor*, pp. 349-605: *Hadrianum revisum Anianense cum supplemento, ad fidem codicis Augustodunensis 19, compluribus collatis codicibus saeculo IX exaratis.*

Tassilo   CLLA 631

Cod: München, Universitätsbibliothek, 4° 3, f° 1 (saec. VIII).

Ed.: Cfr *Bonifatius*, pp. 92-94: *Reste weitere Exemplare des Tassilo-Sakramentars. II. Das Fragmentblatt in München.*

Tegernsee[1]   CLLA 887

Cod.: München, Clm 29.164 / I Lit. 27 (aus dem südlichen Bayern; erste Hälfte des 9. Jh.).

Ed.: Kl. Gamber, *Sakramentarfragment aus Tegernsee*, dans *Fragmenta liturgica*, V, *Sacris Erudiri*, 21, 1972/73, pp. 264-266.

Nota: Le chiffre renvoie au numéro du formulaire de la messe.

Tegernsee[2]

Cod.: München, Clm 29.164 / II (saec. X-XI).

Ed.: Kl. Gamber, *Fragmente eines Gregorianum mixtum aus Kloster Tegernsee*, dans *Fragmenta liturgica*, III, *Sacris Erudiri*, 18, 1967/68, pp. 306-314.

Nota: Le chiffre renvoie au numéro du formulaire de la messe.

Toledo[3]* CLLA 301 S

Cod.: Toledo, Biblioteca Capit., 35. 3 (saec XI-XII).

Ed.: J. Janini, *Liber Missarum de Toledo*, I, Toledo, 1982, pp. 1-433.

Toledo[4] CLLA 311 S

Cod.: Toledo, Biblioteca Capit., 35. 4 (saec. IX-X).

Ed.: J. Janini, *Liber Misticus*, dans *Liber Missarum de Toledo*, II, Toledo, 1983, pp. 7-147.

Nota: Le chiffre renvoie au numéro de l'oraison. [Le chiffre (entre parenthèses) renvoie au supplément dans le tome I].

Toledo[5] CLLA 312 S

Cod.: Toledo, Biblioteca Capit., 35. 5 (saec. IX-X).

---

* Toledo[1 et 2], selon la numérotation de M. Férotin.

Ed.: J. JANINI, *Liber Misticus de Cuaresma y Pascua*, dans *Instituto des Estudios Visigótico-mozárabes. Serie litúrgica. Fuentes*, II, Toledo, 1980.

Nota: Le chiffre renvoie au numéro de l'oraison. [Le chiffre (entre parenthèses) renvoie au supplément dans le tome I].

Toledo[6]   CLLA 313 S

Cod.: Toledo, Biblioteca Capit., 35. 6 (saec. X).

Ed.: J. JANINI, *Liber Misticus*, dans *Liber Missarum de Toledo*, II, Toledo, 1983, pp. 149-230.

Nota: Le chiffre renvoie au numéro de l'oraison. [Le chiffre (entre parenthèses) renvoie au supplément dans le tome I].

Toledo[7]   CLLA 314 S

Cod.: Toledo, Biblioteca Capit., 35. 7 (saec. IX-X).

Ed.: J. JANINI, *Liber Misticus*, dans *Liber Missarum de Toledo*, II, Toledo, 1983, pp. 231-273.

Nota: Le chiffre renvoie au numéro de l'oraison. [Le chiffre (entre parenthèses) renvoie au supplément dans le tome I].

Toledo-A   CLLA S 302*

Cod.: Toledo, Biblioteca Capit., 44. 2 (feuille de garde) (saec. XII).

Ed.: J. JANINI, *Un fragmento visigótico de "Manuale" Toledano*, dans *Hispania sacra*, 21, 1968, pp. 379-389.

Nota: Le chiffre renvoie au numéro de l'oraison. [Le chiffre (entre parenthèses) renvoie au supplément dans le tome I].

Toledo-B   CLLA S 316

Cod.: Toledo, Museo de los Concilios, fragmento (saec. IX).

Ed.: J. JANINI, *Fragmento de "Liber Misticus"*, dans *Liber Missarum de Toledo*, II, Toledo, 1983, pp. 301-318.

Nota: Le chiffre renvoie au numéro de l'oraison. [Le chiffre (entre parenthèses) renvoie au supplément dans le tome I].

Trento   CLLA S 709*

Cod.: Trento, Museo Provinciale d'Arte del Castello del Buonconsiglio, 1590, probablement originaire du Tyrol, de la Ière moitié du IXe s.

Ed.: F. DELL'ORO, *Sacramentarium Tridentinum*, dans F. DELL'ORO-H. ROGGER, *Monumenta liturgica Ecclesiae Tridentinae saeculo XIII antiquiora. Fontes liturgici. Libri Sacramentorum* II A (= Collana di Monografie edita dalla Società per gli Studi Trentini, XXXVIII/2, Tomo primo), Trente, 1985, pp. 73-416.

Trento-A   CLLA S 945*

Cod.: Trento, Archivio Capitolare, Teca restauro (saec. X-XI).

Ed.: F. DELL'ORO, *Fragmenta liturgica Tridentina*, dans *Monumenta liturgica Ecclesiae Tridentinae saeculo XIII antiquiora. Fontes liturgici. Libri Sacramentorum*, III, (= Collana di Monografie edita dalla Società per gli Studi Trentini, XXXVIII/3), Trento, 1988, vol. III, pp. 113-128.

Nota: Le chiffre (muni d'un *) renvoie au numéro de l'oraison.

*Trier   CLLA 982

Cod.: Trier, Dombibliothek, 402 (vorher 151 [118]), nach 1009 in Salzburg geschrieben und später in Bamberg in Gebrauch, den Sakramentarien von Sankt-Gallen und Fulda verwandt.

Lit.: H. Sauerland, *Ein Bamberger Missale aus dem Anfang des 11. Jh. im Trierer Domschatz*, dans *Historisches
Jahrbuch*, 8, 1887, pp. 475-487.

Nota: Le chiffre renvoie au numéro du folio, soit recto
soit verso.

Triplex   CLLA 535

Cod.: Zürich, Zentralbibl., C. 43 (1010-1030), originaire de
Sankt-Gallen, passé ensuite au monastère de Rheinau. Il
réunit les sacramentaires gélasien, grégorien et ambrosien, en
les corrigeant.

Ed.: O. Heiming, *Das Sacramentarium Triplex* (= *Corpus
Ambrosiano-liturgicum*, I, *Liturgiewissenschaftliche Quellen und
Forschungen*, Heft 49), Münster, 1968.

Triv(ultianus)

Cod.: Milano, Bibl. Trivulziana, 513 (vers 1425-1441):
deux messes votives tardives.

Ed.: O. Heiming, *Das Kurzmissale von Mailand*, dans *Archiv für Liturgiewissenschaft*, 13, 1971, pp. 136-140

Nota: Le chiffre renvoie au numéro de la page.

Turic(ensis)   CLLA 431

Codd.: Zürich, Zentralbibl., Z XIV,4 + Staatsarchiv, W 3
A.G. 19, ff. 6-15 (saec. X-XI): missale plenarium de la
région de Bari (bénéventain).

Ed.: A. Dold, *Die Zürcher und Peterlingen Messbuch-
Fragmente aus der Zeit der Jahrtausendwende im Bari-
Schrifttyp mit eigenständiger Liturgie* (= *Texte und Arbeiten*,
1. Abt., Heft 25), Beuron, 1934.

Nota: Les chiffres renvoient au numéro du formulaire de
la messe et au numéro de l'oraison.

Udalr(icianus)   CLLA S 944*

Cod.: Trento, Museo Provinciale d'Arte del Castello del Buonconsiglio, M.N. 1587/a (olim 15.465): "Messale Udalriciano", eseguito per il vescovo Udalrico II alla metà del secolo XI.

Ed.: F. DELL'ORO, *Sacramentarium Udalricianum*, dans *Monumenta liturgica Ecclesiae Tridentinae saeculo XIII antiquiora. Fontes liturgici. Libri Sacramentorum* (= Collana di Monografie edita dalla Società per gli Studi Trentini, XXXVIII/2, Tomo secondo), Trento, 1987, vol. II/B, pp. 563-874.

Vallicel(lianus)   CLLA 1025

Cod.: Roma, Bibliotheca Vallicelliana, MS. C 10 (f° 135 ss.) (saec. X).

Ed.: KL. GAMBER, *Ein Totenmessen-Libellus aus Valcostariana bei Norcia*, dans *Fragmenta liturgica*, IV, *Sacris Erudiri*, 19, 1969/70, pp. 209-213.

Nota: Le chiffre (entre parenthèses) renvoie à la page des *Fragmenta liturgica*.

Vatican(us)   CLLA 729 S

Cod.: Roma, Vatic. Lat. 14.821, ff. 63-64 (saec. IX).

Ed.: KL. GAMBER - S. REHLE, *Fragmente eines oberitalienischen Messbuches in der Vaticana*, dans *Fragmenta liturgica*, VI, *Sacris Erudiri*, 23, 1978/79, pp. 312-316.

Nota: Le chiffre (entre parenthèses) renvoie à la page des *Fragmenta liturgica*

Vicen(nensis)[1]   CLLA 960

Cod.: Vich, Museo episcopal, 66 (A° Domini 1038). Grégorien mixte d'Espagne (saec. XI).

Ed.: A. OLIVAR, *El Sacramentario de Vich* (= *Monumenta Hispaniae Sacra. Serie litúrgica*, IV), Madrid-Barcelona, 1953.

Vicen²   CLLA 962* S

Cod.: Vich, Biblioteca Capitular, MS. 71 (CXIX) (saec. XI).

Ed.: M. S. GROS, El "Missale Parvum" de Vic, dans *Hispania sacra*, 21, 1968, pp. 313-377.

Vigil(ius)   CLLA 942* S

Cod.: Vercelli, Biblioteca Capitolare, Cartella con fogli di un Sacramentario dismembrato (saec XI).

Ed.: G. FERRARIS, *Sacramentarium Ecclesiae Sancti Vigilii*, dans *Monumenta liturgica Ecclesiae Tridentinae saeculo XIII antiquiora. Fontes liturgici. Libri Sacramentorum* (= Collana di Monografie edita dalla Società per gli Studi Trentini, XXXVIII/2, Tomo primo), Trento, 1985, vol. II/A, pp. 419-545.

*Vitell(ianus)

Cod.: London, British Library, MS. Vitellius A. XVIII (saec. XI).

Ed.: Cfr soit *Leofric* soit *West*.

Nota: Le chiffre renvoie au numéro du folio, soit recto soit verso. [Le chiffre (entre parenthèses) renvoie à la page dans *Leofric*].

West(minster)

Codd.: a) London, Chapter Library of Westminster Abbey, under Abbot Nicholas Lytlington (A° Domini 1362-1386);
        b) Oxford, Bodleian Library, MS. Rawlinson C. 425 (N.C. 12.277);
        c) London, British Museum, MS. Royal 2. A. XXII.

Ed.: J. WICKHAM LEGG, *Missale ad usum Ecclesiae Westmonasterii* (= Henry Bradshaw Society):

- Tome I: Temporale, H.B.S., 1, 1891;
- Tome II: Sanctorale, Commune, Missae votivae, Pontificale, H.B.S., 5, 1893;
- Tome III: H.B.S., 12, 1897:

   a) Officia varia secundum usum Ecclesiae West-monasterii;
   b) Kalendarium;
   c) Liturgical Introduction;
   d) Notes, contenant des références aux livres liturgiques et usages de différents diocèses et ordres religieux: *Abingdon, *Bayeux, *Chartreux, *Cisterciens, *Coutances, *Dominicains, *Durham, *Évreux, *Paris, *Rouen, *Sherborne, *St-Alban's, *Tewkesbury, *Vitellius, *Whitby, *Winchcombe, *York;
   e) Indices.

Nota: Après la mention du volume (I, II, III), le chiffre renvoie soit à la colonne soit à la page.

Wilmart

Cod.: Paris, B.N. lat. 242, f° 172 (fin IXᵉ s.).

Ed.: A. WILMART, *Mètres et rythmes carolingiens*, dans *Archivum Latinitatis Medii Aevi*, 15, 1940, p. 207.

Winch(ester)   CLLA 1489

Cod.: Le Havre, Bibl. munic., 330 (2ᵈᵉ moitié du XIᵉ s.). Représentant anglo-saxon de l'Hadrianum supplémenté, avec 46 oraisons propres provenant de la famille de Saint-Amand, du type des sacramentaires utilisés par saint Boniface dans ses missions en Europe.

Ed.: D. H. TURNER, *The Missal of the New Minster [Winchester]* (= *Henry Bradshaw Society*, 93), London, 1962.

Nota: Le chiffre renvoie au numéro de la page.

Zara   CLLA 1280

Cod.: Zadar, Bibl. des Franziskanerklosters, Inkunabel N. IX 5747, deux feuillets de garde d'origine italienne et de la première moitié du VIII⁰ s., apparentés au sacramentaire gélasien du type "S" (*Sangall*).

Ed.: KL. GAMBER, *Das Fragment von Zara. Zwei Doppelblätter eines Lektionar-Sakramentars des 8. Jh.*, dans *Revue bénédictine*, 78, 1968, pp. 129-133.

Nota: Le chiffre renvoie au numéro du folio, soit recto soit verso.

B. Études sur les oraisons*

S. AGRELO, *Consideraciones histórico-literarias sobre los formularios de Pentecostés del Sacramentario Veronese*, dans *Antonianum*, 49, 1974, pp. 239-282.

IDEM, *La Simbología de la Luz en el Sacramentario Veronese. Estudio histórico-literario*, dans *Antonianum*, 50, 1975, pp. 5-123.

IDEM, *Ignis alienus. Anotaciones para una lectura correcta de Ve 1246*, dans *Antonianum*, 51, 1976, pp. 170-200.

IDEM, *"Nobilitas singularis" o "Novitas singularis"? Anotaciones para una lectura correcta de Ge 4*, dans *Antonianum*, 52, 1977, pp. 81-93.

IDEM, *Evolución textual de la oración "Huius nos, domine, sacramenti" del Sacramentario "Gelasiano"*, dans *Antonianum*, 52, 1977, pp. 267-288.

E. ALBERICH, *El misterio salvífico de la encarnación en el primer formulario navideño del Sacramentario Leoniano*, dans *Revista Española de Teología*, 25, 1965, pp. 277-317.

IDEM, *El mistero de la Ascención en los antiguos sacramentarios romanos*, dans *Revista Española de Teología*, 28, 1968, pp. 133-157.

P. ALFONSO, *L'Eucologia romana antica*, Subiaco, 1931.

M. ANDRIEU, *Les messes des jeudis de carême et les anciens sacramentaires*, dans *Revue des sciences religieuses*, 9, 1929, pp. 343-375.

H. ASHWORTH, *Gregorian Elements in the Gelasian Sacramentary*, dans *Ephemerides Liturgicae*, 67, 1953, pp. 14-21.

---

* On trouvera une bibliographie plus choisie, particulièrement en ce qui concerne le style et la langue des textes liturgiques latins, chez G. SANDERS et M. VAN UYTFANGHE, *Bibliographie signalétique du Latin des Chrétiens*, Turnhout, 1989 (= CC Lingua Patrum 1), pp. 91-99.

IDEM, *The Influence of the Lombard Invasions on the Gregorian Sacramentary*, dans *Bulletin of the John Rylands Library*, 36, 1953/54, pp. 314-326.

IDEM, *Did Saint Gregory the Great Compose a Sacramentary?*, dans *Studia Patristica*, II (= *Texte und Untersuchungen*, 64), Berlin, 1957, pp. 3-16.

IDEM, *Gregorian Elements in Some Early Gallican Books*, dans *Traditio*, 13, 1957, pp. 431-443.

IDEM, *The Liturgical Prayers of Saint Gregory the Great*, dans *Traditio*, 15, 1959, pp. 107-161.

IDEM, *The Relationship between Liturgical Formularies und Patristic Texts*, dans *Studia Patristica*, VIII (= *Texte und Untersuchungen*, 93), Berlin, 1966, pp. 149-155.

IDEM, *La guérison de la nature humaine d'après la post-communion de Noël à l'aurore*, dans *Revue bénédictine*, 79, 1969, pp. 392-398.

A. A. R. BASTIAENSEN, *Interprétation de quelques oraisons du Missel Romain*, dans *Ephemerides Liturgicae*, 79, 1965, pp. 169-181; 80, 1966, pp. 5-20.

IDEM, *L'Église à la conquête de sa liberté. Recherches dans le Sacramentaire de Vérone*, dans *Graecitas et Latinitas Christianorum primaeva*, Supplément III, Nimègue, 1970, pp. 119-153.

IDEM, *Sur quelques oraisons du Missel Romain*, dans *Mélanges Chr. Mohrmann. Nouveau recueil offert par ses anciens élèves*, Utrecht-Anvers, 1973, pp. 140-163.

IDEM, *Un formulaire de messe du Sacramentaire de Vérone et la fin du siège de Rome par les Goths*, dans *Revue bénédictine*, 95, 1985, pp. 39-43.

IDEM, *Les désignations du martyr dans le Sacramentaire de Vérone*, dans *Fructus Centesimus. Mélanges offerts à G. J. M. Bartelink* (= *Instrumenta Patristica*, XIX), Steenbrugge - La Haye, 1989, pp. 17-36.

A. BAUMSTARK, *Die geschichtliche Stellung der Oration "Gratiam tuam, quaesumus, domine"*, dans *Jahrbuch für Liturgiewissenschaft*, 3, 1923, pp. 108-110.

E. Bishop, *Liturgica Historica*, Oxford, 1918, c. I: *The Genius of the Roman Rite* (pp. 1-19); c. VIII: *"Spanish Symptoms"* (pp. 165-202).

E. Bishop et A. Wilmart, *Le Génie du Rit Romain*, Paris, 1921.

L. Brou, *Étude historique sur les oraisons des dimanches après la Pentecôte dans la tradition romaine*, dans *Sacris Erudiri*, 2, 1949, pp. 123-224.

Idem, *Les oraisons du quatrième dimanche après l'Épiphanie*, dans *Paroisse et Liturgie*, 32, 1950, pp. 25-38.

Idem, *Les oraisons du troisième dimanche du Carême*, dans *Paroisse et Liturgie*, 32, 1950, pp. 111-118.

Pl. Bruylants, *Les Oraisons du Missel Romain*, I-II, Louvain, 1952.

Idem, *"Terrena despicere et amare caelestia"*, dans *Miscellanea liturgica in onore di Sua Eminenza il Cardinale Giacomo Lercaro*, II, Roma, 1967, pp. 195-206.

I. M. Calabuig Adan, *Los formularios V-VI de la Sección XL del Sacramentario de Verona*, Roma, 1964.

C. Callewaert, *Sacris Erudiri. Fragmenta Liturgica*, Steenbrugge, 1940, c. XXXII: *De invloed der Romeinse "stationes" op onze liturgische gebeden en lezingen* (pp. 345-346); c. XLVI: *Les messes des jeudis du Carême* (pp. 605-634); c. XLVII: *L'oeuvre liturgique de saint Grégoire* (pp. 635-653).

Idem, *Saint Léon et les textes du Léonien*, dans *Sacris Erudiri*, 1, 1948, pp. 35-122 (édition séparée: Steenbrugge, 1948); cfr Chr. Mohrmann, dans *Vigiliae Christianae*, 4, 1950, pp. 125-127.

B. Capelle, *Collecta*, dans *Revue bénédictine*, 42, 1930, pp. 197-204 (cet article et les suivants sont repris dans B. Capelle, *Travaux liturgiques*, II, Louvain, 1962, pp. 61-192; III, 1967, pp. 242-251; 387-407; 430-455).

Idem, *La main de saint Grégoire dans le Sacramentaire grégorien*, dans *Revue bénédictine*, 49, 1937, pp. 13-28.

IDEM, *Le pape Gélase et la messe romaine*, dans *Revue d'histoire ecclésiastique*, 40, 1939, pp. 22-34.

IDEM, *Messes du pape saint Gélase dans le Sacramentaire léonien*, dans *Revue bénédictine*, 56, 1945/46, pp. 12-41.

IDEM, *Les oraisons de la messe du Saint Sacrement*, dans *Questions liturgiques et paroissiales*, 27, 1946, pp. 61-71.

IDEM, *La messe gallicane de l'Assomption: son rayonnement, ses sources*, dans *Miscellanea liturgica in honorem L. C. Mohlberg*, II, Roma, 1949, pp. 53-59.

IDEM, *L'oraison "Veneranda" de la messe de l'Assomption*, dans *Ephemerides Theologicae Lovanienses*, 26, 1950, pp. 354-364.

IDEM, *Retouches gélasiennes dans le Sacramentaire léonien*, dans *Revue bénédictine*, 61, 1951, pp. 3-14.

IDEM, *L'oeuvre liturgique de saint Gélase*, dans *Journal of Theological Studies*, New Series, 2, 1951, pp. 129-144.

IDEM, *Mort et Assomption de la Vierge dans l'oraison "Veneranda"*, dans *Ephemerides Liturgicae*, 66, 1952, pp. 241-251.

IDEM, *Une messe de saint Léon pour l'Ascension*, dans *Ephemerides Liturgicae*, 67, 1953, pp. 201-209.

IDEM, *Le Sacramentaire romain avant saint Grégoire*, dans *Revue bénédictine*, 64, 1954, pp. 157-167.

IDEM, *Commentaire des collectes dominicales du missel romain*, dans B. CAPELLE, *Travaux liturgiques*, I, Louvain, 1955, pp. 199-266.

M. CAPPUYNS, *La portée religieuse des collectes*, dans *Cours et Conférences des Semaines liturgiques*, 6, Louvain, 1928, pp. 93-103.

I. CARTON, *A propos des oraisons du Carême. Note sur l'emploi du mot "observantia" dans les homélies de saint Léon*, dans *Vigiliae Christianae*, 8, 1954, pp. 104-114.

O. CASEL, *Mysterium und Martyrium in den römischen Sakramentarien*, dans *Jahrbuch für Liturgiewissenschaft*, 2, 1922, pp. 18-38.

IDEM, *Beiträge zu römischen Orationen*, dans *Jahrbuch für Liturgiewissenschaft*, 11, 1931, pp. 35-45.

IDEM, *Die "Neuheit" in der Weihnachtsorationen*, dans *Liturgische Zeitschrift*, 4, 1931, p. 83 (traduction française complétée, dans *Questions liturgiques et paroissiales*, 17, 1932, p. 285).

A. CHAVASSE, *Les messes quadragésimales du Sacramentaire gélasien*, dans *Ephemerides Liturgicae*, 63, 1949, pp. 257-275.

IDEM, *Messes du pape Vigile (537-555) dans le Sacramentaire léonien*, dans *Ephemerides Liturgicae*, 64, 1950, pp. 161-213; 66, 1952, pp. 145-219.

IDEM, *Leçons et oraisons des vigiles de Pâques et de la Pentecôte*, dans *Ephemerides Liturgicae*, 69, 1955, pp 209-226.

IDEM, *L'oeuvre littéraire de Maximien de Ravenne (546-553)*, dans *Ephemerides Liturgicae*, 74, 1960, pp. 115-120.

IDEM, *L'oraison "Super Sindonem" dans la liturgie romaine*, dans *Revue bénédictine*, 70, 1960, pp. 313-323.

IDEM, *Dans sa prédication, saint Léon le Grand a-t-il utilisé des sources liturgiques?*, dans *Mélanges liturgiques offerts à B. Botte*, Louvain, 1972, pp. 71-74.

IDEM, *Les oraisons pour les dimanches ordinaires. Vers une organisation préétablie. Premières tentatives, premières collections*, dans *Revue bénédictine*, 93, 1983, pp. 31-70; 177-244.

IDEM, *Le Sacramentaire, dit léonien, conservé dans le Veronensis LXXXV (80)*, dans *Sacris Erudiri*, 27, 1984, pp. 151-190.

IDEM, *Le Sacramentaire dans le groupe dit "Gélasiens du VIIIe siècle"*. Une compilation raisonnée. Étude des procédés de confection et synoptiques nouveau modèle, I-II (= *Instrumenta Patristica*, XIV A et XIV B), Steenbrugge - La Haye, 1984.

J. COCHEZ, *La période métrique dans les prières de la liturgie*, dans *Questions liturgiques et paroissiales*, 6, 1921, pp. 117-126.

IDEM, *La structure rythmiques des oraisons*, Louvain, 1928.

CH. COEBERGH, *Sacramentaire léonien et liturgie mozarabe*, dans *Miscellanea liturgica in honorem L. C. Mohlberg*, II, Rome, 1949, pp. 295-304.

IDEM, *Saint Gélase Ier auteur principal du soi-disant Sacramentaire léonien*, dans *Ephemerides Liturgicae*, 64, 1950, pp. 214-237.

IDEM, *Saint Gélase Ier auteur de plusieurs messes et prières du Sacramentaire léonien*, dans *Ephemerides Liturgicae*, 65, 1951, pp. 171-181.

IDEM, *Le pape saint Gélase Ier auteur de plusieurs messes et préfaces du soi-disant Sacramentaire léonien*, dans *Sacris Erudiri*, 4, 1952, pp. 46-102.

IDEM, *La messe de saint Grégoire dans le Sacramentaire d'Hadrien*, dans *Sacris Erudiri*, 12, 1961, pp. 372-404.

G. COLESS, *Theological Levels of the Sacramentarium Veronense*, dans *Studia Patristica*, XIII (= *Texte und Untersuchungen*, 116), Berlin, 1975, pp. 356-359.

F. COMBALUZIER, *Sacramentaires de Bergame et d'Ariberto. Table des matières. Index des formules* (= *Instrumenta Patristica*, V), Steenbrugge - La Haye, 1962.

J. D. CRICHTON, *Saint Leo and the Liturgy*, dans *The Clergy Review*, 12, 1936, pp. 437-441.

W. CROCE, *Die Adventsmessen des römischen Missale in ihrer geschichtliche Entwicklung*, dans *Zeischrift für katholische Theologie*, 74, 1952, pp. 277-317.

F. L. CROSS, *Pre-Leonine Elements in the Proper of the Roman Mass*, dans *Journal of Theological Studies*, 50, 1949, pp. 191-197 (cfr A. LAURAS, *a.c.*, p. 497).

E. DAL COVOLO, *Leone Magno autore dell'Eucologia per Lorenzo Martire? Richerche sull Sacramentario Veronese*, dans *Salesianum*, 52, 1990, pp. 403-414.

A. DANIELS, *Devotio*, dans *Jahrbuch für Liturgiewissenschaft*, 1, 1921, pp. 40-60.

D. DE BRUYNE, *De l'origine de quelques textes liturgiques mozarabes*, dans *Revue bénédictine*, 30, 1913, pp. 421-436.

E. Dekkers, *Autour de l'oeuvre liturgique de saint Léon le Grand*, dans *Sacris Erudiri*, 10, 1958, pp. 363-398.

F. Dell'Oro, *La Messa "In dedicatione ecclesiae" nei messali ambrosiani antichi*, dans *Miscellanea liturgica in onore di Sua Eminenza il Cardinale Giacomo Lercaro*, II, Rome, 1967, pp. 538-627.

P. de Puniet, *"Intus reformari"*. *Témoignages liturgiques sur le mystère de l'Emmanuel*, dans *Ephemerides Liturgicae*, 52, 1938, pp. 125-140.

J. Deshusses et B. Darragon, *Concordances et tableaux pour l'étude des grands sacramentaires*, I-II-III, 1-4, Fribourg, 6 vol., 1982/83.

J. Deshusses, *Grégoire et le Sacramentaire grégorien*, dans *Grégoire le Grand* (Chantilly, 15-19 septembre 1982), Paris, 1986, pp. 637-644.

M.-B. de Soos, *Le mystère liturgique d'après saint Léon le Grand* (= *Liturgiegeschichtliche Quellen und Forschungen*, 34), Münster, 1958.

M. C. Díaz y Díaz, *El Latín de la liturgia hispánica*, dans *Estudios sobre la liturgia mozárabe*, Toledo, 1965, pp. 55-87.

Idem, *Literary Aspects of the Visigothic Liturgy*, dans *Visigothic Spain. New Approaches*, Oxford, 1980, pp. 61-76.

Fr. Di Capua, *De numero in vetustis sacramentariis*, dans *Ephemerides Liturgicae*, 26, 1912, pp. 459-476.

Idem, *Scritti minori*, Roma, 1959, I, pp. 441-459: *Il ritmo nella prosa liturgica e il "Praeconium Paschale"*; II, pp. 86-115: *Preghiere liturgiche, poesia ed eloquenza*.

W. Diezinger, *Effectus in der römischen Liturgie* (= *Theophaneia*, 15), Bonn, 1961.

A. Dold, *Liturgische Reminiszenzen in einem Sermo Leos des Grossen*, dans *Jahrbuch für Liturgiewissenschaft*, 7, 1927, pp. 125-126.

IDEM, *Die ursprüngliche Fassung der Postcommunio "Protegat nos, domine" und ihre Verwendung zu Ehren Sankt Benedikts*, dans *Benediktinische Monatschrift*, 15, 1933, p. 152.

W. DÜRIG, *Das Begriff "pignus" in der römischen Liturgie*, dans *Theologische Quartalschrift*, 129, 1949, pp. 385-398.

IDEM, *Imago. Ein Beitrag zur Terminologie und Theologie der römischen Liturgie*, München, 1952.

IDEM, *Disciplina. Eine Studie zum Bedeutungsumfang des Wortes in der Sprache der Liturgie und Väter*, dans *Sacris Erudiri*, 4, 1952, pp. 245-279.

L. EIZENHÖFER, *Untersuchungen zum Stil und Inhalt der römischen "Oratio super populum"*, dans *Ephemerides Liturgicae*, 52, 1938, pp. 258-311.

IDEM, *Nochmals "Spanish Symptoms"* dans *Sacris Erudiri*, 4, 1952, pp. 27-45.

G. ELLARD, *Devotion to the Holy Cross and a dislocated Mass-Text*, dans *Theological Studies*, 11, 1950, pp. 333-355.

M.-P. ELLEBRACHT, *Remarks on the Vocabulary of the ancient Orations in the Missale Romanum* (= *Latinitas Christianorum primaeva*, 18), Nijmegen, 1963.

R. FALSINI, *I postcommuni del Sacramentario Leoniano, classificatione, terminologia, dottrina*, Roma, 1964.

A. FERRUA, *Della Gesta dei santi Maccabei e di un antico sermone in loro onore*, dans *Civiltà Cattolica*, 89, 1938, pp. 234-247; 318-327.

KL. GAMBER, *Die Formulare des heiligen Praeiectus und der heiligen Euphemia in den junggelasianischen Sakramentare*, dans *Sacris Erudiri*, 12, 1961, pp. 405-410.

IDEM, *Heimat und Ausbildung der Gelasiana saec. VIII*, dans *Sacris Erudiri*, 14, 1963, pp. 92-129.

IDEM, *Die ältesten Messformulare für Mariä Verkündigung*, dans *Sacris Erudiri*, 29, 1986, pp. 121-150.

A.-V. GILLES, *La ponctuation dans les manuscrits liturgiques au moyen âge*, dans *Grafia e Interpunzione del Latino nel medioevo*, Roma, 1987, pp. 533-554.

J. A. GRACIA GIMENO, *Las oraciones sobre las ofrendas en el Sacramentario Leoniano. Texto y doctrina*, Madrid, 1965.

A. GUILLAUME, *Jeûne et charité dans la liturgie du Carême*, dans *Nouvelle Revue Théologique*, 76, 1954, pp. 243-253.

IDEM, *Jeûne et charité dans l'Église chrétienne, des origines au XIIᵉ siècle*, Paris, 1954.

M. G. HAESSLY, *Rhetoric in the Sunday Collects of the Roman Missal*, Cleveland, 1938 (cfr Chr. MOHRMANN, dans *Revue des études latines*, 17, 1939, pp. 414-416).

M. HAVARD, *Les messes de saint Augustin. Centonisations patristiques dans les formules liturgiques*, dans F. CABROL, *Les origines liturgiques*, Paris, 1900, pp. 243-280; 281-316.

D. M. HOPE, *The Leonine Sacramentary. A Reassessment of its Nature and Purpose*, Oxford, 1971.

W. KAHLE et J. PINSK, *Vom Stil liturgischen Betens*, dans *Liturgische Zeitschrift*, 5, 1932/33, pp. 161-172.

V. L. KENNEDY, *The Two Collects of the Gelasian*, dans *Miscellanea liturgica in honorem L. C. Mohlberg*, I, Rome, 1948, pp. 183-188.

A. P. LANG, *Leo der Grosse und die Texte des Altgelasianums*, Steyl, 1957.

IDEM, *Anklänge an liturgische Texte in Epiphaniesermonen Leos des Grossen*, dans *Sacris Erudiri*, 10, 1958, pp. 43-126.

IDEM, *Leo der Grosse und die liturgische Texte des Oktavtages von Epiphanie*, dans *Sacris Erudiri*, 11, 1960, pp. 12-135.

IDEM, *Leo der Grosse und die liturgische Gebetstexte des Epiphaniefestes* (Beilage zu *Sacris Erudiri*, 10, pp. 43-126; 11, pp. 12-135).

IDEM, *Anklänge an Orationen der Ostervigil in Sermonen Leos des Grossen*, dans *Sacris Erudiri*, 13, 1962, pp. 281-325; 18, 1967/68, pp. 5-119; 27, 1984, pp. 129-149.

IDEM, *Sermo Leos des Grossen auf die Fastenzeit*, dans *Sacris Erudiri*, 23, 1978/79, pp. 143-170.

IDEM, *Anklänge an Orationen der Ostervigil in Sermonen Leos des Grossen*, dans *Sacris Erudiri*, 28, 1985, pp. 155-381.

L. LAURAND, *Le cursus dans le Sacramentaire léonien*, dans *Revue d'histoire ecclésiastique*, 14, 1913, pp. 702-704.

A. LAURAS, *Études sur saint Léon le Grand*, dans *Recherches de science religieuse*, 49, 1961, pp. 481-499.

J. LECLER, *Formules liturgiques et pouvoir pontifical. A propos de deux textes du Missel Romain*, dans *Recherches de science religieuse*, 46, 1958, pp. 211-226.

R. LIVER, *Die Nachwirkung der antiken Sakralsprache im christlichen Gebet des lateinischen und italienischen Mittelalters*, Bern, 1979.

A. MANSER, *Ambrosiuszitat in einer Votivmesse*, dans *Jahrbuch für Liturgiewissenschaft*, 1, 1921, pp. 87-96.

G. MANZ, *Ausdrucksformen der lateinischen Liturgiesprache bis ins 11. Jahrhundert*, Beuron, 1941.

G. MERCATI, *More "Spanish Symptoms"*, dans E. BISHOP, *Liturgica Historica*, Oxford, 1918, pp. 203-210.

Th. MICHELS, *Recensita nativitate*, dans *Jahrbuch für Liturgiewissenschaft*, 11, 1931, pp. 139-141.

E. MOELLER, *Corpus Benedictionum Pontificalium*, I-IV (= *Corpus Christianorum Series Latina*, 162. 162 A, B, C), Turnhout, 1971/1979.

IDEM, *Corpus Praefationum*, I-V (= *Corpus Christianorum Series Latina*, 161, 161 A-D), Turnhout, 1980/1981 (Cfr A. NOCENT, dans *Revue bénédictine*, 94, 1984, pp. 245-256).

Chr. Mohrmann, *Liturgical Latin*, Washington D.C., 1957.

Eadem, *Études sur le latin des chrétiens*, tome III: *Latin chrétien et liturgique*, Rome, 1965.

G. Morin, *Une énigme liturgique. La postcommunion de Noël à l'aurore*, dans *Revue bénédictine*, 47, 1935, pp. 170-174.

J. Pascher, *"Despicere terrena" in den römischen Messorationen*, dans *Kuriakon. Festschrift J. Quasten*, II, Münster, 1970, pp. 876-885.

Idem, *Meritum in der Sprache der römischen Orationen*, dans *Sitzungsberichte Bayerische Akademie der Wissenschaften*. Philologisch-Philosophische Klasse, 1971, II. Heft.

V. Pavan, *A proposito della riforma liturgica e del senso dinamico dell'antica colletta*, dans *Vetera Christianorum*, 25, 1988, pp. 677-687.

T.-M. Piccari, *Il Tomus ad Flavianum ed il cosi detto Sacramentarium Leonianum nel Magisterium Ecclesiae dei sec. V-VI*, dans *Angelicum*, 29, 1952, pp. 76-109.

G. Pomarès, *Gélase Ier. Lettre contre les Lupercales et dix-huit messes du Sacramentaire léonien* (= *Sources Chrétiennes*, 65), Paris, 1959.

J. A. Prein, *De oratie van Sint Michaël*, dans *Tijdschrift voor Liturgie*, 22, 1942, pp. 87-89.

H. Rheinfelder, *Zum Stil der lateinischen Orationen*, dans *Jahrbuch für Liturgiewissenschaft*, 11, 1931, pp. 20-34.

M. Rule, *The Leonian Sacramentary*, dans *Journal of Theological Studies*, 9, 1908, pp. 515-556; 10, 1909, pp. 54-99.

P. Salmon, *Les protocoles des oraisons du missel romain*, dans *Ephemerides Liturgicae*, 45, 1931, pp. 140-147.

V. Saxer, *Le culte de Marie Madeleine en Occident*, II, Paris, 1959, pp. 363-370.

H. Schmidt, *Die Sonntage nach Pfingsten in den römischen Sakramentaren*, dans *Miscellanea liturgica in honorem L. C. Mohlberg*, I, Roma, 1948, pp. 451-493.

Idem, *De lectionibus variantibus in formulis identicis Sacramentariorum Leoniani, Gelasiani et Gregoriani*, dans *Sacris Erudiri*, 4, 1952, pp. 103-173.

Fr. Schulz, *Das Kollektengebet. Seine Frühgeschichte und die Probleme seiner Rezeption in der Gegenwart*, dans *Kerugma und Melos (Festschrift Mahrenholz)*, Kassel, 1970, pp. 40-56.

Idem, *"Oratio". Theologische Dichtung und Nachdichtung*, dans H. Becker und R. Kaczynski, *Liturgie und Dichtung (Festschrift W. Dürig)*, St-Ottilien, 1983, pp. 691-720.

H. J. Sieben, *Voces. Eine Bibliographie zu Wörtern und Begriffen aus der Patristik (1918-1978)*, Berlin, 1980.

M. Steinheimer, *Die ΔΟΞΑ ΤΟΥ ΘΕΟΥ in der römischen Liturgie*, München, 1951.

A. Stuiber, *Libelli Sacramentariorum Romani. Untersuchungen zur Entstehung des sog. Sacramentarium Leonianum*, Bonn, 1950.

F. Stummer, *Vom Satzrhythmus in der Bibel und in der Liturgie der lateinischen Christenheit*, dans *Archiv für Liturgiewissenschaft*, 3, 1954, pp. 233-283.

A. M. Triacca, *Cristologia nel Sacramentario Veronese*, dans *Biblioteca di Scienze Religiose*, 31, Roma, 1980, pp. 165-195.

Idem, *"Eruditio", "erudire" nel Sacramentario Veronese*, dans *Biblioteca di Scienze Religiose*, 80, Roma, 1988, pp. 301-324.

F. Van den Broucke, *La collecte pour la fête de saint Michel. Son sens, son origine*, dans *Questions liturgiques et paroissiales*, 25, 1946, pp. 163-169.

R. Van Doren, *L'oraison "Fidelium" du lundi*, dans *Questions liturgiques et paroissiales*, 10, 1925, pp. 102-105.

P. VOLK, *Gregor VII und die Oration: "Deus, qui beato Petro"*, dans *Jahrbuch für Liturgiewissenschaft*, 3, 1923, pp. 116-118.

G. G. WILLIS, *The Variable Prayers of the Roman Missal*, dans G. G. WILLIS, *Essays in Early Roman Liturgy*, London, 1968, pp. 89-131.

A. WILMART, *Les messes de la collection de Saint-Amand*, dans *Jahrbuch für Liturgiewissenschaft*, 3, 1923, pp. 67-77.

SIGLES et ABRÉVIATIONS

Adelp: Wien, Nat. Bibl., Nova series 206 (s. XII).
Alcuin: Tours, Bibl. mun. 184 + Paris, B.N. lat. 9430 (s. IX).
Anderson: London, Wilfred Merton Coll. 21 (s. VIII).
Aquilea: Missale Aquileyensis Ecclesiae, 1519.
Arbuth : Missale Ecclesiae beati Terrenani de Arbuthnott (s. XV).
Ariberto: Milano, Bibl. Cap. D 3, 2 (s. XI).
Augiense : Karlsruhe, Bad. Landesbibl., fragm. Augiense XXIII (s. IX).
Avellan[1, 2]: Fontavellane (s. XIII/XIV).
Avellan[3]: Frontale, Chiesa di Santa Anna (s. XI).

Baltimore: Baltimore, Walter's Art Gallery W 6 (feuillet de garde) (s. XI).
Bamberg[1]: Bamberg, Staatl. Bibl., Cod. Bibl. 133 (s. X).
Bamberg[2]: Staatl. Bibl., Fragmentenmappe X A 196 (s. XI).
Barcinon: Barcelona, Bibl. Univ. 827 (s. XI).
Basil: Basel, Universitätsbibl., N 1, 1 (s. IX).
Bec: Paris, B.N. lat. 1105 (s. XIII).
Benevent[1]: Baltimore, Walter's Art Gallery W 6 (s. XI).
Benevent[2]: Benevento, Archiv. Arcivesc. VI, 33 (s. X-XI).
Benevent[3]: Vatic. Ottob. Lat. 576 (s. XII).
Benevent[4]: Vatic. Lat. 10.654 (s. X-XI).
Benevent[5]: Monte Cassino, Compactura VII (s. XI-XII).
Berceto: Milano, Bibl. Ambros. B 27 inf., B 28 inf., B 48 inf. (s. IX-X).
Bergom: Bergamo, Bibl. di S. Alessandro in Colonna (s. IX).
Bergom-A: Vatic. Lat. 377 (s. IX).
Beuron[1]: Beuron, fragm. 56 (s. IX).
Beuron[2]: Beuron, 2 (s. XI).
Biasca: Milano, Bibl. Ambros. A 24 bis inf. (s. X).
Bickell: Cambridge, Gonville and Caius Coll. 820 [k] (s. VIII).
Bobbio: Paris, B.N. 13.246 (s. VIII).
Bologna[1]: Bologna, Bibl. Univ. 2217 (s. X).
Bologna[2]: Bologna, Bibl. Univ. 2217, ff. 171. 174-176 (s. X-XI).
Bonifatius: Fragmenta VI (s. VIII) (cfr p. xxiii).
Brugen: Brugge, Stadsbibl. 254 (s. IX).
Brux[1]: Bruxelles, Bibl. Roy. 10.127-40 (s. VIII-IX).
Buchsheim: München, Clm 29.164, fragm. I (s. X).

Camp: Sankt Paul-in-Kärnten, Stiftsbibl. 979 (s. VIII-IX) + München, Clm 29.163 a (s. VIII).
Cantuar: Cambridge, Corpus Christi Coll. 270 (s. XI-XII).

Cantuar–A: Vatic. Reg. 646 + 998 (s. XII).
Casin[1]: Vatic. Ottob. Lat. 145 (s. XI).
Casin[2]: Monte Cassino 271 (s. VII-VIII).
Coloniensis: Köln, Stadtarchiv GB Kasten B n° 24 (s. VIII).
Curia–Av: Avignon, Bibl. mun. 136 (s. XIV).
Curia–Ott: Vatic. Ottob. Lat. 356 (s. XIV).

De Bruyne: Paris, B.N. lat. 256 (s. VIII).
Digby: Oxford, Bodl., Digby 39 (s. XII).
Donauesch: Donaueschingen, Fürstl. Fürstenb. Bibl. 192 (s. IX).
Douce: Oxford, Bodl., Douce f° I (21.999) (s. VIII-IX).
Drumm: London, Brit. Libr. C 35. i. II (s. XI).
Dublin: Dublin, Nat. Libr. 2291, ff. I-II (s. IX-X).

Egbert: Paris, B.N. lat. 10.575 (s. X).
Engol: Paris, B.N. lat. 816 (s. VIII-IX).
Escorial: Escorial R III 1 (s. XI).

Franc: Vatic. Reg. Lat. 257 (s. VIII).
Freiburg: Freiburg i. Br., Universitätsbibl. 363 (s. IX).
Fürstenfeld: München, Clm 29.164 (II-IV) (s. XII).
Fulda: Göttingen, Universitätsbibl., Theol. 231 (s. X).

Gallic: Vatic. Palat. Lat. 493 (s. VIII).
GaM: Milano, Bibl. Ambros. M 12 sup. (s. VIII).
GelasV: Vatic. Reg. Lat. 316 (s. VIII).
Gellon: Paris, B.N. lat. 12.048 (s. VIII).
Gemm: Rouen, Bibl. mun. Y 6 (A° Domini 1013-1017).
Goth: Vatic. Reg. Lat. 317 (s. VIII).
Graz: Graz, Universitätsbibl. 187. 171. 778 (s. IX-X).
Gregor: Cambrai, Bibl. mun. 164 (s. IX).
GregorTc: Grégorien. Textes complémentaires (cfr p. xxxi).

Herford: Missale Ecclesiae Herfordensis, 1502.
Herford–M: Oxford, Univ. Coll. (s. XIV).

Iena: Jena, Universitätsbibl. M F 366 (s. XIII).
Iena–A: Fragmenta IV (s. IX-X) (cfr p. xxxii).

Juan: Las Abadesas, Arch. Arciprestal, carp. 539 (s. XI).

Lateran: Missale Lateranense, ed. E. DE AZEVEDO, 1754.
Leningrad[1]: St-Pétersbourg, Lat. Q.v.I. n° 242 (s. XI-XII).
Leningrad[2]: St-Pétersbourg, Bibl. de l'Académie Q 556 (s. X-XI).
Leningrad[3]: St-Pétersbourg, Lat. F.v.I. n° 142 (s. X-XI).
Leofric: Oxford, Bodl. 579 (2675) (s. XI).

Leon: Verona, Bibl. Cap. LXXXV (80).
Limoges: Paris, B.N. lat. 2026 (s. IX).
Lodi: München, Clm 29.164 / I, Lit. 18 (s. IX).
London[4]: London, Brit. Libr., Add. 30.844 (s. X).
London[5]: London, Brit. Libr., Add. 30.845 (s. X–XI).
London[6]: London, Brit. Libr., Add. 30.846 (s. X).
Lucca: Lucca, Bibl. Govern. 1275 (s. X).
Luzern: Luzern, St Leodegar, Stiftsarchiv (s. XI).

Madrid: Madrid, B.N. 11.556 (s. XI).
Madrid-A: Madrid, B.N. 495 (s. X–XI).
Mainz: Mainz, Seminarbibl., Fragmentenmappe (s. XII).
Man Ambr: Milano, Bibl. Cap. Metr. D 2. 30 (2102) + Bibl.
    Ambros. T 103 sup. (s. X–XI).
Marienberg: Marienberg, Stiftsarchiv (s. X).
Mateus: Braga, Bibl. Publ. 1000 (s. XII).
Mauric: Milano, Archivio di Stato, Fondo Monast., cart. 439
    (s. IX).
Medinaceli: Medinaceli, Arch. Duc., Hist., leg. 236, doc. 56
    (s. X–XI).
Ménard: Paris, B.N. lat. 12.051 (s. IX).
Mercati: Milano, Bibl. Ambros. O 210 sup. (s. VI–VII).
Metz[1]: Paris, B.N. lat. 9428 (s. IX).
Metz[2]: Metz, Bibl. mun. 334 (s. XI).
Metz[3]: Metz, Bibl. mun. 732 (s. XI–XII).
Milano: Milano, Bibl. Cap. Metr. D 3-3 (s. IX).
Mis. Vet. Angl.: Köln, St-Pantaleon (s. IX) (cfr p. xxxix).
Monac[1]: München, Clm 14.429 (s. VII).
Monac[2]: München, Clm 23.281 (s. IX).
Monac[3]: München, Clm 28.547 (s. VIII–IX).
Monac[4]: München, Clm 29.164 Lit. 18. 7. 6 (s. IX–X).
Monac[5]: München, Clm 29.164 / 2 a, 29 (s. XII).
Monac[6]: München, Clm 29.163 c (s. VIII–IX).
Monac[7]: München, Clm 29.164 Lit. 7 (s. XII).
Monac[8]: München, Clm 29.163 f (s. IX).
Monac[9]: München, Clm 29.164 / 1 Bl. 13 (s. VIII–IX).
Monac[10]: München, Clm 29.164 / 1a Bl. 16 (s. VIII–IX).
Mone: Karlsruhe, Bad. Landesbibl., Cod. Aug. perg. CCLIII (s. VII).
Mone-A: Karlsruhe, Bad. Landesbibl., Fragm. Aug. perg.
    CCLIII, Bl. 96[v] (s. VI).
Montserrat[1]: Montserrat, Bibl. del Monast. 815 (s. XII).
Montserrat[2]: Montserrat, Bibl. del Monast. 819 (s. XII).
Monza: Monza, Bibl. Cap. F 1 / 101 (s. IX).

Nivern: Paris, B.N. lat. 17.333 (s. XI).

Otton: Trento, Mus. Dioces., Cod. 43 (s. XI).

Oxford: Oxford, Corpus Christi Coll. 504 (s. XII).

PaAng : Roma, Bibl. Angelica, Cod. F. A. 1408 (olim T. 6. 22) (s. VIII).
PaAug: Karlsruhe, Bad. Landesbibl., Cod. Aug. perg. CXII (s. VIII-IX).
PaDarm: Darmstadt, Hessische Landesbibl., 754, Bl. 175ʳ (s. IX).
PaMog: Mainz, Priesterseminar 42 (s. VIII).
PaMon: München, Clm 6333 (s. VIII-IX).
Pad: Padova, Bibl. Cap. D. 47 (s. IX).
Palat: Vatic. Palat. Lat. 243 (s. IX-X).
Pamel : Köln, Bibl. des Metropolitankapittels 87. 88. 137 (s. IX-X).
Panorm: Palermo, Arch. storico diocesano, Cod. 2 (s. XII).
Paris[1]: Paris, B.N. lat. 2296 (Colbert 1348) (s. IX-X).
Paris[2]: Paris, B.N. lat. 9488 (s. VIII).
Paterniac: Peterlingen, Communalarchiv, s.n. (s. X-XI).
Phill: Berlin, Öffentl. Wissenschaftliche Bibl., Cod. Phillipps lat. 105 (olim 1667) (s. VIII-IX).
Piacenza: Piacenza, Arch. S. Antonino (s. IX).
Pont Ambr: Milano, Bibl. Cap., Cod. D. I, 12 (s. X).
Praem: Libri liturgici Ordinis Praemonstratensis (cfr p. XLVIII sq.).
Prag: Praha, Bibl. Cap., Cod. O. 83 (s. VIII).

Ragusa: Oxford, Bodl., Canon. Liturg. 342 (s. XIII).
Ratisb: Verona, Bibl. Cap. LXXXVI (82) (s. X).
Ratisb-A: Vatic. Lat. 3806 (s. X-XI).
Red Book of Derby: Cambridge, Corpus Christi Coll., Parker Coll. 422 (olim S 16) (s. XI).
Reichenau: Karlsruhe, Bad. Landesbibl., Fragm. Aug. XVII A. XVIII B (s. IX).
Rhen: Zürich, Zentralbibl. Rh 30 (s. VIII).
Ripoll: Vich, Mus. episc., Cod. 67 (s. XI-XII).
Rossian: Vatic. Ross. Lat. 204 (s. XI).
Rosslyn : Edinburgh, Advoc. Libr., MS. 18. 5. 17 (olim A. 6. 12) (s. XIV).

Salzb: Fragmenta XIX, s. IX (cfr p. LI).
Salzb I: Verona, Bibl. Cap. XCI (86) (s. IX).
Salzb II: Vercelli, Bibl. Cap. CXXVI (s. IX).
Salzb III: Fragmenta III, s. IX (cfr p. LII).
Salzb-A: München, Clm 29.164 (s. X).
Sangall: Sankt-Gallen, Stiftsbibl. 348 (s. VIII-IX).
Sangall-A: Sankt-Gallen, Stiftsbibl. 349 (s. VIII).
Sangall-B: Sankt-Gallen, Stiftsbibl. 348, ff. 9-30 (s. IX).
Sangall*: Sankt-Gallen, Stiftsbibl. 350 (s. VIII).
Sarum: Missale Ecclesiae Sarum, ed. princeps: London, 1554.

Schäftlarn: München, Clm 29.164 I, 1 a (s. IX).
Schir: München, Clm 29.164 Bl. 27 (s. IX).
Sens: Vatic. Reg. Lat. 567 (s. IX-X).
Sidney: Cambridge, Sidney Sussex Coll. I. 5. 15 (s. XI).
Silos³: Silos, Arch. monástico Cod. 3 (s. XI).
Silos⁶: Silos, Arch. monástico Cod. 6 [E] (s. XI).
Splitt: Splitt, Domschatz, Fragm. 211. 214 (s. IX).
Stockholm: Stockholm, Kung. Bibl. A 135 a; Wroclaw, Bibl. Univ., Fragm. s.n. (s. VII-VIII).
Stowe: Dublin, Royal Irish Acad., D. II. 3 (s. VIII).
Stuttgart¹: Stuttgart, Württemb. Landesbibl., f° Q 203 (s. X).
Stuttgart²: Stuttgart, Württemb. Landesbibl., Fragm. 5 (s. X).
Stuttgart³: Stuttgart, Württemb. Landesbibl., Inkun. 15.370 b.
Stuttgart⁴: Stuttgart, Württemb. Landesbibl., HB I Asc. 227 (s. X-XI).
Stuttgart⁵: Stuttgart, Württemb. Landesbibl., Fragm. 100 A (s. VII-VIII).
Suppl: Autun, Bibl. mun. 19 (s. IX).

Tassilo: München, Universitätsbibl. Cod. 4° 3, f° 1 (s. VIII).
Tegernsee¹: München, Clm 29.164 / I Lit. 27 (s. IX).
Tegernsee²: München, Clm 29.164 / II (s. X-XI).
Toledo³: Toledo, Bibl. Cap. 35. 3 (s. XI-XII).
Toledo⁴: Toledo, Bibl. Cap. 35. 4 (s. IX-X).
Toledo⁵: Toledo, Bibl. Cap. 35. 5 (s. IX-X).
Toledo⁶: Toledo, Bibl. Cap. 35. 6 (s. X).
Toledo⁷: Toledo, Bibl. Cap. 35. 7 (s. IX-X).
Toledo-A: Toledo, Bibl. Cap. 44. 2 (s. XII).
Toledo-B: Toledo, Mus. de los Concilios, fragm. (s. IX).
Trento: Trento, Mus. Provinc. d'Arte del Castello del Buonconsiglio, Cod. 1590 (s. IX).
Trento-A: Arch. Cap., Teca restauro (s. X-XI).
Trier: Trier, Dombibl. 402 (vorher 151 [18]) (s. XI).
Triplex: Zürich, Zentralbibl. C. 43 (s. XI).
Triv: Milano, Bibl. Trivultiana 513 (s. XV).
Turic: Zürich, Zentralbibl. Z XIV, 4; Staatsarchiv W 3 A.G. 19, ff. 6-15 (s. X-XI).

Udalr: Trento, Mus. Provinc. d'Arte del Castello del Buonconsiglio, M. N. 1587 (olim 15.465) (s. XI)

Vallicel: Roma, Bibl. Vallicelliana C 10, ff. 135 sq. (s. X).
Vatican: Vatic. Lat. 14.821, ff. 63-64 (s. IX).
Vicen¹: Vich, Mus. episc., Cod. 66 (A° Domini 1038).
Vicen²: Vich, Bibl. Cap. 71 (CXIX) (s. XI).
Vigil: Vercelli, Bibl. Cap., fragm. (s. XI).
Vitell: London, Brit. Libr., MS. Vitellius A XVIII (s. XI).

West: Missale Westmonasteriense (cfr p. LXIII sq.).
Wilmart: Paris, B.N. lat. 242, f° 172 (s. IX).
Winch: Le Havre, Bibl. mun. 330 (s. XI).

Zara: Zadar, Bibl. Franziskanerkloster, Inkun. N. IX. 5747, zwei Dobbelblätter (s. VIII).

CONCORDANCE
des numéros ou des pages des
Codices Liturgici Latini Antiquiores
avec les abréviations utilisées ici:

	650	Stuttgart[5]	866	Sens
	651	Stockholm	880	Pad(ova)
	701	Casin(ensis)[2]	882	Salzb(urgensis)
	704	PaMon(acensis)		III
	706	id.	883	Salzb(urgensis)
	707	id.	884	Beuron[1]
	708	id.	885	Augiense
S	709*	Trento	887	Tegernsee[1]
	712	PaMog(untinus)	890, 3	Monac(ensis)[6]
S	712*	Schäftlarn	901	Ménard
	714	PaDarm(stadten-sis)	912	Metz[1]
			S 921*	Otton(ianus)
	715 S	Splitt	941	Ratisb(onnensis)-A
	720	Gregor(ianum)		
	726	Ratisb(onnensis)	S 942*	Vigil(ius)
	729 S	Vatican(us)	S 943*	Marienberg
	741	Suppl(ementum)	S 944*	Udalr(icianus)
	746	Pamel(ius)	S 945*	Trento-A
	755	Monac(ensis)[4]	950	Leofric
	795	Iena	960	Vicen(nensis)[1]
	796 h	Fürstenfeld	S 962*	Vicen(nensis)[2]
	796 h	Iena	963	Ripoll
	796 i	Leningrad[1]	963 a	Montserrat[1]
	796 l	Metz[3]	S 964*	Barcinon(nensis)
	801	Monza	S 966*	Juan
	802	Rhen(augiensis)	970	Fulda
	803	Paris[2]	971	Lucca
	805	Paris[1]	985	Rossian(um)
	808 S	Schir(ensis)	S 986*	Adelp(retianus)
	809	Bergom(ensis)-A	1025	Vallicel(lianus)
	810	Salzb(urgensis) I	1217	Metz[3]
	811	Ratisb(onnensis)	1280	Zara
	812	Iena-A	1293	Leningrad[2]
	818	Graz	1385 b	Alcuin(us)
	830	Sangall(ensis)	1387	PaDarm(stadten-sis)
	831	Sangall(ensis)*		
	833	PaAng(elica)	388	Buchsheim
	835	PaAug(iensis)	1398	Bologna[1]
	838	Monac(ensis)[10]	1416 S	Stuttgart[2]
	845	Bamberg[1]	S 1420*	Bamberg[2]
	849	Berceto	S 1424*	Leningrad[3]
	850	Douce	1450	Monac(ensis)[2]
	852	Limoges	1460 S	Lodi
	853	Phillipps	1462	Dublin
	854	Brugen(sis)	1472 d	Bamberg[2]
	855	Gellon(ensis)	1489	Winch(ester)
	860	Engol(ismensis)	1501	Sangall(ensis)-A

CORPVS
ORATIONVM

A - C

SIGLA

Br	Pl. Bruylants, *Les Oraisons du Missel Romain*, I–II, Louvain, 1962.
CLLA	Kl. Gamber, *Codices Liturgici Latini Antiquiores*, I–II, Fribourg-en-Suisse, 1968².
CLLA S	Idem, *Supplementum*, Fribourg-en-Suisse, 1988.
CCSL	*Corpus Christianorum Series Latina*, Turnhout, 1953 sqq.
CCCM	*Corpus Christianorum Continuatio Mediaevalis*, Turnhout, 1966 sqq.

777 ª
777 -A- } cfr p. X sq.

codd. º (vel + ⁿ µ & #) *distincti*   cfr p. X.

< >	mot(s) à insérer.
[ ]	mot(s) à supprimer.
( )	crochets qui encadrent une variante appartenant peut-être au texte original.
*Curia etc.	sacramentaire dépouillé partiellement.
* * *	trois astérisques au lieu du numéro indiquent que l'oraison cherchée est traitée sous l'*incipit* qui suit.

A cunctis iniquitatibus nostris exue nos, domine, et in tua fac pace gaudere.

Codd. : *Bergom* 1549   *Casin*[1] 15   *Engol* 1917[o]   *Gellon* 2153[o]
Goth 513   *Gregor* 953   *Leofric* 245   *Ménard* 199 D   *Pad* 914
Pamel 382   *Phill* 1359[o]   *Ratisb* 2501   *Rhen* 1126[o]   *Ripoll* 816
Trento 942   *Udalr* 1394   *Vicen*[1] 1123

Rubr.: Feria II[a] in L.mo, oratio in baptisterio *Bergom*
Ordo officii per hebdomadam, feria V[a], ad sextam, oratio *Casin*[1]
Missa dominicalis IV[a], collectio ad pacem *Goth*
Alia oratio cottidiana *Ménard*   *Ratisb*
Missa in remissionem peccatorum, alia oratio *Vicen*[1]
Alia oratio vespertinalis *codd.* [o] *distincti*
Alia oratio vespertinalis seu matutinalis *ceteri codd.*

Var. lect. : 1 exue] munda *Gellon*   domine] omnipotens deus *Goth Vicen*[1]   2 fac] nos *praem. Goth Vicen*[1]   gaudere] semper *praem. Bergom*

2.   Br 2

A cunctis nos, quaesumus, domine, reatibus et periculis propitiatus absolve, quos tanti mysterii tribuis esse consortes.

– A –

Codd.: *Engol* 470[o]   *Fulda* 537   *GelasV* 231[o]   *Gellon* 456
Limoges 121[ro]   *Monac*[2] 19   *Monza* 210   *Pad* 234   *Phill* 458
Prag 67, 2[o]   *Salzb* 57   *Sangall* 399   *Triplex* 932

Rubr.: Feria II[a] hebdomadae IV[ae] quadragesimae, oratio super oblata *seu* secreta *codd.*

Var. lect. : 1 A] *om. codd.*   quaesumus] *codd.* [o] *distincti, om. ceteri codd.*

– B –

Codd. : *Adelp* 385[o]   *Aquilea* 51[ro+]   *Arbuth* 88[o]   *Bec* 40[o]   *Benevent*[2] 58[o+]   *Cantuar* 28[o]   *Curia* 42[o]   *Engol* 415   *Fulda* 490[o]   *Gellon* 393   *Gemm* 72   *Gregor* 231   *Her-ford* 61[o]   *Iena* 149   *Lateran* 59[o+]   *Leofric* 82   *Lucca* 9[o]   *Mateus* 815[o]   *Ménard* 66 B   *Milano* 134   *Monac*[2] 14   *Monza* 184   *Nivern* 172[o+]   *Otton* 32[r]   *PaAug* 36, 3   *Pad* 204   *Pamel* 230   *Panorm* 17[o]   *PaMog* 11[v]   *PaMon-Alp* 3, 3   *Pa-*

Mon-Sup 4, 3   *Phill* 408   *Praem* 51⁰⁺   *Ragusa* 154⁰   *Ratisb*
381   *Rhen* 298⁰   *Ripoll* 168⁰   *Rossian* 60, 3⁰   *Rosslyn*
22⁰   *Salzb* 42   *Sangall* 359   *Sarum* 193⁰   *Sens* 4   *Stuttgart*[2] (17)   *Trento* 287⁰   *Triplex* 838. 842   *Udalr* 307⁰   *West* I
157⁰

Rubr.: Dominica III[a] quadragesimae, oratio ad complendum *seu* post communionem *codd.*

Var. lect. : 1 A] *codd.* ⁰ *distincti, om. ceteri codd.* nos] *om. Rossian* quaesumus] *codd.* ⁺ *distincti, om. ceteri codd.* reatibus et periculis domine *transp. Rossian* 2 propitiatus] dignanter propitius *Rosslyn* consortes] participes *codd.*

– C –

Codd. :   *Adelp* 466⁺   *Aquilea* 71ᵛ   *Bec* 56⁺   *Cantuar*
34⁺   *Curia* 51ᵛ⁺   *Gemm* 84⁰   *Gregor* 309⁰   *Herford*
79⁺   *Lateran* 78   *Leofric* 90⁰⁺   *Mateus* 1014⁺   *Nivern*
183   *Otton* 41ʳ⁰   *Pamel* 244⁰⁺   *Panorm* 215   *Praem*
60   *Triplex* 1089⁰   *Udalr* 396⁰

Rubr.: Sabbato hebdomadae V[ae] quadragesimae, oratio super oblata *seu* secreta *codd.*

Var. lect. : 1 A] *om. codd.* ⁰ *distincti* domine quaesumus *transp. codd.* ⁺ *distincti* 2 absolve] averte *Lateran* consortes] participes *Lateran*

– D –

Codd. : *Franc* 135 b⁰   *GregorTc* 4417   *Metz*[1] 101⁰   *Milano* 548⁰   *Palat* (27)   *Pamel* 547   *Ratisb* 1634   *Trento*
1156   *Vigil* 578

Rubr.: Orationes et preces communes cottidianae cum canone, alia
     missa, alia oratio super oblata *Franc*
     Alia oratio ad crucem dicenda *GregorTc Palat Pamel*
     Orationes cottidianis diebus, alia oratio ad complendum *Metz*[1]
     Dominica IX[a] post octavam Pentecostes, oratio post com-
     munionem *Milano*
     Alia missa cottidiana, oratio ad complendum *Ratisb*
     Missa cottidiana, oratio ad complendum *Trento*
     <Alia> missa <sacerdotis> pro semetipso, oratio ad com-
     plendum *Vigil*

Var. lect. : 1 A] *codd.* ⁰ *distincti, om. ceteri codd.* nos] me *Vigil* quaesumus] *GregorTc Palat Pamel, om. ceteri codd.* domine] *om. Franc* 2 absolve] clementer *praem. GregorTc Palat Pamel* quos] quem *Vigil* quos ... consortes] quos per lignum sanctae crucis redimere dignatus es *GregorTc Palat Pamel* consortes] *Franc,* participem *Vigil,* participes *ceteri codd.*

3.

A cunctis nos, quaesumus, benignissime deus, perturbationibus et iniquitatibus libera mentesque nostras in tuae caritatis et pacis tranquillitate consolida.

Cod.: *Fulda* 2086

Rubr.: Missa pro peccatis, feria VI^a, alia oratio

4. Br 1

A cunctis nos, quaesumus, domine, mentis et corporis defende periculis et, intercedente gloriosa virgine dei genitrice Maria cum beatis apostolis Petro et Paulo et omnibus sanctis, salutem nobis tribue benignus et pacem, ut, destruc-
5 tis adversitatibus et erroribus universis, ecclesia tua secura tibi serviat libertate.

> **Codd.**: *Aquilea* 33^r. 286^v   *Curia-Ott* 247   *Herford* 421   *Lateran* 158   *Mateus* p. 15   *Praem* 231   *West* II 1142

> **Rubr.**: A die cinerum ad dominicam de Passione *Aquilea* 33^r
> Orationes de omnibus sanctis, collecta *Aquilea* 286^v
> Orationes de beata Maria, collecta *Curia-Ott*
> Missa generalis de omnibus sanctis, collecta *Herford West*
> A sancta Trinitate ad dominicam de Passione *Lateran*
> Orationes in honorem sancti Vincentii martyris, collecta *Mateus*
> Aliae orationes de omnibus sanctis, collecta *Praem*.

> **Var. lect.** : 1 quaesumus] *om. Herford* mentis et corporis] *om. Mateus* 2 gloriosa] beata et *praem. Aquilea* 286^v *Mateus* virgine] semper *praem. Aquilea* 286^v *Mateus* 2/3 dei genitrice semper virgine *transp. Mateus* 3 apostolis] *Curia-Ott*, tuis *add. ceteri codd.* Paulo] et beatis martyribus tuis Hermachora et Fortunato *add. Aquilea* 286^v, et Iacobo et gloriosissimo martyre tuo Vincentio *add. Mateus*, atque Andrea et beato rege Edwardo patrono nostro *add. West* 6 tibi serviat secura *transp. West*

5 a. Br 3

A domo tua, quaesumus, domine, spiritales nequitiae repellantur et aerearum discedat malignitas tempestatum.

> **Codd.** : *Aquilea* 304^r   *Arbuth* 455   *Bec* 257   *Biasca* 1350   *Curia* 242   *Fulda* 2023   *GelasV* 1419°   *Gellon* 2678°   *GregorTc* 2646°   *Herford* 419   *Iena* 82   *Mateus* 2825   *Monza* 1005°   *Nivern* 353   *Pamel* 450°   *Phill* 1692°   *Praem* 247

Ripoll 1651   *Sarum* 820*   *Suppl* 1376°   *Triplex* 3254°   *Vi-*
cen[1] 1231°   *West* III 1310

Rubr.: Litania, alia oratio *West*
Missa ad repellendam tempestatem,
  – alia collecta *codd.* ° *distincti*
  – oratio super sindonem *Biasca*
  – alia oratio *Fulda Nivern*
  – collecta *ceteri codd.*

Var. lect. : **1** quaesumus] *om. Herford*   **1/2** nequitiae repellantur]
nequitias potenter repelle *Aquilea*   **2** repellantur] pellantur *GelasV*
tempestatum] potestatum *Bec GelasV*

5 b.   Br 3

A plebe tua, quaesumus, domine, spiritales nequitiae repellantur et aerearum discedat malignitas potestatum.

Codd.: *Engol* 2154   *GelasV* 729   *Gellon* 2475   *Phill* 1512

Rubr. : Orationes et preces in dedicatione loci illius, ubi prius fuit
synagoga, oratio ad populum *codd.*

6.

A te, deus piissime, benedicantur ieiunantium vota sacri-
ficiorumque libamina; accepteentur quoque orationes fidelium
ac suspiria contritorum, ut votiva abstinendi devotio et cunctos in commune fideles sanctificet et defunctis omnibus re-
5 quiem praestet.

Codd.: *Toledo*[3] 457   *Toledo*[5] 338

Rubr.: Missa de IV[a] feria post vicesima, <oratio> post nomina

7.

Ab occultis nostris munda nos, domine, et ab alienis pravitatibus benignus absolve, ut tua sancta pura mente sumamus.

Cod.: *Leon* 1084

Rubr. : Mense Septembris, in natale episcoporum, XX alia missa,

8.

Ab occultis nostris tua nos, domine, sancta purificent et ab externis erroribus perpetua virtute defendant.

Cod.: *Leon* 1093

Rubr. : Mense Septembris, in natale episcoporum, XXII alia missa, <secreta>

9.

Ab omni errore nos, domine, quaesumus, expient sacramenta, quae sumpsimus, et dulcedinem mentibus nostris tuae suavitatis infundant.

Cod.: *Leon* 1055

Rubr. : Mense Septembris, in natale episcoporum, XV alia missa, <postcommunio>

10.   Br 4

Ab omni nos, domine, quaesumus, vetustate purgatos, sacramenti tui veneranda perceptio in novam transferat creaturam.

Codd. :	*Adelp* 636	*Aquilea* 102^v	*Arbuth* 172	*Ariberto*
454	*Bec* 74	*Benevent*[2] 94	*Bergom* 602	*Biasca*
566	*Cantuar* 46	*Casin*[2] VI, 3	*Curia* 123	*Engol*
804	*Fulda* 760	*Gellon* 763	*Gemm* 105	*Gregor*
411	*Herford* 146	*Lateran* 119	*Leofric* 101	*Leon*
40	*Mateus* 1234	*Ménard* 95 A	*Metz*[1] 77	*Monza*
323	*Nivern* 216	*Otton* 74^r	*Oxford* 62	*PaAng* 123	*Pad*
350	*Pamel* 276	*Panorm* 440	*Phill* 582	*Praem*
76	*Ratisb* 645	*Rhen* 483	*Ripoll* 438	*Rossian* 92, 3
Salzb 138	*Sangall* 601	*Sangall** 81	*Sarum* 372	*Trento*
460	*Triplex* 1418. 1431	*Udalr* 532	*Vicen*[1] 58	*West* I 314

Rubr.: Mense Aprilis, XIV alia missa, <postcommunio> *Leon*
<Missa votiva> de Resurrectione, <postcommunio> *Oxford*
Feria IV^a in albis,
– alia oratio post communionem *Gellon*
– oratio ad complendum *seu* post communionem *ceteri codd.*

Var. lect. : **1** domine quaesumus] *Leon*, quaesumus domine *transp. ceteri codd.* purgatos] purget *Aquilea* **2** tui] *om. Leon* perceptio] ut *add. Aquilea*

II a.

Ab omni reatu nos, domine, sancta, quae tractamus, absolvant et eadem muniant a totius pravitatis incursu.

Codd. : *Adelp* 1534   *Bec* 264   *Fulda* 1968   *GelasV*
1519   *Gellon* 2740   *Gemm* 268   *GregorTc* 2655   *Leo-*
fric 184   *Milano* 1295   *Monza* 975   *Otton* 174^V *Pamel*
447   *Paris*[1] 425   *Phill* 1770   *Praem-MP* 240   *Prag*
257, 2   *Ratisb* 2136   *Ripoll* 1479. 1679   *Rossian* 317, 2
Sangall* 151   *Suppl* 1354   *Triplex* 3032   *Vicen*[1] 1181

Rubr.: \<Missa\> contra obloquentes, secreta *Adelp*
\<Missa votiva\> de humilitate, secreta *Praem-MP*
Missa in contentione, oratio super oblata *seu* secreta *ceteri codd.*

Var. lect.: **1** domine] quaesumus *add. Adelp*   **2** eadem] nos *add. Bec*

II b.

Ab omni reatu nos, domine, et eos, pro quibus tibi has offerimus hostias, intercedentibus omnibus sanctis tuis, sancta, quae tractamus, absolvant et muniant a totius pravitatis incursu, quatenus, ab omnibus vitiis potenter absoluti,
5 a cunctis etiam adversitatibus protegamur.

Codd.: *Fulda* 1893   *GregorTc* 1892

Rubr.: Missa \<votiva\> de omnibus sanctis, oratio super oblata *codd.*

12.

Ab omnibus me, quaeso, domine, per haec sancta, quae mihi immerito contulisti, peccatis absolve, ut, tua misericordia protegente, libera tibi mente servire merear.

Codd.: *Fulda* 2195   *GregorTc* 2214

Rubr.: Alia missa \<sacerdotis propria\>, alia oratio ad complendum *seu* post communionem *codd.*

Var. lect.: **2** mihi] *om. GregorTc*

13.

Ab omnibus nos defende, quaesumus, domine, semper adversis et continuis tuere praesidiis.

Codd. : *Engol* 1747   *GelasV* 1308⁰   *Gellon* 1928   *Leo-*
fric 248⁰   *Ménard* 199 A   *Pamel* 417⁰   *Phill* 1278   *Prag*
39, 1   *Ratisb* 263. 2489   *Rhen* 1073   *Sangall* 1546   *Suppl*
1217⁰   *Triplex* 29   *Udalr* 1223⁰

Rubr.: Feria VIIᵃ *seu* sabbato in sexagesima, collecta *Prag Ratisb* 263
   Alia oratio cottidiana *Ménard   Ratisb* 2489
   Alia missa cottidianis diebus,
   – collecta *codd.* ⁰ *distincti*
   – alia collecta *ceteri codd.*

Var. lect.: **1** quaesumus] *om. Ratisb* 263

14 a.

Ab omnibus nos, quaesumus, domine, peccatis propitiatus
absolve et eos, qui nos impugnare nituntur, expugna.

Cod.: *Leon* 455

Rubr. : Mense Iulii, orationes et preces diurnae, VIII alia missa,
<collecta>

14 b.

Ab omnibus nos, quaesumus, domine, peccatis propitiatus
absolve, ut, percepta venia peccatorum, liberis tibi mentibus
serviamus.

Codd. : *Bergom* 1597   *Engol* 1946⁰   *Fulda* 2096   *Gellon*
2178 ⁰   *Gregor* 846   *GregorTc* 4416   *Leofric* 79⁺. 242
Ménard 62 B⁺. 107 B   *Nivern* 328   *Pamel* 224⁺. 373   *Phill*
1391 ⁰   *Praem-MB MC* 49⁺   *Ratisb* 334⁺. 753   *Ripoll*
768   *Trento* 895   *Udalr* 1287   *Vicen*¹ 1095. 1286   *West* I
130⁺   *West* III 1461⁺ (Évreux Paris)

Rubr.: Orationes vespertinales cottidianae, feria IIIᵃ, oratio in
   baptisterio *Bergom*
   Alia oratio cottidiana *codd.* ⁰ *distincti*
   Alia oratio ad crucem dicenda *GregorTc*
   Sabbato in XII lectionibus mensis Iⁱ, oratio super populum
   codd. ⁺ *distincti*
   In Litania minore, feria IIIᵃ, alia oratio *Ratisb* 753   *Mé-*
   nard 107 B
   Missa pro peccatis, collecta *Vicen*¹ 1095
   Alia oratio pro peccatis *ceteri codd.*

Var. lect. : **1** propitiatus peccatis *transp. Ratisb* 753   propitiatus]
om. Engol, propitius *Ratisb* 334   *Ménard* 62 B   **2/3** ut ... serviamus]

quos per passionem filii tui redemisti *GregorTc*   **2** peccatorum venia
transp. Praem-MB MC   mentibus tibi *transp. Vicen*[1] 1286

15.

Abscinde, quaesumus, omnipotens deus, cordium nostrorum praeputia, ut, quod in tua carne secundum legis veteris
ritum, manufacta circumcisione, agi certis conditionibus
permisisti, id nostrae saluti competenter impendens, ab omni
5 superstitione voluptatum absterge nostra praecordia.

Codd.: *GaM* 10* 1, 9   *London*[4] 424 b   *Toledo*[3] 174 b   *To-*
ledo[7] 340 b

Rubr.: Missa in die Circumcisionis Domini,
- <collectio> ad pacem *GaM*
- <oratio> "Alia" *ceteri codd.*

Var. lect.: **1** omnipotens deus] *GaM*, *om. ceteri codd.*   **1/2** nostro-
rum] *GaM*, auriumque *add. ceteri codd.*   **2** praeputia] *GaM*, qui pro
nobis dignatus es infantiae gestare crepundia *add. ceteri codd.*
2/3 veteris ... circumcisione] *GaM*, litteram fieri circumcisione voluisti
corporea *ceteri codd.*   **4/5** impendens ... praecordia] *om. GaM*

16.   Br 5

Absolve, domine, animam famuli tui illius ab omni
vinculo delictorum, ut in resurrectionis gloria, inter sanctos
tuos resuscitatus, respiret.

– A –

Codd.: *Avellan*[2] 929". 931+   *Fulda* 2485°   *Gemm* 303"   *Gregor*
1016   *GregorTc* 4035   *Leningrad*[2] 34   *Leofric* 199. 203°
Milano 1373   *Nivern* 375   *Pamel* 386   *Praem* 2+". 261+. 262.
264°+. 267°+   *Ratisb* 2288   *Ripoll* 1844°   *Suppl* 1404
Vicen[1] 1541°. 1571°   *West* III 1379°+

Rubr.: Alia oratio post lectionem martyrologii *Praem* 2
Gratiarum actiones post prandium, oratio pro defunctis *West*
Alia oratio in agenda mortuorum *ceteri codd.*

Var. lect.: *codd.* + distincti *formam adhibent pluralis* **1** domine]
quaesumus *praem. codd.* ° *distincti*   famuli tui illius] eius *Avellan*[2] 929 D,
famulorum famularumque tuarum, fratrum nostrorum et omnium fidelium
defunctorum *Avellan*[2] 931, fratrum et sororum nostrarum et omnium fidelium defunctorum *Praem* 2. 261, famulorum famularumque tuarum et
omnium fidelium defunctorum *West*, et animas omnium fidelium defunctorum *add. Praem* 267   **2** sanctos] et electos *add. codd.* " *distincti*

- B -

Rubr.: Missa plurimorum defunctorum,
  - communio *Avellan*¹
  - alia oratio *Vicen*²
Missa in agenda mortuorum,
  - alia collecta *GregorTc*
  - oratio ad complendum *Trento*
Pro parentibus missa, postcommunio *Mateus*
Missa pro defuncto paenitentiam desiderante et minime consequente, oratio super sindonem *Mauric*
Pro defunctis generatim, secreta *Praem.*
Missa pro quolibet catholico defuncto, alia collecta *Triplex*
(Alia) missa pro uno defuncto,
  - alia collecta *Benevent*¹
  - oratio super sindonem *Bergom Biasca*
  - oratio super oblata *seu* secreta *codd.* " *distincti*
  - oratio post communionem *Curia Iena*
  - alia oratio *Vigil*

Var. lect.: *Avellan*¹ *Mateus Vicen*² *formam adhibent pluralis*
1 domine] quaesumus *praem. codd.* ⁰ *distincti, add. Vicen*² *Vigil*, per
haec sacramenta *add. Adelp*   famuli tui illius] famulorum famularumque
tuarum *Mateus*   2 sanctos] et electos *add. Benevent*¹ *Curia*   3 resuscitatus respiret] eum resuscitari praecipias *Benevent*¹, resuscitari mereatur
codd. ⁺ *distincti*

17.

Absolve, domine, quaesumus, iniquitates nostras et, ut tua
dona mereamur accipere, fac nos amare iustitiam.

Cod.: *Leon* 431

Rubr.: Mense Iulii, orationes et preces diurnae, IV alia missa, \<collecta\>

18.

Absolve, domine, quaesumus, tuorum delicta populorum
et, quod mortalitatis contrahit fragilitate, purifica, ut, cuncta
pericula mentis et corporis, te propellente, declinans, tua

solatione subsistat, tua gratia promissae redemptionis per-
5 ficiatur.

Cod.: *Leon* 925

Rubr.: Mense Septembris, orationes et preces ieiunii mensis septimi,
XI alia missa, <oratio super populum>

19.   Br 6

Absolve, domine, quaesumus, nostrorum vincula peccatorum et, quidquid pro eis meremur, averte.

– A –

Codd.:	*Casin*[1] 29	*Engol* 1929⁰	*Gellon* 2161⁰	*Gregor*
962	*GregorTc* 4423⁺	*Leofric* 246⁺	*Ménard* 200 A	*Pad*
920	*Palat* (27)⁺	*Pamel* 382. 547⁺	*Phill* 1372⁰	*Ratisb*
2505	*Rhen* 1131⁰	*Trento* 951	*Udalr* 1403	

Rubr.: Ordo officii per hebdomadam, sabbato, ad nonam, oratio *Casin*[1]
     Alia oratio ad crucem dicendam *GregorTc Palat Pamel* 547
     Alia oratio cottidiana *Ménard Ratisb*
     Alia oratio vespertinalis *codd.* ⁰ *distincti*
     Alia oratio vespertinalis *seu* matutinalis *ceteri codd.*

Var. lect.: 1 quaesumus domine *transp. codd.* ⁺ *distincti*   2 quidquid ... averte] virtute sanctae crucis nos ubique custodi *GregorTc Palat
Pamel* 547   averte] propitius *praem. Casin*[1], placatus *praem. Engol,*
propitiatus *praem. Leofric*

– B –

Codd.:	*Adelp* 328	*Aquilea* 38ᵛ	*Arbuth* 66	*Bec* 28	*Bene-*
vent[2] 45	*Cantuar* 23	*Curia* 35ᵛ	*Fulda* <408>		*Gemm*
64	*Gregor* 174	*Herford* 48	*Lateran* 47		*Leofric*
76	*Mateus* 667	*Milano* 514	*Nivern* 164		*Otton*
25ᵛ	*PaAug* 29, 4⁰	*Pad* 145⁰	*Pamel* 219		*PaMon–Ben*
33, 4	*PaMon–Alp* 1, 4	*Paris*[1] 6ᵛ	*Praem* 47		*Ripoll*
99	*Rossian* 47, 4ᵐ	*Sarum* 152	*Trento* 230⁰		*Triplex*
658	*Udalr* 249	*West* I 110			

Rubr.: Dominica IIIᵃ post octavam Pentecostes, oratio super popu-
     lum *i.e.* collecta *Milano*
     Missa quadragesimalis Iᵃ, oratio super populum *PaMon–Alp*
     Feria IIᵃ hebdomadae Iᵃᵉ quadragesimae, oratio ad *seu* pro
     seu super populum *ceteri codd.*

Var. lect.: 1 domine quaesumus] *codd.* ⁰ *distincti,* quaesumus domine
transp. ceteri codd.   2 averte] *PaAug Rossian,* propitiatus *praem.
ceteri codd.*

Nota: *Comparez à l'oraison*: "Peccata nostra domine propitiatus absolve ... miseratus averte."

20.   Br 7

Absolve, quaesumus, domine, tuorum delicta populorum et a peccatorum nostrorum nexibus, quae pro nostra fragilitate contraximus, tua benignitate liberemur.

Codd. : *Adelp* 1301°   *Arbuth* 260   *Bec* 114[+]   *Benevent*[1]
23   *Cantuar* 64[+]   *Curia* 146[v+]   *Engol* 1341   *Fulda* 917.
1580. 1700   *Gellon* 1470   *Gemm* 132   *Gregor* 702°   *Lateran* 147[+]   *Leofric* 121   *Marienberg* 250*°   *Ménard* 167 D.
184 C   *Monza* 601   *Nivern* 252   *Pad* 676°   *Pamel* 341°.
406   *Phill* 863   *Ratisb* 1361. 1504   *Rhen* 839   *Rossian*
267, 1   *Salzb* 292   *Sangall* 1200   *Sarum* 531   *Trento*
741°   *Triplex* 2480   *Udalr* 968°   *Vigil* 353°   *West* III
1491 (Paris)   *Winch* 53

Rubr.: Missa pro peccatis, alia collecta *Benevent*[1]
In Litania minore, feria III[a] in Rogationibus, alia oratio *Fulda* 917
Dominica VII[a] post Pentecosten, oratio super populum *Fulda* 1580 *Pamel* 406
In vigilia unius confessoris, alia oratio *Ménard* 167 D   *Ratisb* 1361
Dominica XIV[a] post octavam Pentecostes, collecta *West*
Dominica XXIV[a] post Trinitatem (*Arbuth Sarum*) seu XXV[a] post Pentecosten, collecta *Arbuth   Fulda* 1700 *Sarum Winch*
Dominica XVII[a] post octavam Pentecostes seu XVIII[a] post Pentecosten, collecta (sans rapport avec les Quatretemps de septembre) *Ménard Ratisb* 1504 *Rossian*
In ieiunio mensis septimi, die dominica, collecta *codd.* ° *distincti*
Dominica VI[a] post natale sancti Laurentii (*Monza Salzb*) seu dominica XVI[a] post Pentecosten (*Curia-Av*) seu dominica *vel* hebdomada XVII[a] post Pentecosten (*Gellon Lateran*) seu dominica *vel* hebdomada XVII[a] post octavam Pentecostes *vel* XVIII[a] post Pentecosten (tous introduisant les Quatretemps de septembre), collecta *ceteri codd.*

Var. lect.: *Benevent*[1] *formam adhibet tertiae personae singularis*
1 domine quaesumus *transp.* Marienberg Trento Vigil   tuorum delicta populorum] delicta famuli tui illius *Benevent*[1]   2 et] ut *codd.* [+] *distincti*   nostrorum] *om.* Fulda 917. 1700 Ratisb 1361, suorum *Fulda 1580*   3 tua benignitate] tua succurrente pietate *Fulda* 917, intercedente beato confessore tuo illo *Ménard* 167 D *Ratisb* 1361

21.

Absterge, quaesumus, domine, christiani populi caliginem
tui luminis illustratione et praesta, ut, beati Gabrielis
archangeli tui salutatione et omnium angelorum tuorum
protectione munitus, in tua semper visitatione clarescat.

Codd.: *Praem–M1578* 122   *Sarum* 913*

Rubr. : Die XX° mensis Martii, missa de sancto Gabriele, collecta
codd.

22.

Accedentes ad te, domine, exigui famuli sacerdotes, quos
ex officio debitum cunctos cogit commendare fideles, non
incurramus merita ullomodo propria sed, te praestante, crimina mereamur evadere patrata. Exaudi, quaesumus, precem
5 ecclesiae tuae, quam tuis nutibus in honorem martyris tui
Pelagii delibat, ac singulorum occurre precantibus, qui hunc
martyrem tuum, vitiis repugnantem, dignum tuis fecisti esse
conspectibus.
Deferat nostram coram te, quaesumus, obsequelam, qui
10 tibi placuit pro passione. Succurrat miseris prece, eruat
prostratos assidue, qui te infideli confessus est coram
principe. Quis nostrum sane ad te facile oculos audebit
erigere, quos tabes conscientiae premit, lapsus inclinat, foeda
indecenter consuetudo curvat, lenta quoque animi remissio
15 erigere non sinit sed, quod peius est, illicita impudenter
agere propellit? Adclines ergo inde rogamus, ut in omnibus
in commune adsit patronus, qualiter te propitium dissidentes
pacem et pacifici indefessam caritatis retentent unitatem.

Cod.: *London*[7] 207 (1256)

Rubr.: Officium in die sancti Pelagii, <oratio> ad pacem

23.

Accepta, domine, maiestati tuae fidelis populi reddatur
oblatio obtentu beatae Mariae Magdalenae, quae se tibi
hostiam vivam, sanctam et beneplacentem semper exhibuit.

Codd.: *Pamel* 319   *Praem* 151. 152   *West* III 1568 (Whitby)

Rubr. : XI Kalendas Augusti, natale sanctae Mariae Magdalenae,
oratio super oblata *seu* secreta *codd.*

24.

Accepta, domine, quaesumus, sacrificium plebis tuae, quam Iesu Christi filii tui domini nostri iubeas esse consortem, qui humanitatis nostrae dignatus est fieri particeps.

Codd. : *Arbuth* 33   *Sarum* 76   *West* I 59   *West* III 1454
(Abingdon St-Alban's Tewkesbury)

Rubr.: Sexta die a Natali Domini, (sive dominica fuerit, sive non add. *Sarum*), secreta *Arbuth Sarum*
Dominica Iª post octavam Natalis, secreta *ceteri codd.*

Var. lect.: 1 quaesumus] *om. Arbuth West*

25.

Accepta esca spiritalis doni et participatione sacramenti tui, te deum salvatorem nostrum suppliciter exoramus, ut intercessione beati sacerdotis et martyris tui Blasii ab omnibus diabolicis liberemur insidiis.

Codd.: *Aquilea* 201ᵛ   *Udalr* 172

Rubr. : III Nonas Februarii, natale sancti Blasii episcopi et martyris, oratio ad complendum *seu* complenda

Var. lect. : 3 intercessione] *Udalr*, per intercessionem *Aquilea*   4 liberemur] *Udalr*, mundemur *Aquilea*

26.

Accepta in conspectu tuo sit, domine, muneris praesentis oblatio et beatae Honorinae virginis et martyris tuae commendatione sit populo supplicanti apud te peccatorum suorum propitiatio.

Cod.: *Bec* 138

Rubr. : Die XXVIIº mensis Februarii, <in festo> sanctae Honorinae, secreta

27.

Accepta sint, quaesumus, omnipotens deus, in conspectu maiestatis tuae nostrae oblationis munera, quae in venerationem sancti Raphaelis angeli tibi deferimus, cuius suffragio bonis participari mereamur aeternis.

Cod.: *Ripoll* 1252

Rubr.: Missa sancti Raphaelis, secreta

28 a.   Br 8

Accepta sit in conspectu tuo, domine, nostra devotio, ut eorum nobis fiat supplicatione salutaris, pro quorum sollemnitate defertur.

Codd.: *Bec* 173   *Cantuar* 101   *Fulda* 1875. 1900   *Gregor-Tc* 1898. 1908   *Herford* 294   *Leon* 817   *Vicen*[1] 1050   *West* III 1554 (Dominicains). 1575 (Durham Whitby)

Rubr.: Mense Augusti, III Kalendas Septembris, natale sanctorum Adaucti et Felicis, V alia missa, <secreta> *Leon*
Die VIII° mensis Iunii, <in natali> sanctorum episcoporum Medardi et Gildardi, secreta *West* III 1554
Die I° mensis Augusti, <in festo> sanctorum Macchabaeorum, secreta *Bec Cantuar Herford West* III 1575
Missa in honorem martyrum et confessorum, oratio super oblata *Fulda* 1875
Missa in honorem omnium sanctorum, oratio super oblata *Fulda* 1900 *GregorTc* 1898
Missa in honorem Dei Genitricis et omnium sanctorum, oratio super oblata *seu* secreta *GregorTc* 1908 *Vicen*[1]

Var. lect.: **1** nostra devotio] nostrae devotionis oblatio *Bec*   **2** eorum nobis] omnium sanctorum *Fulda* 1900   *GregorTc* 1898. 1908   fiat nobis *transp. Herford*   **2/3** sollemnitate] commemoratione *Fulda* 1875, commemoratione pie *Fulda* 1900 *GregorTc* 1898 1908, veneratione *Vicen*[1]

28 b.   Br 8

Accepta sit in conspectu tuo, domine, nostra devotio, ut eius nobis fiat supplicatione salutaris, pro cuius sollemnitate defertur.

– A –

Codd. : *Aquilea* 242[v]   *Bec* 200   *Fulda* 1353   *Gellon* 1529   *Gemm* 216   *GregorTc* 3604. 3613   *Ratisb* 1152   *Rossian* 203, 2

Rubr. : II Kalendas Octobris, natale sancti Hieronymi, oratio super oblata *seu* secreta *codd.*

Var. lect. : 1 nostra devotio] nostrae devotionis oblatio *Bec*   2 nobis fiat eius *transp. Aquilea Fulda Ratisb*   sollemnitate] honore *Fulda*

– B –

Codd. : *Aquilea* 260ᵛ   *Cantuar* III   *Curia* 224ᵛ   *Gemm* 238   *GregorTc* 3236.   3415   *Herford* 286   *Otton* 94ʳ   *Sa-rum* 905*   *West* III 1533 (Dominicains). III 1574 (Dominicains). III 1577 (Cisterciens)

Rubr.: Alia missa in natale unius martyris, oratio super oblata
  seu secreta *Aquilea   Curia   GregorTc* 3236
  <Die XIXᵒ mensis Septembris, in festo> sancti Theodori
  archiepiscopi <Cantuariae>, secreta *Cantuar*
  Alia missa in natale unius virginis (confessae), oratio super
  oblata *seu* secreta *Gemm   GregorTc* 3415
  XII Kalendas Augusti, <natale> sanctae Praxedis virginis non
  martyris, secreta *Herford*
  In natale sancti Willibaldi episcopi et confessoris, secreta *Otton*
  <Die XXVᵒ mensis Iulii>, in commemoratione sancti Christophori martyris, secreta *Sarum*
  Die XXVIIᵒ mensis Ianuarii, in natali sancti Iuliani, secreta *West* III 1533
  Die XXXIᵒ mensis Iulii, in natali sancti Germani episcopi et
  confessoris, secreta *West* III 1574
  Die VIIᵒ mensis Augusti, <in natali> sancti Donati episcopi et
  martyris, secreta *West* III 1577

Var. lect. : 1 nostra] haec *Cantuar*   nostra devotio] nostrae devotio-nis oblatio *West* III 1574   2 sollemnitate] commemoratione *Sarum*

– C –

Codd. : *Adelp* 941ᵒ   *Aquilea* 231ᵛᵒ⁺   *Bec* 176⁺   *Bene-vent*² 156⁺   *Cantuar* 103ᵒ⁺   *Curia* 189⁺   *Gemm* 197   *Gre-gor* 637   *Herford* 297ᵒ⁺   *Lateran* 251⁺   *Leofric* 152   *Mateus* 1921⁺   *Nivern* 286⁺   *Otton* 102ᵛ   *Pad* 595   *Pamel* 325   *Praem* 165ᵒ   *Prag* 169, 2   *Rossian* 165, 2ᵒ   *Trento* 680   *Triplex* 2255   *Udalr* 871   *Vicen*¹ 544

Rubr.: VI Idus Augusti,
  – natale sanctorum Cyriaci, Largi et Smaragdi, secreta *Bec*
    Curia Lateran Mateus
  – natale sancti Cyriaci sociorumque eius, secreta   *codd.*
    ᵒ *distincti*
  – natale sancti Cyriaci, alia secreta *Triplex*, oratio super
    oblata *seu* secreta *ceteri codd.*

Var. lect. : *codd.* ⁺ *distincti formam adhibent pluralis*   1 nostra devotio] nostrae devotionis oblatio *Bec Cantuar Herford*   2 fiat nobis *transp. Mateus*

- D -

Codd. : *Adelp* 200⁺   *Aquilea* 197ᵛ⁺   *Arbuth* 280⁰⁺   *Bec*
127⁰⁺   *Benevent*² 20   *Cantuar* 74⁰⁺   *Gemm* 154   *Gre-*
gor 112   *Herford* 231⁰   *Herford-M* 231⁰   *Leofric* 135   *Mé-*
nard 42 D   *Metz*¹ 65   *Nivern* 152   *Otton* 10ʳ   *Pad* 85
Pamel 201   *Panorm* 961⁺   *PaMon-Ben* 19, 2   *Praem* 107   *Ra-*
tisb 124   *Ripoll* 873   *Rossian* 21, 2   *Sarum* 684⁰⁺   *Tren-*
to 170⁺   *Triplex* 418   *Udalr* 144   *Winch* 62   *West* II 747

Rubr.: XIII Kalendas Februarii,
   - natale sanctorum Fabiani et Sebastiani, postcommunio
   Herford-M, secreta *ceteri codd.* ⁰ *distincti*
   - natale sancti Sebastiani, oratio super oblata *seu* secreta *ceteri codd.*

Var. lect. : *codd.* ⁰ *distincti formam adhibent pluralis* **1** domine]
quaesumus *praem.* *Arbuth Herford Sarum* domine in conspectu tuo
transp. *PaMon-Ben* nostra devotio] nostrae devotionis oblatio *codd.*
⁺ *distincti* **2** fiat nobis *transp.* *Herford* sollemnitate] passione *Ar-*
buth Herford Sarum West

- E -

Codd. : *Adelp* 680   *Aquilea* 209ʳ   *Ariberto* 671   *Bec*
145   *Biasca* 828   *Cantuar* 85   *Curia* 166   *Engol* 920   *Ful-*
da 878   *Gellon* 923   *Gemm* 171   *Gregor* 477   *Herford*
253   *Lateran* 200   *Leofric* 140   *Mateus* 1356   *Mé-*
nard 100 D   *Otton* 82ᵛ   *Pad* 409   *Pamel* 287   *Panorm*
1135   *Phill* 728   *Praem* 128   *Ratisb* 693   *Ripoll* 945   *Ros-*
sian 102, 2   *Sangall* 724   *Salzb-A* 21   *Trento* 523   *Tri-*
plex 1625   *Udalr* 611   *Vicen*¹ 327   *Vigil* 115   *Winch* 90

Rubr.: IV Kalendas Maii,
   - natale sanctorum Vitalis et Valeriae, oratio super oblata
   Ariberto Biasca
   - natale sancti Vitalis, oratio super oblata *seu* secreta *ce-*
   teri codd.

Var. lect. : *Ariberto Biasca formam adhibent pluralis* **1** Accepta]
tibi *add.* *Engol Herford* nostra devotio] nostrae devotionis oblatio *Bec Herford* **2** eius] beati Vitalis martyris tui *Lateran*

- F -

Codd. : *Adelp* 907   *Fulda* 1144   *Gemm* 191   *Gregor*
617   *Pad* 574   *Pamel* 320   *PaMog* 24ᵛ   *Praem* 157   *Ri-*
poll 1099   *Rossian* 154, 2   *Trento* 660   *Triplex* 2189   *Udalr*
842   *Vicen*¹ 475   *Winch* 128

Rubr.: IV Kalendas Augusti,
- natale sanctorum Felicis, Simplicii, Faustini et Beatricis, secreta *Vicen*[1]
- natale sancti Felicis, alia secreta *Triplex*, oratio super oblata *seu* secreta *ceteri codd.*

Var. lect.: *Vicen*[1] *formam adhibet pluralis*

28 c.   Br 8

Accepta tibi sit in conspectu tuo, domine, nostrae devotionis oblatio et eorum nobis fiat supplicatione salutaris, pro quorum sollemnitate defertur.

Codd.: *Benevent*[1] 764   *GelasV* IIII   *Gellon* 1803   *Ripoll* 1345   *Vicen*[1] 688   *West* II 882

Rubr.: Missa in <natale> plurimorum confessorum, oratio secreta *Benevent*[1]
Alia missa in natale plurimorum sanctorum, secreta *GelasV Gellon*
XV Kalendas Decembris, <natale sanctorum> Aciscli et Victoriae, secreta *Ripoll Vicen*[1]
<VIII Kalendas Augusti, in die> sanctorum Christophori et Cucufati, secretum *West*

Var. lect.: 1 tibi] *om. Ripoll Vicen*[1] *West*   1/2 nostrae ... oblatio] nostra devotio *West*

28 d.   Br 8

Accepta sit in conspectu tuo, domine, quaesumus, nostrae humilitatis oblatio et sancti martyris tui atque pontificis Bonifatii fiat supplicatione salutaris, pro cuius sollemnitate tuae maiestati defertur.

Codd.: *Aquilea* 213[v]   *Fulda* 1032   *Lucca* 130   *Miss. Vet. Angl.* 200 (309)   *Ratisb-A* 11   *Vitell* 97[r] (304)   *West* III 1553 (Sherborne)

Rubr.: <Die II° mensis Iunii>, in festo <sancti> Erasmi episcopi et martyris, secreta *Aquilea*
Nonas Iunii, passio sancti Bonifatii episcopi et sociorum eius, oratio super oblata *seu* secreta *ceteri codd.*

Var. lect.: 1 in conspectu tuo domine quaesumus] *Fulda Lucca*, in conspectu tuo quaesumus domine *Aquilea*, in conspectu tuo domine *Miss. Vet. Angl.*, quaesumus domine in conspectu tuo *Ratisb-A*, quaesumus in conspectu tuo domine *Vitell*, in conspectu tuo *West*   2 pontificis] *Aqui-*

lea   Fulda   Lucca   Miss. Vet. Angl.   West, sacerdotis *Ratisb-A   Vi-*
tell   **3** fiat] nobis *praem. West*   supplicatione] intercessione *Aquilea*
4 tuae maiestati] *om. Aquilea West*

29.

Accepta tibi sint, domine, munera haec, sanguis et hostia,
quae tibi offero in honorem nominis tui pro me indigno
peccatore, quia non sum dignus assistere ante sanctum altare
tuum, quia peccavi coram te et coram sanctis angelis tuis,
5 sed tribue mihi facere voluntatem tuam omnibus diebus vitae
meae, domine deus noster, ut tibi est placitum coram te.

Cod.: *GregorTc* 2076

Rubr.: Missa sacerdotis, oratio super oblata

30.

Accepta tibi sint, domine, nostrae oblationis libamina,
quae tibi commendent sancti Cuthberti confessoris atque
pontificis continua merita.

Cod.: *Vitell* 117^v (306)

Rubr. : II Nonas Septembris, translatio sancti Cuthberti episcopi,
secreta

31.   Br 11

Accepta tibi sint, domine, quaesumus, nostri dona ieiunii,
quae et, expiando, nos tua gratia dignos efficiant et ad
sempiterna promissa perducant.

- A -

Codd. : *Adelp* 1498   *Bergom* 1450   *Bobbio* 154   *Engol*
449   *GelasV* 217   *Gregor* 86*   *Leon* 895   *Pad* 238   *Prag*
64, 2   *Ratisb* 1650   *Ripoll* 576

Rubr.: Mense Septembris, orationes et preces ieiunii mensis septimi,
     VII alia missa, <secreta> *Leon*
     Alia missa pro tribulatis, secreta *Adelp*
     Missa in tempore ieiunii, oratio super oblata *Bergom*
     Missa ieiunii III^a, <collectio> ad pacem *Bobbio*
     Feria VI^a hebdomadae III^{ae} quadragesimae, oratio super
       oblata *seu* secreta *Engol GelasV Prag*

Feria V^a hebdomadae III^{ae} quadragesimae, <oratio super oblata> *Gregor*
Feria III^a hebdomadae IV^{ae} quadragesimae, oratio super oblata *Pad*
Alia missa pro peccatis, secreta *Ratisb*
Missa Quatuor Temporum post Pentecosten, feria IV^a, secreta *Ripoll*

Var. lect. : 1 quaesumus domine *transp. Pad*   quaesumus] *om. Adelp* nostri dona ieiunii] munera nostra *Adelp,* ieiunia nostra *Ratisb* **2** et^2] *om. Bergom Bobbio GelasV Prag*

- B -

Codd. : *Adelp* 1309   *Aquilea* 180^r *Arbuth* 246   *Bec* 116$^+$ *Cantuar* 65° *Curia* 147   *Engol* 1365$^+$ *Fulda* 1639   *Gellon* 1493^{o+} *Gemm* 133   *Gregor* 710   *Her- ford* 201   *Lateran* 148   *Leofric* 122   *Mateus* 2686$^+$ *Mé- nard* 141 *C$^+$*   *Monza* 609^{o+} *Nivern* 253   *Otton* 142^v *Pad* 684   *Pamel* 342   *Panorm* 808   *Phill* 888^{o+} *Praem* 91   *Ratisb* 1117$^+$ *Rhen* 858$^+$ *Ripoll* 663   *Rossian* 195, 2   *Sangall* 1220^{o+} *Sarum* 542   *Trento* 749   *Tri- plex* 2492   *Udalr* 976   *Vicen*^{1} 242   *Winch* 43   *West* I 443

Rubr.: Feria VI^a Quatuor Temporum Septembris, oratio super oblata *seu* secreta *codd.*

Var. lect. : 1 sint tibi *transp. Herford Ripoll*   quaesumus domine *transp. Curia*   quaesumus] *om. codd.* ^{o} distincti   **2** et^1] *om. codd.* $^+$ distincti   nos et expiando *transp. Sarum*   expiando] expoliando *Rhen* gratia tua *transp. West*

- C -

Codd. : *Adelp* 372   *Engol* 391   *Fulda* 469   *Gellon* 375   *Lateran* 56   *Ménard* 64 B   *Monza* 174   *Phill* 381   *Ratisb* 361   *Rhen* 281   *Ripoll* 151   *Rossian* 57, 2   *San- gall* 342   *Trento* 274   *Triplex* 807

Rubr.: Feria V^a hebdomadae II^{ae} quadragesimae, oratio super oblata *seu* secreta *codd.*

Var. lect. : 1 tibi] *om. Ratisb*   dona nostri *transp. Lateran* **2** et^1] *om. Phill Rhen*

- D -

Codd. : *Adelp* 1357   *Aquilea* 5^v *Cantuar* 8   *Curia* 11° *Gemm* 140° *Gregor* 792   *Herford* 7° *Lateran* 12° *Leo- fric* 128   *Mateus* 83   *Nivern* 263° *Otton* 147^v *Pad* 795   *Pamel* 361   *Praem* 31° *Ripoll* 723   *Rossian* 280, 3^m *Trento* 830   *Udalr* 1258   *Vicen*^{2} 62   *Vigil* 440°

Rubr.: Feria IVª Quatuor Temporum Adventus, oratio super oblata *seu* secreta *codd.*

Var. lect.: 1 quaesumus domine *transp. codd.* ⁰ *distincti* quaesumus] *om. Leofric* nostri dona ieiunii] munera nostra *Herford*, nostra munera *Cantuar Praem-MB*, nostra ieiunia *ceteri codd.* 3 promissa] gaudia *Herford*, *om. Leofric*

32.

Accepta tibi sint, quaesumus, domine, munera, quae in die sollemnitatis beati martyris tui Iuliani deferimus, ut ea maiestati tuae sint placita, sicut illius effusio sanguinis apud te exstitit pretiosa.

Codd.: *Ariberto* 731. 866 *Bergom* 956. 1082 *Biasca* 887 *Milano* 993. 1109 *Triplex* 2009

Rubr.: VII Kalendas Septembris, natale sancti Alexandri, oratio super oblata *Ariberto* 866 *Bergom* 1082 *Milano* 1109
X Kalendas Iulii, natale sancti Iuliani martyris, oratio super oblata *seu* secreta *ceteri codd.*

Var. lect.: 2 ea] sic *Ariberto* 866

33.

Accepta tibi sit, domine, nostrae devotionis oblatio et ad apostolicam puriores nos faciat venire festivitatem.

Codd.: *Adelp* 1206⁰ʲ *Alcuin* 118 *Aquilea* 250ᶠ⁺ *Arbuth* 385. 402 *Avellan*[1] 895ʲ *Avellan*[2] 944 *Drumm* 62⁰⁺ʲ *Fulda* 1368ʲ *Gemm* 231ʲμ *Gregor* 56*. 254*ʲ *GregorTc* 3145⁺. 3512μ. 3571. 3632 *Herford* 226. 288. 313. 369ʲμ *Lateran* 201⁺ʲ. 298 *Leofric* 172⁰ʲ *Mateus* 2252. 2324 *Ménard* 167 B⁰ *Nivern* 316ʲμ *Otton* 128ᵛ *Pamel* 537ʲ *Praem.* 153⁺μ. 173⁺μ *Ragusa* 604μ *Ratisb* 1277. 1354⁰ *Ripoll* 1332μ *Rossian* 229, 2. 239, 2⁰ *Sarum* 947μ. 659*⁺ *Winch* 171ʲ *West* II 984

Rubr.: In vigilia unius confessoris (doctoris *Adelp*), secreta (secretum *Drumm*) *codd.* ⁰ *distincti*
VIII Kalendas Augusti, vigilia sancti Iacobi, secreta *Avellan*[1] *Herford* 288 *Praem* 153
In vigilia uniuscuiusque volueris (*Avellan*[2]) *seu* in vigilia unius apostoli sive martyris sive confessoris (*Gemm Pamel*) *seu* in vigilia unius apostoli vel martyris vel confessoris seu virginis (*Mateus* 2324), secreta *codd. cit.*

VIII Idus Octobris, vigilia sancti Dionysii, oratio super oblata
  seu secreta *Fulda   Gregor* 254* *GregorTc* 3632 *Winch*
Nonis Februarii, vigilia sancti Vedasti, oratio super oblata
  Gregor 56*
V Nonas Iulii, vigilia sancti Martini episcopi et confessoris,
  oratio super oblata *GregorTc* 3512
IV Nonas Septembris, vigilia sancti Remagli, oratio super
  oblata *GregorTc* 3571
XIII Kalendas Ianuarii, vigilia sancti Thomae, secreta *Her-
  ford* 226
X Kalendas Septembris, vigilia sancti Bartholomaei, secreta
  Herford 313 *Praem* 173
II Kalendas Maii, vigilia apostolorum Philippi et Iacobi,
  secreta *Lateran* 201
IV Idus Novembris, vigilia sancti Martini, secreta *Ma-
  teus* 2252 *Ripoll*
<Die XXVII° mensis Octobris>, in vigilia apostolorum Simonis
  et Iudae, secreta *Arbuth* 385 *Sarum* 947 *West*
In vigilia unius apostoli (sive evangelistae *add. Herford* 369 *Sarum* 659*), oratio super oblata *seu* secreta
  ceteri codd.

Var. lect. : **1** tibi] *om. GregorTc* 3512 *Mateus* 2252 *Rossian* 229, **2**
sit tibi *transp. codd.* + *distincti*   domine] quaesumus *praem. Sarum* 947, *add.* Drumm *Lateran* 298   oblatio] tuo conspectui *add. Rossian* 229, **2**   1/2 ad *et* venire] praevenire *Lateran* 201 *Mateus* 2324
2 apostolicam] sancti confessoris tui illius *codd.* ° *distincti,* sancti
apostoli tui illius *Herford* 369, martyrum tuorum Dionysii, Rustici et
Eleutherii *Fulda   Gregor* 254* *GregorTc* 3632 *Winch*   faciat nos
transp. codd. " *distincti*   venire] pervenire *codd.* ᵘ *distincti*   festivi-
tatem] sollemnitatem *Herford* 369, principium *Leofric*

34.

Accepta tibi sit, domine, nostrae devotionis oblatio et
beatorum apostolorum illorum, quorum natalitia praevenimus, intercessio nos salvet semper et muniat.

Cod.: *Adelp* 1178

Rubr.: Vigilia apostolorum, secreta

35.

Accepta tibi sit, domine, nostrae devotionis oblatio, quae
et ieiunium nostrum, te operante, sanctificet et indulgentiam
nobis tuae consolationis obtineat.

- A -

Codd. : *Arbuth* 66   *Engol* 310   *Fulda* 405   *GelasV*
III   *Gellon* 308   *Ménard* 59 A   *Monac*[2] 7   *Monza*
134   *PaAng* 4   *Pad* 143   *Pamel* 219   *Phill* 317   *Prag* 46,
2   *Ratisb* 299   *Rhen* 222   *Rossian* 47, 2   *Salzb* 18   *Sangall* 281   *Sarum* 151   *Triplex* 651   *West* I 110   *West* III
1459 (St-Alban's Tewkesbury)

Rubr. : Feria II[a] hebdomadae I[ae] quadragesimae, oratio super oblata
seu secreta *codd.*

Var. lect. : **1** sit tibi *transp. Rossian*   sit domine tibi *transp. Ratisb*   domine sit *transp. West*   domine] quaesumus *add. Arbuth Sarum*   **2** et[2]] ac *Rossian*   **3** consolationis] pietatis *PaAng*

- B -

Codd. : *Engol* 482   *GelasV* 241   *Prag* 69, 2

Rubr. : Feria IV[a] hebdomadae IV[ae] quadragesimae,
    - secreta *GelasV Prag*
    - alia secreta *Engol*

Var. lect. : **3** nobis] *om. GelasV Prag*

- C -

Codd. : *Bonifatius* 28   *Goth* 164

Rubr. : In capite sexagesimae, alia oratio super oblata *Bonifatius*
    Ordo missae in initio quadragesimae, <collectio> post mys-
    terium *Goth*

- D -

Codd. : *Ariberto* 358   *Bergom* 429   *Biasca* 391   *Milano*
207   *Triplex* 1024

Rubr. : Feria II[a] hebdomadae V[ae] quadragesimae, oratio super oblata
seu secreta *codd.*

Var. lect. : **1** domine] quaesumus *praem. codd.*

36.

Accepta tibi sit, domine, nostrae servitutis oblatio et
salutaris nobis beati Laurentii precibus, pro cuius commemoratione defertur, exsistat.

Cod.: *Leon* 754

Rubr.: Mense Augusti, IV Idus Augusti, natale sancti Laurentii, V alia missa, \<secreta\>

37.

Accepta tibi sit, domine, nostrae servitutis oblatio, quae nos et a reatibus nostris absolvat et ab imminentibus malis eripiat.

Cod.: *Goth* 511

Rubr.: Missa dominicalis IVª, collectio \<quae sequitur praefationem *i.e.* introductionem\>

38.

Accepta tibi sit, domine, oblatio nostri sacrificii et oratio prophetae Eliae nos apud te faciat munitos.

Cod.: *Ragusa* 504

Rubr.: In sancti Eliae prophetae, \<secreta\>

39.

Accepta tibi sit, domine, quaesumus, haec oblatio plebis tuae, quam tibi offerimus hodie ob incarnationem simul et passionem redemptoris nostri Iesu Christi, te supplices deprecantes, ut placatus accipias.

Codd.: *Bec* 141   *Engol* 881   *Gellon* 853   *Monza* 350   *Pad* 386   *Phill* 658   *Rhen* 542   *Salzb* 160   *Salzb-A* 3   *West* II 1126

Rubr.: De sancta Maria in paschali tempore, secretum *West*
    VIII Kalendas Aprilis, Annuntiatio sanctae Dei Genitricis et
    Passio eiusdem Domini, (prima missa *Engol Phill*),
    – alia secreta *Bec Gellon*
    – oratio super oblata *seu* secreta *ceteri codd.*

Var. lect.: 1 tibi] *om. Phill*   sit tibi *transp. Gellon Salzb Salzb-A*   domine quaesumus] *Pad*¹, quaesumus domine *transp. Pad*² *ceteri codd.*   2 tibi] *om. Bec Salzb Salzb-A West*   hodie] *om. Bec West* 2/3 simul et passionem] passionem simul et resurrectionem *Bec West*

3 redemptoris] domini *add. Monza* te] *om. Salzb-A* **3/4** deprecantes] *Pad*[1], deprecamur *Pad*[2] *ceteri codd.* **4** ut placatus accipias] ut beatae virginis Mariae genitricis suae intercessione placatus eam digneris accipere *Bec West*

40 a. Br 12

Accepta tibi sit, domine, quaesumus, hodiernae festivitatis oblatio, ut, tua gratia largiente, per haec sacrosancta commercia in illius inveniamur forma, in quo tecum est nostra substantia.

Codd. :	*Adelp* 104		*Aquilea* 11[r]		*Arbuth* 22		*Avellan*[3]
836	*Benevent*[2] 2		*Bergom* 117		*Biasca* 117		*Cantuar*
10	*Curia* 14[v]	*Engol* 3		*Fulda* 40		*Gemm* 48	*Gregor* 37
gor 37	*Herford* 14		*Iena* 8[r]		*Lateran* 19		*Leofric*
63	*Mateus* 155		*Medinaceli* 29		*Ménard* 29 C		*Metz*[1]
59	*Monza* 9	*Nivern* 133		*Oxford* 88		*PaAug* 2, 3	*Pad*
5	*Pamel* 185		*PaMon-Ben* 2, 2		*PaMon-Alp* 26, 2		*Phill*
13	*Praem* 33		*Ratisb* 8	*Rhen* 9		*Rossian* 3, 2	*Salzb* 361
b 361	*Sangall* 10		*Sarum* 54		*Trento* 91		*Triplex* 175.
184	*Udalr* 59		*Vicen*[2] 85		*West* I 37		

Rubr. : Natale Domini, media nocte *seu* in gallicantu, oratio super oblata *seu* secreta *codd.*

Var. lect. : **1** sit tibi *transp. Arbuth Ménard Sarum West* quaesumus] *om. Iena* **2** largiente] gubernante *Phill* **2/3** commercia] mysteria *Curia*

40 b. Br 12

Accepta tibi sit, domine, quaesumus, hodiernae festivitatis oblatio, ut, tua gratia largiente haec sacrosancta commercia, in illa inveniamur forma, in qua tecum est nostra substantia.

Codd. : *Engol* 205 *GelasV* 830 *Prag* 26, 2

Rubr. : IV Nonas Februarii, in Purificatione sanctae Mariae *seu* <in festo> sancti Simeonis (*Engol*),
- secreta *GelasV Prag*
- alia secreta *Engol*

Var. lect. : **1** quaesumus domine *transp. Prag*

Nota : *Comparez à l'oraison*: "Grata tibi sit, domine, quaesumus, hodiernae festivitatis ... nostra substantia."

41 a.   Br 13

Accepta tibi sit, domine, sacratae plebis oblatio pro tuorum honore sanctorum, quorum se meritis percepisse de tribulatione cognoscit auxilium.

- A -

Cod.: *Leon* 735

Rubr. : Mense Augusti, VIII Idus Augusti, in natale sanctorum
Felicissimi et Agapiti, <secreta>

- B -

Codd. : *Adelp* 974⁰   *Aquilea* 235ᵛᵒ   *Arbuth* 357⁰   *Bec*
184 ⁰⁺   *Cantuar* 106⁰   *Curia* 195ᵛ⁺   *Fulda* 1238   *Gemm*
203   *Gregor* 669   *Herford* 312⁰   *Lateran* 260⁰   *Leo-*
fric 156   *Mateus* 2003⁰⁺   *Ménard* 134 B   *Monac*³ IV, 2   *Mont-*
*serrat*² VIII, 2⁰   *Otton* 107ʳᵒ   *Pad* 632   *Pamel* 332   *Praem*
172⁰   *Prag* 177, 2   *Ratisb* 1037   *Ripoll* 1189⁰   *Ros-*
sian 176, 2⁰⁺   *Sarum* 880⁰   *Trento* 708   *Triplex* 2355⁺
Udalr 906⁺   *Vicen*¹ 594⁺   *Vigil* 291   *Winch* 148⁰   *West* II
920⁰

Rubr.: XI Kalendas Septembris,
- <natale> sanctorum Timothei, Hippolyti et Symphoriani,
  secreta *Curia*
- natale sanctorum Timothei et Symphoriani, secreta *codd.*
  ⁰ *distincti*
- natale sancti Timothei, alia secreta *Triplex*, oratio super
  oblata *seu* secreta *ceteri codd.*

Var. lect.: **1** tibi] *om. Herford Pad Winch*   sit tibi   *transp. codd.*
⁺ *distincti*   domine] quaesumus *add. Monac*³   sacratae] sacrae *Ratisb*
Vigil   oblatio] oratio *Lateran*   **2** sanctorum] Timothei et Symphoriani
add. Bec   percepisse] *om. Rossian*   **2/3** de tribulatione percepisse
transp. Curia Lateran   de tribulatione cognoscit] cognoscat de tribulatione *Cantuar*

- C -

Codd. : *Aquilea* 243ʳᵒ   *Cantuar* 116⁰   *Casin*² XIX, 2   *Curia*
205ᵛ   *Gemm* 217   *Gregor* 730   *Leofric* 163   *Mateus*
2176   *Nivern* 304⁰   *Otton* 118ᵛ   *Pad* 709   *Pamel*
346   *Praem* 194⁰   *Prag* 197, 2   *Ripoll* 1280   *Rossian* 205,
2ᵐ   *Trento* 769   *Triplex* 2568   *Winch* 171⁰

Rubr.: Nonas Octobris, natale sancti Marci papae,
- alia secreta *Triplex*
- oratio super oblata *seu* secreta *ceteri codd.*

Var. lect. : **1** tibi sit] sit *Prag*, sit tibi *transp. Aquilea Praem*, sit in conspectu tuo *Gemm*   sacratae] *codd.* ° *distincti*, sacrae *ceteri codd.*
2/3 de tribulatione percepisse *transp. Leofric Nivern*   de tribulatione] *om. Rossian*

– D –

Codd. : *Aquilea* 195ᵛ   *Bec* 223   *Benevent*[1] 318   *Cantuar* 126   *Curia* 218   *Fulda* 1479   *Gemm* 230   *Gregor* 785   *Herford* 226   *Lateran* 162   *Leofric* 169   *Mateus* 64   *Nivern* 261   *Pad* 788   *Pamel* 360   *Praem* 100   *Ripoll* 1404   *Rossian* 227, 2ᵐ   *Trento* 823   *Trento–A* 372*   *Udalr* 1235   *Vicen*[1] 746   *Vigil* 429   *Winch* 191

Rubr. : Idus Decembris, natale sanctae Luciae, oratio super oblata *seu* secreta *codd.*

Var. lect. : **1** tibi] *om. Lateran*   sit tibi *transp. Aquilea Bec Pamel*   sacratae] sacrae *Benevent*[1] *Vicen*[1]   **1/2** pro ... quorum] pro sanctae virginis tuae Luciae honore cuius *Bec*, pro sanctae Luciae honore cuius *Cantuar*, pro tuae sanctae virginis et martyris Luciae honore cuius *Vicen*[1]   **2/3** de tribulatione percepisse *transp. Nivern*

– E –

Codd. : *Adelp* 1071   *Bologna*[2] I 4   *Curia* 217ᵛ. 228   *Herford* 398   *Herford–M* 222. 268   *Praem* 112. 117. 118. 130°. 135. 153. 158. 193   *Ripoll* 989   *Sarum* 734*°   *West* III 1534°. 1536. 1550°. 1553°. 1567. 1568. 1570°. 1598°. 1612. 1615. 1627. 1627°. 1628°

Rubr.: <VII Idus Octobris, natale sancti> Dionysii sociorumque eius, secreta *Adelp*
Die XII° mensis Augusti, natale sanctorum Eupli et Gratiliani et Leuci, secreta *Bologna*[2]
<III Idus Decembris>, in natali sancti Damasi papae, secreta *Curia* 217ᵛ *West* III 1615 (Cisterciens)
Alia missa in natale sanctarum virginum, secreta *Curia* 228 *West* III 1627 (Paris)
In natali unius virginis non martyris, secreta *Herford West* III 1627 (Chartreux)
Kalendas Decembris, <natale> sanctorum Chrysanti et Dariae martyrum, secreta *Herford–M* 222
XVII Kalendas Iulii, memoria de sancta Edburga, secreta *Herford–M* 268
Die I° mensis Februarii, <in festo> sanctae Brigidae, secreta *Praem–M1508 M1578* 112 *West* III 1534 (Cisterciens Paris)
Die X° mensis Februarii, <in festo> sanctae Sotheris, secreta *Praem–M1508 M1578* 117
Die X° mensis Februarii, <in festo> sanctae Scholasticae, secreta *Praem–MB* 118 *West* III 1536 (Cisterciens Dominicains Paris)

Die IV° mensis Maii, <in festo> sanctae Monicae, secreta
Praem-M1578 130
Die XXXI° mensis Maii, <in festo> sanctae Petronillae,
secreta *Praem-ML   M1508   M1578* 135   *West* III 1553
(Cisterciens Dominicains Paris)
Die XXIV° mensis Iulii, <in festo> sanctae Christinae, secreta
Praem-ML 153   *West* III 1570 (Paris)
Die XXIX° mensis Iulii, <in festo> sanctae Marthae, secreta
Praem-M1578 158
Die VI° mensis Octobris, <in festo> sanctae Fidis, secreta
Praem-ML M1508 M1578 193   *West* III 1598 (Paris)
VI Idus Iunii, natale sancti Medardi episcopi et confessoris,
secreta *Ripoll*
De non virginibus, secreta *Sarum   West* III 1628 (Paris)
Die XIX° mensis Maii, <in natali> sanctae Potentianae
seu Pudentianae, secreta *West* 1550 (Cisterciens Domini-
cains Paris)
Die XXI° mensis Iulii, in natali sanctae Praxedis, se-
creta *West* III 1567 (Cisterciens Dominicains)
Die XXII° mensis Iulii, in festivitate sanctae Mariae
Magdalenae, secreta *West* III 1568 (Cisterciens)
Die XXV° mensis Novembris, in natali sanctae Catherinae
virginis et martyris, secreta *West* III 1612 (Cisterciens)

Var. lect. : **1** sit tibi   *transp. Bologna*[2] *Praem* 193   domine sit
transp. codd. ° *distincti*   domine] quaesumus *add.   Herford-M* 222
sacratae] sacrae *codd.* ° *distincti*

----

41 b.   Br 13

Accepta tibi sit, domine, sacratae plebis oblatio pro
tuorum honore sanctorum, quorum meritis se percepisse in
tribulatione cognoscit auxilium.

Codd. : *Brugen* V, 3°	*Engol* 179°	*Fulda* 178	*GelasV*
1107°	*Gellon* 184. 1819	*Gemm* 155	*Leofric* 136	*Ma-*
teus 391	*Phill* 188°	*Praem* 109	*Ripoll* 888	*San-*
gall 163	*Triplex* 462	*West* III 1531 (Coutances Vitell)	

Rubr.: In natale plurimorum sanctorum, alia missa, secreta *GelasV*
In natale plurimorum martyrum, alia missa, secreta *Gellon* 1819
X Kalendas Februarii, natale sanctorum Emerentianae et
Macharii, oratio super oblata *seu* secreta *ceteri codd.*

Var. lect. : **2** se meritis *transp. Sangall*[2] *Triplex*   se percepisse]
semper coepisse *codd.* ° *distincti*   in] de *Sangall*[2] *Triplex*   **3** cogno-
scit] agnoscit *GelasV*

42.

Acceptabile tibi effice, omnipotens deus, ieiunium nostrum
et sanctifica hoc sacrificium, a nobis oblatum,
quo et ex eo sumentibus peccatorum concedatur remissio
et per eum cunctis in commune fidelibus donetur
5   tuae gratiae plenitudo.

Cod.: *Toledo*³ 507

Rubr.: Missa de IIIᵃ feria post Lazarum, <oratio> post "Pridie"

43.

Acceptabilis tibi sit, rex omnium saeculorum, oblatio populi tui, qui Columbam virginem tuam, inter ignes positam,
conservasti, ut, sicut illa igne amoris tui flammas poenalis
superavit incendii, ita hoc sacrificium et ardentes nostrarum
5 cupiditatum faces interimat et fidelium defunctorum, requiem praestando, poenas exstinguat.

Codd.: *London*⁴ 363   *Toledo*³ 166

Rubr.: Missa in die sanctae Columbae, <oratio> post nomina

44.

Acceptare digneris, terribilis et piissime deus, hoc sacrificium, quod tibi pro remissione peccatorum nostrorum vel
pro requie defunctorum fratrum offerimus, quia vota nostra
dona sunt tua nec tibi quidquam melius, nisi, quod dederis,
5 offerimus, hoc est in primis in commemorationem, ut iustum
est, dominicae institutionis offerre, in honorem et gloriam
domini nostri Iesu Christi filii tui regis iudicisque venturi.

Codd. : *Fulda* 2895   *GregorTc* 2137   *Pamel* 525   *Vicen*¹
924

Rubr. : Missae sancti Augustini per totam hebdomadam, missa feria
IIIᵃ, oratio super oblata *seu* secreta *codd.*

45.

Acceptis, fratres carissimi, spiritalibus cibis et Christi
cruore gustato, petamus, ut possideat pectora, qui nostra ora

dignatus est sanctificare per munera; ipse corporis nostri
purget hospitium, totoque intrinsecus homine deterso, sancti-
5 ficatis membris innovet spiritum sanctiorem.

Codd.: *Gallic* 23. 90

Rubr.: Missa in symboli traditione, "praefatio" post eucharistiam
Gallic 23
Feria Vᵃ in Cena Domini, missa chrismalis, <"praefatio"> post
communionem *Gallic* 90

46.

Accepto caelestis corporis sacramento et salutis aeternae
calice recreati, deo patri omnipotenti gratias agamus laudes-
que dicamus.

Cod.: *Goth* 497

Rubr.: Missa dominicalis IIᵃ, <collectio> post communionem

47.

Accepto salutari divini corporis cibo, salvatori nostro Iesu
Christo gratias agamus, quod per sui corporis et sanguinis
sacramentum nos a morte liberavit et tam corporis quam
animae humano generi remedium donare dignatus est.

Codd.: *Bergom-A* 6   *Fulda* 2448   *GregorTc* 2781   *Stowe* 35

Rubr.: Alia missa pro infirmo, oratio ad complendum *GregorTc*
Ordo ad visitandum et unguendum infirmum, alia <oratio>
post communionem *ceteri codd.*

48.

Acceptum habe, pie pater, sacrificium populi offerentis,
quo et vivis gratiam et sepultis requiem largiaris aeternam.

Codd.: *Silos³* 815   *Toledo⁴* 1227 (1400)

Rubr.: Alia missa de cottidiano, <oratio> post nomina *Silos³*
Officium de XIº dominico de cottidiano, <oratio> post nomina
Toledo⁴

49.

Acceptum sit, quaesumus, omnipotens deus, in conspectu
tuae pietatis nostrae oblationis munus, quod in festivitate
sanctae virginis ac martyris tuae Margaritae tibi deferimus,
cuius precibus et ab instantibus periculis poscimus liberari et
5 mansuris gaudiis admisceri.

Cod.: *Vicen*[1] 435

Rubr.: III Idus Iulii, natale sanctae Margaritae virginis, oratio super
oblata

50.

Acceptum tibi sit, domine, quaesumus, hoc sacrificium
ieiunii nostri, quod, expiando, nos caritatis dono tuae faciat
sinceritatis capaces et, per eam coniunctos, ad promissa
sempiterna perducat, cordibusque nostris ieiunii attenuatione
5 intentis, per fraterna oscula puram tuae dilectionis et
proximi caritatem benignus infunde, ut, a terrenis iurgiis vel
laesionibus cum abstinentia quiescentes, propensius caelestia
meditemur.

Cod.: *Goth* 189

Rubr.: Missa ieiunii V[a], collectio ad pacem

Nota: 1/4 Acceptum ... perducat] *comparez à l'oraison*: "Accepta tibi
sint, domine, quaesumus, nostri dona ieiunii ... promissa perducant."

51.

Accipe, deus, ecclesiae tuae lamentabilem precem,
quae huius instituti ieiunii hodierno die agit celebritatem;
suscipe confessionem, qua miseris placatus ignoscas,
et preces, quibus defunctis miseratus indulgeas,
5   ut – in hoc die humilitatis nostrae –
et ieiunia paenitentium accipias
et sepultorum vincula miseratus absolvas.

Cod.: *London*[5] 1271 (1214)

Rubr.: Officium de litanias canonicas (*sic*), <oratio> post nomina

52.

Accipe, deus, haec famuli tui votiva sacrificia eumque protege manu tua et, quia tu es via, veritas et vita, in veritate tua facito eum ambulare.

Cod.: *GregorTc* 2753

Rubr.: Alia missa pro iter agentibus, secreta

Fontes: 2 via, veritas et vita] cfr Ioh. 14, 6   2/3 in veritate ... ambulare] cfr I Ioh. 4 b

Nota: *Comparez à l'oraison suivante, n° 53*

53.

Accipe, deus, haec famulorum tuorum votiva sacrificia eosque ubique protege manu tua et, quia tu es via, veritas et vita, in veritate tua facito eos ambulare et a via recta nullo modo declinare. Tribue mansionem, tribue et defensionem,
5 effectum petitionis et profectum bonae deliberationis, ut nullis scandalis saeculi impediantur nullisque adversitatibus inimicorum frangantur sed, incolumitate omni manente, perveniant ad locum, quem desiderant, angelo sancto tuo protegente et custodiente.

Codd.: *Silos*[3] 435   *Toledo*[3] 1022-bis b

Rubr.: Missa de iterantibus via, <oratio> post "Pridie" *Silos*[3]
Missa omnimoda vel de sanctis, <oratio> post "Pridie" *Toledo*[3]

Var. lect. : 1 deus] igitur *Toledo*[3]   tuorum] illorum et omnium fidelium iterantium *add. Toledo*[3]   2 via] *om. Toledo*[3]   5 petitionis] actionis *Toledo*[3]   8 tuo sancto *transp. Toledo*[3]   9 custodiente] praecedente *Toledo*[3]

Fontes: *cfr l'oraison précédente, n° 52*

54.

Accipe, deus, offerentium munera atque vota, ut, qui tibi id, quod te singulariter placare potest, confidentia piae servitutis offerimus sacrificium, ipsius propitiatione in tuam rediisse nos gratiam uberius exsultemus.

Cod.: *Toledo*[4] 1392 (1445)

Rubr.: In XVI° dominico de cottidiano, <oratio> post nomina

55.

Accipe, deus, offerentium vota et huius nostrae abstinentiae perfice inchoata, donans vivis tam substantiis quam vitiis abstinere et defunctis concedens aeternae lucis consequi mansionem.

Cod.: *Toledo*³ 329

Rubr. : Missa ieiunii de IIᵃ feria, inchoante quadragesima, <oratio> post nomina

56.

Accipe, deus piissime, tuorum supplicum vota et nomina, quae coram tuo altario conspicis recensiri, et in aeternae vitae libro conscribe. Miserere etiam indigno mihi et omnibus, pro quibus te supplex expostulo, perpetuamque vitae
5 requiem tribue famulis tuis illis vel animabus ceterorum fidelium defunctorum, ut, in Abrahae gremio collocati, et nunc poenas evadant inferorum et resurrectionis tempore coetibus eos sociari iubeas angelorum.

Codd.: *Bobbio* 416   *Silos*³ 207

Rubr.: Missa omnimoda, <oratio> post nomina *codd.*

Fontes: 6 in Abrahae gremio collocati] cfr Luc. 16, 22

57.

Accipe, domine, et ieiunantium fidem et offerentium pronam devotionem, ut, qui te cum voto ieiunii imploramus, tam nobis quam defunctis fidelibus necessaria remedia impetremus.

Codd.: *Toledo*³ 347   *Toledo*⁵ 65

Rubr. : Missa de VIᵃ feria in prima hebdomada de quadragesima, <oratio> post nomina *codd.*

58.

Accipe, domine, fidelium preces cum oblationibus hostiarum, ut per haec piae devotionis officia ad caelestem gloriam transeamus.

Codd. : *Ariberto* 467   *Bergom* 623   *Biasca* 592   *Milano*
355   *Triplex* 1475

Rubr.: Feria VIª in albis, alia (*om. Milano*) missa in ecclesia maiore,
oratio super oblata *seu* secreta *codd.*

Nota: *Comparez à l'oraison*: "Suscipe, domine, fidelium preces ... gloriam transeamus."

59.

Accipe, domine, fidelium preces cum oblationibus supplicantium, ut, paschalibus initiata mysteriis, ad aeternitatis
nobis proficiant haec dona suffragium.

Codd. : *Ariberto* 472   *Bergom* 635   *Biasca* 604   *Milano*
360   *Triplex* 1495

Rubr.: Die sabbati, albis depositis, alia (*om. Milano*) missa in ecclesia
maiore, oratio super oblata *seu* secreta *codd.*

60.

Accipe, domine, munera exsultantis ecclesiae
et, cui causam tanti gaudii contulisti,
perpetuae fructum concede laetitiae.

Codd. : *Ariberto* 429   *Bergom* 545   *Biasca* 509   *Milano*
365   *Triplex* 1334

Rubr.: Dominica in albis depositis, oratio super oblata *Milano*
      In vigiliis Paschae, alia missa in ecclesia maiore, oratio super
      oblata *seu* secreta *ceteri codd.*

Var. lect. : 1 Accipe, domine, munera] Suscipe munera, quaesumus,
domine *Milano*

Nota: *Comparez à l'oraison*: "Suscipe munera, quaesumus, domine,
exsultantis ecclesiae ... concede laetitiae."

61.

Accipe, domine, preces, nomini tuo dicatas, cum oblationibus supplicantium et, quod mysteriis paschalibus fideliter
exsequuntur, in tuae remunerationis veritate percipiant.

Codd. : *Ariberto* 452   *Bergom* 600   *Biasca* 564   *Milano*
345   *Triplex* 1429

Rubr.: Feria IVᵃ in albis, alia (*om. Milano*) missa in ecclesia maiore,
oratio super oblata *seu* secreta *codd.*

Var. lect.: 3 exsequuntur] exsequimur *Triplex*

62.

Accipe, domine, quaesumus, nostrae servitutis officia, ut,
suffragantibus sanctis, quod ad honorem tuae maiestatis
offerimus, perpetuam nobis conferat vitam.

Cod.: *Leon* 827

Rubr.: Mense Septembris, XVIII Kalendas Octobris, natale sanctorum
Cornelii et Cypriani, <II> alia missa, <secreta>

63.

Accipe, domine, quaesumus, quae in sancti martyris tui
Pontii commemorationem deferimus munera, et praesta, ut,
sicut ipse tibi complacet martyrii palma, ita et haec oblatio
fiat gratissima sacramenti intellegentia.

Cod.: *Montserrat*¹ 83ᵛ. 102ᵛ

Rubr.: V Idus Maii, <natale> sancti Pontii martyris, secreta *codd.*

64.

Accipe, domine, quaesumus, sacrificium singulare, quod
maiestati tuae semper et redditur et debetur.

Cod.: *Leon* 463

Rubr. : Mense Iulii, orationes et preces diurnae, IX alia missa,
<secreta>

65.

Accipe munera, domine, quae in beatae Mariae iterata
sollemnitate deferimus, quia ad tua praeconia recurrit et
laudem, quod vel talis orta est vel talis assumpta.

Codd.: *Adelp* 216⁰   *Avellan²* 895⁰   *Engol* 1302   *Ful-*
da 1286⁰   *GelasV* 995   *Gemm* 208   *GregorTc* 3405⁰.
3589⁰   *Monac²* 48   *Pad* 653⁰   *Phill* 820   *Praem-MC*
150⁰   *Prag* 174, 2   *Rhen* 827   *Salzb* 286⁰   *Sangall*
1160   *Triplex* 2425. 2905⁰   *West* II 919   *Winch* 157

Rubr.: <Kalendas Februarii, natale sanctae> Brigidae virginis, secreta
        Adelp
        Die XXI⁰ mensis Iulii, <in festo> sanctae Praxedis, secreta
        Avellan² Praem-MC
        XVIII Kalendas Septembris, in Assumptione sanctae Mariae,
        oratio super oblata *seu* secreta *GelasV Prag*
        VII Idus Septembris, vigilia Nativitatis sanctae Mariae, secreta
        Gemm Winch
        In natale unius virginis, oratio super oblata *seu*   secreta
        GregorTc 3405 *Triplex* 2905
        <XI Kalendas Septembris>, in octava sanctae Mariae virginis,
        secretum *West*
        VI Idus Septembris, Nativitas sanctae Mariae, (alia missa *add.*
        Fulda) oratio super oblata *seu* secreta *ceteri codd.*

Var. lect. : 1 Accipe] Suscipe *Adelp*   munera domine] quaesumus
domine munera *West*, domine munera *transp. codd.* ⁰ *distincti*   1/2 in
... sollemnitate] pro beatae Mariae ventura sollemnitate *Winch*, in beatae
Mariae semper virginis desiderabili celebritate *West*   2 ad ... recurrit]
praeconia praecurrit *Adelp*, ad tua recurrit praeconia semper *Praem-*
MC   et] ac *GelasV Prag*   3 vel ... assumpta] vel talis assumpta est
GelasV Prag, talis est orta mortalis assumpta *Avellan²*, quod talis exorta
est et talis assumpta *West*   est orta *transp. Sangall² Triplex* 2425

66.

Accipe munera, domine, quae in eorum tibi sollemnitate
deferimus, quorum scimus patrocinia liberari.

Codd.: *GregorTc* 3402   *Leon* 731   *Paterniac* XIV, 4   *West* III
1628 (York)

Rubr.: Mense Augusti, VIII Idus Augusti, natale sancti Xysti in
        coemeterio Callisti, VII alia missa, <secreta> *Leon*
        In natale unius virginis, oratio super oblata *GregorTc*
        III Idus Iulii, natale sanctorum martyrum Naboris et Felicis,
        secreta *Paterniac*
        In natali plurimarum virginum, secreta *West*

Var. lect.: 1 domine munera *transp. GregorTc Paterniac West*   eo-
rum tibi] beatae virginis tuae illius *GregorTc* , beatarum virginum tibi
West   2 quorum] cuius *GregorTc*, nos *add. GregorTc Paterniac*, quarum
West

Nota: *Comparez à l'oraison*: "Suscipe munera, domine, quae in ... patrocinio liberari."

67.

Accipe munera, quaesumus, domine, quae in beatae martyris tuae sollemnitate deferimus, quia ad tuam recurrit laudem, quoties sanctorum tuorum merita recoluntur.

Cod.: *Trento* 886

Rubr.: Orationes et preces in natale virginum, secreta

Nota: *Comparez à l'oraison*: "Accipe munera, domine, quae in beatae Mariae ... talis assumpta."

68.

Accipe, quaesumus, domine, hostias, tua nobis dignatione collatas, quoniam et, te creante, procedunt et tu causas humanae salutis et gloriae, quibus tibi gratae sunt, condidisti.

Cod.: *Leon* 1196

Rubr. : Mense Novembris, IX Kalendas Decembris, natale sancti Clementis, IV alia missa, <secreta>

69.   Br 17

Accipe, quaesumus, domine, munera dignanter oblata et, beati Laurentii suffragantibus meritis, ad nostrae salutis auxilium provenire concede.

– A –

Codd. : *Adelp* 947°	*Aquilea* 232vo	*Avellan*[3] 852°	*Bec*
178° *Benevent*[2] 158°	*Benevent*[3] 22	*Bologna*[2] I 2	*Can-*
tuar 103no *Curia* 190°	*Gemm* 198	*Gregor* 646	*Late-*
ran 253 *Leofric* 153	*Leon* 759	*Lucca* 163	*Mateus*
1942 *Ménard* 130 D	*Metz*[1] 86	*Monac*[2] 44°	*Nivern*
288° *Otton* 103ro *Pad* 604	*Pamel* 327	*Praem* 166	*Ra-*
gusa 564° *Ratisb* 989	*Ripoll* 1159	*Rossian* 167, 2	*Salzb*
262° *Trento* 689	*Triplex* 2281	*Udalr* 877°	*Vicen*[1]
555 *Winch* 140			

Rubr.: Mense Augusti, IV Idus Augusti, natale sancti Laurentii, VII
     alia missa, <secreta> *Leon*
     VI Idus Augusti, natale sancti Laurentii,
       – ad primam missam, secreta *Gemm*
       – ad unicam missam, oratio super oblata *seu* secreta *codd.*
     ° *distincti*

- ad maiorem missam, oratio super oblata *seu* secreta *ceteri codd.*

Var. lect.: **1** domine quaesumus *transp. Adelp Curia*   **2** beati] martyris tui *add. Aquilea Lateran*

- B -

Codd. : *Adelp* 112   *Aquilea* 196ᵛ   *Arbuth* 24   *Bergom*
1669   *Cantuar* 11   *Curia* 15ᵛ   *Engol* 8⁺   *Fulda* 48   *Gel-*
lon 17⁺   *Gemm* 49°   *Gregor* 43°   *Herford* 16   *Lateran*
21   *Leofric* 64°   *Mateus* 169   *Medinaceli* 36   *Ménard* 31
A   *Nivern* 134°   *Oxford* 90   *PaAug* 3, 2⁺   *Pad* 11°   *Pa-*
mel 186   *PaMon-Ben* 3, 3°   *PaMon-Alp* 27, 3°   *Phill*
19⁺   *Praem* 33   *Ragusa* 8   *Ratisb* 16   *Rhen* 15⁺   *Ri-*
poll 829   *Rossian* 5, 2   *Sangall* 16⁺   *Sarum* 58   *Trento*
97°   *Triplex* 195   *Udalr* 66   *West* I 41

Rubr.: VIII Kalendas Ianuarii, natale sanctae Anastasiae, oratio super
oblata *seu* secreta,
- cette messe précédant la deuxième messe de Noël   *codd.*
⁺ *distincti*
- cette messe suivant la deuxième messe de Noël   *Adelp*
Praem Rossian Triplex West (les oraisons seulement)
- messe de sainte Anastasie avec mémoire de Noël (au
temporal) *codd.* ° *distincti*
- messe de sainte Anastasie (au sanctoral) *Aquilea Ripoll*
- deuxième messe de Noël avec mémoire de sainte Anastasie *ceteri codd.*

Var. lect. : **2** beati Laurentii] beatae Anastasiae martyris tuae *Her-*
ford Nivern, beatae Anastasiae *ceteri codd.*

- C -

Codd. : *Aquilea* 202ʳ   *Arbuth* 337   *Bec* 170   *Cantuar*
100   *Goth* 392   *Mateus* 332   *Praem* 118. 182   *Sarum*
824   *Vicen*¹ 350   *West* III 1571 (Coutances Durham St-Alban's)

Rubr.: <VIII Idus Februarii>, in festo sanctae Dorotheae virginis et
martyris, secreta *Aquilea*
Die XXV° mensis Iulii, <in festo> sanctorum Christophori et
Cucufati martyrum, secreta *Arbuth Bec Cantuar Sarum*
West
Missa in natale sancti Xysti, papae Urbis Romae, collectio ad
pacem *Goth*
Die XV° mensis Ianuarii, <in festo sancti> Mauri abbatis,
secreta *Mateus*
Die X° mensis Februarii, <in festo> sanctae Scholasticae,
secreta *Praem-MP* 118

Die IX⁰ mensis Septembris, <in festo> sancti Audomari,
secreta *Praem-MA* 182
XIV Kalendas Iunii, <natale> sanctae Potentianae virginis,
secreta *Vicen*[1]

Var. lect. : **1** Accipe] Suscipe *West*   quaesumus] *om. Arbuth Bec
Sarum West*   **2** meritis suffragantibus *transp. Aquilea*   **3** concede] et
illam, quae in eo flagravit, fortem dilectionem in nobis adspira benignus
add. Goth (*comparez à l'oraison*: "Suscipe, domine, propitius oblationes
nostras ... benignus acceptas.")

Nota: *Comparez à l'oraison*: "Suscipe, domine, munera dignanter
oblata ... provenire concede."

70 a.

Accipe, quaesumus, domine, munera populi tui pro martyrum festivitate sanctorum et sincero nos corde fac eorum
natalitiis interesse.

Cod.: *Leon* 397

Rubr.: Mense Iulii, VI Idus Iulii, natale sanctorum martyrum Felicis,
Philippi, Vitalis, Martialis, Alexandri, Silani et Ianuarii, III alia missa,
<secreta>

Nota: *Comparez à l'oraison*: "Suscipe, domine, quaesumus, munera
populi tui ... natalitiis interesse."

70 b.

Accipe, quaesumus, domine, munera, quae tibi offerimus
pro sanctorum martyrum tuorum Crispini et Crispiniani
sollemnitate, et sincero corde fac nos tuis sacramentis interesse.

Cod.: *West* III 1603 (Rouen)

Rubr.: Die XXV⁰ mensis Octobris, in natali sanctorum martyrum
Crispini et Crispiniani, secreta

71.

Accipe, quaesumus, domine, munera, quae tibi pro huius
loci et habitantium in eo tuitione deferimus, et concede, ut
per haec et a cunctis liberari adversis et ab omnibus mereamur absolvi peccatis.

Cod.: *Barcinon* V

Rubr.: Alia missa pro loco, secreta

72. Br 1128

Accipe, quaesumus, domine, munus oblatum et dignanter
operare, ut, quod mysteriis agimus, piis effectibus celebremus.

Codd. : *Adelp* 777   *Aquilea* 120ʳ   *Bec* 90   *Benevent*²
122   *Cantuar* 53   *Curia* 136   *Fulda* 989   *Gellon*
1046   *Gemm* 119   *Gregor* 540   *GregorTc* 1826   *Her-*
ford 170   *Leofric* 113   *Leon* 220   *Mateus* 1589   *Mé-*
nard 114 A   *Metz*¹ 83   *Milano* 483   *Monza* 439   *Ni-*
vern 240   *Pad* 482   *Pamel* 302   *Panorm* 530   *Praem*
84   *Ratisb* 818   *Rhen* 637   *Ripoll* 554   *Rossian* 123, 3   *San-*
gall 830   *Schäftlarn* 14   *Trento* 586   *Triplex* 1888
Udalr 686   *Vicen*¹ 190   *Vigil* 191   *Winch* 18

Rubr.: Mense Maii, in dominica Pentecostes, II alia missa, <secreta>
Leon
Missa pro gratia sancti Spiritus, oratio super oblata *GregorTc*
Feria IVª infra octavam Pentecostes, oratio super oblata
seu secreta *ceteri codd.*

Var. lect.: 1 domine quaesumus *transp. Panorm Vigil*

Nota : *Comparez* à *l'oraison*: "Suscipe, quaesumus, domine, munus
oblatum ... effectibus consequamur."

73.

Accipe, sacra dei virgo, ob honorem tui nominis
supplicantis populi preces et cunctis congruum solamen
attribue; per te virginum virginitas polleat, per te cor-
ruptorum interimatur lascivia, per te peccantibus venia, per
5 te sacrificantibus ipsisque sacrificiis largiatur benedictio
copiosa; quo omnes, qui exemplo virginitatis simul atque
certaminis tui attollimur, deliciis, quibus ipsa frueris, post
transitum potiamur.

Cod.: *Toledo*³ 1084

Rubr.: Missa unius virginis, <oratio> post "Pridie"

74. Br 18

Actiones nostras, quaesumus, domine, et adspirando
praeveni et adiuvando prosequere, ut cuncta nostra operatio

et a te semper incipiat et per te, coepta, finiatur.

– A –

Codd. : *Arbuth* 74° *Bec* 32° *Benevent*[2] 50°⁺ *Cantuar* 24
Curia 38 *Engol* 357 *Fulda* <430> *Gellon* 339 *Gemm*
67 *Gregor* 198 *Leofric* 78 *Mateus* 727 *Ménard* 61 C
Monza 151 *Nivern* 170°⁺. 168°⁺ *Otton* 28ʳ *PaAng* 26 *Pad*
169 *Pamel* 223⁺ *PaMon–Ben* 38, 7 *Phill* 348 *Praem*
48⁺ *Ratisb* 329 *Rhen* 250 *Ripoll* 127 *Rossian* 52, 5 *San-*
gall 312 *Sarum* 166⁺ *Trento* 254 *Triplex* 723.
736 *Udalr* 273 *West* I 126°

Rubr.: Sabbato (in XII lectionibus) hebdomadae Iᵃᵉ quadragesimae,
– oratio super populum *Nivern* 168
– alia oratio *ceteri codd.*

Var. lect.: **1** et] *om. codd.* ° *distincti* **2** operatio] oratio et operatio *Benevent* [2] *Nivern* 167. 168, oratio et actio *Praem–MB* **3** et[1]] *om.*
codd. ⁺ *distincti* **3** coepta] accepta *Engol Gellon*

– B –

Codd. : *Adelp* 99 *Arbuth* 164° *Ariberto* 496⁺ *Ber-*
gom 661⁺ *Biasca* 630⁺ *Curia–Ott* 256ᵐᵒ *GregorTc*
4119 *Herford* 114° *Lateran* 116° *Metz*[1] 55 *Milano*
545 *Praem* 28°. 67° *Ratisb* 289 *Sarum* 630° *Tren-*
to 1154 *Triplex* 1633⁺ *West* II 526°. III 1310°. III 1365°

Rubr.: Dominica IIIᵃ post octavam Paschae *seu* IVᵃ post Pascha,
oratio super sindonem *codd.* ⁺ *distincti*
Alia missa pro amico, <collecta> *Curia–Ott*
Alia oratio de dedicatione ecclesiae *GregorTc*
Oratio ad introitum missae *Herford*
Alia oratio ad ordinandum episcopum *Metz*[1]
Dominica IXᵃ post octavam Pentecostes, oratio super sindonem
Milano
Oratio ad mandatum *Praem* 67
Sabbato in quinquagesima, oratio ad vesperum *Ratisb*
Missa cottidiana, collecta *Trento*
Litania, alia oratio *West* III 1310°
Gratiarum actio post missam, alia oratio *ceteri codd.*

Var. lect. : **1** et] *om. codd.* ° *distincti* **2** cuncta nostra operatio]
omnis oratio et *praem.* *Adelp,* omnis nostra actio et oratio *Curia–Ott,*
omnis nostra oratio et cuncta operatio *Lateran,* locutio et actio *add.*
Praem–P1584 67, et oratio *add.* *Praem–BS* 67, omnis oratio vel cuncta
nostra operatio *West* II 526, et omnis oratio *add.* *West* III 1365
3 et[1]] *om. Curia–Ott Praem* 67 finiatur] et pacem tuam nostris
concede temporibus *add. West* II 526

75.

Ad altaria, domine, veneranda cum hostiis laudis ac-
cedimus; fac, quaesumus, ut et indulgentiam tuam nobis concilient et favorem.

Codd. : *Adelp* 1168   *Gemm* 233   *GregorTc* 3192   *Leo-*
fric 265   *Leon* 928   *Ratisb* 1316   *Trento* 1369   *Vicen*[1]
876   *Vigil* 650   *West* III 1542 (St-Alban's). III 1608 (Abingdon).
III 1619 (Vitell Winchcombe)

Rubr.: Mense Septembris, orationes et preces ieiunii mensis septimi,
XII alia missa, <secreta> *Leon*
Die IV° mensis Aprilis, in natali sancti Ambrosii, secreta
West III 1542
Die XI° mensis Novembris, in natali sancti Martini episcopi et
confessoris, secreta *West* III 1608
In natali unius evangelistae, oratio super oblata *seu* secreta
ceteri codd.

Var. lect. : 1/2 Ad altaria *et* accedimus] Altaria tua *et* accumulamus
Gemm   1/2 accedimus] accedentes *West* III 1542   2/3 ut et ... favorem]
ut indulgentiam nobis tribuant et fidei devotionem, ipsius meritis, cuius
celebramus festivitatem *West* III 1542   2/3 concilient] *Leon*, obtineant
ceteri codd.

76.

Ad aures misericordiae tuae, domine, supplicum vota
perveniant et, ut possimus impetrare, quae poscimus, fac nos
semper tibi placita postulare.

Cod.: *Leon* 655

Rubr. : Mense Iulii, preces diurnae cum sensibus necessariis, XLIII
alia missa, <alia collecta>

77.

Ad defensionem fidelium, domine, quaesumus, dexteram
tuae maiestatis extende et, ut perpetua pietatis tuae protectione muniantur, intercessio pro his non desit martyrum
continuata sanctorum.

Codd.: *Engol* 1680   *GelasV* 1112   *Gellon* 1828   *Gregor-*
Tc 3264. 3282   *Leon* 834   *Ménard* 166 D   *Paris*[1] 247   *Phill*
1224   *Ratisb* 1350   *Sangall* 1505   *Triplex* 2887   *Vicen*[1] 799

Rubr.: Mense Septembris, XVIII Kalendas Octobris, natale sanctorum
Cornelii et Cypriani, III alia missa, <oratio super populum>
Leon

Alia missa in natale plurimorum sanctorum, oratio post
communionem *GelasV*
In natale plurimorum martyrum,
- <oratio super populum> *Engol*
- oratio ad vesperos *Ratisb*
- alia oratio *ceteri codd.*

Var. lect.: 3 martyrum] martyrii *Ratisb*

78.

Ad gloriam, domine, tui nominis annua festa repetentes
sacerdotalis exordii, hostiam tibi laudis offerimus, suppliciter
exorantes, ut, cuius ministerii vice tibi servimus immeriti,
suffragiis eius reddamur accepti.

Codd. : *Engol* 2110   *Fulda* 2862   *GelasV* 776   *Gellon*
2554   *GregorTc* 2007   *Leon* 999   *Ménard* 225 D   *Metz²*
190   *Pad* 30*   *Phill* 1570   *Ratisb* 1891   *Trento* 1181   *Triplex* 3064   *Vicen¹* 975

Rubr.: Mense Septembris, in natale episcoporum, VI alia missa,
    <secreta> *Leon*
    Missa pro ordinato episcopo, oratio super oblata *Fulda*
    Missa pro sacerdote in die anniversarii eius, qua ordinatus est
    presbyter, secreta *Vicen¹*
    Missa quam pro se episcopus (annuali) die ordinationis suae
    cantat, oratio super oblata *seu* secreta *ceteri codd.*

Var. lect.: 3 servimus immeriti] servit immeritus *Fulda*   4 reddamur
accepti] reddatur acceptus *Fulda*

79.

Ad hostes nostros, domine, superandos praesta, quaesumus, ut auxilium tuum ieiuniis tibi placitis et bonis
operibus impetremus.

Codd. : *Casin¹* 283   *Engol* 395   *Fulda* 479   *GelasV*
183   *Gellon* 378   *Leon* 927   *Pamel* 228   *Phill* 386
Prag 57, 1   *Rhen* 285   *Sangall* 346   *Triplex* 816

Rubr.: Mense Septembris, orationes et preces ieiunii mensis septimi,
    XII alia missa, alia collecta *Leon*
    Alia oratio per totam hebdomadam <tempore quadragesimae>
    Casin¹
    Feria VIª hebdomadae IIªᵉ quadragesimae,
    - collecta *GelasV Prag*
    - oratio ad vesperum *Fulda Pamel*
    - alia collecta *ceteri codd.*

Var. lect.: 3 operibus] moribus *Casin*[1]

80.

Ad humilitatis nostrae preces, domine, placatus intende,
nec nos foveas et diaboli laqueos patiaris incidere, quos
tantis sanctorum martyrum praesidiis munire dignaris.

Cod.: *Leon* 391

Rubr.: Mense Iulii, VI Idus Iulii, natale sanctorum martyrum Felicis,
Philippi, Vitalis, Martialis, Alexandri, Silani et Ianuarii, II alia missa, alia
collecta

81.

Ad martyrum tuorum, domine, festa venientes,
cum muneribus, nomini tuo dicatis, occurrimus,
ut, illis reverentiam deferentes,
nobis veniam consequamur.

Codd. : *Adelp* 256[+"]. 938"   *Engol* 232"   *Fulda* 219[+"]   *GelasV*
839   *Gellon* 227   *Lateran* 212"   *Leon* III   *Otton*
15[V+"]   *Phill* 239"   *Praem-MB* 119"   *Prag* 30, 2   *Sangall*
212"   *Triplex* 532"   *Vicen*[1] 268"   *West* III 1606 (Rouen)

Rubr.: Mense Aprilis, XXIX alia missa, <secreta> *Leon*
            <VII Idus Augusti, natale sanctae> Afrae et sociarum, secreta
            Adelp 938
            III Nonas Iunii, <natale> sanctorum Laurentini et Pergentini,
            secreta *Lateran*
            Die II° mensis Novembris, in natali sancti Eustachii soci-
            orumque eius, secreta *West*
            XVI Kalendas Martii,
            – in natale <sanctorum> Valentini, Vitalis et Feliculae,
            oratio super oblata *seu* secreta *GelasV Prag*
            – <natale sanctorum> Vitalis, Feliculae et Zenonis, secreta
            Adelp 256 *Otton*
            – natale sanctorum Valentini, Vitalis, Feliculae et Zenonis,
            oratio super oblata *seu* secreta *ceteri codd.*

Var. lect. : 1 tuorum] *Leon*, tuarum *Adelp* 938, Afrae Dignae Euno-
miae Eutropiae Hilariae *add. Adelp* 938, Laurentini et Pergentini *add.*
Lateran, Valentini Vitalis et Feliculae *add. GelasV Prag*, Vitalis Feliculae et Zenonis *add. Adelp* 256 *Otton*, Valentini Vitalis Feliculae et
Zenonis *add. ceteri codd.*   venientes] venerantes *Lateran*   2 cum ...
dicatis] munera nomini tuo dicata *Adelp* 938 *Sangall*[2] *Triplex*   oc-
currimus] nostra offerimus vota praesta quaesumus *codd.* + *distincti*, ea
offerimus *Vicen*[1], offerimus *codd.* " *distincti*   3 deferentes] impendentes
Adelp 938 *Sangall*[2] *Triplex*   4 consequamur] *Leon*, impetremus *ceteri*
codd.

82.

Ad offerenda munera, domine, laeti concurrimus, supplices implorantes, ut, venerando gloriam nuntiantis, sumamus
gratiam nuntiati.

Cod.: *Leon* 233

Rubr. : Mense Iunii, VIII Kalendas Iulii, natale sancti Iohannis
Baptistae, <secreta>

83.

Ad preces nostras, domine, quaesumus, propitiatus intende, ut sacris altaribus servientes et fidei veritate fundati
et mentis sint puritate conspicui.

Codd. : *Engol* 2125   *GelasV* 757   *Gellon* 2570   *Leon*
940   *Nivern* 334   *Phill* 1585   *Trento* 991   *Triplex* 3121

Rubr.: Orationes et preces ieiunii mensis septimi, XIV alia missa,
    <secreta> *Leon*
    In natale consecrationis diaconi, collecta *ceteri codd.*

Var. lect. : **1** domine quaesumus] *Leon*, quaesumus domine *transp.*
ceteri codd.   **2** ut] *Leon*, levitae tui *add. ceteri codd.*   **3** mentis sint
puritate] *Leon Nivern Triplex*, mente sint spiritali *ceteri codd.*

84.

Ad te corda nostra, pater aeterne, converte, quia nullis
necessariis indigebunt, quos tuo cultui praestiteris esse
subiectos.

Codd.: *Leon* 938. 1027

Rubr.: Mense Septembris, orationes et preces ieiunii mensis septimi,
    XIV alia missa, <collecta> *Leon* 938
    Mense Septembris, in natale episcoporum, XI alia missa,
    <collecta> *Leon* 1027

85.   Br 22

Ad te nos, domine, clamantes exaudi et aeris serenitatem
nobis tribue supplicantibus, ut, qui pro peccatis nostris iuste affligimur, misericordia tua praeveniente, clementiam
sentiamus.

Codd.: *Adelp* 1563   *Aquilea* 286[r+]   *Arbuth* 446   *Bec*
265[+]   *Bergom* 1382   *Biasca* 1339   *Cantuar* 146[+]   *Colo-*
niensis b   *Curia* 241[v]   *Drumm* 27   *Fulda* 2015[o]   *Für-*
stenfeld 8   *GelasV* 1413   *Gellon* 2669   *Gemm* 265   *Gre-*
gorTc 2638   *Herford* 423[+]   *Iena* 79[+]   *Lateran* 316   *Leo-*
fric 188   *Mateus* 2840[+]   *Ménard* 210 B   *Milano* 1322   *Mon-*
za 999   *Nivern* 353[o]   *Otton* 170[v]   *Oxford* 66[+]   *Pad*
1087   *Pamel* 450   *Phill* 1683   *Praem* 247   *Prag* 255, 1
Ratisb 2160   *Rhen* 1228   *Rossian* 330, 1[+]   *Rosslyn* 89[+]   *Sa-*
rum 802[*+]   *Suppl* 1372   *Trento* 1232[o]   *Triplex* 3244   *Vi-*
cen[l] 1221   *West* II 1159

Rubr.: Orationes ad poscendam serenitatem,
- alia collecta *codd.* [o] *distincti*
- collecta *ceteri codd.*

Var. lect. : 2 nobis] *om. Aquilea*   2/3 iuste pro peccatis nostris
transp. codd. [+] *distincti*

86.

Ad tua, domine, beneficia fiducialiter impetranda quaesumus, ut exercere, quae tibi sunt placita, et velle nobis
largiaris et posse.

Cod.: *Leon* 1046

Rubr. : Mense Septembris, in natale episcoporum, XIV alia missa,
<alia collecta>

87.

Ad tumulum vigilantes unici redemptoris, qui pro nostra
redemptione sepultus et a mortuis est admirabiliter suscita-
tus, cuius virtutem et gloriam serenata cordis acie contem-
plamur, cum novelli gregis ovibus dulcissima in ara tua,
5 domine, pascua circumdamus, universi pariter exorantes, ut
huius sacrati corporis alimentum cruorisque suavissimum
poculum ad praemium satietatis perpetuae nobis tribuas
possidendum.

Codd.: *Toledo*[3] 681   *Toledo*[6] 61

Rubr.: Missa de sabbato Paschae ante octavas, <oratio> post "Pridie"
codd.

88.

Ad viventis Iesu sepulchrum voto hilari concurrentes et
Christi resurgentis linteamenta contemplantes, obsecramus,
benignissime pater, omnipotens deus, ut, dum tantae sollemnitatis mysteria celebramus, nihil nobis adversitatis eveniat,
5 nihil tristitiae aut calamitatis occurrat sed cunctos fideles ob
dierum paschalium festa iucunditas aeterna possideat. Eorum
quoque suffragantibus meritis, qui cum unico filio tuo vivi
meruerunt resurgere de sepulchris, concordia in nobis vigeat
caritatis, ut hoc sacrificium laudis placabili pietate suscipia-
10 tur e manibus nostris.

Codd.: *London*[6] 214   *Toledo*[3] 669   *Toledo*[6] 46

Rubr.: Missa de VI[a] feria Paschae, <oratio> ad pacem *codd*.

Fontes: 1/2 Ad ... contemplantes] cfr Ioh. 20, 1-10

89.

Addit etiam istud edictum, ut, quotiescumque corpus
ipsius sumeretur et sanguis, commemoratio fieret dominicae
passionis; quod nos facientes, Iesu Christi filii tui domini ac
dei nostri semper gloriam praedicamus. Rogamus, uti hoc
5 sacrificium tua benedictione benedicas et sancti spiritus rore
perfundas, ut accipientibus universis sit eucharistia pura,
vera, legitima.

Cod.: *Mone* 31

Rubr.: Missa III[a], <collectio> post secreta

Fontes: 1/3 istud ... passionis] cfr 1 Cor. 11, 23-26

90.

Adesto, deus noster, famulis tuis, et oblationes nostras
sanctorum tuorum placationibus propitiatus intende, ut, quod
nostra fiducia non meretur, pia supplicatio reddat acceptum.

Cod.: *Leon* 9

Rubr.: Mense Aprilis, VII alia missa, <secreta>

91.   Br 34

Adesto, domine deus noster, ut per haec, quae fideliter
sumpsimus, et purgemur a vitiis et a periculis omnibus
exuamur.

Codd.: *Adelp* 666⁰⁺   *Aquilea* 110ᵛᵒ⁺   *Arbuth* 187⁺"   *Ari-*
berto 499⁰   *Bec* 81⁰⁺   *Benevent²* 101⁺"   *Bergom* 664⁰   *Bias-*
ca 633   *Cantuar* 49⁰⁺   *Curia* 127⁺   *Engol* 926   *Ful-*
da 1506⁺   *Gallic* 236   *GelasV* 555   *Gellon* 929   *Gemm*
110   *Herford* 1560⁺"   *Iena* 168⁰   *Lateran* 125⁺"   *Leo-*
fric 106   *Mateus* 1465⁰   *Milano* 394⁰   *Monac¹* 7⁺   *Mon-*
za 378   *Nivern* 224⁺"   *Otton* 77ʳᵒ   *Pad* 414   *Pamel*
401   *Phill* 734   *Praem* 79⁰⁺"   *Prag* 114, 3. 121, 3   *Ragu-*
sa 213⁰⁺   *Rhen* 558   *Ripoll* 499   *Rossian* 113, 3   *Salzb* 181.
I 21   *Salzb-A* 45⁺   *Sangall* 730   *Sarum* 403⁰⁺"   *Suppl*
1122   *Trento* 1078   *Triplex* 1632⁺. 1636⁺   *Udalr* 586⁺   *Vi-*
cen¹ 122   *Winch* 6⁰⁺   *West* I 333⁰⁺"

Rubr.: In vigilia Ascensionis Domini, oratio ad complendum
Prag 121, 3
Missa matutinalis per totam Pascham pro parvulos, qui renati
sunt, mature dicenda, collectio <quae> sequitur collec-
tio<nem> post communionem *Gallic*
Missa dominicalis hebdomadae IVᵃᵉ <post Pascham>, post-
communio *Arbuth Sarum* (vide **Nota**)
Dominica IIIᵃ post octavam (clausum *GelasV*) Paschae *seu*
IVᵃ post Pascham (*codd.* ⁰ *distincti*), oratio ad complen-
dum *seu* post communionem *ceteri codd.*

Var. lect. : **1** Adesto] quaesumus *add. Leofric*, nobis *add. San-*
gall² codd. ⁺ *distincti* **3** exuamur] eruamur *codd.* " *distincti*

Nota: Signalons une particularité d'*Arbuth* et de *Sarum*: "Dominica
prima post octavas Paschae et omnibus dominicis a Pascha usque ad Ascensionem Domini dicatur missa de Resurrectione, sicut in die Paschae ...
Missa vero dominicalis per hebdomadam dicatur ..."

92.

Adesto, domine deus pater omnipotens, precibus nostris,
et plenitudinem nobis tribue caritatis et pacis,
ut nos omnes, qui de misericordia tua confidimus,
in spe semper et caritate sine fine vivamus.

Codd.: *Silos³* 767   *Silos⁶* 326   *Toledo³* 1134

Rubr.: Missa de cottidiano, <oratio> ad pacem *Silos³*
Officium de Vᵒ dominico, <oratio> ad pacem *Silos⁶*
Missa cottidiana IVᵃ, <oratio> ad pacem *Toledo³*

Var. lect.: 1 domine] *om. Silos*[3]   deus] *om. Silos* [6]

93.

Adesto, domine, ecclesiae tuae sanctae catholicae pietate solita et pacem ei concede perpetuam sanctorumque tuorum illorum intercessione hoc sacrificium, a nobis oblatum, accepta ac nos consolida in pace perpetua.

Codd.: *Silos*[3] 507   *Toledo*[3] 1020 a

Rubr.: Missa (omnimoda vel) de sanctis, <oratio> ad pacem *codd.*

94.

Adesto, domine, familiae tuae et, quibus venerandi sanctos tuos praestas benignus affectum, et vitae mortalis concede praesidium et sempiternae retributionis effectum.

Cod.: *Franc* 98

Rubr.: Orationes et preces unius martyris, <collectio ad plebem>

95.   Br 23

Adesto, domine, famulis tuis et opem tuam largire poscentibus, ut his, qui te auctore et gubernatore gloriantur, et creata restaures et restaurata conserves.

– A –

Codd.: *GelasV* 182   *Leon* 887   *Prag* 56, 4   *Rossian* 56, 4

Rubr.: Mense Septembris, orationes et preces ieiunii mensis septimi,
V alia missa, <oratio super populum> *Leon*
Feria IVª hebdomadae IIªᵉ quadragesimae, oratio ad *seu* super
populum *ceteri codd.*

Var. lect.: 3 creata] *Leon*, grata *ceteri codd.*

– B –

Codd. : *Adelp* 374	*Aquilea* 47ᵛ	*Arbuth* 82	*Ariberto*
281º'	*Bec* 38	*Benevent*² 55	*Bergom* 335º'	*Biasca*
310º'	*Cantuar* 27	*Curia* 40ᵛ	*Engol* 393⁺'	*Fulda*
472	*Gellon* 377⁺'	*Gemm* 70	*Gregor* 220	*Herford*

58   *Lateran* 56   *Leofric* 81   *Mateus* 786   *Ménard* 64 C
Milano 115⁰⁺⁺   *Nivern* 170   *Otton* 30ᵛᵒ   *Pad* 220   *Pamel*
228   *Phill* 384⁺⁺   *Praem* 50   *Ratisb* 364   *Rhen* 283⁺⁺   *San-*
gall 344⁺   *Sarum* 183   *Schir* 18   *Triplex* 810⁺. 814   *Udalr*
296⁰   *West* I 145

Rubr.: Feria Vᵃ hebdomadae IIIᵃᵉ quadragesimae, <oratio super
populum> *Pad*
Feria Vᵃ hebdomadae IIᵃᵉ quadragesimae,
– oratio super populum *i.e.* collecta *Ariberto Bergom Biasca*
– oratio super sindonem *Milano*
– oratio ad *seu* super populum *ceteri codd.*

Var. lect. : 1/2 opem ... poscentibus] *codd.* ⁺ *distincti*, perpetua
largire poscentibus *Gregor*, perpetuam largire poscentibus *Triplex* 814,
perpetuam largire poscentibus veniam *Pad*, perpetuam largire pacem
poscentibus *Milano Udalr*, perpetuam largire pacem poscentibus *Otton*,
perpetuam benignitatem largire poscentibus *ceteri codd.* 2 te ...
gloriantur] te auctorem et gubernatorem gloriantur habere *codd.* ⁰ *dis-*
tincti 3 creata] grata *Pad¹ Sangall¹ codd.* ⁺⁺ *distincti*, congrata *Pad²*,
congregata *Sangall² ceteri codd.*

96.

Adesto, domine, fidelibus tuis, adesto supplicibus et ter-
restribus non deseras adiumentis, quos caelestium rerum facis
esse participes.

Cod.: *Leon* 195

Rubr. : Mense Maii, orationes pridie Pentecosten, <II> alia missa,
<alia collecta>

97.

Adesto, domine, fidelibus tuis et, quibus supplicandi tribuis miseratus affectum, concede benignissime consolationis
auxilium.

Codd. : *Engol* 230. 2225   *Fulda* 324   *GelasV* 1337   *Gel-*
lon 224   *Gemm* 59   *Gregor* 927⁰   *Leofric* 70   *Metz¹*
100⁰   *Pamel* 380⁰   *Phill* 237   *Rhen* 166   *Sangall* 210   *Tren-*
to 54⁰   *Triplex* 530   *Udalr* 1365⁰   *Vicen¹* 1100. 1365⁰

Rubr.: Alia missa in tribulatione, collecta *Engol* 2225 *GelasV*
Missa in remissionem peccatorum, collecta *Vicen¹* 1100
Alia oratio cottidiana *codd.* ⁰ *distincti*
Dominica VIᵃ post Theophaniam *seu* Epiphaniam, oratio ad
seu super populum *ceteri codd.*

98.

Adesto, domine, fidelibus tuis
et, quos caelestibus instituis sacramentis,
a terrenis conserva periculis.

Codd. : *Ariberto* 380   *Benevent*[2] 78   *Bergom* 455°   *Bias-*
ca 413°   *Engol* 534. 556   *Fulda* 618   *GelasV* 271   *Gel-*
lon 523   *Goth* 166   *Leon* 873   *Ménard* 77 A   *Milano*
234   *Monza* 250   *PaAng* 82   *PaDarm* 21   *Pamel*
246   *Prag* 76, 3   *Ratisb* 484   *Rhen* 371   *Ripoll* 271   *Ros-*
sian 80, 3   *Salzb-A* 12   *Sangall* 461   *Sangall** 29   *Splitt*
10   *Trento* 366   *Triplex* 1086. 1096°   *Vigil* 25   *West* III
1464 (Sherborne)

Rubr.: Mense Septembris, orationes et preces ieiunii mensis septimi,
      III alia missa, <alia collecta> *Leon*
      Ordo missae in initio quadragesimae, <collectio> post ora-
      tionem dominicam *Goth*
      Feria IV[a] hebdomadae V[ae] quadragesimae,
      - oratio ad complendum *seu* post communionem *GelasV Prag*
      - alia oratio post communionem *Engol* 534
      Dominica in palmis, alia oratio ad complendum *Pamel*
      Feria II[a] hebdomadae IV[ae] quadragesimae, postcommunio *West*
      Sabbato hebdomadae V[ae] quadragesimae, oratio ad complen-
      dum *seu* post (ad *Splitt*) communionem *ceteri codd.*

Var. lect.: **1** domine] quaesumus *praem. PaDarm*   tuis] *om. Vigil*
2 instituis] *Goth Leon*, reficis *ceteri codd.*   **3** a ... periculis] ab aeternis
conserva periculis *codd.* ° *distincti*, aeternis conserva praesidiis *Milano*, a
cunctis defende periculis *Salzb-A Trento*, a cunctis etiam defende
periculis *Vigil*

99.

Adesto, domine, fidelibus tuis et tua sancta celebrantibus
auge devotionis effectum, ut et tibi semper exhibeant de-
bitam servitutem et ad remedia iugiter aeterna proficiant.

Cod.: *Leon* 1044

Rubr. : Mense Septembris, in natale episcoporum, XIII alia missa,
<oratio super populum>

100.

Adesto, domine, fidelibus tuis nec eos ullis mentis et
corporis patiaris subiacere periculis, quos beatorum apostolorum Petri et Pauli munit gloriosa confessio.

Codd. : *Arbuth* 34   *Ariberto* 694[+]   *Bergom* 923   *Biasca*
854[+]   *Engol* 76"[μ]   *GregorTc* 3242[o]   *Leofric* 172[o+]   *Leon* 331.
371   *Ménard* 36 *C*"[μ]   *Milano* 953[+]   *Otton* 130ro   *Pa-*
mel 193"[μ]   *Phill* 75"[μ]   *Ratisb* 61"[μ]   *Ratisb-A* 23"   *Sa-*
rum 78   *Trento* 876[o]   *Triplex* 1711   *Vicen*[1] 478"   *West* III
1527 (Coutances Tewkesbury). III 1619 (Vitell)

Rubr.: Mense Iunii, in natale apostolorum Petri et Pauli,
         - XVI alia missa, <oratio super populum> *Leon* 331
         - XXV alia missa, <oratio super populum> *Leon* 371
    In natale unius martyris,
         - collecta *West* III 1619
         - oratio ad complendum *Otton*
         - oratio ad *seu* super populum *ceteri codd.* [o] *distincti*
    VI Kalendas Augusti, natale sancti Simeonis, collecta *Ratisb-A*
    Vicen[1]
    II Kalendas Ianuarii, natale sancti Silvestri,
         - collecta *Phill*
         - secreta *Arbuth Sarum West* III 1527
         - alia oratio super oblata *Pamel*
         - alia oratio *Engol Ménard Ratisb*
    II Idus Maii, translatio sancti Victoris et natale sanctorum
    Felicis et Fortunati, oratio super populum *i.e.* collecta *ce-*
    teri codd.

Var. lect.: **1** domine] quaesumus *add. Arbuth Sarum*   fidelibus tuis]
oblationibus   nostris *Arbuth   Sarum*,   supplicationibus   nostris *codd.*
" *distincti*   **1/2** nec ... corporis] et per haec sumpta mysteria nullis
Otton   eos] nos *Pamel Ratisb-A, om. Arbuth Sarum*   et] aut   *codd.*
[+] *distincti*   **2** patiaris] sinas *Ariberto Bergom Triplex*   subiacere]
subesse *Pamel*   **2/3** beatorum ... Pauli] *Leon* 331. 371, beati martyris tui
illius *codd.* [o] *distincti*, beati tui Simeonis *Ratisb-A   Vicen*[1], beati
Sylvestri pontificis *Arbuth*, beati Silvestri confessoris tui atque pontificis
Sarum, beati Silvestri pontificis tui *codd.* [μ] *distincti*, beatorum martyrum
tuorum Victoris, Felicis et Fortunati *ceteri codd.*

IOI.

Adesto, domine, fidelium votis propitius et abstinentium
preces exaudi placatus, ut caro vel anima, ieiunio castigata,
ita tuam impetrare possit misericordiam, qualiter et vivis
commoda vitae et defunctis concedantur aeterna gaudia sine
5 fine.

Codd.: *Toledo*[3] 365   *Toledo-A* 4

Rubr. : Missa de II[a] feria in secunda hebdomada de quadragesima,
<oratio> post nomina *codd.*

102 a.

Adesto, domine, invocationibus nostris et has famulorum tuorum oblationes propitius ac benignus assume et, quia non habent fiduciam nisi in tua misericordia et sanctorum tuorum suffragiis, quaesumus, domine, ut per haec piae placationis
5 officia plenam indulgentiam atque perpetuam misericordiam consequi mereantur.

Cod.: *Otton* 186*

Rubr.: Alia missa contra malas temptationes, secreta

102 b.

Adesto, domine, quaesumus, omnipotens et misericors deus, invocationibus nostris et hanc famuli tui illius oblationem propitius ac benignus assume et, qui non habet fiduciam nisi per misericordiam tuam, per sanctorum tuorum
5 suffragia, quaesumus, domine, et per haec piae oblationis officia plenam indulgentiam consequi mereatur.

Cod.: *Udalr* 1753

Rubr.: Alia missa votiva, secreta

Nota: *Comparez à l'oraison*: "Adesto, omnipotens et misericors deus, invocationibus nostris et hanc ... consequi mereatur."

103 a.

Adesto, domine, invocationibus nostris et non sit a nobis clementiae tuae longinqua misericordia; sana vulnera, remitte peccata, ut, nullis iniquitatibus a te separati, tibi semper adhaerere possimus.

Codd.: *Engol* 2234   *GelasV* 1346   *GregorTc* 2508

Rubr.: Alia missa in tribulatione, alia collecta *codd.*

103 b.

Adesto, domine, supplicationibus nostris nec sit ab hoc famulo tuo clementiae tuae longinqua miseratio; sana vulnera eiusque remitte peccata, ut, nullis a te iniquitatibus separatus, tibi semper domino valeat adhaerere.

Rubr.: Ordo ad visitandum et unguendum infirmum, alia oratio
Fulda 2410 *GregorTc* 4009 *West* III 1268
Orationes et preces super paenitentes (soit le mercredi des
Cendres, soit le Jeudi Saint) *ceteri codd.*

Var. lect.: *codd.* ⁺ *distincti formam adhibent pluralis, Praem* 43 *formam adhibet primae personae pluralis* 4 semper domino] *Sangall*¹ *codd.* ° *distincti,* domino deo semper *Praem* 43, domino semper *transp. Sangall*² *ceteri codd.*

104.

Adesto, domine, martyrum deprecatione sanctorum et,
quos pati pro tuo nomine tribuisti, fac tuis fidelibus suffragari.

Rubr.: Mense Augusti, VIII Idus Augusti, natale sancti Xysti in
coemeterio Callisti, V alia missa, <collecta> *Leon*
<Missa votiva> de martyribus, collecta *Bec*
IV Kalendas Octobris, natale sanctorum Cosmae et Damiani,
collecta *codd.* ⁺ *distincti*
Kalendas Novembris, natale sancti Caesarii,
 - collecta *Winch*
 - collecta ad sanctos Cosmam et Damianum *ceteri codd.*

Var. lect.: 1 domine] nobis *praem. Sangall*² *codd.* ° *distincti, add.*
Fulda martyrum] tuorum *add. Udalr* martyrum ... sanctorum]
sanctorum martyrum tuorum Cosmae et Damiani intercessione placatus
Aquilea 2 pro tuo nomine pati *transp. Ratisb* tribuisti] voluisti
Ménard

105.

Adesto, domine, muneribus, Innocentium festivitate sacrandis, et praesta, quaesumus, ut eorum sinceritatem possimus imitari, quorum tibi dicatam veneramur infantiam.

Codd. : *Arbuth* 31   *Benevent*[1] 373   *Engol* 62   *Fulda*
95   *GelasV* 45   *Gellon* 60   *Leon* 1290   *Ménard* 35 B   *Mon-*
za 36   *Otton* 3[r]   *PaAug* 9, 3   *Phill* 62   *Praem-MC*
36   *Prag* 7, 2   *Ratisb* 51   *Rhen* 57   *Ripoll* 848   *San-*
gall 60   *Sarum* 71   *Tassilo* 6   *Trento* 128   *Triplex*
279   *West* I 54   *West* III 1452   (Abingdon Rouen St-Alban's
Tewkesbury Winchcombe)

Rubr.: Mense Decembris, in natale Innocentium, II alia missa,
    <secreta> *Leon*
    V Kalendas Ianuarii, in natale Innocentium,
    - alia oratio super oblata *Fulda*
    - oratio super oblata *seu* secreta *ceteri codd.*

Var. lect.: 1 domine] quaesumus *praem. Arbuth*   muneribus] nostris
add. Monza   Innocentium] martyrum tuorum *add. Trento*   1/2 sacran-
dis] venerandis *Ratisb*   2 et] *om. Praem-MC*   quaesumus] *om. Arbuth*
Sarum Trento West   2/3 imitari possimus *transp. Arbuth*   3 tibi] *om.*
Benevent[1]   dicatam veneramur infantiam] dicata veneratur infantia *Be-*
nevent[1] *Monza*

Nota: *Comparez à l'oraison*: "Tribue, quaesumus, omnipotens deus, ut
Innocentium ... veneramur infantiam."

106.

Adesto, domine, muneribus, Innocentium festivitate sacrandis, et praesta, quaesumus, ut et hii martyres tui pro nobis
interveniant, quorum clara prior est confessio quam loquela.

Cod.: *Biasca* 159

Rubr.: V Kalendas Ianuarii, natale Innocentium, oratio super oblata

Nota : *Comparez à l'oraison précédente, n° 105, et à l'oraison*:
"Praesta, quaesumus, omnipotens deus, ut et hii martyres ... quam loquela."

107.

Adesto, domine, placatus plebium tuarum precibus et his
sacrificiis, a te institutis, profluam benedictionem infunde de
caelis et, qui apostolum Didymum locupletasti gratiae tuae
donum, ut ab omni genere morborum te credentem populum
5 in tuo sancto nomine redderet illaesum, huius exoratus
suffragio, haec munera, altario tuo superposita, tibi efficito
holocausta placabilia, ut ex his sumentibus animae et corporis proficiat ad salutem et fidelibus defunctis praestetur
ad requiem.

Cod.: *London*[4] 84 (1342)

Rubr.: Missa in die sancti Thomae apostoli, <oratio> post "Pridie"

108.

Adesto, domine, plebi tuae et, in tua misericordia confidenti, opem tuae propitiationis impende.

Cod.: *Leon* 654

Rubr. : Mense Iulii, preces diurnae cum sensibus necessariis, XLIII alia missa, <collecta>

109.

Adesto, domine, populis, qui sacra donaria contigerunt, ut nullis periculis affligantur, qui te protectore confidunt.

Codd.: *Adelp* 1542[+]	*Engol* 496. 2340[+]	*Fulda* 569	*Ge-*
lasV 248. 1492[+]	*Gellon* 478	*GregorTc* 2563[+]. 2548"	*Leon*
568	*Limoges* 122[r]	*Otton* 37[v]	*Pamel* 239	*Phill*
1787[+]	*Praem-MC* 56	*Prag* 71, 4	*Rhen* 331	*Sangall*
421	*Trento* 1209"	*Triplex* 983. 3028[+]	*Udalr* 1561"

Rubr.: Mense Iulii, orationes et preces diurnae, XXVII alia missa,
<oratio super populum> *Leon*
Missa tempore belli,
- oratio post communionem *GregorTc* 2548 *Trento*
- alia oratio *Udalr*
Alia missa tempore belli (pro paganis *Adelp*, contra hostes *Triplex* 3028), oratio ad complendum *seu* post communionem *codd.* [+] *distincti*
Feria VI[a] hebdomadae IV[ae] quadragesimae,
- oratio ad vesperos *Pamel*
- oratio ad *seu* super populum *ceteri codd.*

Var lect.: 1 domine] quaesumus *praem. Engol* 496, *add. Limoges*
populis ... contigerunt] supplicationibus nostris et populi sacra mysteria
contingentes *codd.* " *distincti*   donaria] *Leon*, mysteria *ceteri codd.*
2 te protectore] in te protectore *Triplex* 3028, in te protectorem *codd.* "
distincti

110.

Adesto, domine, populis tuis, in tua protectione fidentibus, et, tuae se dexterae suppliciter inclinantes, perpetua defensione conserva. Percipiant, quaesumus, domine, vitae praesentis auxilium et gratiam repperiant sempiternam.

Codd.: *Engol* 218" *Fulda* 1586. 2226+ *Gellon* 211. 912" *Gemm*
58 *Gregor* 909⁰ *GregorTc* 2456+ *Leofric* 70+. 244⁰" *Leon*
231 *Ménard* 185 C *Otton* 28ᵛ+ *Pamel* 378⁰. 407 *Phill*
225 *Ratisb* 1515. 2517⁰ *Rhen* 160+" *Salzb* III 19⁰ *San-*
gall 198 *Trento* 36⁰ *Triplex* 518 *Udalr* 1347⁰ *Vi-*
*cen*¹ 1347⁰+

Rubr.: Mense Maii, in ieiunii mensis quarti, <oratio super populum>
Leon
In Litania minore, ad missam in secunda die, oratio super
populum *Gellon* 912
Sabbato (in XII lectionibus) hebdomadae Iᵃᵉ quadragesimae,
oratio super populum *Otton*
Dominica VIIIᵃ post Pentecosten, oratio super populum
Fulda 1586 *Pamel* 407
Dominica XIXᵃ post Pentecosten, oratio super populum
Ratisb 1515 *Ménard*
Missa votiva pro amico, collecta *Fulda* 2226 *GregorTc*
Alia oratio cottidiana *codd.* ⁰ *distincti*
Dominica Vᵃ post Theophaniam *seu* Epiphaniam, oratio ad
seu super populum *ceteri codd.*

Var. lect.: *Fulda* 2226 *GregorTc formam adhibent singularis*
1 in] *om. Leon* protectione] virtute *Leofric* 244 **1/2** fidentibus] con-
fidentibus *codd.* + *distincti* 2 se] *om. codd.* " *distincti* **3/4** Percipiant ... sempiternam] *Leon, om. ceteri codd.*

III.

Adesto, domine, populo tuo, cum sanctorum patrocinio
supplicanti, ut, quod propria fiducia non praesumit, suffra-
gantium meritis consequatur.

Codd.: *Arbuth* 289⁰. 380 *Drumm* 70⁰ *Engol* 1669 *Ge-*
lasV 1095 *Gellon* 1798 *GregorTc* 3272. 3361 *Herford*
241⁰ *Leofric* 174" *Leon* 152. 326+ *Ménard* 170 B *Pa-*
mel 419+ *Paris*¹ 241 *Phill* 1203 *Praem-MB* 197 *Ra-*
tisb 1386 *Ripoll* 1104+ *Sangall* 1494 *Sarum* 709⁰. 932 *Tri-*
plex 2913 *Vicen*¹ 791+". 818+" *West* III 1625+ (Tewkesbury)

Rubr.: Mense Aprilis, XXXVIII <bis>, <oratio super populum>
Leon 152
Mense Iunii, in natale apostolorum Petri et Pauli, XV alia
missa, <oratio super populum> *Leon* 326
V Kalendas Augusti, <natale sanctorum> Nazarii et Celsi,
postcommunio *Ripoll*
VIII Idus Februarii, <natale> sanctorum Vedasti et Amandi
episcoporum, collecta *Arbuth* 289 *Herford* *Sarum* 709
Die X⁰ mensis Octobris, <in festo> sanctorum Gereonis,
Victoris, Cassii, Florentii et sociorum, postcommunio
Arbuth 380 *Praem-MB* *Sarum* 932

Alia missa in natale plurimorum sanctorum, alia collecta
GelasV Gellon
In natale plurimorum martyrum,
- oratio super populum *Pamel*
- alia oratio *GregorTc* 3272 *Vicen*[1] 791
In natale plurimorum confessorum,
- collecta *West*
- alia collecta *Drumm*
- oratio super populum *Ratisb Ménard*
- alia oratio *GregorTc* 3361 *Vicen*[1] 818
In natale plurimorum sanctorum,
- alia collecta *Leofric*
- alia oratio *ceteri codd.*

Var. lect. : 1/2 populo tuo *et* supplicanti] precibus populi tui *et* supplicantis *Ratisb Ménard* **1** sanctorum] tuorum *add. codd.* + *distincti,* confessorum tuorum (atque pontificum *item add. Arbuth* 289 *Sarum* 709) illorum tibi *add. codd.* ° *distincti,* (martyrum *item add. Praem-MB*) tuorum Gereonis Victoris Cassii Florentii sociorumque eorum *add. Arbuth* 380 *Praem-MB Sarum* 932 patrocinio] tibi *praem. codd.* " *distincti* **2/3** suffragantium] intercessorum tibi *praem. codd.* ° *distincti*

112.

Adesto, domine, populo tuo et concede misericordiam tuam cum sanctorum tuorum patrociniis supplicanti, ut, quia tua gubernatione confidit, nullis adversitatibus opprimatur.

Cod.: *Leon* 822

Rubr. : Mense Augusti, III Kalendas Septembris, natale sanctorum Adaucti et Felicis, VI alia missa, <oratio super populum>

113 a.

Adesto, domine, populo tuo et, quem sanctorum tuorum tribuis frequentationibus interesse, protectione perpetua fac securum.

Codd.: *Bologna*[2] 2 *Leon* 742 *Phill* 132

Rubr.: Mense Augusti, IV Idus Augusti, natale sancti Laurentii, <oratio super populum> *Leon*
    <IV Idus Augusti, natale sancti Laurentii, ad maiorem missam, commemoratio sanctorum> VII Dormientium, oratio ad communionem *Bologna*[2]
    Idus Ianuarii, depositio sancti Hilarii episcopi et confessoris, oratio super populum *Phill*

Var. lect. : **1** sanctorum tuorum] sancti tui Hilarii *Phill* **2** frequentationibus tribuis *transp. Bologna²*

113 b.

Adesto, domine, populo tuo et, quos in frequentatione beati sacerdotis et confessoris tui illius tribuis interesse, protectione perpetua semper facias esse securos.

Codd.: *Bergom* 1167 *Biasca* 1085. 1121 *Milano* 735. 768 *Triplex* 2793 *Udalr* 789

Rubr.: <Nonis Iulii, natale> sancti Willibaldi episcopi, collecta *Udalr*
Orationes et preces in natale confessorum, oratio super sindonem *Biasca* 1121 *Milano* 768
In natale unius martyris, oratio super populum *i.e.* collecta *ceteri codd.*

Var. lect. : **1** Adesto] *Biasca* 1121 *Milano* 768, Propitiare *ceteri codd.* quos] quem *Udalr* **2** sacerdotis et confessoris] *Biasca* 1121 *Milano* 768 *Udalr*, martyris *ceteri codd.* tui] Willibaldi *add. Udalr* **3** securos] securum *Udalr*

114.

Adesto, domine, populo tuo placatus et clemens, ut eorum supplicatione, qui tuae placuerunt pietati, te largiente, ad vitam perveniant sempiternam.

Codd.: *Ratisb* 1964 *Ripoll* 1315 *Vicen*¹ 657

Rubr.: Alia missa omnium sanctorum cottidianis diebus, oratio super populum *Ratisb*
Kalendas Novembris, festivitas omnium sanctorum, oratio ad complendum *seu* post communionem *ceteri codd.*

115. Br 25

Adesto, domine, populo tuo, ut, beati Nicomedis martyris tui merita praeclara suscipiens, ad impetrandam misericordiam tuam semper eius patrociniis adiuvetur.

Codd. : *Adelp* 1025 *Aquilea* 222ᵛ *Arbuth* 369 *Bec* 195 *Cantuar* 111 *Curia* 201ᵛ *Engol* 1332 *Fulda* 1315 *Gellon* 1461 *Gemm* 212 *Gregor* 693 *Herford* 326 *Lateran* 269º *Leofric* 160 *Mateus* 2109 *Ménard* 139 B. 167 D *Nivern* 299 *Otton* 113ᵛ *Pad* 666 *Pa-*

mel 308. 340   *Phill* 101. 854   *Praem* 184   *Prag* 190, 1   *Ra-*
tisb 1093. 1360   *Ripoll* 1233   *Rossian* 191, 1   *Sangall* 1191   *Sa-*
rum 905   *Trento* 732°   *Triplex* 2464   *Udalr* 946   *Vi-*
gil 347°   *Winch* 163   *West* II 949°

Rubr.: IV Nonas Iulii, in festo <sancti> Udalrici episcopi, collecta
        Aquilea
      III Nonas Ianuarii, natale sanctae Genovevae virginis, oratio
        super populum *Phill*
      In vigilia unius confessoris,
        – oratio ad matutinos *Ménard* 167 D
        – alia oratio *Ratisb* 1360
      II Idus Iunii, natale sanctorum Basilidis, Cyrini, Naboris et
        Nazarii, alia collecta *Pamel* 308
      XVI Kalendas Octobris, natale sancti Nicomedis, collec-
        ta *ceteri codd.*

Var. lect.: **1** domine] quaesumus *praem. Praem, add. Leofric*   populo tuo] familiae tuae *Phill*   **1/2** beati Nicomedis martyris tui] beati
Udalrici confessoris tui atque pontificis *Aquilea*, beatae Genovevae virginis *Phill*, beati confessoris tui illius *Ménard Ratisb* 1360   **2** suscipiens]
venerantes *codd.* ° *distincti*   **3** adiuvetur] sublevetur *Sarum*, et meritis
add. Ménard Ratisb 1360

116.

Adesto, domine, precibus nostris et famulorum tuorum
illorum iter in pace iube dirigere; comitetur eis gratia tua;
infirmitas illis non accidat propria; adversitas eis non
impediat aliena; sit eis in comitatum visitatio angelica, quae
5 eos et delictis expiet et ab adversitate conservet, quo, in
omnibus tuae roborati auxilio gratiae, a te instruantur, quid
agant, per te acta perficiant, desiderata impleant, ad desti-
nata perveniant et ad propria iterantium cum prosperitate
succedant.

Cod.: *Silos*[3] 430

Rubr.: Missa de iterantibus via, <oratio> "Alia"

117.

Adesto, domine, precibus nostris, quas in honorem et
commemorationem dei genitricis Mariae sanctorumque apostolorum, martyrum et confessorum ac virginum atque
omnium electorum tuorum tuae maiestati humiliter deferi-
5 mus, et tribue, ut, qui eorum merita venerando recolimus, in
aeterna laetitia de eorum societate gaudeamus.

Codd.: *GregorTc* 1928   *Vicen*[1] 1069

Rubr.: Alia missa in honorem Dei Genitricis et omnium sanctorum, collecta *codd.*

Var. lect.: **1** domine precibus] *GregorTc*, quaesumus domine supplicationibus *Vicen*[1]   **4** humiliter] *om. Vicen*[1]

118.

Adesto, domine, precibus nostris, quas in sancti Galli confessoris tui commemoratione deferimus, ut, qui tibi digne meruit famulari, eius intercedentibus meritis, ab omnibus nos absolve peccatis.

Cod.: *Udalr* 1006

Rubr.: XVII Kalendas Novembris, natale sancti Galli confessoris, collecta

Nota: *Comparez à l'oraison suivante, n° 119, et à l'oraison*: "Exaudi, domine, preces nostras, quas in sancti ... absolve peccatis."

119 a.   Br 31

Adesto, domine, precibus nostris, quas in sanctorum tuorum commemoratione deferimus, ut, qui nostrae iustitiae fiduciam non habemus, eorum, qui tibi placuerunt, meritis adiuvemur.

- A -

Codd.: *Aquilea* 254[v]   *Ariberto* 724°   *Bergom* 949°   *Biasca* 880°   *Curia* 222[v]   *Goth* 452[+]   *GregorTc* 1923   *Lateran* 218. 249[+]   *Leon* 62[+]   *Milano* 973°   *Praem* 189   *Triplex* 2002°   *Vicen*[1] 1065

Rubr.: Mense Aprilis, XIX alia missa, <collecta> *Leon*
     In natale plurimorum martyrum seu pontificum, secreta *Aquilea Curia*
     XIII Kalendas Iulii, <natale> sanctorum Protasii et Gervasii, mane ad missam, oratio super populum *i.e.* collecta *codd.* ° *distincti*
     Missa martyrum III[a], praefatio *i.e.* introductio *Goth*
     XI Kalendas Iulii, vigilia sanctorum multorum <Albini, Paulini et Niceti cum nongentis octoginta novem sociis eorum>, collecta *Lateran* 218
     Alia missa in honorem Dei Genitricis et omnium sanctorum, alia oratio super oblata *seu* secreta *GregorTc Vicen*[1]

VII Idus Augusti, <natale> sanctorum Donati et Hilariani, collecta *Lateran* 249

Die I° mensis Octobris, <in festo> sanctorum Remigii, Germani, Nicaei, Vedasti, Bavonis, Wasnulfi et Piati, collecta *Praem*

Var. lect. : **1** precibus] *codd.* + *distincti*, supplicationibus *ceteri codd.* **1/2** sanctorum tuorum] omnium *praem. GregorTc Vicen¹*, Donati et Hilariani monachi *add. Lateran* 249, sanctorum martyrum tuorum Albini Paulini et Niceti episcopi cum nongentis octoginta novem *Lateran* 218, beatissimorum martyrum tuorum Protasii et Gervasii *codd.* ° *distincti* **3** eorum] sanctorum *GregorTc*

– B –

Codd. : *Curia* 201ᵛ   *Engol* 1324°   *Fulda* 1307°   *Gellon* 1453°   *Gemm* 212   *Gregor* 688   *Leofric* 159   *Milano* 1132⁺   *Pad* 663   *Pamel* 337°   *Phill* 846°   *Praem* MC MP 183   *Ripoll* 1226   *Rossian* 190, 2ᵐ   *Sangall* 1183°   *Trento* 726   *Triplex* 2455   *Udalr* 941⁺   *Vigil* 344⁺   *Winch* 162°

Rubr.: XVIII Kalendas Octobris, natale sanctorum Cornelii et Cypriani,
- alia collecta *codd.* ° *distincti*
- oratio super sindonem *Milano*
- oratio super oblata *seu* secreta *ceteri codd.*

Var. lect. : **1** precibus] muneribus *Ripoll*, supplicationibus *ceteri codd.* **2** tuorum] Cornelii et Cypriani *add. codd.* + *distincti* **3** meritis] precibus *Leofric*

119 b.   Br 31

Adesto, domine, precibus nostris, quas in sancti confessoris et episcopi tui Donati commemoratione deferimus, ut, qui nostrae iustitiae fiduciam non habemus, eius, qui tibi placuit, meritis adiuvemur.

– A –

Codd.: *Engol* 1175°. 1428   *GelasV* 964°   *Gellon* 1294⁺   *GregorTc* 3640   *Praem* 96⁺. 125⁺. 167⁺. 195⁺. 204⁺   *Prag* 168, 1°   *Ratisb* 973°   *Ripoll* 977⁺   *Triplex* 2601   *Vicen¹* 384   *West* III 1543. 1551. 1552. 1596. 1608

Rubr.: VII Idus Augusti, in natale sancti Donati,
- collecta *codd.* ° *distincti*
- alia collecta *Gellon*
VII Kalendas Novembris, in natale sancti Amandi episcopi, collecta *Engol* 1428 *GregorTc*

Die I° mensis Decembris, <in festo> sancti Eligii, collecta
Praem-M1508 M1578
Die XI° mensis Aprilis, <in festo> sancti Leonis, collecta
Praem-ML M1508 M1578
Die XI° mensis Augusti, <in festo> sancti Gaugerici, collecta
Praem M1508 M1578
Die VIII° mensis Octobris, <in festo> sancti Gilleni, collecta
Praem-CG
Die III° mensis Novembris, <in festo> sancti Huberti, collecta
Praem-M1508 M1578
IV Kalendas Iunii, <natale> sancti Maximini episcopi, collecta
Ripoll
XVII Kalendas Novembris, depositio beati Galli confessoris,
alia oratio *Triplex*
VI Kalendas Iulii, <natale> sancti Maxentii, collecta *Vicen*[1]
Die XXVIII° mensis Maii, in natali sancti Germani episcopi,
secreta *West* III 1552 (Whitby)
Die XI° mensis Aprilis, in natali sancti Guthlaci, collecta
West III 1543 (Durham)
Die XXVI° mensis Maii, <in natali> sancti Bedae presbyteri,
collecta *West* III 1551 (Abingdon)
Die XXX° mensis Septembris, in natali sancti Hieronymi,
collecta *West* III 1596 (Chartreux Paris)
Die XIII° mensis Novembris, in natali sancti Britii episcopi et
confessoris, collecta *West* III 1608 (Chartreux)

Var. lect.: **1** precibus] supplicationibus *codd.* ⁺ *distincti* **2** comme-
moratione] sollemnitate *West* **4** meritis] precibus et *praem. Praem*
(omnes codd.) West III 1552

– B –

Codd.: *Adelp* 1208"   *Aquilea* 268[ro+]"   *Arbuth* 426"   *Avel-*
lan[3] 862⁺   *Bec* 241   *Benevent*[1] 754⁺   *Bergom* 1197$^\mu$ *Bias-*
ca 1115⁺$^\mu$ *Cantuar* 165ⁿ"   *Casin*[1] 479⁺$^\mu$ *Curia* 226⁺   *En-*
gol 1647   *Gellon* 1780   *Gemm* 236   *GregorTc* 3313.
3331   *Herford* 390"   *Lateran* 305   *Mateus* 2350"   *Mé-*
nard 168 D$^\mu$ *Milano* 762$^\mu$ *Monza* 842⁺   *Otton* 132vo   *Ox-*
ford 185   *Paris*[1] 226   *Praem-MA* 216⁺   *Ratisb* 1370$^\mu$
Rhen 1039   *Ripoll* 1418   *Rossian* 241, 1   *Sangall* 1475   *Sa-*
rum 714*"   *Trento* 1163   *Triplex* 2823$^\mu$ *Vicen*[1] 805°.
811$^\mu$ *Winch* 202   *West* II 1089"   *West* III 1622 (Vitell
Winchcombe). 1624 (Sherborne St-Alban's)

Rubr.: In vigilia unius confessoris, collecta *Trento*
In natali unius abbatis, collecta *West* III 1624
(Alia *codd.* ° *distincti*) missa in natale unius confessoris (doctoris *Adelp*, et pontificis *add. Otton Vitell*),
– alia collecta *Winch*
– alia oratio *codd.* $^\mu$ *distincti*
– collecta *ceteri codd.*

Var. lect.: **1** domine] quaesumus *praem. Ménard* precibus] supplicationibus *codd.* + *distincti* sancti] beati *Aquilea* **2** et episcopi tui Donati] atque pontificis tui illius *Otton*, tui illius *ceteri codd.* commemoratione] sollemnitate *codd.* " *distincti*, tibi *add. Arbuth* **4** meritis] meritis et intercessionibus *Arbuth*, meritis et precibus *Herford Sarum*, precibus et meritis *Oxford West* II 1089, precibus *ceteri codd.*

120.

Adesto, domine, precibus nostris, ut adoptio, quam in idipsum sanctus spiritus advocavit, nihil habeat in dilectione terrenum, nihil in confessione diversum.

Codd.: *Goth* 358 *Leon* 200. 215

Rubr.: In Pentecosten, ascendentibus a fonte, collecta *Leon* 200
In dominico Pentecostes, collecta *Leon* 215
Missa in die sancto Pentecostes, praefatio *i.e.* introductio *Goth*

Var. lect.: **1** Adesto ... nostris] *Leon* 215, Praesta nobis ineffabilis et misericors deus *Leon* 200, Deus illuminatio et vita credentium cuius munerum ineffabilis magnitudo hodiernae festivitatis testimonio celebratur da populis tuis capere intellectu quod didicere miraculo *Goth* **2** idipsum] eos *Goth* habeat] *transp. post* nihil[2] *Leon* 200 *Goth* **3** terrenum] tepidum *Goth*

121. Br 26

Adesto, domine, precibus populi tui, adesto muneribus, ut, quae sacris sunt oblata mysteriis, tuorum tibi placeant intercessione sanctorum.

- A -

Codd.:	*Adelp* 951	*Aquilea* 232[V]	*Bec* 178	*Bologna*[2]
I 3	*Cantuar* 103	*Curia* 190[V]	*Engol* 1210	*Fulda*
1198	*Gemm* 199	*Gregor* 650	*Herford* 300	*Lateran*
254	*Leofric* 154	*Mateus* 1947	*Ménard* 131 C	*Mon-*
za 734	*Nivern* 288	*Otton* 103[V]	*Pad* 610	*Pamel*
328	*Praem* 166	*Ratisb* 998	*Ripoll* 1164	*Rossian* 168,
2	*Sangall* 1074	*Trento* 693	*Triplex* 2297	*Udalr*
886	*Vicen*[1] 559	*Winch* 141		

Rubr.: III Idus Augusti, natale sancti Tiburtii (et Susannae *add. Curia*), oratio super oblata *seu* secreta *codd.*

Var. lect.: **2** sunt sacris *transp. Vicen*[1]

- B -

Codd. : *Arbuth* 428   *Metz*[1] 88   *Praem-ML M1508 M1578*
155   *Ripoll* 857   *Sarum* 717*   *West* III 1557. 1585. 1590

Rubr.: V Idus Septembris, natale sancti Gorgonii, oratio super oblata
seu secreta *Metz*[1] *West* III 1590 (Cisterciens)
Die XXV° mensis Iulii, <in festo> sanctorum Christophori et
Cucufati, secreta *Praem*
V Idus Ianuarii, <natale sanctorum> Iuliani et Basilissae,
secreta *Ripoll*
Die XIX° mensis Iunii, <in natali> sanctorum martyrum
Gervasii et Protasii, secreta *West* III 1557 (St-Alban's)
Die XXV° mensis Augusti, in natali sancti Genesii martyris,
secreta *West* III 1585 (Cisterciens)
In natali plurimorum confessorum, secreta *Arbuth Sarum*

Var. lect. : **1** populi tui precibus *transp. Ripoll* **2/3** tuorum ...
sanctorum] intercedente beato Gorgonio martyre tuo tibi placeant *Metz*[1]

122.

Adesto, domine, propitius plebi tuae et, ut eam perpetua
bonitate non deseras, piis operibus indesinenter exerce, quia
omnia dona praestabis, quibus concesseris religionis augmentum.

Cod.: *Leon* 670

Rubr.: Mense Iulii, preces diurnae cum sensibus necessariis, XLV alia
missa, <oratio super populum>

123.

Adesto, domine, pro tua pietate supplicationibus nostris
et suscipe hostiam, quam tibi offerimus pro famulo tuo illo,
iacente in grabatto, salutem non corporis sed animae suae
petenti; praesta, omnipotens deus, indulgentiam omnium
5 iniquitatum suarum propter immensam misericordiam tuam
et per intercessionem sanctorum tuorum illorum, ut per hoc,
quod sustinet flagellum, a sanctis angelis tuis susceptus,
pervenire mereatur ad tuae gloriae regnum.

Codd. : *Adelp* 1581	*Arbuth* 460	*Bec* 266°	*Cantuar*
147 *Fulda* 2456	*GregorTc* 2795	*Herford* 426	*Leo-*
fric 194 *Praem* 255	*Ratisb* 2278	*Ripoll* 1708°	*Sa-*
rum 814* *Triplex* 3463	*Vicen*[1] 1491°	*Vigil* 664	

Rubr.: Missa pro infirmo, qui proximus est morti, oratio super oblata *seu* secreta *codd.*

Var. lect. : **1** pro tua pietate] *om. codd.* ° *distincti* **3** iacente in grabatto] *om. Arbuth Herford Sarum* grabatto] lecto *Bec* **6/7** et per ... flagellum] ut intervenientibus omnium sanctorum tuorum meritis *Bec Praem* **7** sustinet flagellum] tibi offerimus sacrificium *Arbuth Herford Sarum*

124.

Adesto, domine, quaesumus, ecclesiae tuae votis, adesto muneribus et, quod conscientia nostra non supplet, sanctorum tuorum intercessio´ compenset et meritum.

Cod.: *Leon* 265

Rubr. : Mense Iunii, in natale sanctorum Iohannis et Pauli, IV alia missa, <collecta>

125.

Adesto, domine, quaesumus, famulorum tuorum hostiis, adesto muneribus, sancti Lamberti martyris tui atque pontificis precibus placatus ac meritis, et eius gaudentes sollemnitate ab hostium infestationibus tuere.

Codd.: *Praem-CM MB* 185

Rubr. : Die XVII° mensis Septembris, <in festo> sancti Lamberti, collecta *codd.*

126 a.   Br 36

Adesto, domine, quaesumus, populo tuo et, quem mysteriis caelestibus imbuisti, ab hostium furore defende.

- A -

Codd. : *GelasV* 645   *GregorTc* 1827   *Leon* 214   *Milano* 603   *Monac²* 36   *West* III 1480 (Rouen MS. 10.048)

Rubr.: Mense Maii, orationes pridie Pentecosten, III alia missa, <postcommunio> *Leon*
Orationes et preces dominicae Pentecostes, alia oratio ad populum *GelasV*

Missa pro gratia sancti Spiritus, oratio post communionem
GregorTc
Dominica XXª post octavam Pentecostes, oratio post com-
munionem *Milano*
Dominica Pentecostes, alia oratio *Monac*[2]
Feria IIIª in hebdomada Pentecostes, collecta *West*

Var. lect.: 2 mysteriis caelestibus] sacramento sancti spiritus *Gregor-
Tc*   2 imbuisti] satiasti *GelasV*   furore] incursione *GelasV*

– B –

Codd. : *Adelp* 771°	*Aquilea* 118ᵛº	*Bec* 89	*Benevent*[2]
120°	*Buchsheim* 11	*Cantuar* 53	*Curia* 135	*Fulda*
982	*Gellon* 1040	*Gemm* 118	*Gregor* 534	*Herford*
167	*Lateran* 131°	*Leofric* 112	*Lucca* 117	*Mateus*
1573	*Ménard* 113 A	*Metz*[1] 82	*Milano* 476	*Monza*
437	*Nivern* 240°	*Pad* 476	*Pamel* 301	*Panorm*
514	*Praem* 83°	*Prag* 129, 3	*Ratisb* 810	*Rhen* 634	*Ri-*
poll 548°	*Rossian* 121, 3	*Sangall* 824	*Schäftlarn* 12	*Tren-*
to 580	*Triplex* 1881	*Udalr* 680	*Vicen*[1] 183	*Vigil*
185	*Winch* 16			

Rubr. : Feria IIª infra octavam Pentecostes, oratio ad complendum
seu post communionem *codd.*

Var. lect.: 1 quaesumus domine *transp. codd.* ° *distincti*   2 imbu-
isti] praeveniente spiritu sancto *add. Udalr*

126 b.   Br 36

Adesto, quaesumus, domine, propitius populo tuo et,
quem mysteriis caelestibus et sacramentis imbuis, per haec
munera, quae tibi offert devotus, a furore cunctorum
hostium tua miseratione defende.

Codd.: *Arbuth* 453   *Sarum* 807*

Rubr. : Missa tempore belli (vel contra mortalitatem hominum *add.
Arbuth*), secreta *codd.*

Var. lect.: 1 domine quaesumus *transp. Arbuth*

127.

Adesto, domine, quaesumus, redemptionis effectibus, ut,
quos sacramentis aeternitatis instituis, iisdem protegas
dignanter aptandos.

Codd.: *Engol* 422 *Fulda* 2652 *Gallic* 200⁰ *GelasV* 198.
477⁰. 483⁰⁺ *Gellon* 762⁰⁺. 2253 *Phill* 402 *Prag* 59, 4.
103, 2⁰⁺. 131, 3⁰ *Rhen* 1145 *Sens* 57

Rubr.: Missa paschalis, feria IIᵃ, oratio post communionem *Gallic*
Feria IIIᵃ in albis, oratio post communionem *GelasV* 477
Feria IVᵃ in albis, oratio ad complendum *seu* post communionem *codd.* ⁺ *distincti*
Feria IVᵃ infra octavam Pentecostes, oratio ad complendum *Prag* 131, 3
Dominica IIIᵃ quadragesimae, orationes ad missam, quae pro scrutinio primo celebratur, oratio ad complendum *seu* post communionem *ceteri codd.*

Var. lect.: **1** redemptionis] nostrae *praem. codd.* ⁰ *distincti*

128.

Adesto, domine, supplicationibus nostris et animae famulorum tuorum diaconorum et omnium clericorum tuae propitiationis abundantiam et indulgentiam consequantur et lucis perpetuae tribuas eis mansionem.

Codd.: *Avellan¹* 905 *Avellan²* 948

Rubr.: Missa pro diaconis defunctis, collecta *codd.*

129.

Adesto, domine, supplicationibus nostris et, apostolicis intercessionibus confidentes, nec minis adversantium nec ullo perturbemur incursu.

Codd. : *Ariberto* 769⁰" *Arbuth* 358⁺ *Avellan²* 898⁺ *Bec*
187⁺ *Bergom* 999⁰" *Biasca* 935⁰" *Cantuar* 107⁺ *En-*
gol 1257⁺ *Fulda* 1249 *GelasV* 1003 *Gellon* 1387
Gemm 205 *Herford* 315⁺ *Leon* 479" *Milano* 1032⁰" *Mo-*
nac ³ V 1 *Monac⁵* (23) *Nivern* 293⁺ *Otton* 108ʳ
Praem 174 *Ratisb* 1044 *Ratisb-A* 40 *Rossian* 178, 1" *San-*
gall 1124 *Sarum* 883⁺ *Triplex* 2155⁰". 2373 *Vicen¹* 606
Vigil 300 *West* II 925⁺

Rubr.: Mense Iulii, orationes et preces diurnae, XII alia missa, <collecta> *Leon*
XVI Kalendas Augusti, natale sancti Quirici martyris, oratio super populum *i.e.* collecta *codd.* ⁰ *distincti*
VI Kalendas Septembris, in natale sancti Rufi, collecta *ceteri codd.*

Var. lect.: **1** domine] *om. Avellan²*   et] ut *codd.* ⁺ *distincti* apo-
stolicis] *Leon*, beati Quirici martyris *codd.* ° *distincti*, beati Rufi martyris
tui *Arbuth Sarum West*, beati Rufi *ceteri codd.*   **2** minis] terreamur
add. Avellan²   **3** perturbemur] *codd.* " *distincti*, turbemur *Fulda*, con-
turbemur *ceteri codd.*

130 a.

Adesto, domine, supplicationibus nostris et famulorum
tuorum oblationibus praesentiam tuae virtutis intersere.
Nullius sit vacua postulatio, nullius sit irritum votum, ut,
quod singuli obtulerunt ad nominis tui honorem, et cunctis
5 viventibus proficiat ad salutem et defunctis omnibus
praestetur ad requiem.

Codd.: *Silos³* 766   *Silos⁶* 325   *Toledo³* 1133

Rubr.: Missa de cottidiano, <oratio> post nomina *Silos³*
Officium de V° dominico, ad missam, <oratio> post nomina
Silos⁶
Missa cottidiana IVᵃ, <oratio> post nomina *Toledo³*

130 b.

Adesto, domine, supplicationibus nostris et his populi tui
oblationibus precibusque susceptis praesentiam tuae maiestatis intersere, ut, quod singuli obtulerunt ad honorem nominis
tui, cunctis proficiat ad salutem.

Cod.: *Franc* 126

Rubr.: Orationes et preces communes cottidianae cum canone, alia
oratio super oblata

Nota: *Comparez aux oraisons*: "Propitiare, domine, supplicationibus
nostris et has oblationes famulorum ... proficiat ad salutem." *et*:
"Propitiare, domine, supplicationibus nostris et has populi tui oblationes ...
efficaciter consequamur."

131.

Adesto, domine, supplicationibus nostris et famulos tuos
assidua protectione conserva, ut, qui tibi iugiter famulantur,
continua remuneratione ditentur.

Codd. : *Engol* 2219   *GelasV* 1442   *Gellon* 2600   *Gre-gorTc* 2254. 4443   *Phill* 1614   *Ratisb* 1867   *Triplex* 3140

Rubr.: Missa in monasterio, alia oratio *GregorTc* 2254
Alia oratio monachorum *ceteri codd.*

132.

Adesto, domine, supplicationibus nostris et famulos tuos, quos caritatis visitamus officiis, gratiae tuae largitate locupleta, ut in eorum prosperitate continua gaudeamus.

Codd.: *Benevent*[1] 69   *Donauesch* 268   *GelasV* 1544   *Gel-lon* 2812   *GregorTc* 4484   *Phill* 1829   *Prag* 260, 1   *San-gall** 203

Rubr.: Missa pro infirmo, alia oratio secreta *Benevent*[1]
Oratio intrantibus in domo sive benedictio *seu* oratio ad visitandos fratres *ceteri codd.*

Var. lect.: *Benevent*[1] *formam adhibet singularis*

133.

Adesto, domine, supplicationibus nostris et hanc domum serenis oculis tuae pietatis illustra; descendat super habi-tantes in ea gratiae tuae larga benedictio, ut, his manufactis cum salubritate manentibus, ipsi tuum semper sint ha-
5 bitaculum.

Codd.: *Bergom* 1534   *Donauesch* 163   *Fulda* 2805°   *Ge-lasV* 1546   *Gellon* 2818   *GregorTc* 4317°   *Ménard* 232
D°   *Metz*[1] 101°   *Oxford* 205°   *Pamel* 465°   *Phill* 1844   *Ratisb* 2455°   *Sangall** 208   *Suppl* 1457°   *Vi-cen*[1] 1472°

Rubr.: Orationes in monasterio, alia oratio in domo *Fulda*
Alia oratio intrantibus in domo sive benedictio *seu* benedictio domus *ceteri codd.*

Var. lect. : 3/4 his ... manentibus] in his manufactis habitaculis (*om. Ratisb*) cum salubritate manentes *codd.* ° *distincti*

134.

Adesto, domine, supplicationibus nostris et hanc famuli tui illius oblationem benignus assume, ut, qui auxilium tuae miserationis implorat, et sanctificationis gratiam percipiat et, quae pie precatur, obtineat.

Codd.: *Adelp* 1477   *Benevent*[1] 30   *Engol* 2176   *Fulda* 2235   *Gellon* 1847   *Gemm* 255   *GregorTc* 2351   *Leo-* *fric* 190   *Milano* 1229   *Monza* 934   *Nivern* 338   *Pa-* *mel* 437   *Phill* 1237   *Praem–MC* 42   *Ratisb* 2195 *Rhen* 1309   *Suppl* 1297   *Triplex* 1183   *Vicen*[1] 999

Rubr.: Missa canonicorum, secreta *Adelp*
Missa pro peccatis, alia collecta *Benevent*[1]
Feria IV[a] in capite ieiunii, alia oratio post psalmos paenitentiales *Praem–MC*
Feria V[a] Cenae Domini, orationes et preces super paenitentem et confitentem peccata sua, alia oratio *Triplex*
Alia missa votiva,
– oratio super sindonem *Milano*
– secreta *Nivern*
– collecta *ceteri codd.*

Var. lect.: *Adelp Praem–MC formam adhibent pluralis* **2** oblationem] confessionem *Praem–MC Triplex* **2/3** tuae miserationis] *om. Praem–MC* **3** percipiat] referant *Adelp*

135.

Adesto, domine, supplicationibus nostris et hanc oblationem famularum tuarum illarum, quam tibi offerunt pro famula tua illa, quam ad statum maturitatis et ad diem nuptiarum perducere dignatus es, placidus ac benignus
5 assume, ut, quod tua dispositione expetitur, tua gratia compleatur.

Codd.: *Arbuth* 461   *Coloniensis* a   *Fulda* 2607   *Ge-* *lasV* 1445   *Gellon* 2631   *Herford* 441   *Ménard* 261 B *Phill* 1646   *Sarum* 839*   *Triplex* 3201

Rubr.: Actio nuptialis, oratio super oblata *seu* secreta *codd.*

Var. lect.: **2** famularum tuarum illarum] famulorum famularumque tuarum *Fulda*, nostram *Herford*, *om. Arbuth Sarum* offerunt] offerimus *Arbuth Herford Sarum* **3** famula tua illa quam] famulo et famula tua quos *Fulda*, famulis tuis quos *Arbuth Herford Sarum* **5/6** ut … compleatur] *om. Arbuth Herford Sarum*

136.

Adesto, domine, supplicationibus nostris et hanc oblationem famuli tui illius, quam tibi offert ob diem natalis sui

genuinum, quo die eum de maternis visceribus in hunc
mundum nasci iussisti, placidus ac benignus assume.

Codd. : *Engol* 2321   *Fulda* 2626   *GelasV* 1458   *Gellon* 2642   *Phill* 1656   *Triplex* 3213

Rubr. : Orationes in natali genuino, oratio super oblata *seu* secreta *codd*.

137.

Adesto, domine, supplicationibus nostris et hanc oblationem, quam tibi offerimus ob diem depositionis tertium vel
septimum vel tricesimum pro anima famuli tui illius, placidus ac benignus assume.

Codd. : *Adelp* 1644   *Aquilea* 290[v]   *Avellan*[1] 905   *Avellan*[2] 947   *Avellan*[3] 870   *Bec* 268   *Benevent*[1] 130   *Bergom* 1430   *Biasca* 1309   *Cantuar* 148. 150   *Fulda* 2491
GelasV 1693   *Gellon* 3002   *Gemm* 299. 303   *GregorTc* 2883.
2889   *Iena-A* 75   *Lateran* 322   *Leofric* 198   *Mauric*
39   *Ménard* 217 A   *Monza* 1068   *Nivern* 370. 375. 376
Otton 188[v]   *Oxford* 70   *Pad* 1122   *Pamel* 456   *Phill*
2013   *Praem-MP* 268   *Ratisb* 2353   *Rhen* 1398   *Ripoll* 1722   *Rossian* 342, 2   *Salzb* 481   *Trento* 1432   *Triplex* 3571   *Vallicel* (15)   *Vicen*[1] 1576

Rubr.: In praesentia corporis defuncti, secreta *Praem-MP*
Missa in die depositionis defuncti tertio, septimo, trigesimo
vel annuali, oratio super oblata *seu* secreta *ceteri codd*.

Var. lect.: **1** domine] quaesumus *praem. Avellan*[2] *Bergom*   domine
... nostris] supplicationibus nostris omnipotens deus *Aquilea*   **2/3** ob ...
trigesimum] *om. Aquilea*   ob ... illius] pro anima famuli tui illius cuius
obitus diem primum vel septimum vel trigesimum commemoramus
Praem-MP Rossian, pro anima famuli tui illius in die depositionis eius
tertio vel septimo vel trigesimo *Avellan*[1], ob diem depositionis pro
animabus famulorum famularumque tuarum *Avellan*[2]   **4** assume] suscipe
Fulda

138.

Adesto, domine, supplicationibus nostris et his muneribus
praesentiam tuae maiestatis intersere, ut, quod nostro
servitio geritur, te potius operante, firmetur.

Codd. : *Ariberto* 568   *Bergom* 812   *Biasca* 759   *Milano*
658   *Triplex* 32

Rubr.: Alia missa cottidiana gelasiana, alia secreta *Triplex*
Missa canonica ambrosiana, oratio super oblata *ceteri codd*.

139.   Br 904

Adesto, domine, supplicationibus nostris et institutis tuis,
quibus propagationem humani generis ordinasti, benignus
assiste, ut, quod, te auctore, iungitur, te auxiliante, servetur.

Codd. : *Adelp* 1588+   *Coloniensis* a°   *Curia* 245+   *Ful-*
da 2605°   *GelasV* 1443°   *Gellon* 2629°   *Gemm* 270+   *Gre-*
gor 837+   *Leofric* 228a.   228b+   *Leon* 1109   *Ménard* 261 B°
Oxford 81°   *Pamel* 371+   *Phill* 1644°   *Pont. Ambr.* 66   *Tren-*
to 1015+   *Triplex* 3199°   *Vicen*1 1419+   *West* III 1240+

Rubr. : Oratio pro coniugandis *Leofric* 228a
Velatio *seu* actio nuptialis,
  – collecta *codd.* ° *distincti*
  – oratio post communionem *Adelp*
  – alia oratio *ceteri codd.*

Var. lect. : 1 Adesto] Propitiare *codd.* + *distincti*   Adesto ... nostris]
Exaudi nos domine sancte pater omnipotens aeterne deus *Leofric* 228a

140.

Adesto, domine, supplicationibus nostris et, intercedentibus sanctis tuis, ab hostium nos defende propitiatus incursu.

– A –

Codd. : *Adelp* 1064   *Ariberto* 836   *Franc* 102   *Leon*
716   *Man. Ambr.* II 335

Rubr. : Mense Augusti, VIII Idus Augusti, natale sancti Xysti in
coemeterio Callisti, IV alia missa, <collecta> *Leon*
<VI Nonas Octobris, natale sancti> Leudegarii martyris,
collecta *Adelp*
Idus Augusti, natale sancti Cassiani martyris, oratio super
sindonem *Ariberto*
Alia missa de uno martyre, alia oratio super oblata *Franc*
II Idus Augusti, <vigilia> sanctorum Hippolyti et Cassiani,
oratio ad vesperas *Man. Ambr.*

Var. lect. : 1/2 intercedentibus sanctis tuis] intercedente beato illo
martyre tuo (atque pontifice) *Adelp Ariberto Franc*   2 incursu] ut munera nostra commendet nosque in eius veneratione tuae maiestati reddat
acceptos *add. Franc* (*cfr l'oraison:* "Intercessio, quaesumus, domine, pontificis et martyris ... reddat acceptos.")

- B -

Codd. : *Arbuth* 356°   *Avellan*[1] 897   *Bec* 183   *Cantuar*
105°   *Engol* 1238   *Fulda* 1232   *GelasV* 1000   *Gellon*
1361   *Gemm* 202°   *Gregor* 199*   *Herford* 311°   *Mo-*
nac[3] III 1   *Nivern* 292°   *Praem* 172°   *Ratisb* 1033°   *Ra-*
tisb-A 37°   *Rossian* 175, 1°   *Sangall* 1106   *Sarum* 878°   *Tri-*
plex 2349   *Vicen*[1] 589   *West* II 917°   *Winch* 147°

Rubr.: XIV Kalendas Septembris, in natale sancti Magni, collecta *codd.*

Var. lect.: **1/2** intercedentibus sanctis tuis] intercedente beato Magno
martyre tuo *codd.* ° *distincti*, intercedente beato martyre tuo Magno
ceteri codd. **2** hostium nos] hostili *Ratisb-A* nos] *om. Monac*[3]
propitiatus] propitius *Herford*

141.   Br 29

Adesto, domine, supplicationibus nostris, et intercessione
sancti Laurentii martyris tui perpetuam nobis misericordiam
benignus impende.

- A -

Codd. : *Aquilea* 231[v]   *Bec* 176   *Benevent*[2] 157   *Cantuar*
103   *Casin*[1] 409   *Curia* 189[v]   *Engol* 1187   *Fulda*
1179   *Gellon* 1300   *Gemm* 197   *Gregor* 639   *Herford*
298   *Leofric* 153   *Leon* 758   *Lucca* 156   *Mateus*
1925   *Ménard* 130 A   *Monac*[2] 43   *Monza* 558   *Nivern*
287   *Otton* 102[v]   *Pad* 597   *Pamel* 326   *Paris*[1] 142   *Praem*
166   *Ragusa* 549   *Ratisb* 979   *Rhen* 772   *Ripoll*
1152   *Rossian* 166, 1   *Salzb* 258   *Sangall* 1055   *Trento*
682   *Triplex* 2258   *Udalr* 873   *Vicen*[1] 546   *West* II
900   *Winch* 139

Rubr.: Mense Augusti, IV Idus Augusti, natale sancti Laurentii, VII
       alia missa, <collecta> *Leon*
       V Idus Augusti, vigilia sancti Laurentii, collecta *ceteri codd.*

Var. lect.: **1** domine] quaesumus *praem. Leofric*   **2** sancti] *Herford*
Leon, beati *ceteri codd.*   tui] cuius praevenimus festivitatem *add. Bene-*
vent[2] *Nivern*

- B -

Codd. : *Aquilea* 238[vμ]   *Arbuth* 39". 376. 407   *Ariberto*
798°   *Bergom* 1022°   *Biasca* 957°   *Cantuar* 72"   *Curia*
221[vμ]   *Goth* 391. 434   *GregorTc* 1869+   *Iena* 37[rμ]   *La-*
teran 244°   *Milano* 1059°   *Phill* 128"   *Sangall-B* 47+   *Sa-*
rum 88". 670*μ. 923[μ]   *Triplex* 2210°. 3313+   *Udalr* 1527+
West III 1527 (Durham). 1556 (Cisterciens)

Rubr.: <V Idus Septembris, in festo sancti> Adriani martyris, collecta
Aquilea
Kalendas Augusti, <natale> sanctorum Macchabaeorum et
depositio sancti Eusebii, oratio super populum *i.e.* collec-
ta *codd.* ° *distincti*
Idus Ianuarii, depositio sancti Hilarii episcopi et confessoris,
    - collecta *Arbuth* 39   *Cantuar*   *Sarum* 88   *West* III 1527
    - alia collecta *Phill*
In vigilia unius martyris, collecta *Curia*
Missa in natale sancti Xysti papae Urbis Romae, collectio post
nomina *Goth* 391
Missa unius martyris, collectio post nomina *Goth* 434
In honorem omnium sanctorum,
    - oratio post communionem *Sangall-B*
    - alia oratio *ceteri codd.* + *distincti*
In natali unius martyris, collecta *Arbuth* 407   *Iena*   *Sa-
rum* 670*
<Die I° mensis Octobris>, memoria de sancto Meloro martyre,
collecta *Arbuth* 376   *Sarum* 923
Die XV° mensis Iunii, in natali sanctorum martyrum Viti et
Modesti, collecta *West* III 1556

Var. lect. : **1** domine] quaesumus *praem. Iena*   **2** sancti Laurentii
martyris tui] beati illius martyris tui *codd.* ᴹ *distincti*, beatissimorum
martyrum tuorum Macchabaeorum atque sacerdotis et confessoris tui
Eusebii *codd.* ° *distincti*, beati Hilarii confessoris tui atque pontificis
cuius depositionem celebramus *codd.* ˮ *distincti*, martyris tui Xysti
Goth 391, beatissimi martyris tui illius *Goth* 434, omnium sanctorum
tuorum *codd.* + *distincti*   **3** impende] et nomina quae recitata sunt
nostrorum carorum in caelesti pagina iubeas intimari *add. Goth* 391, et
munera superimposita diganter assume ut defunctis ad refrigerium
viventibus proficiat ad salutem *add. Goth* 434

142 a.

Adesto, domine, supplicationibus nostris et intercessione
beatorum martyrum tuorum Naboris et Felicis hostiam hanc,
quam confidentes tuae maiestati offerimus, ad nostrum
tribue, quaesumus, provenire subsidium.

Cod.: *Lateran* 234

Rubr.: III Idus Iulii, <natale> sanctorum Naboris et Felicis, secreta

142 b.

Adesto, domine, supplicationibus nostris et intercessionibus beatissimorum martyrum tuorum Naboris et Felicis
confidenter tribue consequi, quod sperare donasti.

Codd. : *Ariberto* 766   *Bergom* 996   *Biasca* 932   *Mi-*
lano 1029   *Triplex* 2147

Rubr. : IV Idus Iulii, natale sanctorum martyrum Naboris et Felicis,
oratio super oblata *seu* secreta *codd.*

Nota: *Comparez aux oraisons*: "Adesto, quaesumus, domine, plebi
tuae ... sperare donasti." *et*: "Benedic, quaesumus, domine, plebem tuam ...
sperare donasti."

143.

Adesto, domine, supplicationibus nostris et iter famuli tui
illius, interno discretionis moderamine dirigendo, dispone
sicque ministerium eius, quod humanae utilitati prospicit, pio
favore prosequere, quatenus hunc a tuis praeceptis non pa-
5 tiaris deviare.

Codd.: *Bergom* 1364   *Fulda* 2322   *GregorTc* 2741   *Mi-*
lano 1298   *Monza* 955   *Trento* 1215   *Triplex* 3409

Rubr.: Missa pro iter agentibus,
  - alia collecta *Monza*
  - oratio super sindonem *Bergom Milano*
  - collecta *ceteri codd.*

Var. lect. : **1** Adesto ... nostris] Exaudi nos domine sancte pater
omnipotens aeterne deus *Milano*   **1/2** famuli tui illius] nostrum *Fulda*
3 eius] nostrum *Fulda*   quod ... prospicit] *om. Triplex*   **4** hunc] *om.*
Fulda

144.

Adesto, domine, supplicationibus nostris et nihil de sua
conscientia praesumentibus ineffabili miseratione succurre,
ut, quod non habet fiducia meritorum, tua conferat largitas
invicta donorum.

Codd. : *Engol* 1795   *Fulda* 1568. 1977°   *GelasV* 1283".
1534°   *Gellon* 1447+. 1970. 2722°   *Gemm* 132+   *GregorTc*
2614ᵘ   *Ménard* 184 B+   *Milano* 60"   *Pad* 899   *Pamel*
405   *Paris*¹ 304"   *Phill* 1311. 1753°   *Prag* 237, 7   *Ra-*
tisb 1503+   *Ripoll* 1659ᵘ   *Sangall* 1579   *Sangall** 135°   *Tri-*
plex 65. 3056°   *Vicen*¹ 1264ᵘ

Rubr.: Orationes ad missam pro irreligiosis, oratio ad *seu* super
        populum *codd.* ° *distincti*
        Dominica *seu* hebdomada XVIª post octavam Pentecostes
        seu XVIIª post Pentecosten, oratio super populum *codd.*
        + *distincti*

Dominica V^a post Pentecosten, oratio super populum *Fulda* 1568 *Pamel*
Missa de fructibus novis, oratio ad complendum *seu* post
communionem *codd.* ^µ *distincti*
Alia oratio in quadragesima ad missam sive ad vesperum,
vigilia quam etiam ad matutinum *Milano*
Alia benedictio super populum post communionem *ceteri codd.*

Var. lect. : **1** supplicationibus nostris] supplicibus tuis *codd.* "
distincti, populo tuo *Fulda* 1568 *Pamel*   **3** tua] tuorum *Sangall*² *Triplex* 65. 3056   **3/4** tua ... donorum] tua conferatur largitate invicta
bonorum *Milano*

145.

Adesto, domine, supplicationibus nostris et oblationes
famulorum tuorum, quas tibi offerimus, diem octavarum
suarum spiritalium celebrantes, quo die eos sacro fonte
baptismatis renasci iussisti, placidus ac benignus assume.

Codd.: *Gallic* 232   *Goth* 284

Rubr.: Oratio super munera in die sabbati exita pascha *Gallic*
     Missa matutinalis per totam Pascha pro parvulis qui renati
     sunt, secunda feria, <collectio> post nomina *Goth*

     Var. lect. : **2** tuorum] *Gallic*, ac famularum tuarum *Goth*   **2/4** diem
... iussisti] *Gallic, om. Goth*

146.

Adesto, domine, supplicationibus nostris et populo tuo,
quem tibi ex omnibus gentibus elegisti, veritatis tuae lumen
ostende.

Codd.: *Ariberto* 161   *Bergom* 187   *Biasca* 183   *Triplex* 344

Rubr.: Nonas Ianuarii, vigiliis Theophaniae *seu* Epiphaniae,
     - alia oratio super populum *i.e.* collecta *Triplex*
     - oratio super sindonem *ceteri codd.*

147.

Adesto, domine, supplicationibus nostris et populus tuus,
qui, te factore, conditus teque est reparatus auctore, te etiam
iugiter operante salvetur.

Codd.: *Bergom* 132+"   *Biasca* 132+". 1411+"   *Engol* 30°   *Ful-*
da 65   *GelasV* 24°   *Gellon* 33°   *PaAug* 6, 1   *Pamel*
187"   *Paris*¹ 19°   *Phill* 33   *Rhen* 29   *Sangall* 31   *Tri-*
plex 212". 228+"

Rubr.: In die Natalis Domini, oratio super populum *Pamel*
       Feria II^a, missa de Natale Domini, oratio super populum
       i.e. collecta *codd.* + *distincti*
       Alia oratio de Natale Domini (ad vesperos sive matutinos
       add. codd. ° *distincti*) *ceteri codd.*

Var. lect.: 1 et] ut *codd.* " *distincti*   2 qui *et* est] *om. Pamel*

148.

Adesto, domine, supplicationibus nostris et praesentis
vota ieiunii placita tibi devotione exhiberi concede.

Codd. : *Adelp* 1366   *Engol* 1606   *Fulda* 1761   *GelasV*
1169   *Gellon* 1741   *Pamel* 363   *Paris*¹ 189   *Phill*
1137   *Ratisb* 1267   *Rhen* 1012   *Rossian* 282, 2   *San-*
gall 1442

Rubr.: Orationes et preces <ieiunii> mensis decimi, sabbato in XII
       lectionibus,
       - oratio *GelasV*
       - alia oratio *ceteri codd.*

149.

Adesto, domine, supplicationibus nostris et sperantes in
tua misericordia caelesti protege benignus auxilio.

Codd. : *Adelp* 716°   *Bergom* 714+   *Biasca* 683+   *Engol*
963   *Fulda* 865°   *Gellon* 894   *Gemm* 111°   *Gregor*
470°   *Leofric* 107°   *Leon* 468   *Marienberg* 219*°   *Mé-*
nard 106 B°   *Milano* 428°. 599   *Nivern* 232°   *Pad* 404   *Pa-*
mel 285°   *PaMon-Alp* 9, 5   *Phill* 701   *Ratisb* 743°. 1635   *Ri-*
poll 508   *Salzb* 173°   *Salzb-A* 20°   *Sangall* 718   *San-*
gall-A 57   *Stockholm* 6   *Trento* 516°   *Triplex* 1614°.
1739+   *Udalr* 604°   *Vicen*¹ 138°   *Vigil* 142°

Rubr.: Mense Iulii, orationes et preces diurnae, X alia missa,
       <collecta> *Leon*
       Orationes quae dicendae sunt in litaniis vel in vigiliis
       cottidianis diebus, de die secundo, alia oratio (in basilica
       apostolorum) *codd.* + *distincti*
       Alia missa de litaniis, oratio super sindonem *Milano* 428

Dominica XX[a] post octavam Pentecostes, oratio super populum
i.e. collecta *Milano* 599
Alia missa cottidiana, collecta *Ratisb* 1635
Missa pro salute vivorum, collecta *Stockholm*
VII Kalendas Maii, in Litania maiore, oratio in atrio *ceteri codd.*

Var. lect. : **1** supplicationibus nostris] supplicibus tuis *add. Leon*
2 misericordia] intercedentibus omnibus apostolis tuis *add. codd.* + *distincti*, intercedente beato Petro apostolo tuo *add. codd.* ° *distincti* caelesti ... auxilio] tuae pietatis indulgentiam consequamur *Nivern* (par homoioteleuton avec l'oraison qui suit dans le manuscrit [*cfr* l'oraison: "Praesta, quaesumus, omnipotens deus, ut ad te toto corde ... indulgentiam consequamur."])

150.

Adesto, domine, supplicationibus nostris et, ut nos ab hostibus dignanter eripias, a tibi non placitis prius moribus benignus emunda, quia sine dubitatione defendes, quos tuis perspexeris convenire mandatis.

Cod.: *Leon* 419

Rubr. : Mense Iulii, orationes et preces diurnae, II alia missa, <collecta>

151.   Br 30

Adesto, domine, supplicationibus nostris et viam famuli tui illius in salutis tuae prosperitate dispone, ut inter omnes vitae huius varietates tuo semper protegatur auxilio.

Codd. : *Adelp* 1543°   *Aquilea* 285ro   *Arbuth* 455°   *Avellan*[3] 858[o+]   *Bec* 261°   *Bergom* 1363   *Biasca* 1327   *Bobbio* 400   *Camp* 334+   *Cantuar* 145°   *Curia* 235°   *Drumm* 28°   *Fulda* 2314   *Fürstenfeld* 6   *GelasV* 1313   *Gellon* 2790+   *Gemm* 260   *GregorTc* 2730   *Herford* 418°. 444"   *Iena* 73°   *Lateran* 312   *Leofric* 16. 182   *Mateus* 2828°   *Ménard* 211 B   *Milano* 1297   *Monza* 954   *Nivern* 344°. 384   *Otton* 169[v]   *Oxford* 65°   *Pamel* 441   *Phill* 1807+   *Praem* 252   *Prag* 248, 1+   *Ratisb* 2166   *Ripoll* 1593   *Rossian* 328, 1°   *Rosslyn* 90°   *Sangall** 180+. 193"   *Sarum* 815*°. 854*". 857*°   *Suppl* 1317   *Triplex* 3403   *Vicen*[1] 1149   *West* II 1155°. III 1310°

Rubr.: Ordo ad servitium peregrinorum, alia oratio *codd.* " *distincti* Litania, alia oratio *West* III 1310

Orationes ad proficiscendum in itinere *seu* missa pro iter
agentibus,
- praefatio *i.e.* introductio *Bobbio*
- collecta *ceteri codd.*

Var. lect.: *codd.* ° *distincti formam adhibent pluralis* 1 Adesto ...
nostris] Exaudi nos domine sancte pater omnipotens aeterne deus *Camp*,
Exaudi nos domine deus noster *Sangall** 193   domine] quaesumus *add.*
Otton viam] et actus *add.* Herford 418, iter *Rossian* 2 illius]
omniumque sibi adhaerentium *add. Leofric* 16 tuae ... dispone] dignare
prosperitate dirigere *Bobbio Sangall** 193 2/3 inter ... varietates] ad
omnes varietatum casus saecularium *Sangall ** 193 3 vitae] *Bobbio*
GelasV (cfr **Nota**), viae *codd.* + *distincti,* viae et vitae *ceteri codd.*
varietates] adversitates *Iena* auxilio protegatur *transp. Bobbio*

Nota: *Comparez à l'oraison*: "Adsit oratio sanctorum ... plenitudinem
gaudiorum.", *où l'on peut lire:* " ... viam nostram in salutis tuae prosperitate dispone, ut inter omnes vitae huius varietates tuo semper protegamur
auxilio ..."

152.

Adesto, domine, supplicationibus nostris, quibus misericordiam tuam suppliciter deprecamur pro anima famuli tui
illius, cuius hodie annua dies agitur, ut eam, mortalitatis
nexibus absolutam, inter sanctos et electos tuos perpetuam
5 iubeas habere portionem.

Codd. : *Benevent*[1] 136   *Bergom* 1435   *Biasca* 1314   *Mauric* 55
Otton 211 a*

Rubr.: Alia missa pro uno defuncto, collecta *Otton*
Missa pro defuncti anniversario,
- oratio super populum *i.e.* collecta *Mauric*
- alia collecta *Benevent*[1]
- oratio super sindonem *Bergom Biasca*

Var. lect.: 3 cuius ... agitur] *om. Otton* 4 et electos] *om. Otton*

153.

Adesto, domine, supplicationibus nostris, ut, sicut humani
generis salvatorem consedere tecum in tua maiestate
confidimus, ita usque ad consummationem saeculi manere
nobiscum, quemadmodum est pollicitus, sentiamus.

Codd. : *Bergom* 678°   *Biasca* 647°   *Buchsheim* 7   *Casin*[1]
361   *Drumm* 14   *Fulda* 949   *GelasV* 580   *Gellon* 984
Gemm 115   *Goth* 354   *Gregor* 502   *Leofric* 109   *Leon*

169	Mateus 1515	Ménard 109 B	Metz[1] 80	Milano
410	Nivern 234	Pad 446	Pamel 294	Phill 782	Ra-
tisb 780	Rhen 597	Ripoll 523	Salzb II 27	Sangall
779	Sangall-A 59°	Schäftlarn 8	Trento 548	Tri-
plex 1789	Udalr 634	Vigil 149		

Rubr.: Mense Maii, preces in Ascensa Domini, <collecta> *Leon*
In die Ascensionis Domini, oratio super populum *Drumm*
Alia missa in Ascensa Domini, collecta *GelasV*
Missa in Ascensione Domini, collectio <quae sequitur prae-
fationem *i.e.* introductionem> *Goth*
In die Ascensionis Domini, ad secundam missam, collecta *Metz*[1]
In vigilia Ascensionis Domini, collecta *Udalr*
Alia oratio in Ascensa Domini (ad vesperum *add. Milano Ri-
poll*, ad vesperum vel ad matutinum *add. codd.* ° *distinc-
ti) ceteri codd.*

Var. lect. : 1 Adesto ... nostris] Praesta nobis omnipotens et misericors deus *Goth*

Fontes: 1/3 sicut ... confidimus] cfr Hebr. 8, 1   **3/4** usque ... pollici-
tus] cfr Matth. 28, 20 b

154.

Adesto, domine, supplicibus tuis et spem suam in tua
misericordia collocantes tuere propitius, ut, a peccatorum
labe mundati, in sancta conversatione permaneant et, con-
sequentes sufficientiam temporalem, promissionis tuae perfi-
5 ciantur heredes.

Codd. : *Engol* 1959   *Gellon* 2184   *Gemm* 133   *Gregor*
898   *Leon* 915   *Pamel* 377   *Phill* 1404   *Ratisb* 2515   *Trento* 25   *Udalr* 1336   *Vicen*[1] 1336

Rubr.: Mense Septembris, orationes et preces ieiunii mensis septimi,
X alia missa, <oratio super populum> *Leon*
Mense septimo, feria IV[a], oratio super populum *Gemm*
Alia oratio cottidiana *ceteri codd.*

Var. lect.: 1 supplicibus tuis domine *transp. Engol*   **3/5** et ... here-
des] *Leon, om. ceteri codd.*

155.   Br 28

Adesto, domine, supplicibus tuis, ut hoc sollemne
ieiunium, quod animis corporibusque curandis salubriter
institutum est, devoto servitio celebremus.

Codd. : *Arbuth* 62"$^\mu$ *Ariberto* 262$^{0\mu}$ *Bec* 25   *Bergom*
316$^{0+\mu}$ *Biasca* 291$^{0+\mu}$ *Cantuar* 22   *Curia* 34"   *Engol*
293$^\#$ *Fulda* 390"   *GelasV* 100$^\#$ *Gellon* 291$^\#$ *Leofric*
75"   *Leon* 226   *Mateus* 647   *Milano* 95$^{0+\mu}$ *Nivern*
163 "$^{\mu\#}$ *Pamel* 217"   *Phill* 302$^\#$ *Praem* 46   *Rhen*
209$^\#$ *Rossian* 45, 1   *Sangall* 267$^\#$ *Sarum* 144"$^\mu$ *Tri-*
plex 629$^\#$. 756$^{+\mu}$ *Turic* II, 3   *West* I 101$^\mu$

Rubr.: Mense Maii, in ieiunio mensis quarti, <collecta> *Leon*
　　　Dominica II^a quadragesimae (de Samaritana),
　　　　- alia oratio super populum *i.e.* collecta *Triplex* 756
　　　　- oratio super sindonem *codd.* ^{o} *distincti*
　　　Feria VII^a *seu* sabbato in quinquagesima,
　　　　- alia collecta *codd.* $^\#$ *distincti*
　　　　- oratio post evangelium *Turic*
　　　　- oratio super populum *Mateus*
　　　　- collecta *ceteri codd.*

Var. lect. : **1** supplicibus tuis ut] *Leon*, supplicationibus nostris ut
codd. $^+$ *distincti*, supplicationibus nostris et concede ut *codd.* " *distincti*,
supplicationibus nostris et praesta ut *Bec Cantuar Sarum*[2] *West*,
supplicationibus nostris et *ceteri codd.* **2** animis] animabus *codd.*
$^\mu$ *distincti*

156 a.

Adesto familiae tuae, clementissime deus, ut in adversis
et prosperis preces eius exaudias et nefarias adversariorum
insidias per vexillum sanctae crucis digneris conterere, ut
perennis gaudii salutem possit, te protegente, mereri.

Codd. : *Ariberto* 680   *Bergom* 906   *Biasca* 837   *Mila-*
no 939   *Triplex* 1663

Rubr.: V Nonas Maii, Inventio sanctae Crucis,
　　　　- alia oratio super populum *i.e.* collecta *Triplex*
　　　　- oratio super sindonem *ceteri codd.*

156 b.

(recension gélasienne)

Adesto familiae tuae, quaesumus, clemens et misericors
deus; in adversis et prosperis preces exaudias et nefas adversariorum per auxilium sanctae crucis digneris conterere,
ut portum salutis tuae valeant apprehendere.

(recension de *Mateus*)

Adesto familiae tuae, clemens et misericors deus, et in adversis et prosperis preces eius exaudi, ut nefas adversariorum per auxilium sanctae crucis digneris conterere, quatenus portum salutis tuae valeat apprehendere.

Codd.: *Adelp* 1397+"   *Ariberto* 893+   *Benevent*[1] 662"   *Benevent*[2] 168+   *Bergom* 1109+   *Biasca* 1031+   *Engol* 1321   *Fulda* 1300⁰+. 1987+   *GelasV* 1025ᵘ   *Gellon* 1450"   *Gregor* 232*   *GregorTc* 4410   *Leofric* 159⁰"   *Mateus* 2098   *Ménard* 138 C⁰+   *Milano* 1130   *Monac*⁵ 222+   *Monza* 600ᵘ   *Palat* 224   *Pamel* 339⁰+. 546   *Phill* 843ᵘ   *Prag* 188, 3ᵘ   *Ratisb* 1088⁰+   *Rhen* 837   *Sangall* 1180   *Triplex* 2449   *Vigil* 340+   *Winch* 161⁰+

Rubr.: Alia missa pro inimicis, collecta *Fulda* 1987
Feria VIᵃ, <missa votiva> de sancta Cruce, alia oratio *Adelp*
Alia oratio de sancta Cruce *GregorTc*   *Monac*⁵   *Palat*   *Pamel* 546
XVIII Kalendas Octobris, in Exaltatione sanctae Crucis,
  - oratio ad *seu* super populum *codd.* ⁰ *distincti*
  - oratio ad complendum *seu* post communionem *ceteri codd.*

Var. lect. : **1** quaesumus] *om. GregorTc Palat Pamel* 546   deus] *Sangall*[1] *codd.* ᵘ *distincti,* et eorum *add. Milano,* ut *add. Sangall*[2] *ceteri codd.*   **2** preces] eius *praem. codd.* + *distincti, add. codd.* " *distincti* 2/3 adversariorum] adversorum *Vigil*   **3** per auxilium sanctae crucis nefas adversariorum *transp. GregorTc Pamel*   auxilium] vexillum *Ariberto Ratisb*

157.

Adesto, misericors deus, ut, quod actum est nostrae servitutis officio, tua benedictione firmetur.

Codd.: *Franc* 43   *Leofric* 218   *Leon* 945

Rubr.: Consecratio episcoporum, oratio ad complendum *codd.*

158.   Br 33

Adesto nobis, domine deus noster, et, quos sanctae crucis laetari facis honore, eius quoque perpetuis defende subsidiis.

Codd. : *Alcuin* 18⁰   *Arbuth* 436⁰   *Benevent*[1] 252+   *Benevent*[2] 169+   *Bergom* 1285   *Biasca* 1185   *Cantuar* 136⁰ᵘ   *Casin*[1] 428   *Curia* 201⁰. 232ᵛ   *Drumm* 7   *Fulda* 1840⁰ᵘ   *Gemm* 245+ᵘ   *GregorTc* 1838⁰. 3498⁰. 4426⁰   *Iena* 34ᵣ   *Leo-*

fric 178°	*Mateus* 1386$^\mu$.	2798°	*Metz*[1] 89$^+$	*Milano*
709$^+$	*Monac*[5] (25)	*Nivern* 325°	*Otton* 152^v	*Oxford*
60°	*Pad* 1294	*Pamel* 531	*Praem* 4°. 225°	*Ratisb*
2039	*Ripoll* 1460	*Rossian* 289, 4	*Rosslyn* 79°	*Sa-*
rum 750*°	*Trento* 1288	*Triplex* 2953	*Udalr* 1488	*Vi-*
cen[1] 847	*West* III 1355°			

Rubr.: V Nonas Maii, Inventio sanctae Crucis,
- oratio ad complendum *GregorTc* 3498   *Metz*[1]
- alia missa, postcommunio *Mateus* 1386
Die XIV° mensis Septembris, in Exaltatione sanctae Crucis,
- postcommunio *Curia* 201
- alia oratio *Casin*[1]
- alia missa, postcommunio *Benevent*[2]
Alia oratio ad crucem dicenda *GregorTc* 4426   *Monac*[5]
In officio canonico, suffragium de sancta Cruce *Praem-B1507*
B1574 4
Commemoratio de sancta Cruce ad matutinas *West*
Missa de sancta Cruce,
- oratio super populum *Drumm*
- oratio ad complendum *seu* post communionem *ceteri codd.*

Var. lect. : **1** nobis] *om. codd.* $^+$ *distincti*, quaesumus *add. codd.*
$^\mu$ *distincti* noster] per haec sumpta mysteria *add. Otton* quos] in
add. Drumm **2** facis] *codd.* ° *distincti*, fecisti *ceteri codd.* honore]
inventionis *praem. Mateus* 1386, inventione *Trento* honore fecisti
transp. Pamel eius] tuis *Leofric* eius ... subsidiis] perpetuis quoque
defende praesidiis *Benevent*[1], perpetuis quoque defende subsidiis *Casin*[1],
eius quoque defende subsidiis *West* subsidiis] praesidiis *Udalr*

159.   Br 33

Adesto nobis, domine deus noster, et, quos tuis mysteriis
recreasti, perpetuis defende praesidiis.

– A –

Codd. : *Ariberto* 375$^+$ *Bergom* 446$^+$ *Biasca* 408$^+$ *Leon*
548   *Milano* 583   *Sangall* 436°   *Sangall** 4°   *Triplex*
1016°. 1071$^+$

Rubr.: Mense Iulii, orationes et preces diurnae, XXIII alia missa,
<postcommunio> *Leon*
Dominica XVI[a] post octavam Pentecostes, oratio post communionem *Milano*
Feria II[a] hebdomadae VI[ae] quadragesimae, oratio ad complendum *seu* post communionem *codd.* ° *distincti*
Feria V[a] hebdomadae V[ae] quadragesimae, oratio ad complendum *seu* post communionem *codd.* $^+$ *distincti*

Var. lect. : 1/2 et *et* defende] ut *et* defendas *codd.* + *distincti*
1 tuis] tantis *Milano*

– B –

Codd. :   *Adelp* 444   *Aquilea* 66ᵛ   *Arbuth* 112°   *Bec* 51
*Benevent*² 72°   *Cantuar* 33   *Curia* 48ᵛ   *Engol* 508   *Fulda* 581   *Gellon* 488   *Gemm* 80   *Gregor* 287   *Herford*
74°   *Iena* 156°   *Lateran* 70   *Leofric* 88   *Limoges*
122ᵛ   *Lucca* 19   *Mateus* 957   *Ménard* 73 D   *Monac*²
22   *Monza* 231   *Nivern* 180°   *Otton* 38ᵛ°   *PaAng* 64
PaAug 43, 3   *Pad* 260   *Pamel* 240°   *Panorm* 158   *Pa-
Mog* 18ʳ   *Praem* 57   *Ratisb* 454   *Rhen* 341   *Ripoll*
241   *Rossian* 74, 3   *Rosslyn* 24   *Salzb* 67   *Sarum*
237   *Trento* 343   *Triplex* 1006   *Udalr* 363   *Vicen*²
144   *Vigil* 17   *West* I 209

Rubr. : Dominica Vᵃ quadragesimae *seu* de Passione, oratio ad
complendum *seu* post communionem *codd.*

Var. lect. : 1 nobis] *om. Benevent*², quaesumus *add. Arbuth Herford
Sarum*   2 praesidiis] periculis *Bec Vigil*, subsidiis *codd.* ° *distincti*

160.   Br 35

Adesto nobis, misericors deus, et tua circa nos propitiatus
dona custodi.

Codd.: *Benevent*¹ 322   *Casin*¹ 14. 218. 475   *Curia* 218ᵛ   *Engol* 1916°   *Gellon* 1760   *Gregor* 952°   *Mateus* 73   *Ménard* 199 D   *Monza* 708   *Pad* 912°   *Pamel* 382°   *Phill*
1358°   *Ratisb* 2500. 2547   *Ripoll* 815°   *Schir* 33   *Trento* 941°   *Udalr* 1255. 1393°   *Vicen*¹ 752

Rubr.: Ordo officii per hebdomadam, feria Vᵃ, ad tertiam, oratio
*Casin*¹ 14
In natale plurimorum apostolorum, alia oratio *Casin*¹ 475
Alia oratio cottidiana *Ménard   Ratisb* 2500
Alia oratio vespertinalis *Ratisb* 2547
Alia oratio vespertinalis seu matutinalis *codd.* ° *distincti*
V Nonas Iulii, translatio sancti Thomae, oratio ad complendum
Schir
XII Kalendas Ianuarii, natale sancti Thomae apostoli,
– collecta *Casin*¹ 218
– oratio ad complendum *seu* post communionem *ceteri codd.*

Var. lect.: 1 et] intercedentibus beatis apostolis tuis *add. Casin*¹ 475,
intercedente beato Thoma apostolo tuo *add. Casin*¹ 218, intercedente
(interveniente *Benevent*¹) pro nobis beato Thoma apostolo tuo *add. ceteri
codd. ad s. Thomam pertinentes*   1/2 propitiatus dona] dona propitiatus
*transp. Casin*¹ 475, dona propitius *Vicen*¹   2 custodi] concede *Casin*¹ 218

161.   Br 35

Adesto nobis, misericors deus, et tuae pietatis in nobis
propitius dona concede.

Codd. : *Camp* 333   *Engol* 1717   *Franc* 130 b   *GelasV*
1289   *Gellon* 1896   *Ménard* 199 A   *Pamel* 415   *Ra-*
tisb 2486   *Rhen* 1063   *Sangall* 1519   *Suppl* 1202   *Tri-*
plex 2

Rubr.: Orationes et preces ieiuniorum diebus, alia collecta *Camp*
Alia oratio cottidiana *Ratisb*
Alia missa cottidiana,
- collecta *Franc*
- alia collecta *ceteri codd.*

Var. lect. : 1/2 in nobis propitius] nobis propitius *Ménard   Ratisb*,
propitius nobis *Sangall*[2] *Triplex*

162.

Adesto nobis, omnipotens deus, beatae Agnes festa repe-
tentibus, quam, hodiernae festivitatis prolatam exortu, ineffabili munere sublevasti.

Codd. : *Adelp* 212°   *Casin*[1] 424   *Engol* 191[+]. 1301   *Ful-*
da 189°. 1284   *GelasV* 826°   *Gellon* 191[+]. 1429   *Gemm*
208   *GregorTc* 3588   *Ménard* 45 D. 137 A   *Pamel* 204.
337   *Phill* 200[+]. 819   *Prag* 24, 1°   *Ratisb* 148. 1067
Rhen 826   *Sangall* 174[+]. 1158   *Triplex* 478[+]. 2422   *Winch* 156

Rubr.: V Kalendas Februarii, in natale sanctae Agnes virginis, de nativitate,
- collecta *codd.* ° *distincti*
- alia collecta *codd.* [+] *distincti*
- oratio super populum *Ménard* 45 D
- alia oratio *Pamel* 204 *Ratisb* 148
VII Idus Septembris, vigilia Nativitatis sanctae Mariae, collecta *Gemm Winch*
VI Idus Septembris, Nativitas sanctae Mariae,
- oratio ad vesperum *Fulda* 1284
- oratio ad matutinas *Ménard* 137 A   *Ratisb* 1067
- alia oratio *Pamel* 337
- alia collecta *ceteri codd.*

Var. lect. : 1/2 repetentibus] praevenientibus *Winch*   2 hodiernae]
superventurae *Winch*

163.

Adesto nobis, omnipotens deus, sanctorum tuorum Fructuosi, Agurii et Eulogii triumphalem celebrantibus diem, et laetitiam spiritalium tribue gaudiorum, concedens eorum intercessione sepultis requiem offerentiumque animabus et
5 corporibus sospitatem, quorum sic fides, membris igne decidentibus, arsit, ut sentirent corruptibilis naturae defectum et nescirent caelestis animi mutare propositum.

Cod.: *Toledo*³ 239

Rubr.: Missa in die sancti Fructuosi, <oratio> post nomina

164.

Adesto nobis, omnipotens et misericors deus, et per sacramenta, quae sumpsimus, nec nostris excessibus nec alienis nos permittas violari peccatis.

Cod.: *Leon* 519

Rubr. : Mense Iulii, orationes et preces diurnae, XVIII alia missa, <postcommunio>

165.

Adesto nobis, quaesumus, domine deus noster, ut, quos per lignum sanctae crucis pio cruore filii tui dignatus es redimere, ab omni insidiatoris digneris fraude protegere.

Cod.: *Vicen*² 304

Rubr.: In <festo> Imaginis Christi, postcommunio

166.

Adesto, nobis, quaesumus, domine, et preces nostras benignus exaudi, ut, quod fiducia non habet meritorum, placatio obtineat hostiarum.

Codd. : *Benevent*¹ 208 *Engol* 1718 *Fulda* 2070 *Gellon* 1897 *Leofric* 247 *Ménard* 203 D *Pad* 850 *Pamel* 415 *Paris*¹ 254 *Prag* 232, 2 *Rhen* 1064 *Salzb*
440 *Sangall* 1520 *Suppl* 1203 *Triplex* 3 *Udalr* 1209.
1703

Rubr.: Missa pro peccatis,
- feria II^a, oratio super oblata *Fulda*
- oratio super oblata *Ménard*
- alia secreta *Udalr* 1703
Alia missa cottidiana, oratio super oblata *seu* secreta *ceteri codd.*

Var. lect. : 1 domine quaesumus *transp.* *Udalr* 1209   3 placatio obtineat] placationes obtineant *Sangall*² *Triplex*

167.

Adesto, omnipotens et misericors deus, invocationibus nostris et hanc famuli tui illius oblationem propitiatus ac benignus assume, ut, qui non habet fiduciam nisi in misericordia tua et sanctorum tuorum suffragio, quaesumus, 5 domine, per haec piae oblationis officia plenam indulgentiam atque perpetuam misericordiam consequi mereatur.

Codd.: *GregorTc* 2363   *Rhen* 1301

Rubr.: Alia missa votiva, oratio super oblata *codd.*

168.

Adesto plebi tuae, misericors deus, et, ut gratiae tuae beneficia potiora percipiat, beati Michaelis archangeli fac supplicem deprecationibus sublevari.

Codd.: *Adelp* 1054   *Ariberto* 881°   *Bergom* 1097°   *Bias-ca* 1019°   *Engol* 1394   *Fulda* 1349   *GelasV* 1036⁺   *Gel-lon* 1523   *Gemm* 215   *Gregor* 250*   *Lateran* 276   *Mé-nard* 143 C   *Milano* 1156°   *Nivern* 303   *Pamel* 346   *Phill* 916   *Prag* 194, 3⁺   *Ratisb* 1146   *Rhen* 878   *Ri-poll* 1258   *Rossian* 202, 3⁺   *Sangall* 1248   *Triplex* 2554

Rubr.: IV Kalendas Octobris, vigilia sancti Michaelis, oratio post communionem *Adelp Ripoll*
III Kalendas Octobris, orationes in <dedicatione basilicae> sancti archangeli Michaelis,
- oratio super sindonem *codd.* ^o *distincti*
- secreta *Lateran*
- oratio ad complendum *seu* post communionem *codd.* ⁺ *distincti*
- oratio ad vesperas *Gemm Nivern*
- alia oratio *Fulda Pamel*
- oratio ad *seu* super populum *ceteri codd.*

Var. lect.: 1 Adesto] domine *add. Nivern Ratisb* plebi tuae] plebis tuae oblationibus *Lateran*   2 beneficia] dona *Nivern* potiora beneficia *transp. codd.* ° *distincti* Michaelis archangeli] archangeli tui Michaelis *Lateran,* archangeli Michaelis *transp. Fulda Ripoll*   3 supplicem deprecationibus] eam supplici deprecatione *Lateran*

169.

Adesto, quaesumus, domine Iesu Christe, medius inter servulos huius cenae convivii editor, et illa ineffabili pietate, qua olim passionis tuae tempore cenam cum discipulis convivatus, panem benedicens ac frangens, corporis tui
5 sacramenta in memoriam tuis per saecula faciendum discipulis dedisti mandandum, hos super sacratissimam mensam propositionum panes eadem, qua tunc, benedictione perlustra atque hunc vini hauriendum salutaris calicem, velut illum, in tempore a discipulis haustum, novi testamenti tuum
10 sanctificatione efficito sanguinem fiatque libantibus mentium indefessa custodia, per quam digni stabilitatem, indigni veniam gratiamque perpetuam mereantur.

Cod.: *Toledo*[3] 579

Rubr.: Missa de Cena Domini per titulos, <oratio> post "Pridie"

Fontes: 7 propositionum panes] cfr Ex. 25, 30   11 digni *et* indigni] cfr 1 Cor. 11, 27-29

170.

Adesto, quaesumus, domine, plebi tuae et intercessione beati sacerdotis et confessoris tui Martini confidenter tribue consequi, quod sperare donasti.

Codd. : *Ariberto* 10   *Bergom* 5   *Biasca* 1   *Milano* 792 *Triplex* 2678

Rubr.: III Idus Novembris, natale *seu* depositio sancti Martini confessoris,
     - alia oratio super populum *i.e.* collecta *Triplex*
     - oratio super sindonem *ceteri codd.*

Nota: *Comparez aux oraisons*: "Adesto, domine, supplicationibus nostris et intercessionibus ... sperare donasti." *et*: "Benedic, quaesumus, domine, plebem tuam ... sperare donasti."

171 a.

Adesto, quaesumus, domine, plebi tuae, ut, quae sumpsere fideliter, et mente sibi et corpore, te protegente, custodiant.

Cod.: *Leon* 557

Rubr. : Mense Iulii, orationes et preces diurnae, XXV alia missa, <oratio super populum>

171 b.

Adesto nobis, domine deus noster, ut, quae fideliter sumpsimus, et mente simul et corpore beatae Mariae intercessione custodiamus.

Cod.: *Winch* 157

Rubr.: VII Idus Septembris, vigilia Nativitatis sanctae Mariae, post-communio

171 c.

Adesto, domine, populo tuo, ut, quae sumpsit fideliter, intercessione beatorum confessorum tuorum illorum et mente et corpore sibi profutura conservet.

Codd.: *Drumm* 73   *West* II 1096

Rubr.: Missa plurimorum confessorum, (alia) oratio post communionem *codd.*

171 d.

Adesto, quaesumus, domine, fidelibus tuis, ut, quae sumpserunt fideliter, et mente sibi et corpore beatae Mariae intercessione custodiant.

Codd.: *Engol* 1306   *GelasV* 1019   *Goth* 104   *Prag* 185, 3

Rubr.: Missa in Assumptione sanctae Mariae matris Domini nostri,
<collectio> post eucharistiam *Goth*
VI Idus Septembris, in Nativitate sanctae Mariae,
   – oratio ad complendum *seu* post communionem *GelasV Prag*
   – alia oratio post communionem *Engol*

171 e.

Adesto, quaesumus, domine, fideli populo tuo, ut, quae sumpsit fideliter, et mente sibi et corpore beatae Mariae intercessione custodiat.

Codd. : *Aquilea* 2[r+]   *Gemm* 208   *GregorTc* 3592   *Pad*
655[o]   *Praem-MK* 180[o+]   *Salzb* 288[o]   *Trento* 721[+]   *Vigil* 322[+]

Rubr.: <Orationes> de beata Virgine <tempore Adventus>, complenda
Aquilea
VII Idus Septembris, vigilia sanctae Mariae, oratio ad complendum *Gemm*
VI Idus Septembris, Nativitas sanctae Mariae,
- alia oratio ad complendum *GregorTc Vigil*
- oratio ad complendum *seu* post communionem *ceteri codd.*

Var. lect.: 1 quaesumus] *codd.* [o] *distincti, om. ceteri codd.* fideli]
codd. [o] *distincti, om. ceteri codd.* 2 Mariae] semper virginis *add.*
codd. [+] *distincti*

171 f.

Adesto nobis, omnipotens deus, ut, quae fideliter sumpsimus, mente et corpore beatae Mariae piae matris et perpetuae virginis intercessione custodiamus.

Codd.: *Ariberto* 108   *Bergom* 86   *Biasca* 86   *Triplex* 153

Rubr. : Dominica VI[a] de Adventu, alia missa ad sanctam Mariam, oratio post communionem *codd.*

171 g.

Adesto, domine, populo tuo, ut, quae sumpsit fideliter, et mente sibi et corpore beatae Mariae semper virginis intercessione custodiat.

Codd.: *Avellan*[1] 891   *Benevent*[1] 425   *Benevent*[2] 36   *En-*
gol 887   *Fulda* 270   *Gellon* 856   *Monza* 352   *PaAng*
146   *Pamel* 211   *PaMon-Ben* 25, 3   *Phill* 665   *Ratisb*
217   *Salzb-A* 3   *Sangall* 682   *Trento* 198   *Triplex*
557   *Udalr* 1248   *Vicen*[1] 288

Rubr.: VIII Kalendas Aprilis, Annuntiatio sanctae Mariae,
- oratio ad vesperum *Ratisb*
- alia oratio ad complendum *Pamel Salzb-A Vicen*[1]
- oratio ad complendum *seu* post communionem *ceteri codd.*

Var. lect.: 1 et] *om. Vicen*[1]

172 a.

Adesto, quaesumus, domine, pro anima famuli tui illius, cuius in depositione sua officium commemorationis impendimus, ut, si qua eum saecularis macula invasit aut vitium mundiale infecit, dono tuae pietatis indulgeas et extergeas.

Codd.: *Adelp* 1639$^\mu$ *Aquilea* 290$^{V\mu}$ *Benevent*[1] 125"$^\mu$ *Bergom* 1429$^\mu$ *Biasca* 1307   *Fulda* 2487$^+$ *GelasV* 1690"$^\mu$ *Gellon* 2999   *Gemm* 307$^+$ *GregorTc* 2874. 2881   *Iena-A* 74"   *Leofric* 197$^\mu$ *Mauric* 37   *Ménard* 217 A   *Monza* 1067"   *Nivern* 370$^+$ *Otton* 187^V *Pamel* 455$^\mu$ *PaMon-Alp* 71, 2$^\mu$ *Phill* 2010"   *Praem* 268$^\mu$ *Ratisb* 2357   *Rhen* 1395   *Ripoll* 1721"$^\mu$ *Rossian* 341, I   *Trento* 1430   *Triplex* 3575   *Vallicel* (13)$^\mu$ *Vicen*[1] 1574$^\mu$

Rubr.: Missa pro defuncto episcopo in die depositionis, collecta *Fulda*
In praesentia corporis defuncti, collecta *Praem-MB MP*
Missa in die depositionis defuncti tertio, septimo, trigesimo vel annuali,
– oratio super sindonem *Bergom*
– collecta *ceteri codd.*

Var. lect.: 1 quaesumus domine pro] *codd.* $^\mu$ *distincti,* domine quaesumus precibus nostris pro *Otton,* quaesumus domine precibus nostris pro *Aquilea,* domine quaesumus supplicationibus nostris pro *Mauric,* quaesumus domine supplicationibus nostris pro *Benevent*[1] *PaMon-Alp,* domine quaesumus pro *ceteri codd.* (pro anima] animae *Praem*)   **3/4** si qua ... infecit] vitia mundialia saecularesque maculas ei inhaerentes *codd.* $^+$ *distincti*   **3** eum *et* invasit] *codd.* " *distincti,* in eo *et* inhaesit *Bergom Biasca,* ei inhaesit *ceteri codd.*

172 b.

Adesto, domine, quaesumus, animabus famulorum famularumque tuarum, quibus in depositionis suae die officium commemorationis impendimus, ut si qua eis saecularis macula inhaesit aut vitium mundiale infecit, dono tuae
5 pietatis indulgeas et abstergeas.

Codd.: *Avellan*[2] 946   *Drumm* 33

Rubr.: Missa pro defunctis, collecta *codd.*

Var lect.: 1 quaesumus] propitius *add. Drumm*   **3** impendimus] offerimus *Drumm*   **5** abstergeas] extergeas *Drumm*

172 c.

Oramus te, domine, pro famulo tuo illo, cui in depositione sua officium commemorationis agimus, ut, si qua eum saecularis macula invasit aut vitium mundiale infecit, dono tuae pietatis indulgeas et extergeas.

Codd.: *Gellon* 2907   *Stowe* 35

Rubr.: Orationes ad missam prius mortuus sepeliatur, oratio super oblata *Gellon*
<Ordo ad visitandum et unguendum infirmum, oratio ad communionem> *Stowe*

Var. lect. : **1** famulo tuo] fratre nostro *Stowe*   **1/2** depositione] infirmitate *Stowe*   **2** commemorationis] communionis *Stowe*

173.

Adesto, quaesumus, domine, pro animabus famulorum famularumque tuarum et omnium hic quiescentium, ut, si quae carnales maculae in eis de terrenis contagiis inhaeserunt, miserationis tuae venia deleantur.

Codd. : *GelasV* 1685   *Gellon* 2993   *Phill* 2004   *Ripoll* 1775   *Triplex* 3558   *Vicen*[1] 1662

Rubr.: Alia missa in coemeteriis, collecta *codd.*

174.

Adesto, quaesumus, domine, supplicationibus nostris et, in tua misericordia confidentes, ab omni nos adversitate custodi.

- A -

Codd. : *Aquilea* 36[v]   *Gellon* 305   *Gregor* 923   *Leofric* 244   *Metz*[1] 100   *Milano* 48. 510   *Nivern* 329   *Pamel* 219. 379   *Ratisb* 1620. 2528   *Trento* 50   *Udalr* 1361   *Vicen*[1] 1361

Rubr.: Sabbato in quinquagesima, oratio super populum *Aquilea*
Alia oratio in quadragesima ad vesperum *Gellon*
Alia oratio in quadragesima ad missam sive ad vesperum, vigilia quam etiam ad matutinum *Milano* 48
Feria II[a] hebdomadae I[ae] quadragesimae, oratio ad vesperos *Pamel* 219

Dominica II^a post octavam Pentecostes, oratio super sindonem
    Milano 510
Alia missa cottidiana, collecta *Ratisb* 1620
Alia oratio cottidiana *ceteri codd.*

Var. lect.: 1 quaesumus] *om. Leofric*

– B –

Codd. : *Ariberto* 177   *Bergom* 208   *Biasca* 204   *Engol*
130   *Gellon* 135   *Ménard* 41 B   *Pad* 72   *Phill* 139   *Ra-*
tisb 107   *Rhen* 114   *Salzb* 397   *Sangall* 122   *Triplex* 394

Rubr.: Dominica II^a post Theophaniam *seu* Epiphaniam,
        – collecta *Pad Salzb*
        – oratio super sindonem *Ariberto Bergom Biasca*
        – alia collecta *ceteri codd.*

Var. lect.: 1 domine quaesumus *transp. PaAug*

– C –

Codd. : *Engol* 306   *Fulda* 403°   *Gregor* 170   *Leofric*
75   *Ménard* 58 C   *Metz*[1] 67   *Nivern* 164   *PaAug* 28,
6   *Pad* 141   *Pamel* 218°   *PaMon–Ben* 32, 5°   *Phill*
314   *Ratisb* 297°   *Sangall* 278   *Trento* 226   *Triplex*
643   *Udalr* 245

Rubr.: Dominica I^a quadragesimae,
        – oratio ad matutinas *Metz*[1]
        – oratio ad vesperos *codd.* ^o *distincti*
        – oratio ad populum *Leofric*
        – alia oratio *Ménard Nivern*
        – oratio ad fontes *ceteri codd.*

Var. lect.: 1 quaesumus] *om. Engol Leofric*

175.   Br 37

Adesto, quaesumus, domine, supplicationibus nostris, ut
esse, te largiente, mereamur et inter prospera humiles et
inter adversa securi.

– A –

Codd. : *Adelp* 349   *Aquilea* 43^r   *Arbuth* 74   *Bec* 32   *Be-*
nevent[2] 50   *Cantuar* 24   *Curia* 37^v   *Engol* 356   *Fulda*
429   *Gellon* 338   *Gemm* 67°   *Gregor* 195   *Herford*
52°   *Lateran* 51°   *Leofric* 78°   *Mateus* 720   *Ménard*
61 C   *Monza* 150°   *Nivern* 167   *Otton* 28^r   *PaAng*

25°   *Pad* 166   *Pamel* 223   *PaMon–Ben* 38, 4   *Phill*
347   *Praem* 48   *Ratisb* 328   *Rhen* 251   *Ripoll* 124
Rossian 52, 3   *Sangall* 311   *Sarum* 166   *Trento* 251   *Tri-*
plex 722. 733   *Udalr* 270   *Vicen*² 222   *West* I 126

Rubr.: Hebdomada IIᵃ <mensis> Iunii, sabbato in XII lectionibus, alia
      oratio *Vicen*²
      Sabbato (in XII lectionibus) hebdomadae Iᵃᵉ quadragesimae,
      alia oratio *ceteri codd.*

Var. lect. : 1 quaesumus domine] domine *Benevent* ² *Cantuar*, domine
quaesumus *transp. Curia–Ott codd.* ° *distincti*

– B –

Codd. : *Ariberto* 267   *Bergom* 321   *Biasca* 296   *Milano*
540   *Triplex* 771

Rubr.: Dominica VIIIᵃ post octavam Pentecostes, oratio super sin-
      donem *Milano*
      Feria IIᵃ hebdomadae IIᵃᵉ quadragesimae,
      – alia oratio super populum *i.e.* collecta *Triplex*
      – oratio super sindonem *ceteri codd.*

Var. lect.: 1 supplicationibus] precibus *Ariberto*

176.   Br 32

Adesto, quaesumus, domine, supplicationibus nostris, ut,
qui ex iniquitate nostra reos nos esse cognoscimus, beati
Vincentii martyris tui intercessione liberemur.

– A –

Codd. : *Adelp* 206⁺   *Aquilea* 198ʳ   *Arbuth* 280"   *Bec*
128"   *Benevent*² 22"   *Bergom* 233°   *Biasca* 221°   *Cantuar*
75"   *Curia* 153ᵛ⁺   *Engol* 167   *Fulda* 171   *Gellon* 173
Gemm 155   *Gregor* 117   *Herford* 232   *Lateran* 177   *Leo-*
fric 136   *Mateus* 381"   *Ménard* 43 C   *Monza* 799   *Ni-*
vern 153"   *Otton* 11   *Pad* 91   *Pamel* 202   *Panorm* 975
PaMon–Ben 21, 1"   *Phill* 176   *Praem* 108"   *Prag* 23, 1"   *Ra-*
gusa 332   *Ratisb* 131   *Rhen* 131   *Ripoll* 883   *Rossian* 23, 1
Sangall 152⁺   *Sarum* 686"   *Trento* 176   *Triplex* 441⁺. 445.
449°   *Udalr* 149   *Winch* 64"   *West* II 749"

Rubr.: XI Kalendas Februarii, natale sancti Vincentii (et Anastasii
      add. Curia),
      – alia oratio super populum *i.e.* collecta *codd.* ° *distincti*
      – collecta *ceteri codd.*

Var. lect.: **1** quaesumus] *om. codd.* " *distincti*   domine quaesumus *transp. codd.* + *distincti*   supplicationibus nostris quaesumus domine *transp. Ragusa*   **2/3** beati ... tui] beatorum martyrum tuorum Vincentii et Anastasii *Curia*, beati levitae et martyris tui Vincentii *codd.* ° *distincti*, beati martyris tui Vincentii *transp. Nivern*   **3** intercessione] intercessionibus *codd.* ° *distincti*   intercessione liberemur] intercessio gloriosa nos protegat *Udalr*

– B –

Codd.: *Adelp* 1139   *Aquilea* 248ʳ   *Arbuth* 399   *Bec*
217   *Beuron*² V, 1   *Cantuar* 123   *Curia* 214ᵛ   *Gellon* 1646
Gemm 227   *Gregor* 760   *Herford* 362   *Lateran* 294   *Leo-*
fric 168   *Mateus* 2294   *Ménard* 149 D   *Monza* 790   *Ni-*
vern 312   *Otton* 124ᵛ   *Pad* 762   *Pamel* 355   *Praem*
211   *Ratisb* 1223   *Ripoll* 1361   *Rossian* 221, 1ᵐ   *Sa-*
rum 978   *Trento* 799   *Triplex* 2747   *Udalr* 1056   *Vi-*
*cen*¹ 702   *Vigil* 401   *West* II 1009

Rubr.: VIII Kalendas Decembris, natale sancti Chrysogoni,
  – alia collecta *Gellon Triplex*
  – collecta *ceteri codd.*

Var. lect.: **1** domine] *om. Herford Ratisb*   supplicationibus nostris] omnipotens deus *add. Ratisb*   **2** nos reos *transp. Vicen*¹

– C –

Codd.: *Cantuar* 91ⁿ   *Casin*¹ 483   *GregorTc* 1919. 3209
Praem 178   *Praem–ML* 214   *Triplex* 2598   *Vicen*¹ 1061   *West* III
1452. 1578. 1588. 1605

Rubr.: In translatione sancti Alfegi, collecta *Cantuar*
  In natale unius confessoris, alia oratio *Casin*¹
  Missa in honorem Dei Genitricis et omnium sanctorum, alia oratio ad complendum *seu* post communionem *Gregor-Tc* 1919 *Vicen*¹
  In vigilia unius martyris, collecta *GregorTc* 3209
  Die I° mensis Septembris, <in festo> sancti Prisci, collecta *Praem West* III 1588 (Cisterciens)
  In natale unius martyris, collecta *Praem–ML*
  XVII Kalendas Novembris, depositio beati Galli confessoris, alia oratio *Triplex*
  <IV Kalendas Ianuarii>, in natali sancti Thomae, Cantuariae archiepiscopi et martyris, collecta *West* III 1452 (Harleian 1229 = Cistercian missal)
  Die IX° mensis Augusti, in natali sancti Romani martyris, collecta *West* III 1478 (Cisterciens)
  Die XXXI° mensis Octobris, in natali sancti Quintini martyris, collecta *West* III 1605 (Dominicains Paris)

Var. lect.: **1** quaesumus] *Vicen* ¹, *om. ceteri codd.*   **2** nos reos *transp. Vicen*¹   **2/3** beati ... tui] omnium sanctorum tuorum *Gregor-Tc* 1919 *Vicen*¹

177.

Adesto, quaesumus, domine, supplicationibus nostris, ut, qui sacramento carnis et sanguinis unigeniti tui nos satias, meritis beatae Mariae Magdalenae, cuius sollemnitatem recolimus, et ab adversitatibus cunctis eripias et ad sempiter-
5 na gaudia nos clementer perducas.

Cod.: *Vicen*[1] 449

Rubr. : XI Kalendas Augusti, natale sanctae Mariae Magdalenae, oratio post communionem

178 a.

Adesto, quaesumus, domine, tuae adesto familiae et dignanter impende, ut, quibus fidei gratiam contulisti, et coronam largiaris aeternam.

Codd. : *Engol* 858   *Fulda* 799   *GelasV* 529   *Gellon*
835   *Milano* 358. 594   *Phill* 636   *Sangall* 656   *Triplex* 1529

Rubr.: Die sabbati in albas (*sic*), oratio super populum *i.e.* collecta *Milano* 358
Dominica XIX[a] post octavam Pentecostes, oratio super populum *i.e.* collecta *Milano* 594
Alia oratio paschalis (de Resurrectione *Fulda*, vespertinalis *add. GelasV*, ad vesperum ad matutinum *add. Gellon*) ceteri codd.

Var. lect. : 1 tuae adesto familiae] *GelasV*, familiae tuae *Sangall*[2] *Triplex*, tuae familiae *Sangall*[1] ceteri codd.

178 b.

Adesto, quaesumus, domine, familiae tuae et dignanter impende, ut, quibus fidei gratiam contulisti, et coronam largiaris aeternam.

Codd. : *Bergom* 627   *Biasca* 596   *Casin*[2] VIII, 5   *Engol* 822   *Fulda* 780   *Gellon* 786   *Gemm* 107   *Gregor*
428   *Leofric* 102   *Mateus* 1260   *Ménard* 96 D   *Pad*
365   *Pamel* 278   *Panorm* 472   *Phill* 600   *Ratisb*
660   *Rhen* 502   *Ripoll* 454   *Salzb* II 13   *Sangall*
621   *Sangall-A* 17   *Trento* 475   *Triplex* 1466. 1479
Udalr 547   *Vicen*[1] 76   *Vigil* 94

Rubr.: Feria VIᵃ in albis,
- oratio ad vesperos *Ratisb*
- oratio ad fontes *ceteri codd.*

179.

Adesto, quaesumus, omnipotens deus, atque in cunctis actionibus nostris et aspirando nos praeveni et adiuvando custodi.

Codd.: *Engol* 1570   *GelasV* 1165   *Gellon* 1704   *Mé-*
nard 196 A   *Phill* 1098   *Sangall* 1409   *Triplex* 137

Rubr.: Orationes et preces <ieiunii> mensis decimi, feria VIᵃ, alia
collecta *GelasV*
Alia oratio de adventu Domini *ceteri codd.*

Var. lect.: 1 Adesto] nobis *add. SangalI² Triplex*

180.

Adesto, quaesumus, omnipotens deus, ac ieiunio corporali mentem nostram operibus tuorum refice mandatorum.

Codd.: *Engol* 351°. 445   *Fulda* 522   *GelasV* 137°   *Gel-*
lon 349°. 433   *Pamel* 234   *Phill* 439   *Prag* 51, 4°   *San-*
gall 382   *Triplex* 895

Rubr.: Orationes et preces <ieiunii> mensis primi, sabbato in XII
lectionibus, alia oratio *codd.* ° *distincti*
Feria VIᵃ hebdomadae IIIᵃᵉ quadragesimae,
- collecta *Triplex*
- oratio ad vesperum *Fulda*
- alia collecta *ceteri codd.*

Var. lect.: 1 Adesto] nobis *add. SangalI² Triplex* ac] *GelasV*, et
ceteri codd. ieiunio corporali] per ieiunium corporale *SangalI² Tri-*
plex, in *praem. Pamel*

181 a.

Adesto, domine, supplicationibus nostris et famulae tuae illi munus concede, ut, veniente tempore pariendi, gratiae tuae praesidium suscipiat et, cum prolem humanam ediderit, percepto lavacro salutari, gratiosis incrementis feliciter pro-
5 ficiat.

Cod.: *Arbuth* 460

Rubr.: Pro muliere in puerperio, postcommunio

181 b.

Adesto supplicationibus nostris, omnipotens deus, et famulae tuae largifluae protectionis munus concede, ut, adveniente tempore parturiendi, gratiae tuae praesidium suscipiat et proles, quam ediderit, percepto lavacro salutari, gratiosis
5 incrementis feliciter proficiat.

Cod.: *Sarum* 822*

Rubr.: <Missa votiva> pro praegnante, postcommunio (recensio prima)

181 c.

Adesto supplicationibus nostris, omnipotens deus, et famulam tuam illam in partu ab omni infortunio clementer praeserva, ut proles eius, in hanc lucem edita, percepto lavacro salutari, et generosae mentis virtutibus et corporis feli-
5 citer proficiat incrementis.

Cod.: *Sarum* 822*

Rubr.: <Missa votiva> pro praegnante, postcommunio (recensio altera)

182.   Br 38

Adesto supplicationibus nostris, omnipotens deus, et, quibus fiduciam sperandae pietatis indulges, consuetae misericordiae tribue benignus effectum.

– A –

Codd.: *Adelp* 362   *Aquilea* 45ʳ   *Arbuth* 78   *Bec* 35   *Benevent*[2] 52   *Cantuar* 26   *Curia* 39   *Fulda* 450   *Gemm*
68   *Gregor* 208   *Herford* 56   *Lateran* 54   *Leofric*
79   *Mateus* 756   *Milano* 100   *Monac*[6] (37)   *Nivern*
169   *Otton* 29ᵛ   *Pad* 180   *Pamel* 226   *Praem* 50   *Ripoll* 140   *Rossian* 54, 4ᵐ   *Sarum* 175   *Split* 6   *Trento* 264   *Triplex* 769   *Udalr* 284   *West* I 136

Rubr.: Feria IIᵃ hebdomadae IIᵃᵉ quadragesimae,
– oratio super sindonem *Milano*

- alia oratio ad complendum *Fulda*
- oratio super populum *ceteri codd.*

Var. lect.: **1** Adesto] domine *add. Otton Rossian*   omnipotens deus] *om. Rossian*

– B –

Codd.: *Adelp* 456   *Aquilea* 69ʳ   *Bec* 54   *Benevent*[2]
75   *Cantuar* 34   *Curia* 50   *Gemm* 82   *Gregor* 299   *Her-*
ford 76   *Lateran* 72   *Leofric* 89   *Mateus* 987   *Mi-*
lano 215   *Nivern* 182   *Pad* 272   *Pamel* 242   *Panorm*
188   *Praem* 58   *Ripoll* 256   *Rossian* 77, 4ᵐ   *Trento*
355   *Triplex* 1051   *Udalr* 376

Rubr.: Feria IVᵃ hebdomadae Vᵃᵉ quadragesimae,
- oratio super populum *i.e.* collecta *Milano*
- oratio super populum *ceteri codd.*

Var. lect.: **1** Adesto] domine *add. Rossian*   omnipotens deus] quaesumus *praem. Adelp, om. Rossian*

– C –

Codd.: *Adelp* 980⁺. 1124⁰⁺   *Aquilea* 236ʳ   *Bec* 188   *Can-*
tuar 107   *Curia* 196ᵛ   *Engol* 1263   *Fulda* 1255⁺   *Gel-*
lon 1393   *Gemm* 206   *Gregor* 205*   *Lateran* 262   *Ma-*
teus 2018   *Ménard* 135 A   *Milano* 1113   *Monac*[5] (221)⁺
Monza 745. 809⁺   *Nivern* 293   *Otton* 108ᵛ"⁺   *Praem* 4. 175.
198⁰   *Ratisb* 1047   *Rhen* 804⁺   *Ripoll* 1195⁺   *Rossian* 180,
1   *Sangall* 1330⁰   *Triplex* 2699⁰   *Udalr* 917"   *Vicen*[1]
614   *Vigil* 304"   *Winch* 150⁺

Rubr.: In officio canonico, suffragium de sancto Augustino *Praem-*
B1507 B1574
XV Kalendas Novembris, translatio sancti Augustini, collecta
codd. ⁰ *distincti*
V Kalendas Septembris, natale sancti Augustini,
- oratio super sindonem *Milano*
- collecta *ceteri codd.*

Var. lect.: **1** Adesto] domine *add. codd.* ⁺ *distincti*   omnipotens
deus] *om. Fulda*   **2** indulges] intercedente beato Augustino confessore
tuo *add. codd.* " *distincti,* intercedente beato Augustino confessore tuo
atque pontifice *add. ceteri codd.*   **3** effectum] auxilium *Lateran*, audi-
tum *Ratisb*

– D –

Codd.: *Engol* 515   *Gellon* 496   *Limoges* 122ᵛ   *Rhen*
344   *Sangall* 434   *Sangall** 2   *Triplex* 1013

Rubr.: Feria II^a hebdomadae V^{ae} quadragesimae, alia collecta *codd.*

– E –

Codd. : *Arbuth* 333   *Ariberto* 605°   *Bec* 166   *Bergom*
866°   *Biasca* 797°   *Gemm* 225   *Gregor* 878⁺   *Iena*
39^v   *Leofric* 243   *Metz*[1] 99⁺   *Milano* 549   *Pamel*
376⁺   *Prag* 113, 3   *Sarum* 814   *Trento* 5   *Triplex* 84   *Udalr*
1316⁺   *Vicen*[1] 1316⁺   *West* III 1361

Rubr.: Alia missa cottidiana,
- alia oratio super populum *i.e.* collecta *Triplex*
- oratio super sindonem *codd.* ^o *distincti*
Die XVIII° mensis Iulii, <in festo> sancti Arnulfi episcopi, collecta *Arbuth Bec Sarum*
XV Kalendas Decembris, natale sancti Aniani episcopi, secreta *Gemm*
De uno confessore qui fuit episcopus, collecta *Iena*
Dominica X^a post octavam Pentecostes, oratio super populum *i.e.* collecta *Milano*
IV Kalendas Maii, in natale sancti Vitalis, oratio post communionem *Prag*
<Ad horas>, commemoratio de sancto Dunstano, alia oratio *West*
Alia oratio cottidiana *ceteri codd.*

Var. lect.: 2 indulges] intercedente beato Arnulfo martyre tuo atque pontifice *add. Arbuth Bec Sarum*, intercedente beato illo confessore tuo atque pontifice *add. Gemm Iena West*, intercedente beato illo *add. codd.* ⁺ *distincti*, intercedente beato Vitale martyre tuo *add. Prag*

183.   Br 39

Adesto supplicationibus nostris, omnipotens deus, et, quod humilitatis nostrae gerendum est ministerio, tuae virtutis impleatur effectu.

Codd. : *Curia* 258^v   *Gregor* 21   *GregorTc* 4231   *Leo-*
fric 217   *Ménard* 223   D. 260 C^o   *Metz*[1] 55°   *Metz*[2] 164.
184°   *Nivern* 59. 113°   *Pad* 19*   *Ratisb* 1727   *Trento* 969

Rubr.: Ordo in dominica indulgentiae, quae et dies palmarum vocatur, ad benedicendos ramos palmarum, oratio *Metz*[2] 164
Ordo ad ordinandam reginam, oratio *Ménard* 260 C   *Nivern* 113
Benedictio episcoporum,
- alia oratio *Metz*[2] 184
- ad missam, collecta *ceteri codd.*

Var. lect. : 1 Adesto] Propitiare *Metz*[1]   supplicationibus nostris] domine *praem. codd.* ^o *distincti*, nobis *Metz*[2] 164   omnipotens deus] *om. Ménard* 260 C   *Nivern* 113   **2** humilitatis ... virtutis] nostro ministratur officio tuae benedictionis potius *Metz*[2] 164, nostrae humilitatis ministerio est gerendum sempiternae virtutis tuae *Nivern* 113

184.

Adesto supplicationibus nostris, omnipotens et misericors deus, et hanc oblationem, pro incolumitate famuli tui illius oblatam, sanctificans, tu, qui es humanae fragilitatis singulare praesidium, auxilii tui ostende virtutem, ut, ope miseri-
5 cordiae tuae adiutus, ad omnia sanitatis reparetur officia.

Codd.: *Biasca* 1277   *Bobbio* 381

Rubr.: Missa pro infirmo *seu* aegroto,
  - oratio super oblata *Biasca*
  - collectio post nomina *Bobbio*

Var. lect.: **1** et misericors] *om. Bobbio*   **5** adiutus] *om. Biasca*

185.

Adestote, dei testes, regni heredes, Christi comites diabolique victores, qui, servorum conditione mutata, amicorum familiaritate suscepta, regni caelestis beatitudinem meruistis. Venerantibus favete supplicibus in salutem credentium, po-
5 tentiam meritorum sanctitatis ostendite. Nostrum est officiis probare, quod colimus; vestrum obtinere suffragiis, quod rogaris. Vobis proinde apud deum intercedentibus, populis donetur divina cognitio et pacis integerrima plenitudo.

Cod.: *Toledo*[3] 1045

Rubr.: Item missa de sanctis, <oratio> ad pacem

186.

Adestote nunc, gloriosissimi Christi testes, anniversariis sacris rite solvendis et solitae dignationis intuitu inter mysteria vos dicanda miscete. Sedes enim vestra omne, quod sacratum est, et in omni ecclesia patrius incolatus.
5 Peculiarem ergo a Christo domino charismatum promeriti gratiam, peculiarem nobis exhibete tutelam, ut hic, ubi fidelium effluunt lacrimae, et pro remedio murmura silenda funduntur, non diu graves incumbant gemitus, nec suspiria

ter trahenda perstridant. Hic non longis precibus curas
10 secludat anxius et languorem deponat infirmus. Hic dae-
mones non totis viribus saeviant et, si quando maiore furore
se efferunt, conflictu minore vincantur. Per vos ecclesia
domini credentes omnes aut pietatis gremio ambiat aut
fortitudinis robore custodiat.

Cod.: *Toledo*[3] 310

Rubr.: Missa sanctorum Emeterii et Celedonii, <oratio> "Alia"

187 a.

Adiuva, domine, fragilitatem plebis tuae, ut ad votivum
magnae festivitatis effectum et, corporaliter gubernata, re-
currat et per tuam gratiam devota mente perveniat.

Codd.: *Engol* 1616   *Fulda* 621. 1771°   *GelasV* 1132   *Gel-*
lon 1752   *Ménard* 195 A°   *Pamel* 364°   *Phill* 1147
Praem 63   *Ratisb* 1589°   *Rhen* 1020   *Sangall* 1452   *Tri-*
plex 102

Rubr.: Dominica in ramis palmarum, oratio ad *vel* post processionem
Fulda 621 *Praem*
Alia missa de Adventu Domini, alia collecta *GelasV*
Dominica Iᵃ ante Natale Domini (hebdomada XXXIIᵃ post
Pentecosten *add. Gellon*, dominica proxima Natali Domi-
ni *Ratisb*, dominica IVᵃ de Adventu Domini *Pamel*),
– oratio super populum *codd.* ° *distincti*
– alia collecta *ceteri codd.*

Var. lect.: **2** festivitatis] devotionis *Praem*   effectum] intercedente
beata dei genitrice Maria *add. Fulda* 621 *Praem*   **2/3** recurrat] percur-
rat *GelasV*   **3** per tuam gratiam] *correxi* (cfr *Milano* 130), ad perpetuam
vitam *Praem*, ad perpetuam gloriam *Ménard*, ad perpetuam gratiam *ceteri
codd.*   devota mente] te miserante *Praem*

187 b.

Adiuva, domine, fragilitatem plebis tuae ieiunii sacramento, ut ad optivos paschalis celebritatis effectus et,
corporaliter gubernata, concurrat et per tuam gratiam devota
perveniat.

Codd.: *Ariberto* 291   *Bergom* 353   *Biasca* 324   *Milano*
130   *Triplex* **844**

Rubr.: Dominica IIIᵃ quadragesimae (de Abraham), oratio super populum *i.e.* collecta *codd.*

Var. lect.: 3 per] *Milano,* ad *ceteri codd.*

188 a.   Br 41

Adiuva nos, deus salutaris noster, et ad beneficia recolenda, quibus nos instaurare dignatus es, tribue venire
gaudentes.

- A -

Codd.: *Engol* 258   *GelasV* 74   *Gellon* 254

Rubr.: Dominica in sexagesima, alia collecta *codd.*

- B -

Codd. : *Adelp* 493	*Aquilea* 77^v	*Arbuth* 129	*Ariberto*
393$^{0+"}$ *Bec* 59	*Bergom* 468$^{0+"}$	*Biasca* 426$^{0"}$	*Cantuar*
35 *Curia* 60^v	*Fulda* 637 *Gemm* 85	*Gregor* 318	*Her-*
ford 83 *Lateran* 86	*Leofric* 91	*Mateus* 1041	*Mé-*
nard 78 B *Milano* 247$^{+"}$	*Nivern* 185	*Otton* 42^v	*Pad*
287 *Pamel* 247	*Panorm* 244	*Praem* 63	*Ratisb*
503 *Ripoll* 288	*Rossian* 82, 4^m	*Sarum* 277	*Splitt*
12 *Trento* 374	*Triplex* 1131. 1133	*Udalr* 402	*West* I 245

Rubr.: Feria II^a hebdomadae VI^{ae} quadragesimae (in Autentica *codd.*
    ^{0} *distincti*),
    - oratio super populum *i.e.* collecta *Biasca*
    - alia oratio super populum *i.e.* collecta *Triplex* 1133
    - oratio super sindonem *codd.* $^+$ *distincti*
    - oratio ad vesperum *Fulda*
    - oratio super populum *ceteri codd.*

Var. lect.: 1 deus] *om. Ratisb*   2 nos] *om. codd.* " *distincti*

188 b.   Br 41

Adiuva nos, deus salutaris noster, et in sacrificio ieiuniorum nostras mentes purifica, ut ad beneficia recolenda,
quibus nos instaurare dignatus es, tribuas venire gaudentes.

- A -

Codd.: *Bonifatius* 45   *Engol* 517   *GelasV* 259

Rubr.: In ieiunio, oratio super oblata *Bonifatius*
    Feria II^a hebdomadae V^{ae} quadragesimae, alia collecta *Engol*
    GelasV

- B -

Codd. :   *Engol* 390   *Fulda* 473   *Gellon* 374   *Phill*
380   *Rhen* 280   *Sangall* 341   *Triplex* 806

Rubr.: Feria V[a] hebdomadae II[ae] quadragesimae,
     - oratio ad vesperum *Fulda*
     - alia collecta *ceteri codd.*

Var. lect.: 2/3 ut *et* tribuas] et *et* tribue *codd.*

Fontes: 1 Adiuva nos, deus salutaris noster] cfr Ps. 79 (78), 9 a

189.

Adiuva nos, deus salutaris noster, et, quibus supplicandi
tibi praestas affectum, tribue tuae propitiationis effectum.

Cod.: *Leon* 504

Rubr. : Mense Iulii, orationes et preces diurnae, XVI alia missa,
<collecta>

Fontes: 1 Adiuva nos, deus salutaris noster] cfr Ps. 79 (78), 9 a

190.

Adiuva nos, deus salutaris noster, ut, quae, collata nobis,
honorabiliter recensemus, devotis mentibus assequamur.

Codd. :   *Engol* 287   *Fulda* 383   *GelasV* 95   *Gellon*
286   *Milano* 32   *Phill* 296   *Rhen* 204   *Rossian* 44,
2   *Sangall* 262   *Triplex* 620

Rubr.: Feria VI[a] in quinquagesima,
     - collecta *Triplex*
     - oratio super sindonem *Milano*
     - secreta *Rossian*
     - alia collecta *ceteri codd.*

Fontes: 1 Adiuva nos, deus salutaris noster] cfr Ps. 79 (78), 9 a

191.

Adiuva nos, domine deus noster, beati Laurentii martyris
tui precibus exoratus, et animam famuli tui illius episcopi in
beatitudinis sempiternae luce constitue.

Codd. : *Adelp* 1661   *Arbuth* 470⁰ᵘ   *Bec* 268⁰   *Cantuar*
152⁺   *Fulda* 2553⁺. 2558   *GelasV* 1644"ᵘ   *Gellon* 2949"ᵘ   *Gre-*
gorTc 2851. 3009⁺   *Herford* 433⁰   *Leon* 1155ᵘ   *Mauric*
21"   *Milano* 1428"ᵘ   *Phill* 1957"ᵘ   *Rhen* 1358"ᵘ   *Sarum*
874*⁰   *Triplex* 3506"   *Vicen*¹ 1614"ᵘ   *West* II 1174⁰

Rubr.: Mense Octobris, super defunctos, V alia missa, <collecta> *Leon*
Pro amico (nuper) defuncto, collecta *codd.* ⁰ *distincti*
Pro uno defuncto,
  – alia collecta *Fulda* 2558
  – collecta *codd.* ⁺ *distincti*
Missa in honorem cuiuslibet sancti, oratio post communionem *Adelp*
Orationes ad missam in natale sanctorum sive agenda mortuorum (missa specialis sacerdotis *Vicen*¹),
  – oratio super sindonem *Mauric Milano*
  – alia collecta *ceteri codd.*

Var. lect. : **1** domine deus noster] deus salutaris noster *Sarum*
1/2 beati ... tui] *Leon,* omnium sanctorum tuorum *Triplex,* beatissimae dei
genitricis Mariae *Cantuar   Fulda* 2553   *GregorTc* 3009, beatissimae dei
genitricis semperque virginis Mariae *Arbuth   Bec   Herford   Sarum   West,*
beati martyris tui illius *Adelp   Fulda* 2558   *GregorTc* 2851   *Mauric,* beati tui illius *ceteri codd.*   **2** episcopi] *Leon,* sacerdotis *codd.* " *distinc-*
ti, om. ceteri codd.   **3** beatitudinis sempiternae luce] *codd.* ᵘ *distincti,*
beatitudine (beatitudinem *Bec Sarum*) sempiternae lucis *ceteri codd.*

192.

Adiuva nos, domine, quaesumus, eorum deprecatione
sanctorum, qui, filium tuum humana necdum voce profi-
tentes, caelesti sunt pro eius nativitate gratia coronati.

Codd.: *Casin*¹ 236   *Engol* 68   *Fulda* 100   *GelasV*
44   *Ménard* 36 B   *Milano* 864   *PaAug* 9, 9   *Pad*
45   *Pamel* 192   *Phill* 68   *Ratisb* 57   *Ripoll* 852   *San-*
gall 66   *Trento* 132   *Triplex* 286

Rubr.: V Kalendas Ianuarii, in natale Innocentium,
  – alia collecta *GelasV Milano*
  – alia oratio *ceteri codd.*

Var. lect. : **1** Adiuva] Annue *Milano,* Adiuvet *Ripoll*   quaesumus
domine *transp. Milano   Ratisb*   **2** voce necdum *transp. Casin*¹

193 a.

Adiuva nos, domine, tuorum prece sanctorum, ut, quorum
festa gerimus, sentiamus auxilium.

Codd.: *Leon* 154. 258   *Otton* 133ʳ   *Trento* 877   *Triplex* 2898

Rubr.: Mense Aprilis, XXXIX alia missa, <alia collecta> *Leon* 154
Mense Iunii, in natale sanctorum Iohannis et Pauli, <alia collecta> *Leon* 258
In natale plurimorum confessorum, collecta *ceteri codd.*

Var. lect. : 1 domine] deus *add. Leon* 258   prece] *Leon* 154. 258, deprecatione *ceteri codd.*

193 b.

Adiuva nos, domine, deprecatione sanctorum tuorum et praecipue huius beati confessoris tui illius intercessione, quaesumus, ab omni adversitate protege, cuius hodie debitum sollemnitatis diem cum laetitia spiritali veneramur, ut, quo-
5 rum festa gerimus, sentiamus auxilium.

Codd.: *Gemm* 3   *GregorTc* 3340

Rubr.: III Idus Aprilis, natale sancti Guthlaci, collecta *Gemm*
In natale unius confessoris, collecta *GregorTc*

Var. lect. : 2 confessoris tui illius] *GregorTc*, famuli tui Guthlaci presbyteri atque anachoritae *Gemm*   3 debitum] *GregorTc, om. Gemm*

194.

Adiuva, quaesumus, domine, plebem tuam et ad nativitatem unigeniti filii tui tribue nos pariter pervenire gaudentes.

Codd.: *Bergom* 91   *Biasca* 91   *Triplex* 142

Rubr.: Alia oratio de Adventu Domini, (quae dicenda est ad vesperum vel ad matutinum *add. Biasca*) *codd.*

195.

Adiuvemur, quaesumus, domine, precibus beati confessoris tui Germani, ut illuc pietatis tuae mereamur clementia subsequi, quo ipse, subvehentibus angelis, igneo saeptus globo, conscendit.

Codd.: *Benevent*² 177   *Casin*¹ 448

Rubr. : III Kalendas Novembris, natale sancti Germani Capuani episcopi, collecta *codd.*

Var. lect.: **2** Germani] atque pontificis *add. Casin*[1]   **3** saeptus] *om.*
Benevent[2]

196.

Adiuvent nos, domine, quaesumus, merita et intercessiones
sanctarum virginum ac martyrum tuarum Agapae, Ciconiae
et Hyrenae, ut, qui earum venerandam agimus sollemnitatem,
earum suffragio mereamur ab omnibus exui malis et, te lar-
5 giente, sempiternis perfrui bonis.

Cod.: *Aquilea* 206[v]

Rubr.: Nonis Aprilis, in festo sanctarum Agapae, Ciconiae et Hyrenae
virginum et martyrum, complenda

Nota: *Comparez à l'oraison*: "Adiuvent nos, quaesumus, domine,
merita intercessionesque ... erui mereamur."

197.   Br 42

Adiuvent nos, quaesumus, domine, et haec mysteria sancta, quae sumpsimus, et beatae Agnes intercessio veneranda.

- A -

Codd. :	*Adelp* 214	*Engol* 194	*Fulda* 193	*GelasV*
828	*Gellon* 194	*Lateran* 180	*PaAug* 20, 4°	*Pamel*
204	*Phill* 203	*Praem-MC* 111	*Prag* 24, 3	*Sangall*
177°	*Triplex* 482°	*West* III 1533 (Tewkesbury)		

Rubr.: V Kalendas Februarii, in natale sanctae Agnes de nativitate,
  - alia oratio ad complendum *Fulda Pamel*
  - oratio ad complendum *seu* post communionem *ceteri codd.*

Var. lect. : **1** quaesumus] *om. Adelp*   domine quaesumus *transp.*
codd. ° *distincti*   **2** veneranda] gloriosa *Pamel*

- B -

Codd.: *Adelp* 889   *Aquilea* 200[ro"]. 225[vμ]   *Arbuth* 279   *Can-*
tuar 72. 78[n]. 89[nμ]   *Fulda* 114   *Gemm* 149   *GregorTc*
3440   *Mateus* 305["μ]   *Medinaceli* 71   *Montserrat*[1] 100[v]   *Ox-*
ford 147°   *Praem* 103. 134. 151. 162   *Ratisb-A* 45[+]   *Rosslyn*
48°   *Sangall* 1091   *Sangall-B* 6[+]   *Sarum* 681"   *Tri-*
plex 2323. 2588[+]   *Vicen*[1] 737   *West* II 746   *West* III 1529.
1537". 1538". 1556. 1565". 1567. 1615

Rubr.: <XIII Kalendas Augusti, natale sanctae> Margaretae virginis, oratio post communionem *Adelp*

Kalendis Februarii, <in festo sanctae> Brigidae virginis, oratio post communionem *seu* complenda *codd.* ° *distincti*

Die XXI° mensis Iulii, <in festo> sanctae Praxedis, postcommunio *seu* complenda *Aquilea* 225^v *Praem-MB* 151 *West* III 1567 (Whitby)

<In festo sancti Blasii>, postcommunio *Cantuar* 78^n

In translatione sanctae Mildrethae virginis, alia postcommunio *Cantuar* 89^n

IV Idus Decembris, <natale> sanctae Eulaliae Emeritensis, oratio post communionem *Montserrat*[1] *Vicen*[1]

Die XIX° mensis Maii, <in festo> sanctae Potentianae, postcommunio *Praem* 134

Die IV° mensis Augusti, <in festo> sanctae Walburgis, postcommunio *Praem-MA* 162

Idus Octobris, in vigilia sancti Galli confessoris, oratio ad complendum *seu* post communionem *codd.* + *distincti*

XIX Kalendas Septembris, vigilia sanctae Mariae, oratio ad *seu* post communionem *Sangall Triplex* 2323

<Die XVIII° mensis Ianuarii, in festo> sanctae Priscae virginis et martyris, postcommunio *Arbuth Sarum West* II 746. *West* III 1529 (St-Alban's)

III Kalendas Ianuarii, natale sanctarum Columbae et Genofevae, oratio post communionem *Medinaceli*

Die X° mensis Februarii, <in natali> sanctae Austrebertae, postcommunio *West* III 1537 (Sherborne)

Die XXIII° mensis Februarii, in natali sanctae Milburgae, postcommunio *West* III 1538 (Sherborne)

Die XV° mensis Iunii, <in natali> sanctae Edburgae virginis, postcommunio *West* III 1556 (Whitby)

Die XIII° mensis Iulii, in natali sanctae Mildrithae virginis, postcommunio *West* III 1565 (Sherborne)

Die XIII° mensis Decembris, in natali sanctae Luciae virginis et martyris, postcommunio *West* III 1615 (Abingdon)

III Nonas Ianuarii, natale sanctae Genovevae virginis, oratio ad complendum *seu* post communionem *ceteri codd.*

Var. lect.: 1 domine quaesumus *transp. codd.* " *distincti*   1/2 sancta mysteria *transp. Aquilea* 200^r *Praem-MB* 151   sancta] sacra *Fulda, om. codd.* $^{\mu}$ *distincti*   2 beatae Agnes] beatae semperque virginis Mariae cuius sollemnitatem praeimus *Sangall Triplex* 2323, beati Galli confessoris tui cuius sollemnitatem praeimus *codd.* + *distincti*   veneranda] ut ab omnibus tueamur adversis et ad mansiones perducamur aethereas *add. Medinaceli*

- C -

Codd.: *Avellan*[3] 862   *Bec* 244   *Benevent*[1] 775   *Drumm* 78. 80   *Engol* 1659   *Gellon* 1837   *Gemm* 238 (2 fois)   *GregorTc* 3396. 3413   *Iena* 42^v *Ménard* 173 A   *Milano* 782   *Monac*[9] III, 4   *Monza* 858   *Nivern* 320   *Pad* 843   *Paris*[1] 235   *Paris*[2] 4^r *Phill* 1196   *Ragusa* 668   *Ratisb*

1404   *Rhen* 1046   *Rossian* 246, 3   *Salzb* 434   *San-*
gall 1487   *Udalr* 1125   *Vicen*[1] 828   *Vigil* 489   *Winch*
205   *West* III 1627 (Paris). 1628 (Coutances *Vitell*)

Rubr.: In natale virginum (sive martyrum sive non), oratio ad complendum *seu* post (ad *Rossian*) communionem *codd.*

Var. lect.: 1 domine quaesumus *transp.* *Ragusa* *Sangall*[2] et haec mysteria quaesumus domine *transp.* *Nivern*   2 veneranda] et praesta, ut ab omnibus tueamur adversis et ad mansiones perducamur aethereas *add.* *Bec* *Drumm* 80

198.

Adiuvent nos, quaesumus, domine, merita intercessionesque sanctarum virginum martyrumque tuarum et, quia earum sollemnia votivo colimus honore, earum suffragio ab omnibus malis erui mereamur.

Codd.: *Praem* 5. 199

Rubr.: In officio de Beata, suffragium de virginibus   *Praem-B1507*
    B1574 5
    Die XXI° mensis Octobris, <in festo> sanctarum Undecim
    milium virginum, collecta *Praem* 199

Var. lect.: 1/2 intercessionesque] et intercessiones *Praem* 5   3 sollemnia] memoriam *Praem* 5

Nota: *Comparez* à *l'oraison*: "Adiuvent nos, domine, quaesumus, merita et intercessiones ... perfrui bonis."

199.

Adiuvent nos, quaesumus, domine, haec mysteria sancta, quae sumpsimus, et, intercedente beata Otilia virgine tua, a cunctis erroribus nos exuant et ad gaudia aeterna perducant.

Cod.: *Aquilea* 195ᵛ

Rubr.: Idibus Decembris, <in festo sanctae> Otiliae virginis, complenda

200.

Adiuvent nos, quaesumus, domine, sacramenta, quae sumpsimus, et sancti Praeiecti martyris tui intercessio gloriosa nos protegat.

Codd.: *Winch* 66   *West* III 1532 (Sherborne)

Rubr.: VIII Kalendas Februarii, <natale> sancti Praeiecti martyris, postcommunio

Var. lect.: 2 tui] *Winch*, atque pontificis add. *West*

201.

Adiuvet familiam tuam, tibi, domine, supplicando, venerandus Andreas apostolus et pius interventor efficiatur, qui tui nominis exstitit praedicator.

- A -

Codd. : *Adelp* 1157   *Avellan*[2] 888   *Bec* 222   *Cantuar* 125"   *Engol* 1573   *Fulda* 1469^{0+}". 1477   *GelasV* 1087   *Gellon* 1707   *Gemm* 230   *Gregor* 775^{0+}"   *Herford* 224"   *Leofric* 59^{+}". 169^{0+}". 268"   *Mateus* 48   *Ménard* 150 D^{+}"   *Metz*[1] 92^{+}"   *Milano* 843   *Nivern* 315   *Pad* 780^{0+}"   *Pamel* 357^{+}"   *Phill* 1107   *Praem* 98   *Ratisb* 1235^{+}"   *Ripoll* 1377^{0+} *Rossian* 225, 3   *Sangall* 1412   *Trento* 813^{0+}"   *Trento-A* 361*$^{0+}$"   *Udalr* 1071^{0+}"   *Vicen*[1] 724^{0+}"   *Winch* 190"

Rubr.: III Kalendas Decembris, vigilia sancti Andreae, oratio ad vesperos *Ménard Ratisb*
II Kalendas Decembris, natale sancti Andreae apostoli,
- oratio ad vesperos *Metz*[1]
- alia oratio *codd.* ^{0} *distincti*
VII Idus Decembris, in octava sancti Andreae apostoli, oratio ad complendum *seu* post communionem *ceteri codd.*

Var. lect.: 1 familiam] ecclesiam *codd.* $^{+}$ *distincti*   1/2 venerandus] venerabilis *Adelp*, beatus *codd.* " *distincti*   2 et ... efficiatur] *om. Adelp Fulda* 1477   efficiatur] pro nobis *praem. Fulda* 1469   *Rossian*, fiat *Fulda* 1469   3 exstitit] idoneus *praem. Fulda* 1477   praedicator] et rector *add. Avellan*[2]

- B -

Codd. : *Benevent*[5] 10^{0} *Biasca* 1364. 1407   *Casin*[1] 465^{0} *Otton* 128^{r}. 128^{v+} *Palat* (28)^{0} *Ratisb* 1297^{+} *Ripoll* 995^{0} *Trento* 868^{+} *Triplex* 2862^{+} *Vigil* 210^{+}. 470^{+}

Rubr.: <VI/V Kalendas Martii, natale> sancti Matthiae (per ordinem), collecta *Benevent*[5]
XII Kalendas Ianuarii, natale *seu* translatio sancti Thomae apostoli,
- collecta *Otton* 128^{r}
- oratio super sindonem *Biasca* 1364. 1407

III Idus Iunii, natale sancti Barnabae apostoli,
- collecta *Ripoll*
- oratio ad complendum *Vigil* 210
In natale unius apostoli,
- collecta *Otton* 128ᵛ *Palat*
- oratio super populum *Ratisb Trento Triplex*
- alia oratio *Casin*[1] *Vigil* 470

Var. lect. : **1** familiam] ecclesiam *codd.* ° *distincti*   supplicando]
supplicantem *codd.* ⁺ *distincti*   1/2 venerandus] beatus *codd.* ° *distincti*   **2** interventor] pro nobis *praem. Benevent*[5]

202.

Adiuvet nos, omnipotens et misericors deus, per haec
sancta, quae sumpsimus, beati Thomae martyris tui atque
pontificis intercessio veneranda, qui pro tui nominis honore
glorioso meruit coronari martyrio.

Codd. : *Arbuth* 32   *Herford* 23   *Sarum* 74   *West* I 57. II
1134

Rubr.: In commemoratione sancti Thomae, postcommunio *West* II 1134
<IV Kalendas Ianuarii>, in die sancti Thomae <Cantuariae
archiepiscopi et> martyris, postcommunio *codd.*

Var. lect.: **1** nos] quaesumus *add. Arbuth   West* I 57. II 1134   **2** sanc-
ta] sacrosancta *Arbuth*   Thomae] *om. Herford, transp. post* pontificis
Sarum

203.

Adiuvet nos, quaesumus, domine, beatae Mariae semper
virginis intercessio veneranda et, a cunctis periculis abso-
lutos, in tua facias pace gaudere.

Codd.: *Herford* 312   *Leofric* 253   *Trento* 719

Rubr.: XI Kalendas Septembris, in octava sanctae Mariae (ad
martyres),
- postcommunio *Herford*
- alia oratio *Leofric*
VI Idus Septembris, <in> Nativitate sanctae Mariae, collecta
Trento

Var. lect.: **3** gaudere] gaudentes *Trento*

204.

Adiuvet nos, quaesumus, domine, clementia tua et famulus tuus, per te paterna munera consecutus, ad salutem gratiae tuae aeternae possit cum tuo adiutorio pervenire.

Cod.: *GregorTc* 2404

Rubr.: Missa votiva, oratio ad complendum

205.   Br 42

Adiuvet nos, quaesumus, domine, sanctae Mariae gloriosa intercessio, cuius etiam diem, quo felix eius est inchoata nativitas, meminimus.

Codd.: *Engol* 1300   *Fulda* 1283[0+]. 1285[+]   *GelasV* 1016[+]   *Gellon* 1428   *GregorTc* 3587   *Lucca* 175   *Ménard* 137 C   *Milano* 1122   *Monac*[2] 48   *Monza* 594   *Pad* 652   *Pamel* 337[0+]   *Phill* 818   *Prag* 185, 1[+]   *Ratisb* 1073[0]   *Rhen* 825   *Rossian* 185, 5[0]   *Salzb* 285. III 9   *Sangall* 1157   *Triplex* 2421

Rubr.: VI Idus Septembris, in Nativitate sanctae Mariae,
— alia missa, collecta *Fulda* 1285
— oratio super populum *Ménard*
— oratio ad vesperas *Lucca*
— alia oratio *codd.* [0] *distincti*
— collecta *ceteri codd.*

Var. lect.: **1** domine quaesumus *transp. Lucca*   **1/2** gloriosa intercessio] *codd.* [+] *distincti*, intercessio veneranda *ceteri codd.*   **3** meminimus] *GelasV Prag*, devotissime (*praem. Sangall*[2] *Triplex*) celebramus *ceteri codd.*

206.

Adiuvet nos, quaesumus, domine, sanctum istud paschale mysterium et, ut devotis hoc mentibus exsequamur, obtineat.

Codd.: *Ariberto* 494[0]   *Bergom* 659[0]   *Biasca* 628[0]   *Engol* 877   *Fulda* 840   *GelasV* 514   *Gellon* 847   *Phill* 655   *Sangall* 675   *Triplex* 1552. 1597[0]

Rubr.: Missa in mediante die festo (entre les troisième et quatrième dimanches après Pâques), oratio ad complendum *seu* post communionem *codd.* [0] *distincti*
Orationes et preces in parochia, oratio ad complendum *seu* post communionem *ceteri codd.*

Var. lect.: 2 hoc] *om. Bergom Triplex* 1597

207.

Adsint nobis, domine, patrocinia tibi grata sanctorum et, quae pro illorum sollemnitate deferimus, eorum commendet oratio.

Codd.: *Leon* 714. 775

Rubr.: Mense Augusti, VIII Idus Augusti, natale sancti Xysti in coemeterio Callisti, III alia missa, <secreta> *Leon* 714
Mense Augusti, IV Idus Augusti, natale sancti Laurentii, XI alia missa, <secreta> *Leon* 775

208.

Adsint nobis, domine, quaesumus, haec munera, quae in honorem beati Georgii martyris tui sumpsimus: praesta, quaesumus, ut nobis et cunctis proficiant ad salutem.

Cod.: *Prag* 112, 3

Rubr. : VIII Kalendas Maii, passio sancti Georgii, oratio ad complendum

209.

Adsit, domine, clementia tua muneribus suppliciter immolandis, quia divinae laudis et gloriae est, quod, arcanis deditam semper officiis, angelicam veneramur, te concedente, substantiam.

Cod.: *GregorTc* 1972

Rubr. : <Missa> in <honorem> sancti archangeli Michaelis, oratio super oblata

210.

Adsit, domine, fidelibus tuis sacrae benedictionis effectus, qui mentes omnium spiritali vegetatione disponat, ut per opera pietatis tuae muneribus impleantur.

Codd. : *Engol* 1733   *GelasV* 1312   *Gellon* 1913   *Paris*[1]
267   *Phill* 1264   *Sangall* 1532   *Triplex* 15

Rubr.: Alia missa cottidiana, oratio ad *seu* super populum *codd.*

Var. lect. : **1** Adsit] Adesto *Gellon*   **3** pietatis] gratiae *add. Sangall²* *Triplex*

211.

Adsit, domine, misericordia tua populo, sanctorum deprecatione placatus, quae eum semper et purget a crimine et ab hoste defendat, temporalibus pro<hi>beat adiumentis et ad sanctorum gaudia sempiterna perducat.

Cod.: *Leon* 87

Rubr.: Mense Aprilis, XXII alia missa, <oratio super populum>

212.

Adsit, domine, quaesumus, gratia tua populo supplicanti, qui ad munerandum cito largiris et ad liberandum celeriter ades, qui per paenitentiam contemnis delicta, non usuraria largitate compensas pro meritis sed uberiora restituis, quam 5 preceris.

Cod.: *Milano* 964

Rubr. : Die XV° mensis Iunii, <natale> sancti Viti, oratio super sindonem

213.

Adsit, domine, quaesumus, propitiatio tua populo supplicanti, ut, quod, te inspirante, fideliter expetit, tua celeri largitate percipiat.

Codd. : *Brugen* IV, 3   *Engol* 176   *Fulda* 306   *Gellon*
181   *Gemm* 57. 133   *Gregor* 908°   *GregorTc* 2224⁺   *Leo-*
fric 69   *Leon* 168   *Ménard* 48 A   *Pamel* 378°. 399   *Paris*¹
43   *Phill* 185   *Ratisb* 171. 2518°   *Rhen* 139   *Salzb* III
18°   *Sangall* 160   *Trento* 35⁰⁺   *Triplex* 459   *Udalr*
1346°   *Vicen*¹ 970⁺. 1346°

Rubr.: Mense Aprilis, XLIII alia missa, <oratio super populum> *Leon*
Mense septimo, feria VI^a, oratio super populum *Gemm* 133
Alia oratio cottidiana *codd.* ° *distincti*

Missa pro sacerdote,
- oratio post communionem *GregorTc*
- alia oratio *Vicen*[1] 970
Dominica IIIª post Theophaniam *seu* Epiphaniam, oratio ad
seu super populum *ceteri codd.*

Var. lect.: *GregorTc Vicen*[1] 970 *formam adhibent primae personae
singularis* 1 quaesumus] *om. codd.* + *distincti* 2 ut] *et add. Leon*
expetit] exspectat *Gellon*

214.

Adsit ecclesiae tuae, deus, praeclara beati Zenonis intercessio, quae et munera nostra oculis tuae maiestatis acceptabilia faciat et te nobis placabilem reddat.

Codd.: *Ariberto* 66   *Biasca* 1398

Rubr.: VI Idus Decembris, <natale> sancti Zenonis episcopi, oratio
super oblata *codd.*

215.

Adsit ecclesiae tuae, domine, quaesumus, beatus evan-
gelista Iohannes, ut, cuius perpetuus doctor exsistit, semper
esse non desinat suffragator.

Codd.: *Bergom* 154º   *Biasca* 149º   *Engol* 57   *Fulda*
87   *GelasV* 41   *Gellon* 55   *Ménard* 35 B+   *PaAug* 8,
6   *Pamel* 191+   *Phill* 57   *Ratisb* 49+   *Rhen* 52   *San-*
gall 55   *Tassilo* 4   *Triplex* 262. 272º

Rubr.: VI Kalendas Ianuarii, in natale sancti Iohannis evangelistae,
- alia oratio super populum *i.e.* collecta *codd.* º *distincti*
- alia oratio *codd.* + *distincti*
- oratio ad *seu* super populum *ceteri codd.*

Var. lect.: 1 domine] *om. Pamel*   quaesumus domine *transp. codd.* º
distincti

216.

Adsit ecclesiae tuae, quaesumus, domine, sanctorum martyrum desiderata iucunditas eamque maiestati tuae et pia
semper intercessione conciliet et sua faciat celebritate de-
votam.

Codd.: *Salzb* II 35   *Trento* 872   *Vigil* 160

Rubr.: Orationes et preces in natale plurimorum martyrum, oratio
super populum *Trento*
IV Kalendas Iunii, natale sanctorum Sisinii, Martyrii et
Alexandri, oratio ad complendum *Salzb Vigil*

Var. lect.: **1** quaesumus] *om. Trento*   **1/2** martyrum] tuorum Sisinii,
Martyrii atque Alexandri *add. Salzb Vigil*

217.

Adsit nobis, domine, quaesumus, sancta precatio beati
pontificis et martyris tui Fabiani, quae nos et a terrenis
affectibus incessanter expediat et caelestia desiderare perficiat.

Codd.: *Aquilea* 241^{r+}   *Ariberto* 815°   *Bergom* 1039°   *En-*
gol 152   *Franc* 99+   *Fulda* 156   *GelasV* 819   *Gellon*
157   *Goth* 468   *Milano* 1073°   *Phill* 163   *Prag* 20, I. 225,
1+   *Sangall* 139   *Triplex* 411. 2247°. 2697. 2903

Rubr.: X Kalendis Octobris, <in festo> sancti Mauritii et sociorum,
collecta *Aquilea*
(Alia) missa de uno martyre, collecta *Franc   Prag* 225, 1
In natale plurimorum confessorum,
    - collectio <quae sequitur praefationem *i.e.* introductio-
nem> *Goth*
    - oratio ad complendum *Triplex* 2903
XVI Kalendas Decembris, natale sancti Otmari confessoris
Christi, alia oratio *Triplex* 2697
VI Idus Augusti, <natale> sanctorum Carpophori et Donati,
oratio ad complendum *seu* post communionem *codd.* ° *dis-*
tincti
XIII Kalendas Februarii, in natale sancti Fabiani,
    - collecta *GelasV Prag* 20, 1
    - alia collecta *ceteri codd.*

Var. lect.: **1/2** Adsit ... terrenis] Quaesumus, omnipotens deus ut beati
Otmari confessoris tui sancta precatio et terrenis nos *Triplex* 2697
1 nobis] *om. Fulda*   quaesumus domine *transp. codd.* + *distincti*
1/2 sancta ... Fabiani] per intercessionem beatissimorum martyrum tuorum
Donati et Carpophori tua sancta perceptio *Ariberto Bergom Milano*,
beatissimorum martyrum tuorum Donati et Carpophori sancta precatio
Triplex 2247, beatorum martyrum tuorum Mauritii et sociorum eius sancta precatio *Aquilea*, beati martyris tui illius sancta precatio *Franc   Prag*
225, 1, (de)precatio sancta iustorum *Goth   Triplex* 2903   **2** et1] *om. ii-*
dem codd.   **3** expediat] expeditos *iidem codd.*   desiderare] semper *praem. Aquilea*

218. Br 44

Adsit nobis, domine, quaesumus, virtus spiritus sancti,
quae et corda nostra clementer expurget et ab omnibus tueatur adversis.

Codd. : *Adelp* 772   *Aquilea* 118vo   *Arbuth* 202⁰   *Bec*
89   *Benevent*² 121⁰.   125   *Buchsheim* 12   *Cantuar* 53   *Ca-*
*sin*¹ 371   *Curia* 135^v   *Fulda* 983   *GelasV* 648⁰   *Gel-*
lon 1041   *Gemm* 119   *Gregor* 535   *GregorTc* 1819   *Her-*
ford 168   *Lateran* 132⁰   *Leofric* 112   *Leon* 225   *Lucca*
118   *Mateus* 1575   *Ménard* 113 B   *Metz*¹ 82   *Milano*
477   *Nivern* 240⁰   *Pad* 477   *Pamel* 301   *Panorm* 516   *Praem* 83.
84⁰.   222   *Prag* 130, 1   *Ratisb* 812   *Ripoll* 549   *Ros-*
sian 122, 1   *Sangall* 825   *Sarum* 432   *Schäftlarn* 13   *Tren-*
to 581   *Triplex* 1882   *Udalr* 681   *Vicen*¹ 184   *Vicen*²
206   *Vigil* 186   *Winch* 16   *West* I 364⁰. II 525⁰. III 1366⁰. III
1481 (Rouen MS. 10.048)

Rubr.: Mense Maii, in dominica Pentecostes, III alia missa, <oratio
super populum> *Leon*
Alia oratio ad vesperos infra octavam Pentecostes *GelasV*
Sabbato (in XII lectionibus) infra octavam Pentecostes, alia
oratio *Benevent*² 125
In die Pentecostes, alia oratio *Casin*¹
Missa pro gratia sancti Spiritus, collecta *GregorTc*
In die sancto Pentecostes, oratio ad completorium *Praem* 83
<Missa votiva> de sancto Spiritu, ferialibus diebus, feria III^a,
collecta *Praem-MP* 222
Gratiarum actio post missam, alia oratio *West* II 525. III 1366
Feria III^a infra octavam Pentecostes,
– secreta *West* III 1481
– collecta *ceteri codd.*

Var. lect. : 1 quaesumus domine *transp. codd.* ⁰ distincti quaesu-
mus] *om. Adelp*   2/3 tueatur] semper *praem. West* II 525. III 1366
3 adversis] inimicis *Leon*

219.

Adsit nobis, domine, sancti Laurentii martyris
in tua glorificatione benedictio,
cuius nobis est hodie facta suffragium
in tua virtute confessio.

Codd. : *Engol* 1206   *Fulda* 1194   *GelasV* 980   *Gellon*
1318   *Gregor* 190*   *Leon* 782   *Ménard* 131 B⁰   *Pamel*
328⁰   *Ratisb* 995   *Rhen* 782⁰   *Sangall* 1071   *Triplex* 2290

Rubr.: Mense Augusti, IV Idus Augusti, natale sancti Laurentii, XIII
alia missa, <collecta> *Leon*

IV Idus Augusti, in natale sancti Laurentii,
- alia oratio ad vesperum *GelasV*
- alia oratio *ceteri codd.*

Var. lect.: 1 nobis] *om. Pamel* domine] *Leon,* quaesumus *add. ceteri codd.* sancti Laurentii martyris] tui *add. codd.* ° *distincti,* sancti martyris tui Laurentii *Ratisb*

220.

Adsit nobis, omnipotens deus, beatissimi pontificis tui Dunstani iugis oratio, quae nos illius mysterii participatione dignos efficiat, in quo totius humanae salutis summa consistit.

Codd.: *Cantuar-A* *West* III 1550 (Durham Whitby)

Rubr.: Die XIX° mensis Maii, in natali sancti Dunstani, postcommunio *codd.*

221.

Adsit nobis, quaesumus, domine, sancti tui spiritus gratia, quae, efficacissimam suae pietatis consolationem nostrae adhibens fragilitati, mentis nostrae tenebras sui splendoris radio illustret.

Cod.: *Adelp* 767

Rubr.: In die sancto <Pentecostes>, oratio post communionem

222.

Adsit oratio sanctorum, qui per universum mundum passi sunt propter nomen tuum, domine, et sanctorum apostolorum, martyrum ac virginum et sanctorum comitum eorum, quaesumus, domine, et nos protege et viam nostram in salutis
5 tuae prosperitate dispone, ut inter omnes vitae huius varietates tuo semper protegamur auxilio, et famulis ac famulabus tuis, qui nobis fecerunt eleemosynam et in orationibus nostris se commendaverunt vel qui mihi confessi fuerunt, quorum nomina ante sacrum altare tuum scripta adesse videntur,
10 porrige eis dexteram caelestis auxilii, ut et te toto corde perquirant et, quae digne postulant, assequantur, et animabus omnium fidelium catholicorum orthodoxorum, quibus donasti baptismi sacramentum, in regione sanctorum iubeas dari eis consortium et plenitudinem gaudiorum.

Codd.: *Benevent*[1] 190   *Casin*[1] 66   *Rhen* 1321

Rubr.: Missa communis, collecta *Benevent*[1]
Litaniae per hebdomadam, feria V[a], alia oratio *Casin*[1]
Missa in natale sanctorum vel pro memoria vivorum sive
agenda mortuorum fidelium in Christo, collecta *Rhen*

223.

Adsit, petimus, clementissime deus, huic familiae tuae
miserationis propitiatio et beati confessoris tui atque abbatis
Mauri intercessione haec sancta, quae indigni sumpsimus, ad
salutem esse concede.

Codd.: *Gemm* 152   *Winch* 59   *West* II 743   *West* III 1528
(Coutances St-Alban's Tewkesbury Vitell)

Rubr.: XVIII Kalendas Februarii, natale sancti Mauri abbatis, oratio
ad complendum *seu* postcommunio *codd.*

Var. lect. : 1 petimus] *om. West*   huic] tuae *West*   3 Mauri]
transp. post beati *West*

224.

Adsit plebi tuae, omnipotens deus, beatae martyris tuae
illius supplicatio, ut, cuius gaudet honore, protegatur auxilio.

Codd.: *Arbuth* 334   *GregorTc* 3409   *Herford* 286   *Leo-*
fric 174   *Pamel* 421   *Sarum* 816   *Triplex* 2907   *West* II
872   *West* III 1567 (Durham St-Alban's)

Rubr.: XII Kalendas Augusti, <natale> sanctae Praxedis virginis non
martyris, collecta *Arbuth Herford Sarum West*
In natale virginum et martyrum, oratio ad *seu* super populum
ceteri codd.

Var. lect. : 1/2 beatae ... illius] beatae Praxedis virginis tuae *Arbuth*
Herford Sarum West   2 supplicatio] veneranda festivitas *Leofric*
Triplex   cuius] quicumque eius *Arbuth Herford Sarum West*   gaudet
honore] honoribus gloriatur *Pamel*   honore] honoribus *GregorTc Leo-*
fric   protegatur] tuo semper *praem. Sarum*

Nota: *Comparez à l'oraison*: "Prosit plebi tuae, omnipotens deus,
sanctarum ... protegatur auxilio."

225.

Adspira, domine, offerentium votis propitius
et requiem defunctis concede benignus.

Codd.: *Silos*[3] 783   *Toledo*[4] 1425 (1454)

Rubr.: Alia missa de cottidiano, <oratio> post nomina *Silos*[3]
Officium de XVII° dominico de cottidiano, <oratio> post
nomina *Toledo*[4]

226.

Adsunt, domine deus, dies illi, quos colendos nobis documento tui exempli sub quadragenaria ieiunii decursione
signasti; proinde tuam pietatem poscimus et rogamus, ut,
hodiernae sollemnitatis sacrificio delibutus, largiaris suppli-
5 cantibus famulis spiritalis alimoniae cibum et tuae sermocinationis edulium, quo, ad instar prophetae tui Eliae huius
sacrificii libatione muniti, ita a crastino laboriosa divinae
institutionis salubriter expediamus ieiunia, ut sermocinationis
tuae mereamur potiri loquela.

Codd.: *Toledo*[3] 324   *Toledo*[5] 16

Rubr. : Missa de initio quadragesimae, id est, de carnibus tollendis,
<oratio> post "Pridie" *codd.*

Fontes: 6/7 ad instar ... muniti] cfr III Reg. 19, 3-8

227.

Adveniat, quaesumus, domine, misericordia sperata supplicibus et eisdem caelestis munificentia tribuatur, qua et
recte poscenda cognoscant et postulata percipiant.

Codd. : *Arbuth* 116   *Leon* 637   *Sarum* 245   *West* I
218   *West* III 1466 (Abingdon St-Alban's Tewkesbury)

Rubr.: Mense Iulii, preces diurnae cum sensibus necessariis, XXXIX
alia missa, <oratio super populum> *Leon*
Feria IV[a] hebdomadae V[ae] quadragesimae, oratio super populum *ceteri codd.*

Var. lect. : **1** domine quaesumus *transp. West*   misericordia] tua
add. Arbuth West   **1/2** supplicibus] tuis *add. Arbuth*   **2** eisdem] eis
Arbuth Sarum West   qua] quatenus *Arbuth Sarum West*   **3** poscenda
cognoscant] petenda postulent *Arbuth Sarum West*

228.

Aeternae pignus vitae capientes, humiliter imploramus, ut, apostolicis fulti patrociniis, quod in imagine gerimus sacramenti, manifesta perceptione sumamus.

Cod.: *Leon* 335

Rubr.: Mense Iunii, in natale apostolorum Petri et Pauli, XVII alia missa, <postcommunio>

Nota: *Comparez à l'oraison*: "Pignus aeternae vitae ... perceptione sumamus."

229.

Aeterne et inaestimabilis deus summe, in quo beatissima famula tua Natalia vehementi gaudio exsultavit, cum sibi coniunctum beatissimum Adrianum, ad te conversum, tota fidei devotione cognovit, tu nos, in te credentes ac de te
5 sperantes, utrorumque precibus salva, utrorumque etiam et suffragatione iustifica.
Ille nos exemplo suo fortiores efficiat, haec et curandos regat et curatos tibi exhibeat; per illum torpens ad virtutes animus excitetur, per hanc vulnerum abdita medeantur; sus-
10 citandos ille suscipiat, quos visitandos ista custodiat; ille curatis gloriam, haec curandis adhibeat medicinam; colligat ille, quos ista non reprobet, curetque ista, quos ille glorificet, quo per utrosque sic curandis adhibeatur salvatio, ut curatis donetur aeternae gloriae plenitudo.

Codd.: *Toledo*[3] 795   *Toledo*[5] 97   *Toledo*[6] 503

Rubr.: Missa in die sancti Adriani <et sanctae Nataliae>, <oratio> "Alia"

230.

Aeterne dei filius, cuius incarnationis mysterium et peccatoribus ad veniam et sanctis profuit ad coronam, tu, offerentium solita pietate suscipe vota, quo cum illis mereamur in futura regione partem habere, qui, te pro nostra olim
5 venisse credendo salute, martyriali sunt proprio consecrati ex sanguine, ut, qui incarnationis tuae gloria dedicamur, sanctis tuis apud te intercedentibus, pro quiete exaudiri defunctorum fidelium mereamur.

Cod.: *Toledo*[4] 1523 (1178)

Rubr.: Missa inchoante Adventu Domini, <oratio> post nomina

231.

Aeterne dei filius, qui, pro nobis mortem excipiens crucis,
vivus tertia die resurrexisti a mortuis, placatus suscipe haec
apposita tibi paschalium sacrificiorum libamina; haec tibi et
offerentium devotionem et sepultorum spiritus obnoxie com-
5 mendent, quo per resurrectionis tuae victoriam et in viventibus mors vitiorum intereat et in defunctis poenalis com-
bustio evanescat.

Codd.: *London*[6] 176. 245 (1196)   *Toledo*[3] 659   *Toledo*[6] 33

Rubr.: Missa in die sabbato post Pascha, <oratio> post nomina
London[6] 245 (1196)
Missa de V[a] feria Paschae, <oratio> post nomina *ceteri codd.*

Var. lect.: **3** sacrificiorum] gaudiorum *London*[6] 245 (1196)   **3/5** haec
tibi ... commendent] *om. idem*

232.

Aeterne dei filius, qui virgineae matris uterum sic intra-
sti, ne rumperes, sic aperuisti, ne signata ullo modo violares,
suscipe benignus hoc sacrificium, quod tibi ob incarnationis
tuae dedicamus mysterium, tribuens per hoc et vivis animae
5 corporisque salutem et defunctis aeternae repausationis felicitatem.

Codd.: *London*[4] 59   *Toledo*[3] 103   *Toledo*[7] 22

Rubr.: Missa in die sanctae Mariae, <oratio> post nomina *codd.*

233.

Aeterne deus omnipotens, qui, ullis absque praecedentibus
meritis, vocas ad te peccatores ac tuos misericorditer ditas
famulos, tu nobis hunc testem tuum beatissimum Pelagium
proroga patronum, qui pro te sanguine fuso incomparabile
5 meruit pervenire ad praemium. Habeat, te concedente, fidelis
curam gregis, qui supplicium non renuit subire passionis
atque perfido qui veritatem non tacuit regi, nomine solum-

modo glorians unigeniti tui. Indefesse pro nobis intercessor accedat tibi, ut inter aerumnas saeculi careamus vitiis nullis-
10 que inhaereamus deceptionum illecebris, sicque per hunc martyrem tuum te dominum habeamus propitium, quo offe- rentium fructus multiplices et uberes frugum redditus effi- cere solita pietate digneris. Nullis igitur a te praecipitemur lapsibus, nullis evocemur scandalis, qui propriis emergere a
15 pedoribus nequimus omnino viribus. Quapropter te rogamus esse nobis placidum, qui nos ad tuam fecisti imaginem et per baptismatis reformasti tinctionem.

Cod.: *London*[5] 205 (1254)

Rubr.: Officium in die sancti Pelagii, <oratio> "Alia"

234.

Aeterne deus summe, adclines clementiam exoramus divinitatis tuae, ut, qui hodie inter angelorum florentissimas legiones, prophetarum fulgentissimos fasces, inter aposto- lorum titulos latiores, martyrum virginumque catervas dica-
5 tas gloriosam virginem assumpsisti Mariam per unigenitum tuum filiumque suum dominum nostrum ad superam et in- enarrabilem caeli sedem, quo nemo hominum creditur as- sumptus nullusque praeter illam attolli noscitur sexus, dum non sola merito ibidem pervenire potuit, nisi quod sola virgo
10 post parturitionem mansit, solaque caeli ac terrae dominum divinitus parturit et deum, caro factum, ineffabiliter vehit ...
Te quaesumus, te rogamus, ut, sicut illam tanti incircum- scripti muneris fecisti dominam, ita facias ecclesiam tuam, per universum orbem diffusam, te deo praesule, omnium
15 contra eam venientium respuere pravitatem, nesciens in reli- gione casum, abdicans in conversatione deliquium. Sit, quae- sumus, domine, in regibus gloriosa, in clericis dedicata, in ministris sancta, in martyribus prompta, in virginibus illi- bata, in continentibus fecunda, in pauperibus affluens, in
20 pupillis exuberans, in captivis et vinctis clemens, in viduis continens, in oppressis relevans, desperatis solamen imper- tiens, in lascivis refrenans, in luxuriosis evacuans, in ob- stinatis hebetans, in desperatis pia, in viventibus magistra, in fidelibus defunctis requies exoptata.

Codd.: *London*[5] 697   *Toledo*[3] 895   *Toledo*[7] 68

Rubr. : Missa in die Assumptionis sanctae Mariae, <oratio> post nomina *codd.*

235.

Aeterne omnipotens deus, qui beatum Ambrosium, tui nominis confessorem, non solum huic ecclesiae sed omnibus per mundum diffusis ecclesiis doctorem dedisti, praesta, ut, quod ille, divino affatus spiritu, docuit, nostris iugiter sta-
5 biliatur in cordibus et, quem patronum, te donante, amplectimur, eum apud tuam misericordiam defensorem habeamus.

Codd. :   *Bergom* 46   *Biasca* 46   *Casin*[1] 215   *Metz*[1] 88
Milano 835   *Ratisb-A* 36   *Udalr* 815

Rubr.: VII Idus Decembris, ordinatio beati Ambrosii,
     - alia oratio ad vesperum et ad vigiliam *Bergom Biasca*
     - alia oratio *Casin*[1]
     - alia oratio super populum *i.e.* collecta *Milano*
     XVII Kalendas Septembris, natale sancti Arnulfi, alia oratio
     ad complendum *Metz*[1]   *Ratisb-A*
     <V Kalendas Augusti>, translatio sancti Filastri, oratio ad
     complendum *Udalr*

Var. lect. : 1 Aeterne] quaesumus *add. Ratisb-A Udalr*   2/3 non solum ... ecclesiis] ecclesiae tuae *Metz*[1]   *Ratisb-A Udalr*   3 praesta] quaesumus *add. iidem codd.*   4 divino affatus spiritu] divino afflatu *Ratisb-A Udalr*   6 habeamus] habere mereamur *Ratisb-A*

236.

Aeterne omnipotens deus, qui magno pietatis auxilio populo tuo sanctorum precibus prospera largiri dignaris, concede propitius beatissimorum martyrum tuorum Nazarii et Celsi gloriosae passionis victoriam celebrare laetantes et,
5 quos, te donante, patronos defensoresque amplectimur, hos apud tuam misericordiam propacatores habeamus.

Codd. :   *Ariberto* 788   *Bergom* 1012   *Biasca* 947   *Milano*
1058   *Triplex* 2176

Rubr.: V Kalendas Augusti, natale sanctorum Nazarii et Celsi,
     - alia oratio ad vesperum *Milano*
     - missa in vigiliis, alia oratio super populum *i.e.* collecta
     ceteri codd.

237.

Aeterne omnipotens deus, qui universam in principio creaturam, verbo cooperante, ex nihilo condidisti quique angelicam substantiam splendore conspicuo potentialiter ador-

nasti, te supplices quaesumus et oramus, ut hac sollemnitate,
5 quam sub tui nominis invocatione in honorem archangeli
Michaelis celebramus, nostras preces exaudire digneris.

Cod.: *Bobbio* 395

Rubr.: Missa in honorem sancti Michaelis, collecta

238.

Aeternum te dominum et indeficiens bonum, adclines
servi tui humiliter obsecramus, ut, qui et beatitudinem fidelibus et remissionem delinquentibus non nisi intra sanctam
ecclesiam conferri posse sanxisti, des et viventibus in ea sine
5 lapsu consistere et defunctis per eius supplicationem a
debitis suppliciis liberari, ut et viventium te lingua simul et
vita glorificet et defunctorum requies aeterna exsultatione
concelebret.

Cod.: *Toledo*⁴ 1328 (1427)

Rubr.: In XIVᵒ dominico de cottidiano, <oratio> post nomina

239 a.

Afflictionem familiae tuae, quaesumus, domine, intende
placatus, ut, indulta venia peccatorum, de tuis semper beneficiis gloriemur.

Codd.: *Ariberto* 362⁺   *Bergom* 433⁺. 735"   *Beuron*¹ III, 1   *Bias-*
ca 395⁺. 704"   *Engol* 523ᵒ. 2260   *Fulda* 595. 2095   *Gellon*
501ᵒ. 909   *Gemm* 144   *Gregor* 845   *Leofric* 83. 242   *Mé-*
nard 107 A   *Milano* 445   *Nivern* 328   *Pad* 941   *Pa-*
mel 373   *Phill* 1713   *Ratisb* 752   *Rhen* 349ᵒ   *Ripoll*
767   *Sangall* 439ᵒ   *Sangall** 7ᵒ   *Trento* 894   *Triplex*
1028ᵒ. 1038. 1760"   *Udalr* 1286   *Vicen*¹ 1285

Rubr.: Feria Vᵃ hebdomadae IIIᵃᵉ quadragesimae, collecta *Leofric* 83
Feria IIIᵃ hebdomadae Vᵃᵉ quadragesimae,
  - alia oratio super populum *i.e.* collecta *Triplex* 1038
  - oratio super sindonem *codd.* ⁺ *distincti*
  - oratio ad vesperum *Fulda* 595
  - alia collecta *codd.* ᵒ *distincti*
Orationes quae dicendae sunt in litaniis vel in vigiliis cottidianis diebus, de die tertio, alia oratio *codd.* " *distincti*
In Litania minore, in secunda die *seu* feria IIIᵃ,
  - alia oratio *Ménard   Ratisb*
  - ad missam, attribution incertaine *Gellon* 909
Alia oratio pro peccatis *ceteri codd.*

Var. lect. : 2/3 de ... gloriemur] liberis tibi mentibus serviamus *Pamel* (*par homoioteleuton avec l'oraison qui suit dans le manuscrit* [*cfr l'oraison*: "Ab omnibus nos, quaesumus, domine, peccatis ... mentibus serviamus."]) beneficiis] veniis *Leofric* 242

239 b.

Afflictionem famulorum tuorum, domine, illorum propitius respice, ut, indulta venia peccatorum, de tuis semper consolationibus glorientur.

Codd.: *Monza* 966   *Ratisb* 2243

Rubr.: (Alia) missa pro tribulantibus,
   - alia collecta *Ratisb*
   - secreta *Monza*

Var. lect.: *Monza formam adhibet singularis*

240.

Agamus omnipotenti deo gratias, quia refecit nos pane caelesti et poculo spiritali, sperantes ab eius benigna clementia, ut per effusionem spiritus sancti sui, in quibus cibi caelestis virtus introivit, sinceritatis gratia perseveret.

Cod.: *Goth* 541

Rubr.: Missa dominicalis VI[a], <collectio> post communionem

241.

Agnoscentes, domine, quid laudis sanctis tuis dederis quidve virtutis, illos auctores rogamus ad veniam, quos tibi familiares scimus ad gloriam; illis indulgentiam credimus ex supplicii poena, quibus te novimus ex hostibus indulsisse
5 victoriam.
   Illos sequimur pro misericordia, qui te secuti sunt pro corona, ut per ipsos recipias intercessionis officium, per quos insinuas devotionis exemplum; ut non punias reos, dum repudias advocatos; ut peccatoribus parcas, dum martyribus
10 nihil excusas; ut indulgentiam largiaris in perditis, dum amicitiam impertiris in sanctis; ut intercessio fortes habeat ad patrocinium, quos confessio fideles habuit ad triumphum.

Cod.: *Toledo*[3] 1043

Rubr.: Alia missa de sanctis, <oratio> "Alia"

242.

Agnus dei, qui tollis peccatum mundi, respice in nos et miserere nobis, factus ipse hostia, qui sacerdos, ipse praemium, qui redemptor, a malis omnibus, quos redemisti, custodi.

Codd.: *Gallic* 212   *Goth* 211

Rubr.: Missa paschalis, IVª feria, collectio <post nomina> *Gallic*
Missa in Cena Domini, <collectio> post secreta *Goth*

Var. lect.: 1 peccatum] *Gallic*, peccata *Goth*   2 factus] *Gallic*, nobis add. *Goth*

Fontes: 1 Agnus ... mundi] cfr Ioh. 1, 29 b

243.

Alimonia caelesti potuque spirituali recreati, tuam, deus pater, obsecramus pietatem, ut per eandem, quam hodierna die sanctae imaginis Christi filii tui veneramur passionem, cunctorum a te mereamur consequi veniam delictorum.

Cod.: *Ripoll* 1326

Rubr.: V Idus Novembris, passio Imaginis Domini, postcommunio

244.

Altare tuum, domine, manus tuae consecratione sanctifica teque ipsum mentibus nostris laetitiae et gratiae spe resurrectionis ostende. Omnibus, tibi servientibus, vota, quae acceptare digneris, inspirando largire. Populum tuum placabilis
5 respice atque ad partem gratiae salutaris admitte. Confitentibus parce, laetantibus fave ac tristes per indulgentiam consolare.

Codd.: *Toledo*³ 1155   *Toledo*⁴ 1044

Rubr.: Missa cottidiana VIª, <oratio> post "Pridie"

245. Br 46

Altare tuum, domine deus, muneribus cumulamus oblatis;
da, quaesumus, ut ad salutem nostram sanctorum tuorum
precatione proficiant, quorum sollemnia ventura praecur-
rimus.

Codd.: *Adelp* 1096 *Alcuin* 94 *Aquilea* 224$^{ro"}$. 245^{r} *Ar-*
buth 387^{o+} *Bec* 209^{+} *Bergom* 1637 *Biasca* 1383" *Can-*
tuar 118 *Curia* 209 *Fulda* 1393 *Gemm* 221 *Gregor*
286 * *GregorTc* 3250°. 3648 *Herford* 351° *Lateran* 285
Leofric 165 *Marienberg* 303* *Mateus* 2223° *Ménard* 146 A
Nivern 308 *Otton* 121$^{v"}$ *Oxford* 173° *Pad* 1222 *Pa-*
mel 348 *Praem* 101. 203° *Ratisb* 1178 *Ripoll* 1308 *Ros-*
sian 211, 2^{+} *Rosslyn* 71^{+} *Sangall-B* 28" *Sarum* 952°
Stuttgart^{4} p. 137° *Trento* 1266 *Triplex* 3301" *Udalr* 833.
1019" *Winch* 177 *West* II 987°

Rubr.: V Idus Iulii, vigilia sanctorum Hermachorae et Fortunati
martyrum, secreta *Aquilea* 224^{r}
Kalendas Novembris, festivitas omnium sanctorum, oratio
super oblata *Bergom*
In vigilia martyrum, oratio super oblata *GregorTc* 3250
Die XIV° mensis Decembris, <in festo> sanctorum Nicasii et
sociorum, secreta *Praem-MP* 101
<VIII Kalendas Augusti>, natale sancti Christophori martyris,
secreta *Udalr* 833
II Kalendas Novembris, vigilia omnium sanctorum, oratio
super oblata *seu* secreta *ceteri* codd.

Var. lect.: **1** Altare ... oblatis] *om. Nivern* domine] *om. Udalr* 833
deus] *om.* codd. ^{o} *distincti* da] *om. Curia Leofric* **2** sanctorum]
omnium *praem. Ménard Pamel* tuorum] *om. Pamel* **3** precatione]
deprecatione *codd.* $^{+}$ *distincti* **3/4** quorum ... praecurrimus] quorum
gloriosa certamina veneramur *Praem-MP,* cuius sollemnitatem veneramur *Udalr* 833 **3** ventura] *om.* codd. " *distincti*

246.

Altari tuo, domine, devotionis nostrae supplices imponi-
mus hostias, quas, in honorem almi confessoris et antistitis
tui Syri devota mente celebrantes, nobis ad perpetuam proficere sentiamus salutem.

Cod.: *Ariberto* 701

Rubr. : XVI Kalendas Iunii, translatio sancti Syri episcopi, oratio
super oblata

247.

Altari tuo, domine, superposita munera spiritus sanctus
benignus assumat, qui hodie beatae Mariae viscera splendoribus suae virtutis replevit.

Codd.: *Aquilea* I[v][μ]   *Ariberto* 106[o+]   *Benevent*[1] 422   *Bene-*
vent[2] 36   *Bergom* 84[o+]   *Biasca* 84[o+]   *Bobbio* 127   *En-*
gol 884   *Fulda* 267   *Gellon* 852   *Ménard* 52 A[+]   *Pa-*
Ang 144   *Pamel* 210[+]   *PaMon-Ben* 25, 2   *Phill* 662
Praem-MB 124[+]. 226[+][μ]   *Ragusa* 383   *Ratisb* 213[+]   *Rossian*
32, 3   *Salzb-A* 3[μ]   *Sangall* 679   *Trento* 197   *Triplex*
151[o+]. 554   *Udalr* 1247   *Vicen*[1] 285   *Winch* 84[+]

Rubr.: De beata virgine <tempore Adventus>, secreta *Aquilea*
    Praem-MB 226
    Dominica VI[a] de Adventu, alia missa ad sanctam Mariam,
    oratio super oblata *seu* secreta *codd.* [o] *distincti*
    VIII Kalendas Aprilis, Annuntiatio sanctae Mariae,
    - <collectio> ad pacem *Bobbio*
    - alia secreta *Vicen*[1]
    - oratio super oblata *seu* secreta *ceteri codd.*

Var. lect. : **1** domine] quaesumus *praem. Aquilea*   superposita] superimposita *Sangall*[2]   *Triplex* 554   superposita munera] hostias super-
positas *Winch*   **2** benignus] *om. codd.* [+] *distincti*   Mariae] semper
add. Salzb-A, virginis *item add. codd.* [μ] *distincti*   **2/3** splendoribus
suae virtutis] splendoris sui veritate *Bobbio*, sui splendoris veritate *codd.*
[o] *distincti*

248.

Altaria haec, domine, quae sacrificiis caelestibus incho-
ando reverenter aptamus, concede, quaesumus, ut et grata
semper oculis tuae maiestatis appareant et salutaria fieri
populis christianis beatus ille martyr, per quem tibi dicantur,
5 obtineat.

Codd.: *Benevent*[1] 795   *Leofric* 219

Rubr.: Missa in dedicatione,
    - oratio secreta *Benevent*[1]
    - alia oratio super oblata *Leofric*

Var. lect. : **1/2** Altaria ... inchoando] Altare tuum domine sacrificiis
caelestibus inchoandum *Leofric*   **4** per quem tibi dicantur] cuius tibi
dicantur honore *Leofric*

249.

Altaria tua, domine, mysticis muneribus cumulamus, maiestatem tuam suppliciter deprecantes, ut, ipsius adiuvantibus meritis, carere mereamur cunctis contagiis.

Codd.: *Arbuth* 361   *Sarum* 890

Rubr. : <Die XXXI° mensis Augusti, in festo> sanctae Cuthburgae virginis non martyris, secreta *codd.*

250.

Altaria tua, domine, quaesumus, donis caelestibus firmentur, sanctique Iuliani pontificis meritis suffragantibus, haec sancta commercia sanctificentur et divina inspiratione ditentur ac sancti spiritus innovatione ad nostram salutem
5 animarum vegetentur.

Cod.: *West* II 757

Rubr. : <VI Kalendas Februarii>, in natali sancti Iuliani episcopi et confessoris, secretum

251.

Altaria tua, domine, veneranda cum hostiis accedentes, fac, quaesumus, ut indulgentiam nobis tribuant et fidei devotionem ipsius meritis, cuius celebramus festivitatem.

Cod.: *Herford* 222

Rubr.: III Nonas Decembris, de sancto Birino fiat memoria, secreta

Nota: *Comparez à l'oraison*: "Ad altaria, domine, veneranda ... concilient et favorem."

252.

Altaribus tuis, domine, munera nostrae servitutis inferimus, quae, placatus accipiens, et acceptum tibi nostrum, quaesumus, famulatum et sacramentum nostrae redemptionis efficias.

Cod.: *Leon* 511

Rubr. : Mense Iulii, orationes et preces diurnae, XVII alia missa, <secreta>

253.

Altaribus tuis, domine, munera pro commemoratione sancti Prisci martyris tui gratanter offerimus, precantes, ut, ipso intercedente, haec eadem nobis ad caelestia promerenda proficiant.

Codd.: Arbuth 362   Sarum 892

Rubr. : <Die I° mensis Septembris>, memoria de sancto Prisco martyre, secreta codd.

Var. lect.: 1 munera domine] transp. Arbuth

254.

Altaribus tuis, domine, munera terrena gratanter pro commemoratione sancti Germani confessoris tui atque pontificis offerimus, ut, ipso pro nobis intercedente, a nexibus criminum liberati, tibi placere valeamus.

Codd.: West III 1574 (Coutances Sherborne Winchcombe)   Winch 130

Rubr.: II Kalendas Augusti, natale sancti Germani confessoris, secreta

255.

Altaribus tuis, domine, munera terrena gratanter offerimus, ut caelestia consequamur; damus temporalia, ut sumamus aeterna.

Cod.: Leon 91

Rubr.: Mense Aprilis, XXIV alia missa, <secreta>

256.

Amator et conservator sanctorum, omnipotens pater, ecce super altare tuum in honorem sanctorum apostolorum Simonis et Iudae panis ac vini ab unigenito tuo domino nostro holocausta instituta proponimus eaque sancti spiritus rore
5 perfunde, deposcimus: dignetur, quaesumus, super illa illabi

spiritus sanctus; dignetur illa, sanctificata, suscipere illorum
institutor, tuus unigenitus filius, ut, quotquot ex illis liba-
verimus, non pro praesumptione sustineamus vindictam sed
pro voto perfrui mereamur coronam, qualiter, Christi domini
10 nostri filii tui perceptis sacrificiis communicantes, ad conspectum gloriae tuae perveniamus indemnes.

Cod.: *Toledo–B* 88 (1484)

Rubr. : In \<die\> sanctorum Simonis et Iudae apostolorum, \<oratio\>
post "Pridie"

257.

Amove a nobis, quaesumus, domine, totius maculas simultatis, ut, dum purae dilectionis deliciis mens pascitur expiata,
tuae ubertatis repleta dulcedine, nec indigentiam attenuatio
corporis sentiat nec defectum.

Cod.: *Toledo³* 467

Rubr. : Missa de Vᵃ feria in sequenti hebdomada post vicesima,
\<oratio\> ad pacem

258.

Angelico pane, ne deficiamus in hoc peregrinationis itinere, quaesumus, domine, ut sancti confessoris tui Leufredi
meritis eodem mereamur in caelestis patriae gloria perenni-
ter satiari.

Cod.: *Bec* 155

Rubr. : Die XXIᵒ mensis Iunii, \<in festo\> sancti Leufredi abbatis,
postcommunio

259.

Anima mea, domine, tibi digna sit et sanctis tuis placita
et angelis tuis recipienda et in lumine claritatis reddita sit et
in conspectu tuo firmata consistat.

Cod.: *Vicen¹* 973

Rubr.: Missa quam sacerdos canere debet, oratio ad complendum

260. Br 52

Animabus, quaesumus, domine, famulorum famularumque tuarum illorum oratio proficiat supplicantium, ut eas et a peccatis exuas et tuae redemptionis facias esse participes.

Codd. : *Adelp* 1725[+μ#]   *Aquilea* 295[ro"#]   *Avellan*[3] 873   *Arbuth* 389"#. 472[o"#]   *Bec* 273   *Benevent*[1] 301[o"]. 835[+μ]   *Cantuar* 156[o#]   *Curia* 271#   *Fulda* 2580[+]   *GelasV* 1675   *Gellon* 2983   *GregorTc* 3027. 3031. 3044[+]   *Herford* 354"#. 433[o"#]   *Iena* 125[o"]   *Lateran* 323   *Leofric* 197   *Mateus* 2917   *Mauric* 54   *Milano* 1399   *Monac*[7] 5[o"]   *Nivern* 383#   *Otton* 196[roμ#]   *Oxford* 80#   *Pamel* 461   *Phill* 1993   *Praem* 277   *Prag* 297, 5   *Ratisb* 2376#   *Ripoll* 1767   *Rossian*, 357, 6#   *Sarum* 959"#. 879[*o"#]   *Suppl* 1440   *Triplex* 3539   *Vicen*[1] 1653. 1767   *Vicen*[2] 396   *West* II 1177[o#]. III 1311#

Rubr.: IV Nonas Novembris, in commemoratione animarum, post-communio *Arbuth* 389 *Herford* 354 *Sarum* 959
Pro omnibus fidelibus defunctis, oratio ad complendum *seu* post communionem (complenda *Aquilea Iena*) *codd.*
[o] *distincti*
Litania, alia oratio *West* III 1311
(Alia) missa in agenda plurimorum defunctorum,
- alia oratio ad complendum *seu* post communionem *codd.*
[+] *distincti*
- oratio ad complendum *seu* post communionem *ceteri codd.*

Var. lect.: 1/2 famulorum ... illorum] omnium fidelium defunctorum *codd.* " *distincti, add.* Rossian, famulorum tuorum omnium episcoporum presbyterorum (sacerdotum *Benevent*[1] 835) diaconorum (*om.* Adelp Otton) abbatum canonicorum monachorum regum genitorum seu parentum nostrorum necnon et eorum qui se in nostras commendaverunt orationes et qui nobis suas largiti sunt eleemosynas sive omnium utriusque sexus (*om.* Otton) fidelium defunctorum *codd.* [μ] *distincti* 2 eas] per huius sacramenti mysterium *add.* Aquilea 3 peccatis] omnibus *add.* *codd.* # *distincti*

261. Br 51

Animabus, quaesumus, domine, famulorum famularumque tuarum misericordiam concede perpetuam, ut eis proficiat in aeternum, quod in te speraverunt et crediderunt.

Codd. : *Adelp* 1715   *Bergom* 1424   *Curia* 253[v]   *Fulda* 2585   *GelasV* 1676   *Gellon* 2984   *Gemm* 309   *GregorTc* 3038. 3046   *Leofric* 197   *Milano* 1400   *Nivern* 382   *Otton* 194[v]   *Pamel* 462   *Phill* 1994   *Praem-MC* 277   *Ratisb* 2377   *Ripoll* 1771   *Rossian*, 356, 1   *Suppl* 1441   *Triplex* 3541. 3549   *Vicen*[1] 1654. 1677. 1696   *Vigil* 701

Rubr.: Pro defunctis amicis, collecta *Otton*
    Missa pro vivis et solutis debitu mortis, collecta *Vicen*[1] 1677
    Missa pro episcopis et abbatibus et canonicis et parentibus et
      ceteris aliis, oratio post communionem *Vicen*[1] 1696
    (Alia) missa in agenda plurimorum defunctorum,
      - alia collecta *GregorTc* 3038   *Triplex* 3541
      - alia postcommunio *Ripoll*
      - alia oratio *Leofric*
      - collecta *ceteri codd.*

Var. lect. : **2** tuarum] illorum quorum confessiones de propriis criminibus et facinoribus suscepimus et qui se in nostris commendaverunt
orationibus et quorum eleemosynas recepimus vel quorum nomina ad
memorandum conscripsimus seu et omnium parentum nostrorum cunctorumque fidelium in Christo quiescentium *add. Vicen*[1] 1677, omnium episcoporum abbatum canonicorum monachorum genitorum seu parentum
nostrorum necnon et eorum qui se in nostris commendaverunt orationibus
et qui nobis largiti sunt eleemosynas sive omnium utriusque sexus fidelium defunctorum *add. Vicen*[1] 1696   misericordiam] tuam *add. Adelp*

262.

Animae famuli tui, quaesumus, domine, per haec sacrificia redemptionis aeternae remissionem tribue peccatorum,
ut devotio paenitentiae, quam gessit eius affectus, perpetuae
salutis consequatur effectum.

Cod.: *Leon* 1145

Rubr. : Mense Octobris, super defunctos, III alia missa, attribution
incertaine

263.

Animae nostrae, quaesumus, omnipotens deus, hoc potiantur desiderio, ut a tuo spiritu inflammentur et, sicut
lampades divino munere satiati, ante conspectum venientis
Christi filii tui velut clara lumina fulgeamus.

Codd.: *Adelp* 1372[+"μ#]   *Arbuth* 262[+"μ]   *Ariberto* 93[0"μ]   *Be-*
nevent[1] 316   *Bergom* 71[0"μ]. 1666"   *Biasca* 71[0"μ]   *Cantuar*
71[+"μ#]   *Engol* 1519   *Fulda* 1711["μ#]   *Gallic* 37   *GelasV*
1134   *Gellon* 1654   *Herford* 213[+"μ]   *Ménard* 190 B   *Mon-*
za 666   *Nivern* 259   *Pad* 767   *Panorm* 907"   *Paris*[1]
160 "   *Phill* 1051   *Praem-MB* 94["μ#]   *Prag* 218, 3"
Ratisb 1565   *Rhen* 958   *Rossian* 358, 3["μ#]   *Salzb* 336
Sangall 1362   *Sarum* 536[+"μ]   *Triplex* 110[0"μ]. 119   *West* I
473["μ#]   *West* III 1499 (Sherborne). 1501["μ#] (Abingdon Coutances
Rouen St-Alban's)

Rubr.: Alia missa de Adventu Domini, oratio post communionem *GelasV*

Missa de Adventu Domini nostri Iesu Christi, collectio post communionem *Gallic*

Hebdomada III^a ante Natale Domini, oratio ad complendum *Prag*

Dominica IV^a de Adventu, oratio post communionem *codd.* ° *distincti*

Die XXVIII° mensis Novembris, <natale> sanctorum Chrysanti et Dariae, oratio post communionem *Bergom* 1666

Hebdomada IX^a post <dedicationem basilicae> sancti Angeli <Michaelis>, oratio ad complendum *Pad   Salzb*

Dominica XXIV^a post octavam Pentecostes, postcommunio *West* III 1499

Dominica XXV^a post octavam Pentecostes, postcommunio *Praem-MB   Panorm   West* I 473. III 1501

Dominica XXVII^a post octavam Pentecostes *seu* XXVIII^a post Pentecosten, oratio ad complendum *seu* postcommunio *Nivern Rossian*

Dominica proxima ante Adventum (Domini), oratio post communionem *codd.* + *distincti*

Dominica V^a ante Natale Domini (hebdomada XXVII^a post Pentecosten *add. Gellon*), oratio ad complendum *seu* post communionem *ceteri codd.*

Var. lect. : 1/3 quaesumus ... satiati] quaesumus domine deus omnipotens divino munere satiatae hoc potiantur desiderio ut a tuo spiritu inflammentur et *Arbuth*, divino munere satiatae quaesumus omnipotens deus hoc potiantur desiderio et a tuo spiritu inflammentur ut *codd.* # *distincti*, divino munere satiatae quaesumus omnipotens deus hoc potiantur desiderio ut a tuo spiritu inflammentur et sicut lampades divino munere satiati *Panorm*, quaesumus omnipotens deus divino munere satiatae hoc pascantur desiderio ut a tuo spiritu inflammati *Herford   Sarum*   2/3 et sicut lampades] sicut lampades ut *Sangall*[2] *Triplex* 119 sicut lampades] *om. codd.* ^μ *distincti*   4 tui] domini nostri *add. Arbuth*   lumina] luminaria *codd.* " *distincti*

Fontes: cfr Matth. 25, 1-13

264.

Animam famuli tui illius, quaesumus, domine, ab omnibus vitiis et peccatis conditionis humanae haec absolvat oblatio, quae totius mundi tulit, immolata, peccatum.

Codd. : *Arbuth* 471   *Bec* 270^&   *Benevent*[1] 166   *Bergom* 1409^+   *Biasca* 1291^+   *Cantuar* 154^&   *Fulda* 2466°^μ   *Gemm* 306°"   *GregorTc* 2879°"μ. 2958°. 2988°". 3013°   *Herford* 433#   *Iena-A* 57^+   *Mateus* 2895   *Mauric* 27^+   *Monza* 1061^+   *Otton* 189^v+   *Oxford* 74#&   *Praem* 268^μ. 269".   275"#   *Ripoll* 1751   *Rosslyn* 94#&   *Sarum* 876*   *Vicen*[1] 1626. 1751   *Vigil* 688   *West* II 1175°&

Rubr.: In depositione unius defuncti, oratio super oblata *seu* secreta *codd.* µ *distincti*
Pro trigintalibus evolvendis, secreta *Arbuth Sarum*
Ad septimum diem, secreta *Mateus*
Missa pro fratribus defunctis, secreta *Cantuar*
Pro (omnibus) fidelibus defunctis, secreta *codd.* # *distincti*
Pro uno defuncto, oratio super oblata *seu* secreta *ceteri codd.*

Var. lect. : **1** Animam ... illius] Animas famulorum tuorum *Cantuar Oxford Rosslyn*, animas famulorum famularumque tuarum *Arbuth Herford Sarum* quaesumus domine] *om. GregorTc* 3013, domine *codd.* " *distincti, transp. post* humanae *codd.* & *distincti Otton* **2** et peccatis] *codd.* ° *distincti, om. ceteri codd.* humanae conditionis *transp. codd.* & *distincti* absolvat haec *transp. Otton* **3** totius] etiam *praem. Arbuth Herford Sarum* peccatum] peccata *codd.* + *distincti*

265.

Annua martyrum tuorum, domine, vota recurrimus, maiestatem tuam suppliciter deprecantes, ut, cum temporalibus incrementis prosperitatis aeternae capiamus augmentum.

Codd. : *Engol* 1464 *Fulda* 1412 *GelasV* 1056 *Gellon* 1597 *Leofric* 206 *Leon* 1164 *Otton* 160* *Phill* 996 *Prag* 202, 1 *Sangall* 1308 *Triplex* 2652

Rubr.: Mense Novembris, in natale sanctorum quatuor Coronatorum, <collecta> *Leon*
<VII Idus Octobris>, natale sanctorum Dionysii, Rustici et Eleutherii,
- collecta *Otton*
- alia collecta *Leofric*

VI Idus Novembris, in natale sanctorum quatuor Coronatorum (Costiani Claudii Castoris Symproniani *add. GelasV*, Claudii Nicostrati Symproniani Castoris *add. Gellon*, Nicostrati Claudii Castoris et Symproniani *add. Prag*),
- collecta *GelasV Prag*
- alia collecta *ceteri codd.*

Var. lect. : **1** martyrum ... recurrimus] domine tuorum martyrum Dionysii Rustici et Eleutherii festa percolimus *Otton*, martyrum tuorum domine Dionysii Rustici et Eleutherii festa recolimus *Leofric* **2/3** cum ... incrementis] dum temporalibus incrementis laetamur *Otton* cum ... augmentum] cum temporalibus incrementis prosperitatis aeterna Coronatorum capiamus augmenta *Engol Sangall*[1], cum temporalis incremento prosperitatis aeterna Coronatorum capiamus et gaudia *Sangall*[2] *Triplex* **3** aeternae] *Leofric Leon Otton*, Coronatorum *add. ceteri codd.*

266 a.   Br 55

Annuae festivitatis cultu domino deo nostro, fratres dilectissimi, summa nostrarum precum supplicatione poscamus,
ut, quicumque intra templi huius, cuius natalis est hodie,
ambitum continemur, plena illi atque perfecta corporis et
5 animae devotione placeamus, ut, dum haec praesentia vota
reddimus, ad aeterna praemia venire mereamur.

Codd. : *Engol* 2163   *GregorTc* 4167   *Monac*[3] XIII, 2   *Pad*
1050   *Paris*[1] 380   *Phill* 1521   *Rhen* 1202   *Trento* 1177

Rubr.: Orationes in natali basilicae anniversario, oratio super oblata
seu secreta *codd.*

266 b.   Br 55

Annuae festivitatis cultu supplices te, domine, deprecamur, ut, quicumque intra templi huius, cuius natalis est hodie, ambitum continemur, plena tibi atque perfecta corporis
et animae devotione placeamus, ut, dum haec praesentia vota
5 reddimus, ad aeterna praemia pervenire mereamur.

Codd. : *Biasca* 1152   *Gellon* 2484   *Iena* 33[r]   *Monza* 860
Udalr 1127

Rubr.: Orationes in natali basilicae anniversario,
    - oratio super sindonem *Biasca*
    - secreta *ceteri codd.*

266 c.   Br 55

Annue, quaesumus, domine, precibus nostris, ut, quicumque intra templi huius, cuius anniversarium dedicationis diem
celebramus, ambitum continemur, plena tibi atque perfecta
corporis et animae devotione placeamus, ut, dum haec prae-
5 sentia vota reddimus, ad aeterna praemia, te adiuvante,
(per)venire mereamur.

Codd.: *Adelp* 1247   *Aquilea* 272[v]   *Arbuth* 265   *Avellan*[3]
851   *Bec* 225   *Cantuar* 126   *Curia* 210[v]. 212[v]. 229[v]   *Ful-*
da 1407. 2143   *Gemm* 239   *GregorTc* 4164   *Herford* 215   *La-*
teran 308   *Leofric* 18. 264   *Ménard* 162 A   *Metz*[1] 94   *Mi-*
lano 638   *Monac*[8] (6)   *Nivern* 48. 321   *Pamel* 426   *Praem*
219   *Ratisb* 1880   *Rossian* 249, 2   *Sarum* 553   *Suppl*
1263   *Triplex* 3186   *Vicen*[1] 1266   *West* I 477   *Winch* 206

Rubr.: Die IX° mensis Novembris, in dedicatione basilicae Salvatoris, secreta *Curia* 210ᵛ

Die XVIII° mensis Novembris, in dedicatione basilicarum apostolorum Petri et Pauli, secreta *Curia* 212ᵛ

Kalendas Novembris, dedicatio basilicae sancti Salvatoris in monasterio Fuldensi, oratio super oblata *Fulda* 1407

III Idus Maii, dedicatio ecclesiae sanctae Mariae ad martyres, secreta *Leofric* 264

Missa in anniversario dedicationis basilicae, oratio super oblata *seu* secreta *ceteri codd.*

Var. lect.: 3 tibi] fide *add. Arbuth*

267.

Annue, domine, precibus nostris, ut, sicut de praeteritis ad nova sumus sacramenta translati, ita, vetustate deposita, sanctificatis mentibus innovemur.

Cod.: *Leon* 250

Rubr. : Mense Iunii, VIII Kalendas Iulii, natale sancti Iohannis Baptistae, IV alia missa, <postcommunio>

Nota: *Comparez à l'oraison*: "Praesta, quaesumus, domine, ut, sicut de praeteritis ... mentibus innovemur."

268.

Annue, domine, quaesumus, ut mysteriis tuis iugiter re-pleamur et sanctorum semper muniamur auxiliis.

Codd. : *Adelp* 1141°   *Arbuth* 399   *Bec* 217°   *Engol* 1514   *Fulda* 1450°   *Gellon* 1649   *Herford* 362°   *Mon-za* 792   *Pamel* 356°   *Phill* 1046   *Rossian* 221, 3   *San-gall* 1357   *Sarum* 979   *Triplex* 2751   *West* II 1009. III 1570 (Sherborne Vitell). III 1624 (Tewkesbury)

Rubr.: Die XXIII° mensis Iulii, in natali sancti Apollinaris martyris, postcommunio *West* III 1570

     <In natali> unius confessoris non pontificis, postcommunio *West* III 1624

     VIII Kalendas Decembris, natale sancti Chrysogoni, oratio ad complendum *seu* post communionem *ceteri codd.*

Var. lect. : 1 quaesumus domine *transp. Arbuth Sarum West* II 1009. III 1570. III 1624   1/2 iugiter ... sanctorum] recreati sancti quoque (*om. Arbuth*) Chrysogoni martyris tui *Arbuth Sarum West* II 1009   2 sanctorum] tuorum *add. Rossian*, sancti Chrysogoni martyris tui *codd.*   ° distincti auxiliis muniamur *transp. Sangall*² *Triplex*

269.   Br 53

Annue, misericors deus, ut hostias placationis et laudis sincero tibi deferamus obsequio.

Codd. : *Adelp* 454°   *Aquilea* 69ʳ°   *Arbuth* 116°   *Ariberto* 368   *Bec* 54   *Benevent²* 75   *Bergom* 439   *Biasca* 401   *Cantuar* 33   *Curia* 49ᵛ   *Engol* 531   *Fulda* 597   *Gellon* 507   *Gemm* 82   *Gregor* 297   *Herford* 76. 250°   *Lateran* 72   *Leofric* 89   *Mateus* 984   *Ménard* 75 A   *Monza* 240   *Nivern* 182   *Otton* 39ᵛ°   *PaAng* 72   *PaAug* 44, 2   *Pad* 270   *Pamel* 242   *Panorm* 185   *Praem* 58°   *Ratisb* 467   *Rhen* 355   *Ripoll* 253   *Rossian* 77, 2   *Salzb* 72   *Sangall* 445   *Sangall** 13   *Sarum* 245°   *Trento* 353   *Triplex* 1044. 1049. 1054   *Udalr* 374   *West* I 218

Rubr.: III Nonas Aprilis, <natale> sancti Ricardi episcopi et confessoris, secreta *Herford* 250
Feria IVᵃ hebdomadae Vᵃᵉ quadragesimae, oratio super oblata *seu* secreta *ceteri codd.*

Var. lect. : 1 Annue] nobis *add. codd.* ° *distincti*, quaesumus *item add.* *Arbuth Sarum* et laudis] *om.* *Mateus*, meritis beati Ricardi confessoris tui atque pontificis *add.* *Herford* 250   2 tibi] *om.* *Bec* deferamus] offeramus *Aquilea*

270.

Annue, misericors deus, ut, qui, divina praecepta violando, a paradisi felicitate decidimus, ad aeternae beatitudinis redeamus accessum per tuorum custodiam mandatorum.

Codd. : *Adelp* 788°   *Fulda* 976   *Gellon* 1022   *Gemm* 120   *Gregor* 518⁺   *Herford-M* 172   *Leon* 194⁺   *Ménard* 115 B°   *Metz¹* 81   *Metz²* 173   *Nivern* 236   *Pad* 473   *Pamel* 297   *Ratisb* 831°   *Rossian* 126, 2°   *Salzb-A* 16   *Sangall* 806⁺   *Trento* 564   *Triplex* 1838⁺   *Udalr* 664   *Vigil* 171⁺

Rubr.: Mense Maii, orationes pridie Pentecosten, <II> alia missa, <alia collecta> *Leon*
In sabbato Pentecostes, alia missa (infra hebdomadam *add.* *Sangall² Triplex*) post ascensum fontis,
– collecta *Sangall Triplex*
– alia collecta *Gellon*
Dominica Pentecostes, alia oratio *Fulda Pad*
Feria Vᵃ in Cena Domini, alia oratio post lavacrum pedum *Metz²*
Feria Vᵃ infra octavam Pentecostes, collecta *Gemm*
Feria VIᵃ infra octavam Pentecostes, postcommunio *Herford-M*

Sabbato (in XII lectionibus) infra octavam Pentecostes, alia
oratio codd. ° distincti
Alia oratio de Pentecosten die sabbati ante descensum fontis
ceteri codd.

Var. lect. : 1 Annue] nobis add. Adelp   Rossian   2 a] om. codd.
+ distincti   beatitudinis] duce spiritu sancto add. Adelp   Rossian, duce
sancto spiritu add. Ménard   Ratisb   3 tuorum] om. Gemm

271.

Annue nobis, domine, ut anima famuli tui illius remissionem, quam semper optavit, mereatur percipere peccatorum.

Codd. : Adelp 1674°   Aquilea 294[r+"]   Arbuth 471["μ]   Bec
270[°μ#]   Benevent[1] 171   Bergom 1506   Cantuar 154"#   Fulda 2469. 2565°   Gemm 307°   Gregor 1017   GregorTc 2954°.
2969°. 4036   Herford 433[+"μ]   Leningrad[2] 35   Leofric 195.
199   Milano 1374   Otton 202*   Oxford 74[+"μ#]   Pamel
387   Praem 274+   Ratisb 2289   Ripoll 1716. 1748°. 1845   Rosslyn 94[+"μ#]   Sarum 877*"#   Suppl 1405   Trento 1050   Triplex 3518   Vicen[1] 1572   Vigil 692   West II 1175[°μ]

Rubr.: (Alia) missa unius defuncti,
   - alia oratio secreta Benevent[1]
   - oratio ad complendum seu post communionem codd.
     ° distincti
   - alia oratio ad complendum Trento Vigil
   Missa in depositione unius defuncti, alia oratio ad com-
     plendum seu post communionem Fulda 2469   Ripoll 1716
   Pro fidelibus defunctis, complenda (Aquilea) seu oratio post
     communionem codd. + distincti
   Missa pro fratribus defunctis, postcommunio Cantuar
   Missa pro defuncto in ipso die, alia oratio ad complendum
     Leofric 195
   Pro defuncto sacerdote, oratio ad complendum Otton
   Pro trigintalibus evolvendis, postcommunio Arbuth   Sarum
   Missa pro quolibet catholico defuncto, alia collecta Triplex
   Alia oratio ad agenda mortuorum ceteri codd.

Var. lect. : codd. " distincti formam adhibent pluralis   1 nobis
domine] nobis quaesumus domine Aquilea Herford, quaesumus domine
nobis Otton, per huius sacramenti mysterium add. Aquilea, per hoc
sacrificium quod sumpsimus add. Arbuth Herford Sarum, per hoc sanctum sacrificium quod sumpsimus add. Oxford Rosslyn   anima famuli
tui illius] haec oblatio quam suppliciter immolamus pro anima et requie
famuli tui illius Benevent[1], sacerdotis add. Otton   2 semper] om. codd.
[μ] distincti   peccatorum] delictorum codd. # distincti

272.   Br 54

Annue nobis, domine, ut animae famuli tui Gregorii haec
prosit oblatio, quam immolando totius mundi tribuisti re-
laxari delicta.

- A -

Codd. : *Adelp* 271   *Aquilea* 204vo *Bec* 139$^{0+"}$ *Cantuar*
81$^{0"}$ *Curia* 160$^{0"}$ *Fulda* 240$^{\mu}$ *Gemm* 166$^{\mu}$ *Gregor*
138$^{\mu}$ *Herford* 247$^{0+"}$ *Leofric* 139$^+$ *Metz*^{1} 89$^+$ *Ni-*
vern 158$^{\mu}$ *Otton* 18^{v+} *Pamel* 209^0 *Panorm* 1071$^{0+"}$
Praem 121$^+$. 207$^+$ *Ratisb* 204   *Udalr* 187   *Vicen*^{1} 279   *Vi-*
tell 83^v (303)   *West* III 1562. 1585. 1609

Rubr.: Kalendis Octobris, natale sancti Remigii confessoris, oratio
super oblata *Metz*^{1}
Die X^0 mensis Novembris, <in festo> sancti Martini, secreta *Praem* 207
Die XXX^0 mensis Iunii, <in natali> sancti Martialis
episcopi, secreta *West* III 1562 (Cisterciens)
Die XXVIII^0 mensis Augusti, in natali sancti Augustini
episcopi et doctoris, secreta *West* III 1585 (Cisterciens)
Die XIII^0 mensis Novembris, in natali sancti Britii episcopi et
confessoris, secreta *West* III 1609 (Cisterciens)
IV Idus Martii, natale sancti Gregorii papae, oratio super
oblata *seu* secreta *ceteri codd.*

Var. lect. : 1 nobis] *om. Bec*   domine] quaesumus *praem. Aquilea*
Pamel Vitell, add. codd. " *distincti*   animae ... Gregorii] intercedente
beato (confessore tuo *add. Otton*) illo (pontifice *add. Leofric,* confessore
tuo atque pontifice *add. Metz*^{1}) *codd.* + *distincti,* intercessione beati
Gregorii confessoris tui atque pontificis *Aquilea ,* intercessione beati
Gregorii *Cantuar Curia Pamel*   haec] *om. codd.* $^{\mu}$ *distincti,* nobis *add.*
codd. ^{0} *distincti*

- B -

Codd. : *Adelp* 858   *Arbuth* 321^0 *Bec* 159$^{0"}$ *Cantuar*
94^{0+} *Curia* 177^{vo+} *Fulda* 1100$^{0"}$ *Gemm* 184   *Gregor*
587   *Herford* 276"   *Lateran* 228   *Leofric* 147$^{0"}$ *Ma-*
teus 1817   *Ménard* 123 C   *Nivern* 277^{0+} *Otton* 91^r *Pa-*
mel 314^0 *PaMog* 19^r *Praem* 142"   *Ratisb* 897   *Ri-*
poll 1030   *Rossian* 142, 2   *Sarum* 786^0 *Triplex* 2061
Udalr 754   *Vicen*^{1} 398   *Vigil* 247   *Winch* 113$^{0"}$ *West* II 847

Rubr.: IV Kalendas Iulii, natale sancti Leonis papae,
- alia oratio super oblata *seu* secreta *Fulda   Lateran*
- oratio super oblata *seu* secreta *ceteri codd.*

Var. lect. : 1 nobis] *om. Fulda   Leofric*   domine] quaesumus *praem. Nivern, add. Cantuar   Curia*   animae ... Gregorii] inter-

cedente beato Leone (pontifice *add. Leofric*, confessore tuo atque pontifice *add. Bec*) *codd.* " *distincti*, intercessione beati Leonis (confessoris tui *add. Cantuar*, atque pontificis *item add. Arbuth*, pontificis tui *add. West*) *codd.* + *distincti*, intercessione famuli tui Leonis *Pamel*, animabus nostris per sancti tui pontificis Leonis preces *Otton*, per intercessionem beati Leonis confessoris tui atque pontificis *Sarum*   haec] *om. Adelp*, nobis *add. codd.* ° *distincti*   **3** delicta] debita *Arbuth*, peccata *Rossian*

– C –

Codd.: *Adelp* 1670   *Aquilea* 293ro#   *Avellan*³ 872   *Bene-vent*¹ 168   *Curia* 249ᵛ. 253^&   *Fulda* 2560   *Graz* 10°   *Gregor* 1011°   *GregorTc* 2805°. 2953. 2974. 3007   *Iena* 115 *Iena-A* 58   *Lateran* 321^&   *Leofric* 194°   *Mateus* 2907   *Ménard* 214 B°   *Monac*⁷ 4   *Nivern* 378   *Otton* 183ro#   *Pamel* 386°   *Praem* 271^+μ (*MB*). 274^&   *Ratisb* 2305°#   *Ripoll* 1741^+μ   *Rossian* 351, 2   *Tegernsee*² 19^+μ   *Trento* 1043°. 1048   *Triplex* 3471°. 3520   *Vallicel* (14)^&. (15)   *Vicen*¹ 1593^+μ. 1610μ   *Vigil* 689

Rubr.: Orationes super episcopum defunctum, oratio super oblata *seu* secreta *codd.* ° *distincti*
Missa pro sacerdote, secreta *codd.* μ *distincti*
Pro pluribus defunctis, secreta *codd.* & *distincti*
Pro parentibus, secreta *Mateus Monac*⁷
Pro parentibus et amicis familiaribus, secreta *Iena*
Missa pro episcopis defunctis vel sacerdotibus, oratio super oblata *Nivern*
(Alia) missa pro uno defuncto, oratio super oblata *seu* secreta *ceteri codd.*

Var. lect. : **1** animae ... Gregorii] animae famuli tui illius episcopi *codd.* # *distincti*, animae famuli et sacerdotis tui *Trento* 1043   *Vicen*¹ 1610, animae famuli et sacerdotis tui illius episcopi *ceteri codd.* ° *distincti*, animabus fidelium tuorum *Iena*, animabus famulorum famularumque tuarum *Mateus Monac*⁷ *codd.* & *distincti*, animae famuli tui illius sacerdotis *codd.* + *distincti*, animabus famulorum episcoporum et sacerdotum *seu* levitarum tuorum *Nivern*, animae famuli tui illius *ceteri codd.*   **2** totius] etiam *praem. Iena*   tribuisti totius mundi *transp. Rossian*   tribuisti] voluisti *Vicen*¹ 1593

273.

Annue nobis, quaesumus, domine, ut, quemadmodum mysteria resurrectionis domini nostri Iesu Christi sollemnia colimus, ita et in adventu eius gaudere cum sanctis omnibus mereamur.

Codd.: *Gallic* 211   *Goth* 293

Rubr. : Missa paschalis, IVª feria, oratio sequens <praefationem *i.e.* introductionem> *codd.*

274.

Annue nobis, quaesumus, omnipotens deus, ut beati levitae et martyris tui Laurentii veneranda sollemnitas et devotionem nobis augeat et salutem.

Codd. : *Ariberto* 816   *Bergom* 1040   *Biasca* 974   *Milano* 1074   *Triplex* 2264

Rubr. : IV Idus Augusti, natale sancti Laurentii, missa in vigiliis, oratio super populum *i.e.* collecta *codd.*

Nota : *Comparez à l'oraison*: "Da nobis, omnipotens deus, ut beati Laurentii ... augeat et salutem."

275.

Annue nobis, quaesumus, omnipotens deus, ut sanctorum martyrum tuorum Macchabaeorum sed et sacerdotis et confessoris tui Eusebii suffragiis adiuvemur, ut, sicut eis copiosa victoria dedit triumphum, ita et nobis continuum praestet 5 auxilium.

Codd. : *Ariberto* 799   *Bergom* 1023   *Biasca* 958   *Lateran* 245   *Milano* 1060   *Triplex* 2211

Rubr.: Kalendas Augusti, <natale> sanctorum Macchabaeorum et depositio sancti Eusebii,
- oratio ad complendum *Lateran*
- alia oratio super populum *i.e.* collecta *Triplex*
- oratio super sindonem *ceteri codd.*

Var. lect.: 1 nobis] *om. Lateran*   2 martyrum] *om. Lateran*

276.

Annue nobis, quaesumus, omnipotens deus, ut, sicut scrutantibus magis hodie latenter est cognitus dominus noster Iesus Christus et adoratus a cunctis gentibus, ita et nostris sensibus manifestus adveniat et omni homini innotescat.

Codd.: *Bergom* 191   *Biasca* 188   *Metz*[1] 65   *Triplex* 348

Rubr.: VIII Idus Ianuarii, Epiphania, alia oratio *Metz*[1]
Nonas Ianuarii, vigiliis Theophaniae *seu* Epiphaniae, (alia)
oratio ad vesperum vel ad matutinum *ceteri codd.*

Var. lect.: 2 noster] *om. Metz*[1]   4 manifestus] manifestatus *Metz*[1]

277.

Annue plebi tuae, virtutum largitor, omnipotens aeterne
deus, ut, qui annua beatae virginis tuae Petronillae sollemnia
celebramus, eius semper et fidei integritate roboremur et piis
apud te precibus adiuvemur.

Codd. : *Herford* 264   *West* II 820   *West* III 1552 (Vitell
Whitby)

Rubr. : II Kalendas Iunii, <natale> sanctae Petronillae virginis, collecta *codd.*

Var. lect. : 2 Petronillae] *om. Herford*   3 eius *et* et[1]] *om. Herford*   4 precibus] intercessionibus *Herford*

278.

Annue, quaesumus, clementissime deus, orationibus populi
tui et, quos in celebritate beatissimorum martyrum tuorum
Mauritii vel eius commilitonum adesse fecisti, eorum propitius precibus aeterna perfrui beatitudine concedas.

Codd. : *Ariberto* 865⁰. 914   *Bergom* 1081⁰. 1126   *Biasca*
1047   *Milano* 1108⁰. 1150   *Rossian* 199, 1   *Triplex* 2531

Rubr.: VII Kalendas Septembris, <natale> sancti Alexandri, oratio
super sindonem *codd.* ⁰ *distincti*
X Kalendas Octobris, natale sanctorum Mauritii et commilitonum eius, collecta *ceteri codd.*

Var. lect.: 2/3 beatissimorum ... commilitonum] beatissimi martyris tui
Alexandri *codd.* ⁰ *distincti*   3 Mauritii] Exuperii, Candidi, Victoris,
Innocentii et Vitalis *add. Rossian*   eorum] eius *codd.* ⁰ *distincti*
3/4 propitius precibus] precibus propitiatus *Rossian*

279.

Annue, quaesumus, domine deus noster, ut per hoc tuae
sapientiae sacramentum circumspecta moderatione vivamus.

Cod.: *Leon* 429

Rubr.: Mense Iulii, orationes et preces diurnae, III alia missa, <post-communio>

280.

Annue, quaesumus, domine, precibus familiae tuae et, quod nostris actibus non meremur, sanctorum tuorum nobis concede suffragiis.

Cod.: *Leon* 762

Rubr.: Mense Augusti, IV Idus Augusti, natale sancti Laurentii, VII alia missa, <oratio super populum>

281.

Annue, quaesumus, domine, precibus nostris, ut sancti Laurentii martyris tui sollemnia, quae cultu, tibi debito, praevenimus, prospero suscipiamus effectu.

Cod.: *Leon* 777

Rubr.: Mense Augusti, IV Idus Augusti, natale sancti Laurentii, XII alia missa, <collecta>

282.

Annue, quaesumus, domine, sacris martyribus tuis, ut opem nobis suae deprecationis impendant et iram tuam, quam nostris pravitatibus meruimus, evadamus.

Codd.: *Goth* 448   *Leon* 141

Rubr.: Mense Aprilis, XXXVI alia missa, <oratio super populum>
Leon
Missa de pluribus martyribus, collectio <quae> sequitur
<praefationem *i.e.* introductionem> *Goth*

Var. lect.: 1 Annue] nobis *add. Goth*   sacris] sanctis *Goth*   3 me-
ruimus] meremur *Goth*   evadamus] eis intervenientibus *add. Goth*

283.

Annue, quaesumus, domine, supplicibus tuis, ut haec nostrae servitutis oblatio in die resurrectionis domini nostri Iesu Christi et salutem nobis conferat et pacem.

Cod.: *Goth* 279

Rubr.: Missa, prima die sanctae Paschae, <collectio> ad pacem

284.

Annue, quaesumus, domine, ut et tuis semper sollemnitatibus occupemur et mysteriis eorum mente pariter congruamus et corpore.

Codd. : *Arbuth* 99   *Leon* 865   *Rosslyn* 23   *Sarum*
215   *West* I 182   *West* III 1464 (Abingdon St-Alban's Tewkesbury)

Rubr.: Mense Septembris, orationes et preces ieiunii mensis septimi,
Iª missa, <postcommunio> *Leon*
Dominica IVª quadragesimae, secreta *ceteri codd.*

Var. lect.: 1 Annue] *Leon*, nobis *add. ceteri codd.*   quaesumus] *om.*
Arbuth   tuis] *Leon*, divinis *ceteri codd.*   2 eorum] *Leon*, sacris *ceteri*
codd.

285.

Annue, quaesumus, domine, ut merita, tibi placita, sancti confessoris et episcopi tui Iuvenalis pro gregibus, quos sincero ministerio gubernavit, pietatem tuam semper exorent.

Codd. : *Engol* 933   *Fulda* 888   *GelasV* 866   *Gellon*
938   *Gemm* 172°   *Marienberg* 239*   *Phill* 741   *Praem-MB*
130°   *Sangall* 737   *Triplex* 1649   *Winch* 93°

Rubr.: V Nonas Maii, in natale sancti Iuvenalis,
- collecta *codd.* ° *distincti*
- alia collecta *ceteri codd.*

286.

Annue, quaesumus, domine, ut sanctae martyris Euphemiae tibi placitis deprecationibus adiuvemur.

Codd. : *Engol* 902   *Fulda* 847   *GelasV* 855   *Gellon*
871   *Phill* 680   *Sangall* 697   *Triplex* 1574   *Udalr* 1243

Rubr.: Idus Aprilis, in natale sanctae Euphemiae, alia collecta *codd.*

287.

Annue, quaesumus, omnipotens deus, ut haec sacrificia populi tui, quae tibi offerimus, interveniente suffragio beatae virginis et martyris tuae illius, donis caelestibus propitiatus immisceas.

Codd. : *Bergom* 1223   *Biasca* 1136   *Milano* 785   *Triplex* 2847

Rubr.: (Alia) missa in natale virginum, oratio super oblata *seu* secreta *codd.*

288.

Annue, quaesumus, omnipotens deus, ut sacrificia, pro sanctae illius virginis tuae festivitate oblata, desiderium nos temporale doceant habere contemptui et ambire dona faciant caelestium gaudiorum.

Codd.: *Oxford* 191   *West* II 1109

Rubr.: <Missa in natale> unius virginis non martyris, <secreta> *Oxford*
          <In natali> unius matronae, secretum *West*

Var. lect.: 2 virginis tuae] *om. West*

Nota: *Comparez à l'oraison*: "Quaesumus, virtutum caelestium deus, ut sacrificia ... caelestium gaudiorum."

289.   Br 56

Annue, quaesumus, omnipotens deus, ut nos sanctorum martyrum tuorum Mauritii, Exuperii, Candidi, Victoris, Innocentii et Vitalis ac sociorum eorundem laetificet festiva sollemnitas, ut, quorum suffragiis nitimur, natalitiis gloriemur.

Codd. : *Arbuth* 373   *Bec* 198   *Cantuar* 113°   *Curia* 204   *Fulda* 1334   *Gemm* 214^{0+}   *GregorTc* 3597^{0+}   *Lateran* 273^{0+}   *Praem-CM* 197   *Sarum* 912   *Winch* 166   *West* II 956

Rubr.: Die X° mensis Octobris, <in festo> sanctorum Gereonis, Victoris, Cassii, Florentii et sociorum, collecta *Praem-CM*
          X Kalendas Octobris, <natale> sanctorum Mauritii et sociorum eius, collecta *ceteri codd.*

Var. lect. : 1/3 ut nos ... eorundem] ut sanctorum martyrum tuorum Mauritii et sociorum eius nos *Curia* martyrum] *om. codd.* ⁰ *distincti* 2 tuorum] *om. Lateran* 3 ac ... eorundem] cum sociis eorum *codd.* ⁺ *distincti* festiva] votiva *Fulda Lateran* 4 nitimur] innitimur *Sarum* natalitiis] eorum *praem. Curia*

Nota: *Comparez ·à l'oraison:* "Quaesumus, omnipotens deus, ut sancti nos Iacobi ... natalitiis gloriemur."

290.

Annue, quaesumus, omnipotens deus, ut, sacramentorum tuorum gesta recolentes, et temporali securitate relevemur et erudiamur legalibus institutis.

Codd. :	*Bec* 93	*Benevent*² 126	*Cantuar* 55	*Fulda*
1529	*GelasV* 664	*Gellon* 1104	*Leofric* 3	*Leon*
632	*Mateus* 1628	*Ménard* 119 D	*Monza* 483	*PaAng*
176	*Panorm* 640	*Paris*¹ 81	*Rhen* 669	*Rossian* 129,
3	*Sangall* 884	*Triplex* 1962	*Udalr* 705	*Vicen*¹
221	*West* I 380	*West* III 1484 (Abingdon St-Alban's Whitby)		

Rubr.: Mense Iulii, preces diurnae cum sensibus necessariis, XXXIX alia missa, <collecta> *Leon*
Orationes et preces <ieiunii> mensis IVⁱ, feria IVᵃ, postcommunio *Benevent*²
Orationes et preces <ieiunii> mensis IVⁱ, feria VIᵃ,
- infra octavam Pentecostes, ad maiorem missam (*Bec*) seu <alia missa> de ieiunio (*Mateus West*), postcommunio *Bec Mateus West*
- extra octavam Pentecostes, oratio ad complendum *seu* post communionem *ceteri codd.*

Var. lect. : 1 Annue] *om. Udalr* quaesumus] domine *add. Rhen* ut] annua *add. Udalr* 3 legalibus institutis erudiamur *transp. Rossian*

291.

Annue, quaesumus, omnipotens deus, ut, sicut beatus levita et martyr tuus Laurentius ignium globos, te protegente, evasit, ita fidelis populus huius adversitatem saeculi, te auxiliante, evadat.

Codd. : *Ariberto* 825 *Bergom* 1049 *Biasca* 983 *Milano* 1082 *Triplex* 2283

Rubr. : IV Idus Augusti, natale sancti Laurentii, mane ad missam, oratio super populum *i.e.* collecta *codd.*

292.

Annue, quaesumus, omnipotens deus, ut, sicut eos, quorum natalitia recensemus, per tuam gratiam beneplacitos fecit aetas exitu, sic nos tuae pietati salutaris humilitas praestet acceptos.

Codd. : *Bergom* 160   *Biasca* 155   *Leon* 1292   *Milano* 863   *Triplex* 288

Rubr.: Mense Decembris, in natale Innocentium, II alia missa, <postcommunio> *Leon*
V Kalendas Ianuarii, natale Innocentium, alia oratio super populum *i.e.* collecta *ceteri codd.*

Var. lect. : 2/3 fecit aetas exitu] *Leon*, acta fecerunt innoxia *ceteri codd.*   3 salutaris humilitas] *Leon*, salvatoris humilitas *ceteri codd.*

293.

Annue precibus nostris, omnipotens deus, et has oblationes, quas tibi pro anniversaria huius templi consecratione deferimus, benignus assume et praesta, ut omnibus, hic ad te concurrentibus, cunctorum tribuatur remissio peccatorum.

Cod.: *Benevent*[1] 808

Rubr.: Missa in dedicatione anniversaria, oratio secreta

294.

Annue, rector, opem vultuque adverte secundo,
quae damus, accipiens, quae poscimus, rependens,
et, quamvis trepidet proprio mens tacta reatu
vel sacra reddentes commendet causa redemptos,
5   hoc speciale bonum tribuens, ut corde fideli
vivamus domino, moriamur crimine mundo.

Cod.: *Mone* 3

Rubr.: Missa I[a], collectio <quae sequitur praefationem *i.e.* introductionem>

295.

Annue tuis famulis, quaesumus, omnipotens deus, ut, sicut beato confessori tuo Benedicto aquam de rupis largitus es vertice, ita nobis, eius suffragantibus meritis, supernae largiaris misericordiae fontem.

Codd.: *Casin*[1] 267   *Fulda* 258   *Ripoll* 923   *Vicen*[1] 291

Rubr.: XII Kalendas Aprilis, natale *seu* obitus sancti Benedicti abbatis et confessoris,
- oratio post communionem *Ripoll Vicen*[1]
- alia oratio *Casin*[1] Fulda

296.

Ante conspectum divinae maiestatis tuae, domine, hoc divinum munus supplices offerimus pro commemoratione confessoris tui Pauli, ut, sicut de eius gloria hodierna die pari devotione laetamur, ita illius deprecatione cum omnibus
5 sanctis in aeterna beatitudine gaudere mereamur.

Codd.: *Ripoll* 1400   *Vicen*[1] 742

Rubr.: III Idus Decembris, <natale> sancti Pauli Narbonensis, secreta *codd.*

297.

Ante conspectum maiestatis tuae, quaesumus, omnipotens deus, munera nostra grata perveniant et, sancto Machuto intercedente, peccatorum nostrorum remissio fiant.

Codd.: *West* II 1001. III 1562 (St-Alban's)

Rubr.: <XVII Kalendas Decembris>, in natali sancti Machuti episcopi et confessoris, secretum *West* II 1001
Die XXX° mensis Iunii, <natale> sancti Martialis episcopi, secreta *West* III 1562

Var. lect. : 2 Machuto] Martiale confessore tuo atque pontifice *West* III 1562

298.

Ante te, domine, effundentes desiderium cordis nostri, precamur, ut ita haec, quae offerimus, benedicas, qualiter ex his potantes et, repulsa inedia, convalescant et, concessa spiritali virtute, caelesti desiderio inardescant.

Codd.: *Toledo*[3] 516   *Toledo*[5] 448

Rubr.: Missa de IVª feria post Lazarum, <oratio> post "Pridie" *codd.*

299.

Anticipa nos misericordia tua, priusquam zelus irae desaeviat, misericors deus, et haec dona sanctifica, ut, adiuti patrociniis beatorum, quorum propter te sanguis effusus est, propitiationem tuam cum peccatorum venia consequamur.

Codd.: *Ménard* 143 A　　*Ratisb* 1138

Rubr. : IV (*Ratisb*) *vel* V (*Ménard*) Kalendas Octobris, natale sanctorum Cosmae et Damiani, oratio super oblata *seu* secreta *codd.*

300.　　　　　　　　　　　Br 57

Apostoli tui Pauli precibus, domine, plebis tuae dona sanctifica, ut, quae tibi tuo grata sunt instituto, gratiora fiant patrocinio supplicantis.

Codd. : *Adelp* 210　　*Aquilea* 199ro　　*Arbuth* 283^0+　　*Ariberto* 761#　*Bec* 131^+　*Bergom* 991#　*Biasca* 927#. 1423　*Cantuar* 75^+　*Curia* 154^v. 185^v　　*Engol* 182　　*Fulda* 181　*Gemm* 156　*Gregor* 41*"^μ　*Herford* 235^0　*Lateran* 179　*Leofric* 136　　*Mateus* 399"^μ　　*Ménard* 44 B　　*Nivern* 154"^μ　*Otton* 12^r　*Oxford* 146　*Pamel* 203　*Panorm* 989"^μ　*Paris* ¹ 45　*Phill* 195　*Praem* 110　*Ratisb* 136　*Ripoll* 891　*Rossian* 24, 2"　*Rosslyn* 47^+　*Sangall* 170"　*Sarum* 692^0+　*Triplex* 474". 2114#　*Winch* 66^0+"^μ　*West* II 755^0　*West* III 1562 (Cisterciens)

Rubr.: Die I^0 mensis Augusti, commemoratio sancti Pauli apostoli, secreta *Curia* 185^v
　　V Nonas Iulii, translatio sancti Thomae apostoli, oratio super oblata *seu* secreta *codd.* # *distincti*
　　Die XXX^0 mensis Iunii, in commemoratione sancti Pauli, secreta *West* III 1562
　　VIII Kalendas Februarii, conversio sancti Pauli apostoli in Damasco, oratio super oblata *seu* secreta *ceteri codd.*

Var. lect. : **1** Apostoli tui Pauli] Beati Pauli apostoli tui *Arbuth Sarum* precibus domine] quaesumus domine precibus *Ratisb* domine] quaesumus *praem. codd.* ^0 *distincti, add. Otton Panorm* **2** sanctifica] vivifica *Gregor Nivern* tuo tibi *transp. Leofric* tuo] *om. codd.* " *distincti* grata tuo *transp. Arbuth Oxford Rosslyn Sarum* grata sunt tuo *transp. West* instituto] instituta *codd.* ^μ *distincti, institutione Rossian* gratiora] tibi *add. codd.* # *distincti* **3** patrocinio] eius *praem. codd.* ^+ *distincti* supplicantis patrocinio *transp. West* supplicantis] etiam *praem. Biasca* 1423

Nota: *Comparez à l'oraison*: "Apostolorum tuorum precibus ... patrocinio supplicantium."

301.

Apostolica beati Iohannis evangelistae, quaesumus, domine, intercessione nos adiuva, pro cuius sollemnitate percepimus tua sancta laetantes.

Codd. : *Ariberto* 133   *Bergom* 158   *Biasca* 153   *Medinaceli* 59   *Milano* 861   *Triplex* 276

Rubr. : VI Kalendas Ianuarii, natale sancti Iohannis evangelistae, (in die ad <maiorem> missam *add. Medinaceli*), oratio ad complendum *seu* post communionem *codd.*

Var. lect.: 2 intercessione *et* adiuva] intercessio *et* adiuvet *Medinaceli*

Nota: *Comparez à l'oraison*: "Beati apostoli tui Iacobi ... sancta laetantes."

302.

Apostolica nos muniat, domine, semper oratio, ut iisdem suffragatoribus dirigatur ecclesia, quibus principibus gloriatur.

Cod.: *Leon* 109

Rubr.: Mense Aprilis, XXIX alia missa, <collecta>

303.

Apostolica pro nobis interventio, quaesumus, domine, prosequatur munus oblatum, ut, quod tremente servitio nos vovemus, eius precibus efficiatur acceptum.

Cod.: *Leon* 299

Rubr. : Mense Iunii, in natale apostolorum Petri et Pauli, VIII alia missa, <secreta>

Nota: *Comparez à l'oraison*: "Munus hoc, domine, quaesumus, apostolica ... efficias sacramentum."

304.   Br 58

Apostolicae reverentiae culmen offerimus, sacris mysteriis imbuendum: praesta, domine, quaesumus, ut beati Andreae suffragiis, cuius natalitia praeimus, hic plebs tua semper et sua vota depromat et desiderata percipiat.

- A -

Codd.: *Curia* 218+. 220+   *GelasV* 1077   *Herford* 369+   *Leo-*
fric 219+   *Prag* 214, 2   *West* III 1617 (Rouen)

Rubr.: III Kalendas Decembris, in vigilia sancti Andreae, secreta
GelasV Prag
In vigiliis apostolorum, secreta *Curia* 218   *Herford   West*
Die XX° mensis Decembris, in vigilia sancti Thomae apostoli,
secreta *Curia* 220
Orationes et preces in dedicatione basilicae novae, ad missam,
alia oratio super oblata *Leofric*

Var. lect. : 1/2 Apostolicae ... praesta] apostolici reverentia culminis offerentes tibi sacra mysteria *Curia* 218. 220   *West*, pro apostolici reverentia culminis offerentes sacra mysteria *Herford*   2 quaesumus domine *transp. Leofric*   Andreae] illius apostoli tui *Curia* 218. 220, illius evangelistae *Herford* , illius *Leofric*   3 cuius ... praeimus] *om. Leofric*   praeimus] colimus *Curia-Av* 218. 220, praevenimus *Herford Prag*   hic] haec *codd.* + *distincti*

- B -

Codd. : *Adelp* 1035+µ   *Bec* 196°+   *Cantuar* 112°µ   *Curia*
203°+   *Engol* 1347   *Fulda* 1326+µ   *Gellon* 1477   *Gemm*
213   *Gregor* 237*   *Herford* 327°µ   *Lateran* 272µ   *Leo-*
fric 160°"   *Mateus* 2131µ   *Ménard* 140 A   *Nivern* 301µ
Otton 114ᵛ°   *Phill* 869   *Praem* 185   *Ratisb* 1103   *Rhen*
845   *Ripoll* 1237°"µ   *Rossian* 197, 2°   *Sangall* 1206   *Tri-*
plex 2523   *Udalr* 959"   *Vigil* 360°   *Winch* 165°+   *West* II
953°µ

Rubr. : XII Kalendas Octobris, vigilia sancti Matthaei apostoli et evangelistae, oratio super oblata *seu* secreta *codd.*

Var. lect. : 1/2 Apostolicae ... praesta] apostolici reverentia culminis offerentes sacra mysteria *Bec   Winch*, apostolicae reverentiae culmine offerentes tibi sacra mysteria praesta *Cantuar   West*, pro apostolici reverentia culminis offerentes sacra mysteria praesta *Herford*, apostolici reverentia culminis offerentes tibi sacra mysteria *Ménard Otton Ratisb Rossian*, apostolicae reverentiae culmen offerri sacri mysterii imbuendum praesta *Nivern* , praesta *Ripoll*   1 culmen] cultum *Adelp Sangall²* 2 quaesumus domine *transp. codd.* + *distincti*   Andreae] Matthaei apostoli tui et evangelistae *Herford West*, Matthaei apostoli *Rossian* , Matthaei apostoli et evangelistae *codd.* " *distincti*, Matthaei evangelistae

ceteri codd.   **3** praeimus] praevenimus *codd.* ᵘ *distincti*   hic] *om.*
Lateran Nivern, haec *codd.* ᵒ *distincti*

305 a.

Apostolicis, domine, nos, quaesumus, attolle praesidiis, ut,
quorum sollemnia praevenimus, eorum precibus adiuvemur.

Codd.: *Ariberto* 39   *Bergom* 29   *Biasca* 25   *Milano* 816

Rubr.: II Kalendas Decembris, natale sancti Andreae apostoli, missa
in vigiliis, oratio super populum *i.e.* collecta *codd.*

Var. lect.: 1 domine] *om. Milano*

305 b.

Apostolicis nos, domine, quaesumus, beatorum Petri et
Pauli attolle praesidiis, ut, quanto fragiliores sumus, tanto
validioribus auxiliis foveamur.

Codd.: *Drumm* 88ᵒ   *Engol* 1081   *Fulda* 1104ᵒ. 2844   *Ge-*
lasV 933   *Gellon* 1185   *Ménard* 124 B   *Pamel* 315   *Ra-*
tisb 904   *Rhen* 719   *Sangall* 957   *Sangall-A* 72   *Tri-*
plex 2075ᵒ

Rubr.: III Kalendas Iulii, in natale apostolorum Petri et Pauli,
- alia oratio ad vesperum *GelasV*
- alia oratio ad vesperos sive matutinas *Engol*
Orationes in monasterio, <oratio> in capella occidentali
Fulda 2844
Commemoratio apostolorum, <oratio> post communionem
Drumm
IV Kalendas Iulii, vigilia apostolorum Petri et Pauli,
- alia oratio super populum *Pamel*
- oratio ad vesperum *ceteri codd.*

Var. lect.: 1 domine nos *transp. Ratisb*   quaesumus domine *transp.*
codd. ᵒ *distincti*   1/2 beatorum Petri et Pauli] *om. Drumm*

306.

Apostolico, domine, quaesumus, beatorum Petri et Pauli
patrocinio nos tuere et eosdem, quorum tribuisti sollemnia
celebrare, securos fac nostros semper esse custodes.

Codd.: *Bergom* 983   *Biasca* 919   *Leon* 372   *Triplex* 2079

Rubr.: Mense Iunii, in natale apostolorum Petri et Pauli, XXVI alia
missa, <collecta> *Leon*
IV Kalendas Iulii, in vigiliis apostolorum Petri et Pauli,
- alia oratio ad vesperum vel ad vigiliam *Bergom Biasca*
- alia oratio *Triplex*

Var. lect.: **3** securos] *Leon, om. ceteri codd.*

307.

Apostolorum, domine, beatorum Petri et Pauli desiderata
sollemnia recensemus: praesta, quaesumus, ut eorum supplicatione muniamur, quorum regimur principatu.

Codd.: *Bobbio* 330   *Leon* 359

Rubr.: Mense Iunii, in natale apostolorum Petri et Pauli, XXIII alia
missa, <collecta> *Leon*
Missa in natale Petri et Pauli, collectio <quae sequitur praefationem *i.e.* introductionem> *Bobbio*

Nota: *Comparez à l'oraison*: "Beatorum apostolorum, domine, Petri ...
regimur principatu."

308.

Apostolorum tuorum, domine, beatorum Petri et Pauli
desiderata sollemnia recensemus; praesta, quaesumus, ut
hodierna gloria passionis, sicut illis magnificentiam tribuit
sempiternam, ita nobis veniam largiatur optatam et nomina
5 eorum, quae recitata sunt, in libro vitae censeas deputari.

Cod.: *Goth* 376

Rubr.: Missa sanctorum Petri et Pauli, collectio post nomina

Nota: 1/2 Apostolorum ... ut] *comparez à l'oraison précédente, n° 307*
2/4 quaesumus ... nobis] *comparez à l'oraison*: "Largiente te, domine,
beati Petri ... munimen operetur."

309.

Apostolorum tuorum precibus, domine, quaesumus, plebis
tuae dona sanctifica, ut, quae tibi tuo grata sunt instituto,
fiant gratiora patrocinio supplicantium.

Codd.: *Anderson* 14 b   *GregorTc* 3187   *Leon* 284. 367   *West* III
1618 (Vitell)

Rubr.: Mense Iunii, in natale apostolorum Petri et Pauli,
- II alia missa, <secreta> *Leon* 284
- XXV alia missa, <secreta> *Leon* 367
Missa in natali sanctorum Petri et Pauli, collectio ad pacem *Anderson*
In festivitate apostolorum, oratio super oblata *seu* secreta *GregorTc West*

Var. lect.: 1 Apostolorum tuorum] ipsorum etiam *Anderson* 3 gratiora fiant *transp. GregorTc Leon* 367

Nota: *Comparez à l'oraison*: "Apostoli tui Pauli precibus ... patrocinio supplicantis."

310.

Appare, domine, cognoscere, domine, sicut apparuisti manifestus in carne, ortus ex virgine, inventus a pastoribus, cognitus in virtute, declaratus in sidere, adoratus in munere, ostensus in flumine, creditus in fide, habitus in nube, pro-
5 missus in indice, ut sacratae sollemnitatis gratia ita suscipiat ecclesia tua nunc gaudia, ut praetulit quondam mysteria.

Codd.: *London*[4] 476   *Toledo*[3] 197

Rubr.: Missa in die Apparitionis Domini, <oratio> post "Pridie" *codd.*

311.

Apud te est, domine, misericordia et copiosa redemptio; brachio tuo defende populum pereuntem, elisos ac prostratos releva. Christe, formidamus pro nostris peccatis, ut non mereamur audiri; grave est enim, quod amittimus, et com-
5 missa non paenitebimus. Habes, domine, confitentes reos; parce, quia pius es. Iamdiu est, domine, quod, nostris operibus oppressi, laniamur; addicti, cavere nescimus et amittere non vitamus. Loqui confundimur, quia verecundum est, quod penetramur.
10 Magnus es, domine, ut ignoscas facinoribus; occurre, ne castigatione corrigamur, ne praesentia tormentorum vagitamur. Oramus, ut exaudias; clamamus, ut parcas; preces nostras suscipe et, quidquid debemus, indulge, auditor piissime; miserator fortissime, voces nostras respice; de<us> omnium,
15 pietatem tuam largam concede.

Cod.: *Silos*[6] 446

Rubr.: Officium de VIII° dominico, ad missam, <oratio> post nomina

Fontes: 1 Apud ... redemptio] cfr Ps. 130 (129), 7

312.

Arbiter orbis, apex rerum, spes una reorum,
tardus vindictae, veniae celer, immemor irae,
qui loca perquiris, miseris ubi parcere possis,
invitans ad dona magis, ne crimina damnes:
5   necte fidem populis, pacem sere, pectora iunge,
ut teneant animo, quod blanda per oscula produnt.

Cod.: *Mone* 5

Rubr.: Missa Iᵃ, <collectio> ad pacem

313.   Br 59

Ascendant ad te, domine, preces nostrae et ab ecclesia
tua cunctam repelle nequitiam.

- A -

Codd. :	*Adelp* 332	*Aquilea* 39ʳ	*Arbuth* 67	*Ariberto*
242 ⁰	*Bec* 28	*Benevent*² 46	*Bergom* 291⁰	*Biasca*
270 ⁰	*Cantuar* 23	*Curia* 36	*Engol* 322	*Fulda*
<412>	*Gellon* 317	*Gemm* 65	*Gregor* 178	*Herford*
48	*Lateran* 48	*Leofric* 77	*Mateus* 677	*Ménard* 59 D
Milano 69⁰	*Nivern* 165	*Otton* 26ʳ	*Pad* 149	*Pamel*
220	*PaMon-Ben* 34, 4	*Phill* 326	*Praem* 47	*Ratisb*
308	*Rhen* 229	*Ripoll* 104	*Rossian* 48, 4	*Sangall*
290	*Sarum* 154	*Trento* 234	*Triplex* 669. 673. 675	*Udalr*
253	*West* I 112			

Rubr.: Feria IIIᵃ hebdomadae Iᵉ quadragesimae,
- alia oratio super populum *i.e.* collecta *Triplex* 675
- oratio super sindonem *codd.* ⁰ *distincti*
- oratio ad *seu* super populum *ceteri codd.*

- B -

Codd. :	*Engol* 1930	*Gellon* 2162	*Gregor* 963	*Iena-A*
81	*Ménard* 200 B	*Milano* 519	*Pamel* 382	*Phill*
1373	*Ratisb* 1623. 2506	*Salzb* III 34	*Trento* 952	*Udalr* 1404

Rubr.: Hebdomada IVᵃ post octavam Pentecostes, oratio super populum *i.e.* collecta *Milano*

Alia missa cottidiana, collecta *Ratisb* 1623
Alia oratio cottidiana *Ménard   Ratisb* 2506 *Salzb*
Alia oratio vespertinalis (seu matutinalis) *ceteri codd.*

314.

Ascendant ad te, domine, preces nostrae et animabus
famulorum famularumque tuarum illarum, qui hunc locum
pauperesque tuos de suis iustis laboribus rebusque dita-
verunt, pro quibus etiam te licitum est humiliter deprecari,
5 misericordiam concede perpetuam; accipiantque magna pro
parvis, caelestia pro terrenis, mansura pro caducis.

Cod.: *Fulda* 2346

Rubr.: Alia missa pro eleemosynario, alia oratio

315.

Ascendant ad te, domine, preces nostrae et animam famuli tui illius gaudia aeterna suscipiant, ut, quem fecisti
adoptionis participem, iubeas hereditatis tuae esse consortem.

Codd. : *Arbuth*   469". 470   *Avellan*[1] 905+#   *Benevent*[1]
178+#   *Cantuar* 152"   *Fulda* 2556". 2562"   *GelasV* 1647.
1656°   *Gellon* 2952. 2962°   *GregorTc* 2850. 3011"   *Her-*
ford 433   *Mauric* 24#   *Otton* 207*   *Oxford* 76$^\mu$ *Phill* 1961.
1972°   *Praem* 273$^\mu$ (2 fois). 277$^\mu$ *Rhen* 1361   *Sarum* 874*a".
874*b   *Triplex* 3508+#   *Vicen*[1] 1618+   *West* II 1174

Rubr.: Alia missa pro defuncto nuper baptizato, oratio post com-
munionem *codd.* ° *distincti*
Pro amico (nuper) defuncto, postcommunio *Arbuth* 470 *Her-*
ford   Sarum 874*b *West*
Pro uno defuncto, oratio ad complendum *seu* post communio-
nem *codd.* " *distincti*
Pro diaconis, postcommunio *Oxford*
Pro fratribus et sororibus nostris, postcommunio *Praem-*
MP 273
Pro congregatione, postcommunio *Praem-MC* 273
Pro defunctis, postcommunio *Praem-MB* 277
In anniversario defuncti, oratio ad complendum *Otton*
Missa pro uno sacerdote defuncto, oratio ad complendum
seu post communionem *codd.* + *distincti*
Orationes ad missam in natale sanctorum sive agenda mor-
tuorum, oratio post communionem *ceteri codd.*

Var. lect. : *codd.* $^\mu$ *distincti formam adhibent pluralis* 1 et]
intercedente beato illo *add. Otton*, per haec sancta quae sumpsimus *add.*

Arbuth 469   *Sarum* 274*a   1/2 animam *et* suscipiant] anima *et* possideat *Arbuth* 470, anima *et* suscipiat *Sarum* 274*a⁺b   famuli tui illius] sacerdotis *add. codd.* # *distincti,* cuius anniversarium depositionis diem celebramus *add. Otton,* famulorum tuorum illorum levitarum *Oxford,* fratrum et sororum nostrarum   *Praem-MP,* famulorum famularumque tuarum fratrum et sororum nostrarum   *Praem-MC,* fidelium tuorum *Praem-MB,* quem de hoc saeculo migrare iussisti et *add. Vicen¹* adoptionis] tuae *add. West*   3 participem] intercedente beata dei genitrice Maria *add. Arbuth* 470   *Fulda* 2556   *Herford Sarum* 274*b   *West,* intercedente beata dei genitrice semperque virgine Maria *add. Cantuar*

316.

Ascendant ad te, domine, preces nostrae et tuorum vota fidelium munera, suppliciter oblata, concilient, quod, etiamsi nostris operibus non meremur, quaesumus, sanctorum nos intercessione mereamur.

Cod.: *Leon* 1191

Rubr. : Mense Novembris, IX Kalendas Decembris, natale sancti Clementis, II alia missa, <secreta>

317.

Ascendant ad te, domine, supplicum preces, ut, qui diu pro nostris offensionibus castigati sumus, miserationis tuae veniam sentiamus.

Codd. : *Ariberto* 388   *Bergom* 463   *Biasca* 422   *Milano* 242   *Triplex* 1118

Rubr.: Dominica in ramis olivarum, missa postquam veniunt ad ecclesiam,
   - alia oratio super populum *i.e.* collecta *Triplex*
   - oratio super sindonem *ceteri codd.*

318.

Ascendant, quaesumus, domine, preces humilitatis nostrae in conspectu clementiae tuae et descendat super haec oblata virtus tuae divinitatis, quam nostris quoque purificandis mentibus largiaris.

Codd. : *Arbuth* 223   *Adelp* 1266   *Fulda* 1565   *Ménard* 177 C   *Panorm* 680   *Ratisb* 1433   *Rossian* 255, 2   *Sarum* 475   *Winch* 28   *West* I 408   *West* III 1489 (Abingdon St-Alban's)

Rubr. : Dominica V^a post (octavam) Pentecosten (post Trinitatem *Arbuth Sarum*) *seu* VI^a post Pentecosten, oratio super oblata *seu* secreta *codd.*

Var. lect. : **2** haec oblata] hanc oblationem *Panorm*   **3** purificandis] tibi *add. West* I 408

319.

Ascendat oratio nostra usque ad thronum claritatis tuae et non vacua revertatur ad nos postulatio nostra.

Codd.: *Ragusa* 174   *Stowe* 4

Rubr.: Dominica in palmis, oratio in ingressu ecclesiae et in choro
    Ragusa
    <Ordinarium missae>, collecta *Stowe*

320.

Ascendisse te in caelos ad patrem, dei filius, creatura tua laetatur et ideo supplici te cordis contritione exposcimus, ut et in nobis pollicitationem spiritus impleas et in defunctis donum aeternae quietis impertias.

Codd.: *London*⁴ 613   *London*⁶ 739   *Toledo*³ 759   *Toledo*⁴ 616

Rubr.: Missa de dominico post Ascensionem, <oratio> post nomina

Var. lect.: **3** spiritus] sancti *add. London*⁴ *London*⁶

321.

Ascensionis domini sacramentum <est>, quod dominus noster Iesus Christus ad patrem, advocatum nobis missurus, ascendit, fidei nostrae gaudia multiplicata concelebrat et, promissionis suae memor, ita interpellit pro nobis, ut in
5 secundo eius adventu mereamur occurrere laeti.

Cod.: *Bobbio* 303

Rubr.: Missa in Ascensione Domini, secreta

322.

Aspice de caelo, deus, et veni
et multiplica fidem populi tui,

        ut per te sequatur augmentum,
        per quem sumpsit initium.

Codd.: *Ariberto* 99   *Bergom* 77   *Biasca* 77   *Triplex* 138.
144

Rubr.: Alia oratio ambrosiana de Adventu Domini *Triplex* 138
Dominica VIª de Adventu, oratio super populum *i.e.* collecta *ceteri codd.*

Var. lect.: 1 Aspice] Respice *Ariberto*

323.

Aspice nos, domine, precibus exoratus venerandi martyris Gregorii, tua miseratione concedens, ut, sicut nobis eius passio contulit hodiernum in tua virtute conventum, ita suffragetur et meritum.

Cod.: *Leon* 126

Rubr.: Mense Aprilis, XXXIII alia missa, <collecta>

Var. lect.: 3 conventum] laetitiam *add. cod.*

324.

Aspice, quaesumus, domine, quae oculis tuae maiestatis offerimus, ut tuorum deprecatione sanctorum et tuitionem nobis praebeant et medelam.

Cod.: *Leon* 411

Rubr.: Mense Iulii, VI Idus Iulii, natale sanctorum martyrum Felicis, Philippi, Vitalis, Martialis, Alexandri, Silani et Ianuarii, VII alia missa, <secreta>

325.

Aspice sincero vultu, pie miserator, haec munera, qui semper es propensus ad dona, ut ipsa contemplatione oblata sanctifices naturali maiestate, qui perpetue sanctus es et sancta largiris.

Codd.: *Gallic* 18   *Goth* 202

Rubr.: Missa in symboli traditione, <collectio> post secreta *codd.*

326.

Assistite nobis, sancti martyres dei, in quibus trina et indivisa caritatis societas ignis est conflatione probata. Vestris, quaesumus, suffragiis praebete nostris finibus pacem et cunctis inconvulsibilem caritatem, ut vestro interventu
5 cuncta in pace permaneant, quae in hoc die passionis vestrae copiose exsultant.

Codd.: *London*[5] 943   *Toledo*[3] 959

Rubr. : Missa sanctorum Fausti, Ianuarii et Martialis, <oratio> ad pacem *codd.*

327.

Assume, quaesumus, omnipotens deus, in honorem sanctorum martyrum tuorum Eustachii sociorumque eius haec tibi oblata libamina, quorum pia supplicatione placatus, et praeteritorum veniam et futurorum nobis cautelam praebeas de-
5 lictorum.

Cod.: *Sarum* 959

Rubr.: <Die II° mensis Novembris>, memoria de martyribus Eustachio sociisque eius, secreta

328.

Attende, domine, gemitus nostros et familiae tuae adesto propitius, ut, si reatus conscientiae nostrae a te nos facit extraneos, tua pietas non amittat proprios vel redemptos, sed fac nos, domine, evangelicam praedicationem cognoscere et
5 aeternam vitam percipere.

Cod.: *Toledo*[4] 920 (1354)

Rubr.: Officium de tertio dominico cottidiano, <oratio> "Alia"

329.

Attende, domine omnipotens, devotionem populorum fidelium et propitius accipe hoc munus oblatum; sit nobis, oramus, ita sanctorum tuorum commemoratio in suffragium, ut

eorum meritis impetremus et remedium viventium et requiem
5 defunctorum.

Codd.: *Toledo*[3] 1124 bis   *Toledo*[4] 962 (1364)

Rubr.: Missa cottidiana III[a], <oratio> post nomina *Toledo*[3]
Officium in quarto dominico de cottidiano, <oratio> post
nomina *Toledo*[4]

330.

Attende, domine, propitius meae servitutis obsequium et
miserere fidelibus famulis tuis illis, ut, cunctis eorum scele-
ribus amputatis, ita sint tuae miserationis defensione protec-
ti, ut in observatione mandatorum tuorum mereantur esse
5 perfecti, quatenus et in hac vita universo facinore careant et
in conspectum gloriae tuae quandoque sine confusione perveniant.

Codd.: *Benevent*[1] 841   *Bobbio* 415   *Silos*[3] 206   *Tole-*
do[3] 1018 bis b

Rubr.: Alia oratio pro quacumque tribulatione et pro peccatis
Benevent[1]
Missa omnimoda vel de sanctis, <oratio> "Alia" *ceteri codd.*

Var. lect. : 2 illis] et omni populo christiano *add. Toledo*[3], qui tibi
pro peccatis suis munera sua offerunt et omnibus fidelibus christianis et
eis qui mihi suas eleemosynas condonaverunt et omnibus servis tuis vel
ancillis tuis tam vivis quam et defunctis qui mihi commendati sunt atque
commissi quorum nomina tu scis pro quorum peccatis te deus supplex
postulo ut tu domine misericordiam tuam super eos digneris impendere et
super nos qui te supplices postulamus *add. Benevent*[1]

331.

Auctor perpetuae claritatis, deus immense, rogamus, ut
carnem nostram per abstinentiam regas et corda pace tua
adimpleas, quo et per abstinentiam caro non sordeat et per
dilectionem tam initia quam finis noster ad remunerationem
5 usque perveniat.

Cod.: *Toledo*[3] 330

Rubr.: Missa ieiunii de II[a] feria inchoante quadragesima, <oratio> ad
pacem

332.

Audi, deus meus, audi, lumen oculorum meorum, audi, quae peto, et da, quae petam, ut audias; si enim despexeris, pereo; si respexeris, vivo; si iuste me intenderis, mortuus foeteo; si misericordia respexeris, foetentem suscitas de 5 sepulchro; si mala respexeris mea, tartarea tormenta vix sufficiunt; si pietate intendas solita, poteris me commutare in melius. Quid non mali ego? Aut quid non boni tu? Quid non mali ego, corruptibilis creatura? Quid non boni tu, creator et creaturae auctor? Cecidi de manu tua vitio meo; potens es, 10 artifex, tibi iterum placitum figurare. Corripe me in misericordia, ne deseras neque in ira corripias. Quod odis in me, procul fac a me et in tua voluntate intende in me. Hostem libidinis repelle a me et castitatis spiritum insere in me. Vitium omne mortifica in me et animam meam vivifica in me.

Codd. : *Gellon* 1875   *GregorTc* 2127 b   *Pamel* 520   *Vi-cen*[1] 915b

Rubr.: Missae sancti Augustini per totam hebdomadam, <missa feria prima>, collecta *codd.*

333.

Audi, deus pater omnipotens, preces nostras et sacrificiis, a te institutis, totus illabere ac praesta, ut, interventu sanctorum martyrum defensati<s>, sit nobis haec temporalis vita pacis bono fecunda, sit mors confessione potissima et re-5 surrectio cum sanctis omnibus gloriosa.

Codd.: *Silos*[6] 6   *Toledo*[3] 1039

Rubr.: (Alia) missa de sanctis, <oratio> post "Pridie" *codd.*

334.

Audi, domine, misericors bonitatis plenitudo, castitatis amator, dignitatis dilector, elisorum relevator, fortitudo debilium, gubernator populorum, hereditas peregrinorum, infirmorum relevatio, caritatis amator, longanimitatis instructor. 5 Magnum nimis et misericors nomen tibi, omnipotens deus, quia pius es; pius, quia fortis et patiens es nimis, tantum laudabilis tantumque possibilis, redemptor mundi, salvator animarum et populi tui, trinitas deus. Vita credentium, Christe, protege populum tuum et semper in tua pace custodi.

Cod.: *Silos*[6] 203

Rubr.: Officium de secundo dominico, ad missam, <oratio> "Alia"

Nota: *Comparez à l'oraison*: "Audi, piissime, audi, salvator ... scandalum suscitare."

335.

Audi, domine, populum tuum, tota tibi mente subiectum, et apostolicam tuitionem supplici decerne propitiatus, ut, corpore et corde protectus, quod pie credit, appetat, quod iuste sperat, obtineat.

Cod.: *Leon* 312

Rubr.: Mense Iunii, in natale apostolorum Petri et Pauli, XII alia missa, <oratio super populum>

Nota: *Comparez à l'oraison*: "Exaudi, domine, populum tuum, tota ... gratia consequatur."

336.

Audi, domine, populum tuum, toto tibi corde subiectum, et tuitionem mentis et corporis eidem, rogantibus sanctis apostolis tuis, praesta continuam.

Cod.: *Leon* 302

Rubr.: Mense Iunii, in natale apostolorum Petri et Pauli, VIII alia missa, <oratio super populum>

337.

Audi, piissime, audi, salvator fortissime, bonitatis plenitudo, castitatis amator, dignitatis conservator, caritatis auctor, longanimitatis institutor. Magnum nimis et miserator nomen tibi, omnipotens, quia pius es et fortis, quantum lau-
5 dabilis tantum possibilis. Redemptor mundi, salvator populi, trinitas deus, vita credentium, sancte, protege populum tuum atque semper in tua pace dispone, quia tu dixisti pacem habere in universo orbe. Nos itaque, fratres, habeamus pacem sanctimonialem et vinctus diabolus non praevaleat internus
10 scandalum suscitare.

Cod.: *Silos*[6] 447

Rubr.: Officium de VIII° dominico, ad missam, <oratio> ad pacem

Nota: *Comparez à l'oraison*: "Audi, domine, misericors bonitatis ... pace custodi."

338.

Auditis nominibus ac desideriis offerentium, fratres carissimi, dei patris omnipotentis clementiam deprecemur, ut, qui hodie per filium suum mirifice aquae speciem vertit in vinum, ita omnium simul oblationes et vota convertere digne-
5 tur in sacrificium divinum et accepta ferre, <sic>ut accepta tulit Abel iusti sui munera et Abrahae patriarchae sui hostias, et, quorum nomina texuit recitatio praemissa, eorum sortem inter electos iubeat aggregari.

Cod.: *Goth* 84

Rubr.: Missa in die sancto Epiphaniae, collectio post nomina

339.

Auditis nominibus ac desideriis offerentium, rogamus, domine, ut eorum oblatione iam munera propitius dignanter acceptes; supplicantes, ut beatissimorum patriarcharum, prophetarum, apostolorum omniumque sanctorum suffragiis et
5 patrociniis adiuvemur. Spiritus vero sanctorum, quorum commemoratio facta est, praesentem requiem et fructum primae resurrectionis obtineant.

Cod.: *London*[5] 598 (1301)

Rubr.: Officium in die sancti Mametis, <oratio> post nomina

Fontes: 6/7 primae resurrectionis] cfr Apoc. 20, 5-6

340.

Auditis nominibus carorum nostrorum, omnipotentem dominum deprecemur, ut, plebis suae ministrorumque vota suscipiens, oblationes nostras, quas in commemorationem sanctorum Acaunensium ac pro spiritibus carorum nostrorum
5 offerimus, in odorem bonae suavitatis accipiat. Unde suppli-

ces simus, ut beatissimorum patriarcharum, prophetarum, apostolorum et martyrum omniumque sanctorum piis precibus adiuvemur.

Codd.: *GaM* 35* 4, 3   *Goth* 421

Rubr.: Ordo missae in festis martyrum, collectio post nomina *GaM*
Missa sancti ac beatissimi Mauritii cum sociis suis, collectio post nomina *Goth*

341.

Auditis nominibus offerentium, aeternitatis dominum deprecemur, ut in nobis vel timor eius vel cordis puritas vel caritas, quae casum non habet, immobilis perseveret, quia haec est salutaris oblatio, haec vera, haec pinguis hostia, ista
5 sunt pura libamina, quae et pro nobis et pro requie defunctorum contritis et humiliatis cordibus offeruntur.

Cod.: *Goth* 299

Rubr.: Missa paschalis, V[a] feria, <collectio> post nomina

Fontes: 6 contritis ... cordibus] cfr Ps. 51 (50), 19 b

342.

Auditis nominibus offerentium, debita cum veneratione beatissimorum apostolorum et martyrum omniumque sanctorum commemoratione decursa, et offerentium et pausantium commemoremus nomina, ut, aeternalibus indita paginis, sanc-
5 torum coetibus aggregentur.

Codd.: *Goth* 294   *Monac*[1] 138

Rubr.: Missa paschalis, IV[a] feria, <collectio> post nomina *Goth*
Ordo missae <sancti> Martini, <collectio> post nomina recitata *Monac*[1]

343.

Auditis nominibus offerentium, fratres carissimi, domini maiestatem deprecemur, ut, qui vitam summi antistitis sui Leudegarii martyris transtulit ad coronam, per interventum sanctorum patriarcharum, apostolorum et martyrum, ana-
5 choritarum et virginum omniumque sanctorum concedere

dignetur, ut sacrificii praesentis oblatio, quae offertur, <et> viventibus emendationem et defunctis remissionem obtineat peccatorum, et, quorum nomina in recitatione patefacta sunt, in caelestibus paginis conscribantur.

Codd.: *Gemm* 217   *Goth* 427

Rubr.: VI Nonas Octobris, natale sancti Leudegarii episcopi,
- collectio post nomina *Goth*
- secreta *Gemm*

344.

Auditis nominibus offerentium, fratres carissimi, omnipotentis dei inenarrabilem misericordiam supplices postulemus, ut nomina nostra, quae in hoc celeberrimo die in honorem sancti antistitis sui Martini offerimus, benedicere et sancti-
5 ficare, ipso suffragante, dignetur et, quod illi hodie collatum est ad gloriam, nobis quoque proficiat ad salutem.

Cod.: *Goth* 474

Rubr.: Missa sancti Martini episcopi, <collectio> post nomina

345.

Auditis nominibus offerentium, fratres carissimi, rogemus deum patrem omnipotentem, ut oblationem famuli sui illius inter sanctorum suorum dona constituat, quorum suffragia pia devotione postulamus.

Cod.: *Rhen* 1297

Rubr.: Missa votiva pro eis, qui sibi, in corpore vivi, missam cantari rogant, secreta

346.

Auditis nominibus offerentium, fratres dilectissimi, Christum dominum deprecemur, ut, sicut pro eius circumcisione carnali sollemnia celebramus, ita, spiritalium nequitiarum illusione devicta, laetemur, praestante pietate sua, ut haec
5 sacrificia sic viventibus proficiant ad emendationem, ut defunctis opitulentur ad requiem.

Cod.: *Goth* 53

Rubr. : Ordo missae in Circumcisione Domini nostri Iesu Christi, collectio post nomina

347.

Auditis nominibus offerentium, fratres dilectissimi, omnipotentem deum supplicemus, ut super hanc oblationem caelestem gratiam suam divini illius odoris infundat, quam in commemoratione dominicae resurrectionis offerimus, ut ac-
5 ceptio benedicti corporis et sacri poculi praelibata communio defunctis opituletur ad requiem, viventibus proficiat ad salutem.

Cod.: *Gallic* 180

Rubr.: Missa in vigilia Paschae, collectio post nomina

348.

Auditis nominibus offerentium, indeficientem divinam clementiam deprecemur, ut has oblationes plebis, quas in honorem beatissimi Germani antistitis et confessoris offerimus, signato die hodiernae sollemnitatis celebremus, cum
5 inconcussa fidei libertate, quam ille constanti mente defendit, precantes, ut robur patientiae eius nobiscum, si non opere, saltem voluntate comitetur. Oremus etiam et pro spiritibus carorum nostrorum, quorum idem omnipotens deus et numerum novit et nomina, ut omnium memoriam faciat, om-
10 nium peccata dimittat.

Cod.: *Gallic* 3

Rubr.: Missa sancti Germani episcopi, collectio <post nomina>

Nota: *Comparez à l'oraison*: "Clementiam tuam, domine, deprecamur ut ... voluntate comitetur."

349.

Auditis nominibus offerentium, te pietatis dominum deprecamur, ut digneris nobis oratus assistere, adesse quaesitus, aperire pulsatus; offerentium nomina caelestibus adscribas in paginis; promissionem tuam manifestes in sanctis; miseri-
5 cordiam ostendas in perditis.

Et, quia imbecilla est nostrae infirmitatis oratio, ut, quid orare oporteat, nescimus, advocamus in suffragio precum

nostrarum receptos in caelesti collegio patriarchas, repletos
divino spiritu prophetas, martyres confessionis floribus coro-
10 natos, apostolos ad officium praedicationis electos, per quos
oramus te dominum nostrum, ut omnes metu territos, inopia
afflictos, tribulatione vexatos, morbis obrutos, suppliciis de-
ditos, debitis obligatos praesentia tuae resurrectionis absolvas. Spirituum quoque pausantium memor esse digneris,
15 ut, illis criminum suorum indulgentia relaxata, ad sinum
patriarcharum liceat pervenire.

Codd.: *GaM* 31* 4, 13   *Monac*[1] 88   *Toledo*[3] 613   *Tole-*
do[5] 757

Rubr.: Clausula Paschae, <collectio> post nomina recitata *GaM*
Missa in hilaria Paschae dicenda, <oratio> post nomina *ceteri
codd.*

350.

Auditis nominibus recensitis, dilectissimi fratres, deum
pietatis et misericordiae deprecemur, ut haec, quae oblata
sunt, benignus assumat. Nullum umquam ex his, pro quibus
holocausta franguntur, muneris sui exterum esse patiatur,
5 tam viventium quam defunctorum vel ad merita vel ad
peccata respiciens, alios iubeat ad gratiam, alios ad veniam
pertinere.

Cod.: *Goth* 490

Rubr.: Missa dominicalis II[a], <collectio> post nomina

351.

Audivimus et cognovimus, domine, per abstinentiam sacri
ieiunii, quanta virtutum praemia collata sint patribus nostris.
Ex hoc tuae maiestati Moyses adscriptus est fidelis amicus.
Ob hoc Elias, raptus igneis curribus, obsequentibus flammis,
5 paradiso deputatus est vivus. Per huius quoque quadragesimae perpetuitatem ieiunii tentator a Christo devictus est
inimicus. Ex hoc Iohannes enituit in deserto praecipuus. Ob
hoc te quaesumus, sanctissime deus, ut hoc salutiferum opus
praestes nobis iugiter frequentare, per quod ad promissa
10 mereamur praemia futurae beatitudinis pervenire.

Cod.: *Toledo*[3] 474   *Toledo*[5] 361

Rubr.: Missa de VI[a] feria post vicesima, <oratio> "Alia"

Fontes : 3   ... Moyses ...] cfr Num. 12, 7-8   4   ... Elias ...] cfr IV Reg. 2, 11   6   ... Christo ...] cfr Matth. 4, 1-11   7   ... Iohannes ...] cfr Matth. 3, 1-4

352 a.

Aufer a nobis, domine, quaesumus, iniquitates nostras, ut ad sancta sanctorum puris mereamur sensibus introire.

Codd. : *Benevent*² 41   *Engol* 265   *Fulda* 345   *GelasV* 84   *Gellon* 260   *Leon* 985   *Pad* 155   *Pamel* 214   *Pa-Mon-Ben* 30, 1   *Phill* 274   *Prag* 40, 1   *Rhen* 188   *San-gall* 241   *Triplex* 592   *Udalr* 237

Rubr. : Mense Septembris, in natale episcoporum, IV alia missa, <se-creta> *Leon*
Feria Vᵃ hebdomadae Iᵃᵉ quadragesimae, collecta *Pad*
Feria Vᵃ in quinquagesima, collecta *Benevent*²   *PaMon-Ben*
Sabbato in quinquagesima, collecta *Udalr*
Dominica quinquagesimae,
- collecta *GelasV Prag*
- oratio ad vesperum *Fulda*
- alia oratio *Pamel*
- alia collecta *ceteri codd.*

Var. lect. : **1** quaesumus domine *transp. Prag*   quaesumus] *om. Pa-Mon-Ben*   **2** sensibus] mentibus *Fulda Pamel Udalr (cfr n° 352 b)*

352 b.

Aufer a nobis, quaesumus, domine, iniquitates nostras, ut ad sancta sanctorum puris mereamur mentibus introire.

Codd. : *Adelp* 19⁰"   *Arbuth* xcii⁰⁺   *Avellan*¹ 885⁰⁺   *Avel-lan*² 932⁰   *Donauesch* 101   *Gregor* 814   *GregorTc* 4079   *Her-ford* 115⁰⁺"   *Mateus* 1669⁰"   *Metz*¹ 92   *Metz*² 206   *Nivern* 44⁺   *Phill* 1457   *Pont. Ambr.* 23   *Prag* 272 III   *Ra-tisb* 1762"   *Sarum* 581⁰⁺   *Trento* 852   *Triplex* 3152   *West* II 490⁰"

Rubr. : Attribution incertaine *Prag*
Oratio in initio missae *codd.* ° *distincti*
Dedicatio ecclesiae, alia oratio *ceteri codd.*

Var. lect. : **1** quaesumus] *om. codd.* " *distincti*   domine quaesu-mus *transp. Arbuth Avellan*¹ *Trento*   domine] intercedentibus istis et omnibus sanctis tuis *add. Adelp Avellan*¹   iniquitates nostras] omnes *praem. Avellan*² *Metz*² *West,* cunctas *praem. codd.* ⁺ *distincti,* et spiri-tum superbiae et elationis cui resistis et da nobis cor contritum et hu-miliatum, quod non spernis, ut mereamur puris mentibus introire ad sancta sanctorum *add. Mateus*, et ignem sancti spiritus in nobis clementer accende *add. West* 2 puris ... introire] puris mentibus introire mereamur *Arbuth*, puris mentibus mereamur introire *Avellan*[1], puris mentibus servire mereamur et introire *Herford*, puris mentibus et puris corporibus mereamur introire *Prag*, mereamur puris mentibus introire ad sancta sanctorum *West*

353.

Aufer a nobis, domine, spiritum superbiae, cui resistis, ut sacrificia nostra tibi sint semper accepta.

Codd. : *Bergom* 1293   *Biasca* 1222   *Fulda* 2121   *Gemm* 240   *Gregor* 829   *GregorTc* 2051   *Leofric* 267   *Mon-* za 1012   *Pamel* 370   *Ratisb* 1904   *Trento* 987   *Tri-* *plex* 3113

> **Rubr.**: Missa propria pontificis in ordinatione ipsius, oratio super oblata *Fulda Leofric*
> Missa in natalitio consecrationis presbyteri, alia secreta *Triplex*
> Missa in ordinatione presbyteri, oratio super oblata *seu* secreta *ceteri codd.*

354.

Auge fidem tuam, domine, quaesumus, miseratus in nobis, quia pietatis tuae subsidia non negabis, quibus in te credendi contuleris firmitatem.

Codd. : *Engol* 454   *Fulda* 528   *GelasV* 221   *Gellon* 438   *Leon* 539   *Pamel* 235   *Phill* 445   *Sangall* 387   *Tri-* *plex* 905   *West* III 1464 (Sherborne)

> **Rubr.**: Mense Iulii, orationes et preces diurnae, XXII alia missa, <collecta> *Leon*
> Feria VII[a] *seu* sabbato hebdomadae III[ae] quadragesimae,
> – collecta *Gellon*
> – oratio super populum *West*
> – oratio ad vesperum *Fulda Pamel*
> – alia collecta *ceteri codd.*

Var. lect. : 1 quaesumus domine *transp. Pamel*   2 in te credendi] *Leon*, integram *Fulda Gellon*, integram illius *Sangall*[2] *Triplex*, integre *ceteri codd.*

355.

Auge in nobis, domine, quaesumus, fidem tuam et spiritus sancti lucem in nobis semper accende.

Codd. : *Engol* 1879   *GelasV* 1580   *Gellon* 2111   *Gemm*
146   *GregorTc* 1828   *Ménard* 202 D   *Pamel* 473   *Ra-*
tisb 2571   *Ripoll* 805   *Suppl* 1494   *Vicen*[1] 1379

Rubr.: Missa ad poscendam sancti Spiritus gratiam, collecta *GregorTc*
Alia oratio ad matutinas *ceteri codd.*

Var. lect. : **1** quaesumus domine *transp. Engol*   quaesumus] *om.*
GregorTc Pamel   **2** semper in nobis *transp. Pamel*

356.

Auge, quaesumus, domine, fidem populi tui, de sancti
Laurentii martyris festivitate conceptam, ut ad confessionem
tui nominis nullis properare terreamur adversis sed tantae
virtutis intuitu potius incitemur.

Codd.: *Leon* 774   *Paterniac* XVIII, 7

Rubr.: Mense Augusti, IV Idus Augusti, natale sancti Laurentii, XI
alia missa, <collecta> *Leon*
<V Idus Augusti, vigilia sancti Laurentii levitae et martyris>,
oratio ad populum *Paterniac*

Var. lect.: **2** martyris] tui *add. Paterniac*

357.   Br 63

Augeatur in nobis, domine, quaesumus, tuae virtutis operatio, ut, divinis vegetati sacramentis, ad eorum promissa
capienda tuo munere praeparemur.

– A –

Codd. : *Engol* 1774   *GelasV* 1263   *Prag* 236, 3   *Rhen*
1096   *Rossian* II, 3   *Trento* 86

Rubr.: Dominica infra Nativitatem Domini, oratio ad complendum
Rossian
<Ordinarium missae>, alia oratio ad complendum *seu* post
communionem *ceteri codd.*

Var. lect.: **1** virtutis tuae *transp. Rossian*

– B –

Codd. : *Adelp* 175   *Aquilea* 23ʳ   *Arbuth* 43⁰⁾   *Ariberto*
180   *Bec* 17   *Benevent*² 16⁾   *Bergom* 211   *Biasca* 207   *Can-*

tuar 18+   *Curia* 25ᵛ   *Engol* 133   *Fulda* 299   *Gellon*
138   *Gemm* 56   *Gregor* 35*   *Herford* 32⁰   *Iena* 33"   *La-*
teran 30"   *Leofric* 68   *Mateus* 519   *Ménard* 41 C   *Monza*
74   *Nivern* 148+"   *Otton* 7ʳ   *PaAug* 18, 4   *Pad* 74   *Pa-*
mel 398   *Paris*¹ 29   *Phill* 142   *Praem* 39   *Prag* 17, 4
Ragusa 86+   *Ratisb* 111   *Rhen* 117   *Ripoll* 32   *Rossian* 34,
3   *Salzb* 399. I 6"   *Salzb-A* 38   *Sangall* 125   *Sarum*
97⁰   *Suppl* 1101   *Trento* 1057   *Triplex* 397   *Udalr*
198   *Vicen*² 121   *West* I 75⁰

> **Rubr.**: Dominica IIᵃ post octavam Epiphaniae, postcommunio *codd.*
> ° *distincti*
> Dominica IIᵃ post Theophaniam *seu* Epiphaniam (Iᵃ post octa-
> vam Th. *seu* Ep. *codd.* + *distincti*), oratio ad complen-
> dum *seu* post communionem *ceteri codd.*

Var. lect. : 1 quaesumus domine *transp. codd.* " *distincti*   virtutis]
miserationis *Lateran*   2 eorum promissa] ea *Arbuth*   promissa] praemia
Cantuar   3 tuo] semper *add. Sarum*

358.   Br 64

Aurem tuam, quaesumus, domine, precibus nostris accom-
moda et mentis nostrae tenebras gratia tuae visitationis
illustra.

> **Codd.** : *Adelp* 1352   *Aquilea* 4ᵛ   *Arbuth* 9   *Cantuar* 7
> *Casin* ¹ 206   *Curia* 10ᵛ   *Engol* 1586⁰   *Fulda* 1737⁰   *Gel-*
> *lon* 1720⁰   *Gemm* 140   *Gregor* 787   *Herford* 5   *Iena*
> 19   *Lateran* 9   *Leofric* 127⁰   *Mateus* 29   *Ménard* 192 A⁰
> *Milano* 604   *Monza* 682⁰   *Nivern* 263   *Otton* 147ʳ   *Pad*
> 790   *Pamel* 360   *PaMon-Sup* 1, 3   *Phill* 1119⁰   *Praem*
> 31   *Ratisb* 233. 1579⁰   *Rhen* 994⁰   *Ripoll* 715⁰   *Ros-*
> *sian* 279, 1   *Salzb* 350   *Sangall* 1424⁰   *Sarum* 27   *Trento*
> 825   *Trento-A* 377*   *Udalr* 1249   *Vicen*² 55⁰   *Vigil*
> 434   *West* I 14

> **Rubr.**: Dominica XXIᵃ post octavam Pentecostes, oratio super popu-
> lum *i.e.* collecta *Milano*
> Alia oratio de Adventu Domini *PaMon-Sup*
> Alia missa infra hebdomadam <septuagesimae>, alia collecta
> *Ratisb*
> Dominica (hebdomada *Leofric*) IIᵃ ante Natale Domini (heb-
> domada XXXIᵃ post Pentecosten *add. Gellon*), collecta
> *codd.* ° *distincti seu* dominica IIIᵃ (VIᵃ *Nivern*) de Adventu
> (Domini), collecta *ceteri codd.*

Var. lect.: 2 visitationis] pietatis *Milano*

Nota: *Comparez à l'oraison*: "Voci nostrae, quaesumus, domine, aures
tuae ... visitationis illustra."

359.

Aures clementiae tuae, deus, ad populi tui gemitum placatus inclina; sume precantium preces et paenitentium exaudi clamores; flenti et confitenti familiae tuae promissam concede indulgentiam peccatorum.

Cod.: *Milano* 50

Rubr. : Alia oratio in quadragesima ad missam sive ad vesperum, vigilia quam etiam ad matutinum

360.

Aures clementiae tuae, quaesumus, domine, inclina precibus nostris, ut, qui sancti confessoris atque pontificis tui Taurini annua gaudemus devotiònè, ipso intercedente, mereamur fieri consortes caelestis gloriae.

Codd.: *Bec* 178   *West* III 1549 (St-Alban's)

Rubr. : Die XI° mensis Augusti, <in festo> sancti Taurini episcopi, collecta *codd.*

361.

Aures tuae pietatis, mitissime deus, inclina precibus meis et gratia sancti spiritus illumina cor meum, ut tuis mysteriis digne ministrare teque aeterna caritate diligere merear.

Codd. : *Adelp* 12. 1472   *Alcuin* 37   *Arbuth* 449⁰⁺   *Bergom* 1309   *Biasca* 1207   *Fulda* 2207   *GregorTc* 2104. 2171⁰   *Herford* 413⁰⁺   *Milano* 1213   *Monza* 900   *Pamel* 436   *Ratisb* 1931. 1943   *Rosslyn* 86⁰⁺   *Sarum* 790*⁰⁺   *Triplex* 3104   *Udalr* 1623⁰   *Vigil* 572⁰   *West* II 1186⁰⁺

Rubr.: Ordo qualiter sacerdos se ad missam praeparare debeat, alia oratio *Adelp* 12
(Alia) missa sacerdotis,
   – oratio super sindonem *Bergom Biasca Milano*
   – secreta *Triplex*
   – oratio ad complendum *seu* post communionem *codd.* ⁰ *distincti*
   – alia oratio *ceteri codd.*

Var. lect. : **2** et] per huius divini sacramenti carnis et sanguinis filii tui domini nostri Iesu Christi quod indignus sumpsi mysterium *add.*

codd. + *distincti,* per hanc oblationem *add. Triplex,* intercedente beato Vigilio martyre tuo *add. Udalr Vigil* spiritus sancti *transp. Arbuth* **3** merear] valeam et aeternorum flammas tormentorum evadere atque perpetuam beatitudinem accipere merear *GregorTc* 2171, et sempiterna gaudia percipere merear *codd.* + *distincti*

362.

Aures tuae pietatis, quaesumus, domine, precibus nostris inclina, ut, qui peccatorum nostrorum flagellis percutimur, miserationis tuae gratia liberemur.

Codd. : *Ariberto* 649$^{o+\#}$ *Bergom* 743$^{\mu}$. 875$^{o+\#}$ *Biasca* 714$^{\mu}$.
806$^{o+\#}$ *Casin*[l] 85   *Engol* 2275   *Fulda* 2068. 2848   *Gellon* 1786"   *Gregor* 875   *Leofric* 187. 243   *Ménard* 168 D".
198 B   *Milano* 455   *Monza* 346$^{+\#}$. 812$^{+\#}$ *Pad* 958° *Pamel* 375   *Phill* 1729   *Ratisb* 1367". 2065   *Ripoll* 791.
1636   *Trento* 923   *Triplex* 1563$^{o+\#}$. 1768$^{\mu}$ *Udalr* 1050^{+}.
1114$^{+"}$. 1313   *Vicen*[l] 1313

Rubr.: In natale unius confessoris,
- oratio ad complendum *Udalr* 1114
- oratio super populum *Ménard* 168 D
- alia oratio *Gellon Ratisb* 1367
XII Kalendas Aprilis, natale sancti Benedicti abbatis, collecta *codd.* # *distincti*
Orationes quae dicendae sunt in litaniis vel in vigiliis cottidianis diebus, de die tertio, alia oratio *codd.* $^{\mu}$ *distincti*
Litaniae per hebdomadam, sabbato, alia oratio *Casin*[l]
Missa pro quacumque tribulatione, feria VII^{a}, alia oratio *Fulda* 2068
Orationes in monasterio, alia <oratio> in <ecclesia> superiori *Fulda* 2848
Missa pro mortalitate hominum, alia oratio *Leofric* 187 *Ripoll* 1636
IX Kalendas Decembris, natale sancti Columbani abbatis, collecta *Udalr* 1050
Alia oratio pro peccatis *ceteri codd.*

Var. lect. : **1** tuae pietatis] tuas *codd.* ^{o} *distincti* tuae pietatis quaesumus domine] domine quaesumus tuae pietatis *Udalr* 1313 **2** percutimur] intercedente confessore tuo Benedicto *add. codd.* # *distincti,* intercedente beato confessore tuo illo *add. codd.* " *distincti,* intercedente beato Amando confessore tuo *add. Fulda* 2848, intercedente beato Columbano confessore tuo *add. Udalr* 1050 **3** miserationis tuae] tua *codd.* + *distincti*

363.

Auxiliare, domine, famulis tuis, et, in tua pietate fidentibus, iugiter esto propitius, ut et praesentia pericula, te protegente, declinent et futura gaudia, te largiente, percipiant.

Cod.: *Leon* 508

Rubr. : Mense Iulii, orationes et preces diurnae, XVI alia missa, <oratio super populum>

364.

Auxiliare, domine, fragilitati nostrae, ut tuorum intercessione sanctorum non reprobemur meritis, quos tantis deputare dignaris officiis.

Cod.: *Leon* 65

Rubr.: Mense Aprilis, XIX alia missa, <alia collecta>

365.

Auxiliare, domine, plebi tuae et, toto tibi corde subiectae, praesta conversationis effectum, quia bonis omnibus hanc replebis, si tibi placere perfeceris.

Cod.: *Leon* 454

Rubr. : Mense Iulii, orationes et preces diurnae, VII alia missa, <oratio super populum>

366.

Auxiliare, domine, populo tuo, ut, sacrae devotionis proficiens incrementis, et tuo semper munere gubernetur et ad redemptionis aeternae pertineat, te ducente, consortium.

Codd. : *Arbuth* 394   *Ariberto* 221"#   *Bergom* 270"#   *Biasca* 249"#   *Engol* 134. 585$^\mu$ *Fulda* 300   *GelasV* 348$^\mu$. 1052   *Gellon* 139   *Gemm* 56   *Gregor* 912°   *GregorTc* 3108+   *Leofric* 69   *Ménard* 41 D   *Pamel* 379°. 398   *Paris*[1] 30+   *Phill* 143   *Prag* 89, 4$^\mu$ *Ratisb* 112. 2519°   *Rhen* 118+   *Salzb* III 21°   *Sangall* 126   *Sarum* 966+   *Trento* 39°   *Triplex* 398. 586#   *Udalr* 1350°   *Vicen*[1] 1350°

Rubr.: Feria IV^a hebdomadae VI^{ae} quadragesimae, oratio ad populum
  codd. $^\mu$ *distincti*
  Orationes in ieiunio mensis septimi, die sabbato in XII lectionibus, oratio ad populum *GelasV* 1052

Alia oratio cottidiana *codd.* ° *distincti*

Dominica in sexagesima, oratio super populum *i.e.* collecta *codd.* # *distincti*

Missa pro salute vivorum vel defunctorum, collecta *GregorTc*

\<Die XI° mensis Novembris, in festo\> sancti Martini episcopi et confessoris, postcommunio *Arbuth Sarum*

Dominica II^a post Theophaniam, oratio ad *seu* super populum *ceteri codd.*

Var. lect. : 1/2 domine ... incrementis] quaesumus domine populo tuo sacramentorum tuorum virtute proficiens intercedente beato Martino confessore tuo atque pontifice *Arbuth Sarum*   **1** populo tuo] famulo tuo illi *GregorTc*   **2** gubernetur] glorietur *Ratisb* 2519   **3** pertineat] pertingat *GelasV* 348   *Prag*, perveniat *codd.* + *distincti*   ducente] deducente *codd.* " *distincti*

367.

Auxiliare, domine, quaerentibus misericordiam tuam et da veniam confitentibus, parce supplicibus, ut, qui nostris meritis flagellamur, tua miseratione salvemur.

Codd. : *Benevent*[1] 839   *Bergom* 740   *Biasca* 709   *Casin*[1] 74   *Engol* 2266   *Fulda* 2105   *Gellon* 2702   *Gregor* 858   *Leofric* 242   *Ménard* 108 A   *Milano* 450   *Pad* 948   *Pamel* 374   *Phill* 1719   *Ratisb* 764   *Ripoll* 777   *San-gall** 112   *Trento* 906   *Triplex* 1765   *Udalr* 1302   *Vicen*[1] 1279. 1296

Rubr.: Orationes quae dicendae sunt in litaniis vel in vigiliis cottidianis diebus, de die tertio, alia oratio *Bergom   Biasca Triplex*

Litaniae per hebdomadam, feria VI^a, alia oratio *Casin*[1]

In Litania minore, feria IV^a, alia oratio *Ménard Ratisb*

Alia oratio pro peccatis *ceteri codd.*

Var. lect. : **1** domine] quaesumus *add. Engol, om. Phill*   **2** ut qui] servis tuis vel omnibus ancillis tuis et omnibus fidelibus christianis vel omnibus qui nobis suas eleemosynas condonaverunt et eis qui nos in sanctis orationibus habent memoriam vel eis qui nobis commendati sunt atque commissi pro quorum peccatis te deus supplices postulamus et tibi domine munera sua pro peccatis suis offerunt ut tu domine per intercessionem beatae et gloriosae semperque virginis dei genitricis Mariae et omnium sanctorum tuorum digneris misericordiam tuam super eos et super nos impendere; parce peccatis nostris quia *Benevent*[1]   **3** tua] sancta *add. Casin*[1]

368.

Auxiliare, domine, supplicibus tuis, ut opem tuae gratiae consequantur, qui in tua pietate confidunt.

Cod.: *Leon* 666

Rubr.: Mense Iulii, preces diurnae cum sensibus necessariis, XLV alia missa, <alia collecta>

369.

Auxiliare, domine, temporibus nostris, ut, tua nos ubique dextera protegente, et religionis integritas et Romani nominis securitas reparata consistat.

Codd. : *Ariberto* 501   *Bergom* 666   *Biasca* 635   *Leon* 480   *Triplex* 1673

Rubr.: Mense Iulii, orationes et preces diurnae, XII alia missa, <alia collecta> *Leon*
Dominica IV^a post octavam Paschae *seu* V^a post Pascha,
– alia oratio super populum *i.e.* collecta *Triplex*
– oratio super sindonem *ceteri codd.*

Var. lect.: 2 Romani] *Leon*, christiani *ceteri codd.*

370.

Auxiliare nobis, misericors deus, et, ut cunctos hostes expugnare possimus, praesta, quaesumus, ut nostros vincamus errores.

Cod.: *Leon* 621

Rubr.: Mense Iulii, preces diurnae cum sensibus necessariis, XXXVII alia missa, <alia collecta>

371.

Auxiliare, quaesumus, domine, nobis servis tuis, tot calamitatum miseriis oppressis, et dexteram super nos tuae maiestatis placatus extende atque, ablato crudeli terrore barbarico, gaudium perpetuae consolationis citissime benig-
5 nus impende.

Cod.: *GregorTc* 2574

Rubr. : Missa pro imminenti persecutione barbarica, oratio ad complendum

372.

Auxiliatrix sit nobis virtus spiritus sancti, qui sanctum suum Achatium cum suis sodalibus in crucis patibulo roboravit; te, Christe, suppliciter exoramus, ut, quorum natalitia colimus, eodem spiritu adiuvante, aeterna beatitudine con-
5 solemur.

Cod.: *Aquilea* 215ᵛ

Rubr.: X Kalendas Iulii, in festi <sanctorum> Achatii et sociorum eius, complenda

373.

Auxilientur nobis, domine, beati praecursoris et martyris tui Iohannis Baptistae veneranda merita passionis et haec nobis hostia tuae placationis exsistant.

Codd.: *Ariberto* 876   *Benevent*² 165   *Bergom* 1092   *Bias-*
ca 1015   *Milano* 1119   *Triplex* 2406

Rubr.: IV Kalendas Septembris, decollatio sancti Iohannis Baptistae, oratio super oblata *seu* secreta *codd.*

Var. lect.: 3 tuae] *om. Ariberto*

374.   Br 65

Auxilientur nobis, domine, sumpta mysteria et sempiterna protectione confirment.

- A -

Codd. : *Aquilea* 202ʳᵒ. 203ʳᵒ   *GelasV* 1241   *GregorTc*
1911   *Praem* 97°. 103°. 109°. 117°. 129°. 135°. 149°. 193°. 195°.
229   *Ratisb* 1934   *Ripoll* 1395°   *Vicen*¹ 1053   *Vicen*²
313   *West* III 1531. 1567. 1570. 1595

Rubr.: Orationes et preces cum canone per dominicas dies, alia missa, oratio post communionem *GelasV*
V Idus Februarii, in festo sanctae Apolloniae, complenda *Aquilea* 202ʳ
XIV Kalendas Martii, in festo sanctae Iulianae virginis, complenda *Aquilea* 203ʳ
Missa in honorem Dei Genitricis et omnium sanctorum, oratio ad complendum *GregorTc Vicen*¹

Die IV° mensis Decembris, <in festo> sanctae Barbarae, postcommunio *Praem.-M1508 M1578* 97

Die VIII° mensis Ianuarii, <in festo> sanctae Gudilae, postcommunio *Praem-M1508* 103

Die XXIII° mensis Ianuarii, <in festo> sanctorum Emerentianae et Macharii, postcommunio *Praem-ML   M1508
M1578* 109

Die X° mensis Februarii, <in festo> sanctae Scholasticae,
postcommunio *Praem-M1508 M1578* 117

Die I° mensis Maii, <in festo> sanctae Walburgis, postcommunio *Praem-M1508 M1578* 129

Die XXXI° mensis Maii, <in festo> sanctae Petronillae, postcommunio *Praem-MP* 135

Die XX° mensis Iulii, <in festo> sanctae Margaretae, postcommunio   *Praem-ML   M1508   M1578* 149   *West* III
1567 (Dominicains)

Die VI° mensis Octobris, <in festo> sanctae Fidis, postcommunio *Praem-MP* 193

Die VIII° mensis Octobris, <in festo> sanctae Benedictae,
postcommunio *Praem-ML M1508 M1578* 195

<Missa votiva> de omnibus sanctis, postcommunio *Praem-
MB* 229

Alia missa sacerdotis, oratio ad complendum *Ratisb*

V Idus Decembris, <natale> sanctae Leocadiae, postcommunio
Ripoll

Kalendas Novembris, in die omnium sanctorum, postcommunio
Vicen² 313

In natale unius martyris, postcommunio *Vicen²* 366

Die XXIII° mensis Ianuarii, <in natali> sanctae Emerentianae,
postcommunio *West* III 1531 (Dominicains Cisterciens)

Die XXIV° mensis Iulii, in natali sanctae Christinae virginis,
postcommunio *West* III 1570 (Dominicains)

Die XXIII° mensis Septembris, in natali sanctae Teclae virginis et martyris, postcommunio *West* III 1595 (Paris)

Var. lect.: 1 et] intercedente beata illa martyre tua *add. codd.* ° *distincti*, intercedentibus omnibus sanctis tuis *add. GregorTc   Vicen¹   Vicen²* 313, intercedente beata et gloriosa semperque virgine dei genitrice
Maria *add. Ratisb*, intercedente beata dei genitrice Maria cum omnibus
sanctis tuis *add.   Praem-MB* 229, intercedente beato illo martyre tuo
Vicen² 366

– B –

Codd. :   *Aquilea* 271ᵛ   *Bec* 243   *Cantuar* 131   *Curia*
227ᵛ   *GregorTc* 3389   *Herford* 397   *Lateran* 307   *Le-
ningrad¹* 17   *Leofric* 174   *Ménard* 172 D   *Metz¹* 97   *Pamel* 421   *PaMon-Alp* 39, 3   *Praem-MB* 217   *Ratisb* 1400   *Rossian* 245, 4   *Suppl* 1242   *Vicen¹* 829   *West* III 1627
(Chartreux Coutances Durham Paris Rouen Vitell Whitby)

Rubr.: In natali plurimarum virginum, oratio ad complendum *Lateran*
In natale virginis (et martyris), oratio ad complendum *seu* post
communionem *ceteri codd.*

Var. lect. : **1** et] intercedentibus beatis virginibus tuis *add. Lateran,* intercedente beata illa (virgine et) martyre tua *add. ceteri codd.* **1/2** sempiterna ... confirment] sempiterna faciant protectione gaudere *Curia*

– C –

Codd. : *Adelp* 248   *Aquilea* 201ᵛ   *Bec* 134   *Benevent*⁵
8   *Cantuar* 78   *Curia-Ott* 173   *Gemm* 161   *Gregor*
130   *Herford* 241   *Lateran* 187   *Leofric* 137   *Mateus*
439   *Monac*⁴ 2   *Nivern* 156   *Otton* 14ʳ   *PaAug* 22, 3
Pad 110   *Pamel* 207   *PaMon-Ben* 24, 3   *Panorm* 1031   *Praem*
115   *Ripoll* 900   *Trento* 190   *Triplex* 503   *Udalr*
175   *West* II 765   *Winch* 73

Rubr. : Nonas Februarii, natale sanctae Agathae, oratio ad complendum *seu* post communionem *codd.*

Var. lect. : **1** et] intercedente beata Agatha (virgine et *item add. Nivern West*) martyre tua *add. codd.* **1/2** sempiterna ... confirment] sempiterna faciant protectione gaudere *Nivern*

– D –

Codd. : *Adelp* 128   *Aquilea* 15ʳᵒ   *Arbuth* 28ᵒ   *Avellan*³
837   *Benevent*¹ 355   *Benevent*² 5   *Cantuar* 12ᵒ   *Curia*
18ᵛ   *Engol* 45   *Fulda* 76   *Gemm* 147   *Gregor* 64   *GregorTc* 1987   *Herford* 19ᵒ   *Herford-M* 296ᵒ   *Iena* 6ᵛ   *Lateran* 166   *Leofric* 132ᵒ   *Mateus* 201   *Ménard* 33 C
*Metz*¹ 61   *Monza* 29   *Nivern* 136   *Otton* 2ᵛ   *Oxford*
94   *PaAug* 7, 5   *Pad* 28   *Pamel* 189   *PaMon-Ben* 6,
4   *Paris*¹ 24   *Phill* 47   *Praem* 34. 161   *Ragusa* 318   *Ratisb* 36   *Rhen* 42   *Ripoll* 836   *Rossian* 7, 3ᵒ   *Rosslyn*
5ᵒ   *Salzb* 371   *Sangall* 45   *Sarum* 66ᵒ   *Trento* 118   *Triplex* 238   *Udalr* 87   *Vicen*² 363

Rubr.: Missa <votiva> de sancto Stephano, oratio ad completa *GregorTc*
III Nonas Augusti, in inventione sancti Stephani sociorumque eius, postcommunio *Herford-M Praem* 161
VII Kalendas Ianuarii, natale sancti Stephani, oratio ad complendum *seu* post (ad *Pad*) communionem *ceteri codd.*

Var. lect. : **1** et] intercedente beato Stephano (levita et *item add. Benevent*¹) martyre (protomartyre *codd.* ᵒ *distincti*) tuo *add. codd.*

375.

Auxilientur nobis, domine, sacrosancta mysteria, beatae Mariae Magdalenae veneratione celebrata, quae, spretis mundanae vanitatis illecebris, te solum diligere tibique deo vivo et vero elegit iugiter inhaerere.

Codd.: *Pamel* 319   *Praem* 151. 152   *West* II 787   *West* III
1568 (Whitby York)

Rubr.: <IV Nonas Aprilis>, in natali sanctae Mariae Aegyptiacae,
postcommunio *West* II 787
Die XXII° mensis Iulii, <in festo> sanctae Mariae Magdalenae, postcommunio *ceteri codd.*

Var. lect.: 2 Magdalenae] Aegyptiacae *West* II 787   veneratione]
commemoratione *Praem-MC*   3 vanitatis] voluptatis *Praem-MB*   4 vivo et vero] et sacro *West* II 787   iugiter] *om. Praem-MA*

<h2 style="text-align:center">376.</h2>

Auxilientur nobis, pie domine Iesu Christe, omnes passiones tuae et defendant nos ab omni dolore et tristitia, ab
omni periculo et miseria, ab omni peccato et cordis immun-
ditia, ab omni scandalo et infamia, a morbis malis animae et
5 corporis et a morte subitanea et improvisa et ab omni persecutione inimicorum visibilium et invisibilium; scimus enim,
quod in quacumque hora vel die passionis tuae memoriam
habuerimus, salvi erimus; ideo, de immensa tua pietate confisi, te deprecamur, piissime salvator, per benignissimas sa-
10 cratissimasque passiones tuas, ut benigno nos protegas auxilio et continua pietate ab omni malo nos conserves.

Cod.: *Sarum* 927*

Rubr.: Orationes de Passione Domini, secreta

<h2 style="text-align:center">377.</h2>

Auxilietur nobis, domine, quaesumus, unigeniti tui resurrectio et munera, quae tibi offerimus, beatae Mariae virginis
interventione dicare digneris.

Cod.: *Aquilea* 105ʳ

Rubr.: De beata Virgine infra Pascha, secreta

<h2 style="text-align:center">378.</h2>

Auxilium, quaesumus, domine, maiestatis tuae tribue po-
testatisque subiectis, ut, quidquid actibus nostris non
meremur accipere, beati levitae et martyris tui Vincentii
precibus assequamur.

Codd. : *Ariberto* 192   *Bergom* 234   *Biasca* 222   *Metz*[1]
65   *Milano* 892   *Triplex* 450

Rubr.: XIII Kalendas Februarii, natale sancti Sebastiani, oratio ad
vesperos *Metz*[1]
XI Kalendas Februarii, natale sancti Vincentii,
- alia oratio super populum *i.e.* collecta *Triplex*
- oratio super sindonem *ceteri codd.*

Var. lect. : 1/2 tribue ... subiectis] nobis tribue *Metz*[1]   3 levitae ...
Vincentii] Sebastiani martyris tui *Metz*[1]

379.

Auxilium tuum, domine, nomini tuo subdita poscunt corda
fidelium, ut, quia sine te nihil possunt implere, quod iustum
est, tua misericordia largiente, et, quae recta sunt, apprehendant et omnia, sibi profutura, percipiant.

Codd. : *Bergom* 260   *Biasca* 239   *Leon* 1174   *Trento*
888   *Triplex* 508

Rubr.: Mense Novembris, in natale sanctae Caeciliae, <oratio super
populum> *Leon*
Orationes et preces in natale virginum, oratio super populum
Trento
Nonas Februarii, natale sanctae Agathae, alia oratio super
populum *i.e.* collecta *ceteri codd.*

Var. lect.: 3 tua ... largiente] *Leon*, intercessione beatae martyris tuae
Trento, intercessione beatae martyris tuae Agathae *ceteri codd.*   4 sibi]
om. Triplex

380.

Auxilium tuum nobis, domine, beata Maria Magdalena
semper imploret, quae tibi grata semper exsistit suae devotionis famulatu.

Cod.: *Engol* 01133 (p. XXVIII)

Rubr.: XI Kalendas Augusti, natale sanctae Mariae Magdalenae, alia
oratio

381.

Auxilium tuum nobis, domine, mittere digneris et de tua
nos virtute confirma et visita nos, celebrantes memoriam

beati confessoris tui illius, et, ipso intercedente, claritatem et
pacem tuam nostris largire corporibus et munera, quae sunt
5 ob eius venerationem offerta, dignanter assume.

Cod.: *Engol* 1700

Rubr.: In natale sanctorum confessorum, <secreta>

382. Br 66

Auxilium tuum nobis, domine, quaesumus placatus impende et, intercedente beato Timotheo martyre tuo, dexteram
super nos tuae propitiationis extende.

- A -

Codd. : *Adelp* 973° *Aquilea* 235ʳᵒ" *Arbuth* 356° *Bec*
184°" *Cantuar* 106° *Curia* 195 *Engol* 1243 *Fulda*
1236 + *Gellon* 1366 *Gemm* 203" *Gregor* 668 *Her-*
ford 312°" *Lateran* 260° *Leofric* 156 *Mateus* 1999° *Mé-*
nard 134 B *Monac*³ IV, 1 *Monac*⁴ (22)⁰⁺ *Montser-*
*rat*² VIII, 1° *Monza* 742 *Nivern* 292 *Otton* 107ʳᵒ *Pad*
631 *Pamel* 332 *Praem* 172° *Prag* 177, 1 *Ratisb*
1036 *Ripoll* 1188° *Rossian* 176, 1° *Sangall* 1110 *Sa-*
rum 878⁰⁺ *Trento* 707 *Triplex* 2353 *Udalr* 905 *Vi-*
*cen*¹ 593 *Vigil* 290 *West* II 920° *Winch* 148°

Rubr.: XI Kalendas Septembris,
- natale sanctorum Timothei et Symphoriani, collecta *Leo-*
*fric*² *codd.* ° *distincti*
- <in natali> sanctorum Timothei, Hippolyti et Symphoriani, collecta *Curia*
- natale sancti Timothei, collecta *ceteri codd.*

Var. lect. : **1** tuum] *om. Monza* domine] *om. Mateus Montser-*
*rat*² *Nivern* quaesumus domine *transp. codd.* ⁺ *distincti* quaesumus]
om. codd. " *distincti* **2** intercedente ... tuo] intercedentibus beatis
(sanctis *Otton Rossian*) martyribus (*om. Herford*) Timotheo, (Hippoly-
to *Curia*) et Symphoriano *Leofric*² *codd.* ° *distincti* **3** tuae super nos
transp. Arbuth

- B -

Codd.: *Aquilea* 201ʳ *Ariberto* 835. 849 *Bergom* 1069 *Gre-*
gorTc 1943 *Praem-MP* 207 *Ratisb* 39 *Vicen*¹ 1083

Rubr.: <III Nonas Februarii>, in festo sancti Blasii episcopi, collecta
Aquilea
Idus Augusti, missa sancti Cassiani martyris, oratio super po-
pulum *i.e.* collecta *Ariberto* 835

XV Kalendas Septembris,
- natale sancti Mametis martyris, oratio super populum
  i.e. collecta *Ariberto* 849
- natale sancti Agapiti martyris, oratio super populum
  i.e. collecta *Bergom*
Alia missa in honorem Dei Genitricis et omnium sanctorum,
alia collecta *GregorTc Vicen*[1]
Die X° mensis Novembris, <in festo> sancti Martini papae et
martyris, collecta *Praem-MP*
VII Kalendas Ianuarii, natale sancti Stephani, alia oratio *Ratisb*

Var. lect. : **1** quaesumus] *om. Ariberto* 849　　**1/2** impende placatus
transp. GregorTc　　**2** intercedente ... tuo] beato Blasio martyre tuo atque
pontifice intercedente *Aquilea*, intercedentibus omnibus sanctis tuis *GregorTc Vicen*[1], intercedente beato Stephano protomartyre tuo *Ratisb*
3 super nos] nobis *Aquilea*

383.

Auxilium tuum nobis, domine, quaesumus, placatus impende et, intercedentibus sanctis tuis, quorum in hanc praesentem ecclesiam pretiosa patrocinia colligere curavimus, fac
nos ab omni adversitate liberari et in aeterna laetitia
5 gaudere cum illis.

Codd. : *Fulda* 1884　　*GregorTc* 1875　　*Leofric* 178m　　*Nivern* 326　　*Palat* (29)m　　*Pamel* 540　　*Ripoll* 1317　　*Trento*
1276　　*Udalr* 1506　　*Vigil* 503　　*West* III 1363

Rubr.: Kalendas Novembris, festivitas omnium sanctorum, alia oratio
Ripoll
Commemoratio omnium sanctorum ad matutinas in tempore
paschali, alia oratio *West*
Missa sanctorum, quorum reliquiae in una continentur domo,
- alia oratio *GregorTc*
- alia collecta *ceteri codd.*

Var. lect. : **1** tuum] *om. Leofric Palat*　　domine] *om. Leofric*
quaesumus] *om. West*　　**2/3** intercedentibus ... curavimus] intercedente
beata dei genitrice Maria et (cum *West*) omnibus sanctis tuis *Ripoll
West*　　**3** colligere curavimus] veneramur *Palat*

384.

Auxilium tuum, quaesumus, domine, intercedente glorio-
sissimo Quintino martyre tuo, a cunctis nos defendat periculis, ut, qui illi tota devotione congaudent, ab omni adversitate salventur.

Cod.: *West* III 1605 (Abingdon)

Rubr.: Die XXXI° mensis Octobris, in natali sancti Quintini martyris, postcommunio

385.

Averte, domine, quaesumus, a fidelibus tuis cunctos miseratus errores et saevientium morborum depelle perniciem, ut, quos merito flagellas devios, foveas tua miseratione correctos.

Codd. : Arbuth 458° Bergom 1466 Fulda 2039 GelasV 1397 Gellon 2716 Gemm 267⁰⁺ GregorTc 2607⁺ Herford 418° Leofric 187 Milano 1312 Pamel 447 Paris¹ 423 Phill 1747 Ratisb 2130⁺ Ripoll 1677° Sangall* 129 Sarum 813*° Suppl 1352 Trento 1205
Triplex 3280 Vicen¹ 1246 Vigil 656

Rubr.: Orationes pro mortalitate animalium,
- oratio super sindonem Bergom Milano
- oratio ad complendum seu postcommunio codd. ° distincti
- alia oratio ad complendum codd. ⁺ distincti
- oratio ad populum Phill
- alia oratio ceteri codd.

Var. lect. : 1 quaesumus domine transp. Leofric Ripoll quaesumus] deus Paris¹, per haec sancta quae sumpsimus add. Arbuth Herford Sarum tuis fidelibus transp. Herford Sarum 2 depelle perniciem] quae grassatur in animalia praem. Arbuth Herford Sarum 3 merito] suo praem. Arbuth Herford Sarum

386.

Averte, quaesumus, domine, iram tuam propitiatus a nobis et facinora nostra, quibus indignationem tuam provocamus, expelle.

Codd. : Engol 1951 Fulda 2117 Gellon 2181 Gregor
873 GregorTc 2688 Leofric 243 Ménard 198 B Pamel 375 Phill 1396 Ratisb 2063 Ripoll 789. 1630 Trento 243. 921 Triplex 3385 Vicen¹ 250. 1311 West III 1460
(York)

Rubr.: Alia oratio cottidiana Engol Gellon Phill
Missa pro peccatis,
- collecta GregorTc
- alia collecta Triplex
Missa pro quacumque tribulatione, alia oratio Ripoll 1630
Feria Vᵃ hebdomadae Iᵃᵉ quadragesimae, oratio super populum Trento 243 West

Sabbato in XII lectionibus hebdomadae III^{ae} mensis VII^i, alia
oratio *Vicen*[1]
Alia oratio pro peccatis *ceteri codd.*

Var. lect. : 1 domine quaesumus *transp. Gellon GregorTc Phill*
propitiatus] *om. GregorTc Triplex*   2/3 provocamus] provocavimus *Trento* 243. 921

387.

Beata martyr tua illa nobis, quaesumus, domine, in suo natalicio fidelium tuorum munere suffragetur et, quae tibi placuit sui martyrii certamine, a te nobis iugiter, quae tuis electis olim promisisti, imploret reddere beneficia.

Codd. : *Bergom* 1222   *Biasca* 1135   *Milano* 784   *Triplex* 2846

Rubr.: Orationes et preces in natale virginum,
- alia oratio super populum *i.e.* collecta *Triplex*
- oratio super sindonem *ceteri codd.*

388.

Beata virgo Genovefa, quaesumus, domine, sumptis donis caelestibus, sua nos intercessione laetificet et apud te meritis suis gloriosis obtineat, ne praeparatos impiis sempiternos sentiamus ardores.

Cod.: *Sarum* 899*[n]

Rubr.: \<In translatione\> sanctae Genovefae, postcommunio

389.

Beatae Agathae martyris tuae, domine, precibus confidentes, quaesumus clementiam tuam, ut per ea, quae sumpsimus, aeterna remedia capiamus.

– A –

Codd.: *Benevent*[1] 400°	*Benevent*[2] 29°	*Cantuar* 78[n+]	*Ca-*
sin[1] 257	*Gregor* 133	*Leofric* 137	*Ménard* 47 B°	*Mo-*
nac[4] 2	*Nivern* 156	*Pamel* 207[+]	*Praem–MB* 115°	*Ra-*
lisb 161°	*Rossian* 27, 3°	*Triplex* 506[+]	*Udalr* 178	

Rubr.: Nonis Februarii, natale sanctae Agathae,
- collecta *Casin*[1]
- oratio ad complendum *seu* post communionem *codd.*
  ° *distincti*
- alia oratio ad complendum *seu* post communionem *codd.*
  + *distincti*
- alia oratio *ceteri codd.*

Var. lect. : 2/3 per ea quae sumpsimus] per eam quam celebramus *Casin*[1]

– B –

Codd.: *Bec* 142　　　*West* III 1543 (Coutances Rouen)

Rubr. : Die IVº mensis Aprilis, in natali sancti Ambrosii episcopi, postcommunio *codd.*

– C –

Cod.: *Gemm* 211

Rubr.: V Idus Septembris, natale sancti Audomari episcopi, oratio ad complendum

– D –

Cod.: *Gemm* 177

Rubr. : <V>II Kalendas Iunii, natale sancti Augustini <Cantuariae archi>episcopi, oratio ad complendum

– E –

Codd.: *Aquilea* 205^V　　　*Avellan*[1] 891　　　*GregorTc* 3539　　　*Udalr* 821

Rubr.: XII Kalendas Aprilis, in festo beati Benedicti abbatis, com-
munio *seu* complenda *Aquilea Avellan*[1]
V Idus Iulii, in natale sancti Benedicti, oratio ad complendum
GregorTc Udalr

– F –

Codd.: *Fulda* 1028　　　*Lucca* 128　　　*Mis. Vet. Angl.* 200 (309)

Rubr.: II Nonas Iunii, vigilia sancti Bonifatii, oratio ad complendum *codd.*

– G –

Cod.: *West* III 1534 (Sherborne Vitell)

Rubr.: Die Iº mensis Februarii, in natali sanctae Brigidae <virginis>, postcommunio

– H –

Cod.: *Praem-M1508 M1578* 212

Rubr.: Die XXVº mensis Novembris, <in festo> sanctae Catherinae, postcommunio

Var. lect.: 2 ea] haec sancta

- I -

Cod.: *Nivern* 144

Rubr.: <Die XXXI° mensis Decembris>, in natali beatae Columbae, oratio ad complendum

Var. lect.: 3 capiamus] consequamur

- J -

Cod.: *Adelp* 1012

Rubr.: <VI Idus Septembris, natale sancti> Corbiniani, oratio post communionem

- K -

Cod.: *Aquilea* 199

Rubr.: <VI Kalendas Februarii>, in festo sancti <Iohannis> Chrysostomi episcopi, complenda

Var. lect.: 1 domine] *om. cod.*   2 quaesumus] deus *add. cod.*

- L -

Codd.: *Bec* 223   *West* III 1616 (Sherborne)   *Winch* 192

Rubr.: Die XIII° vel XIV° mensis Decembris, in natale sancti Iudoci episcopi et confessoris, postcommunio *codd.*

Var. lect.: 1 domine] commemoratione gaudentes et *add. West*

- M -

Cod.: *Praem-MP* 177

Rubr.: Die I° mensis Septembris, <in festo> sancti Lupi, postcommunio

- N -

Cod.: *Bec* 184

Rubr.: Die XX° mensis Augusti, <in festo> sancti Philiberti abbatis, postcommunio

- O -

Codd.: *Otton* 95ʳ   *Vicen*[1] 445   *West* III 1567 (Coutances Durham Paris Sherborne Vitell)

Rubr. : XII Kalendas Augusti, in natale sanctae Praxedis virginis et martyris, oratio ad complendum *seu* post communionem

– P –

Cod.: *West* III 1605 (Coutances)

Rubr. : Die XXXI° mensis Octobris, in natali sancti Quintini martyris, postcommunio

– Q –

Cod.: *Aquilea* 213ᵛ

Rubr.: <II Nonas Iunii>, in festo sancti Quirini martyris, complenda

Var. lect.: 2 clementiam] immensam *praem. cod.*

– R –

Codd. : *Aquilea* 206ᵛ   *GregorTc* 3481   *Salzb–A* 2   *Trento* 1303

Rubr. : VI Kalendas Martii, in natale *seu* depositione sancti Rodperti confessoris, oratio ad complendum *seu* complenda *codd.*

– S –

Cod.: *Lateran* 188

Rubr. : IV Idus Februarii, <natale> sanctae Scholasticae virginis, oratio ad complendum

– T –

Codd. : *Adelp* 1063   *Bec* 135   *Gemm* 161   *Gregor* 62* *Winch* 74

Rubr.: VIII Idus Februarii,
- depositio *seu* natale sancti Vedasti confessoris, oratio ad complendum *Gemm* *Gregor*
- natale sanctorum Vedasti et Amandi episcoporum, postcommunio *Bec* *Winch*
<Kalendas Octobris, natale sanctorum> Remigii, Germani et Vedasti, oratio post communionem *Adelp*

Var. lect. : 1 domine] *om. Adelp Bec*   2 quaesumus] domine *add. Adelp Bec*   clementiam] gratiam *Bec*   ea] haec sancta *Bec*   3 aeterna remedia capiamus] ad vitam perveniamus aeternam *Bec*

– U –

Cod.: *West* II 975

Rubr. : IV Idus Octobris, in natali sancti Wilfridi episcopi et confessoris, postcommunio

Nota: *Comparez à l'oraison*: "Sanctorum precibus, domine, confidentes ... remedia capiamus."

390.

Beatae Caeciliae martyris tuae nos, quaesumus, domine,
festivitas sancta commendet, quae ita ad palmam martyrii
venire voluit, ut et de societate placeret, qua Valerianum et
Tiburtium consecrationibus per angelum suum tua miseri-
5 cordia coronavit.

Codd.: *Bergom* 15   *Biasca* 11   *Milano* 802   *Triplex* 2723

Rubr. : X Kalendas Decembris, natale sanctae Caeciliae, alia (*om. Triplex*) oratio super populum *i.e.* collecta *codd.*

391.

Beatae Christinae virginis tuae, domine, meritis,
    quae tibi hostia facta est dilecta,
  haec tuis sint oculis munera accepta.

Codd.: *Herford* 289   *West* II 879

Rubr.: IX Kalendas Augusti,
        – memoria de sancta Christina, secreta *Herford*
        – in natali sanctae Christinae virginis et martyris, secretum
          West

Var. lect.: 1 virginis] et martyris *add. West*   domine] *om. West*
2 hostia] *om. West*

392.

Beatae et gloriosae dei genitricis semperque virginis
Mariae intercessionibus quaesumus, omnipotens deus, ut per
huius virtutem sacramenti, quod sumpsimus, in resurrectionis
gloria mereamur stola beatae immortalitatis vestiri.

Cod.: *West* II 1126

Rubr.: De sancta Maria in paschali tempore, postcommunio

Fontes: 4 stola *et* vestiri] cfr Eccli. 15, 5 c

393.

Beatae et gloriosae semperque virginis dei genitricis Mariae, quaesumus, omnipotens deus, intercessio nos gloriosa protegat et ad vitam perducat aeternam.

Codd. : *Bergom* 893   *Biasca* 818   *Engol* 889   *Fulda*
275   *GelasV* 852   *Gellon* 859. 1345   *Phill* 668   *Sangall*
685°   *Sangall-A* 51°   *Triplex* 564°

Rubr.: XIX Kalendas Septembris, in vigilia sanctae Mariae, <alia
    oratio> *Gellon* 1345
    VIII Kalendas Aprilis, in Annuntiatione sanctae Mariae matris
    Domini nostri Iesu Christi,
    – alia missa, oratio super sindonem *Biasca*
    – alia oratio ad vesperum *GelasV*
    – alia oratio *ceteri codd.*

Var. lect. : **1** -que] *om. codd.* ° *distincti*   **2** quaesumus] domine
add. Sangall-A   gloriosa nos *transp. Sangall*[2] *Triplex*

394.

Beatae Margaritae, domine, quaesumus, precibus super populum tuum benedictio copiosa descendat eiusque suffragiis a periculis cunctis liberemur et perpetuis donis firmemur.

Cod.: *Vicen*[1] 438

Rubr.: III Idus Iulii, natale sanctae Margaritae virginis, <oratio super populum>

395.   Br 68

Beatae Mariae Magdalenae, quaesumus, domine, suffragiis adiuvemur, cuius precibus exoratus, quatriduanum fratrem vivum ab inferis resuscitasti.

Codd.: *Curia* 182   *Ragusa* 508   *Rossian* 150, 1   *Udalr* 822

Rubr.: XI Kalendas Augusti, in natale sanctae Mariae Magdalenae, collecta *codd.*

Var. lect. : 2/3 fratrem ... resuscitasti] eius fratrem a mortuis
suscitasti *Udalr*

Fontes: cfr Ioh. 11

396.

Beatae Sabinae virginis tuae et martyris, domine, precibus
confidentes, quaesumus clementiam tuam, ut eius meritis et
precibus ad aeterna gaudia pervenire valeamus.

Codd.: *Arbuth* 359   *Sarum* 885

Rubr. : <Die XXIX° mensis Augusti>, de sancta Sabina virgine,
collecta *codd.*

397.

Beati Aegidii famuli tui, domine, tibi grata precatio et
munera nostra commendet et tuam nobis indulgentiam semper imploret.

Cod.: *Aquilea* 237ᵛ

Rubr. : <Kalendas Septembris, in festo sancti> Aegidii confessoris,
secreta

Nota: *Comparez à l'oraison*: "Sanctorum tuorum, domine, Nerei et
Achillei ... semper imploret."

398.

Beati Andreae apostoli supplicatione, quaesumus, domine,
plebs tua benedictionem percipiat, ut de eius meritis et feliciter glorietur et sempiternis valeat consortiis sociata laetari.

Codd. : *Ariberto* 43⁰⁺   *Bergom* 33⁰⁺   *Biasca* 29⁰   *En-*
gol 1536   *Fulda* 1466   *Gellon* 1669   *Leofric* 170   *Mi-*
lano 820⁰⁺   *Nivern* 314   *Paris*¹ 165   *Phill* 1065   *Rhen*
969   *Sangall* 1376

Rubr.: In vigilia sive natali unius apostoli, oratio ad populum *Leofric*
II Kalendas Decembris, natale sancti Andreae apostoli,
          – missa in vigiliis, oratio post communionem *codd.* ⁰ *dis-*
          tincti
          – oratio ad vesperas *Nivern*
          – oratio ad *seu* super populum *ceteri codd.*

Var. lect. : 1 Andreae] illius *Leofric*   domine quaesumus *transp.*
Milano   2 et de eius meritis *transp. codd.* ⁺ *distincti*   et] *om. Biasca*

399 a.   Br 70

Beati apostoli Andreae, domine, sollemnia recensemus, ut
eius auxilio tua beneficia capiamus, pro quo tibi hostias
laudis offerimus.

Cod.: *Leon 1235*

Rubr. : Mense Novembris, II Kalendas Decembris, natale sancti
Andreae apostoli, IV alia missa, <alia collecta>

399 b.   Br 70

Beati apostoli tui Bartholomaei, cuius sollemnia recensemus, quaesumus, domine, ut auxilio eius tua beneficia
capiamus, pro quo tibi hostias laudis offerimus.

Codd. : *Adelp* 977   *Aquilea* 235^r *Arbuth* 3580$^{+"}$ *Bec*
186   *Benevent*[2] 164$^+$ *Cantuar* 106   *Curia* 196$^{v"}$ *En-*
gol 1253   *Gellon* 1383   *Gemm* 205   *Gregor* 203*   *Her-*
ford 314$^+$ *Iena* 36^r *Lateran* 261$^{+"}$ *Leofric* 156° *Mé-*
nard 134 C   *Monac*[3] VII, 2   *Monza* 582   *Otton* 107^v *Pa-*
mel 333$^+$ *Praem* 174   *Prag* 179, 2   *Ratisb* 1040   *Rhen*
800   *Ripoll* 1192   *Rossian* 177, 2$^{+"}$ *Sangall* 1120   *Sa-*
rum 882$^{0+"}$ *Triplex* 2364$^{0"}$ *Udalr* 909   *West* II 923$^{0+"}$
Winch 149

Rubr. : IX Kalendas Septembris, natale sancti Bartholomaei apostoli
(translatio erit beati Bartholomaei apostoli de India in Lipari<m>
Benevent[2]), oratio super oblata *seu* secreta *codd.*

Var. lect. : 1/2 cuius sollemnia recensemus] sollemnia recensentes
Adelp Bec Cantuar Curia Lateran, sollemnia celebrantes *Arbuth Sarum*
West   recensemus] celebramus *Rossian*   2 quaesumus domine] tuam
clementiam deprecamur *Arbuth Sarum West*   domine] *om. Adelp Mo-*
nac[3] *Pamel Prag Rhen, transp. post* Bartholomaei *Sangall*[2] *codd.* o *dis-*
tincti   ut] *om. Ménard Ratisb*   eius auxilio *transp. codd.* + *distinc-*
ti   eius] *om. Ménard Ratisb Sangall*   3 pro quo] in cuius veneratione *Arbuth Sarum West,* pro cuius honore *Sangall*[2]   *Triplex*   hostias
tibi *transp. Gemm*   laudis hostias *transp. Arbuth Lateran Sarum West*
offerimus] immolamus *Sangall*[2] *codd.* " *distincti*

399 c.   Br 70

Beati Mennae martyris tui sollemnia recensemus, ut eius
auxilio tua beneficia capiamus, pro quo tibi hostias laudis
offerimus.

- A -

Codd. : *Adelp* 1116+   *Engol* 1472   *Fulda* 1420+   *Gel-*
lon 1606   *Herford* 357+   *Ménard* 148 A⁰+   *Pamel* 351+   *Phill*
1004   *Praem-MC* 208   *Ratisb* 1201⁰+   *Rossian* 217, 2⁰+   *San-*
gall 1316   *Triplex* 2664⁰

Rubr.: III Idus Novembris, natale sancti Mennae,
- alia secreta *Pamel*
- oratio super oblata *seu* secreta *ceteri codd.*

Var. lect. : **1** Mennae martyris tui] martyris tui Mennae domine
Praem-MC   tui] domine *add. codd.* ⁰ distincti   recensemus] recensentes, quaesumus *codd.* + distincti   **2** pro quo] in cuius festo *Herford*
laudis] *om. Herford*

- B -

Codd.: *Benevent*² 182   *Udalr* 811   *Vicen*¹ 498

Rubr.: III Idus Novembris, vigilia sancti Martini, secreta *Benevent*²
        <In natale> sancti Pantaleonis, secreta *Udalr*
        Kalendas Augusti, natale sancti Felicis Gerunda, secreta *Vicen*¹

Var. lect. : **1** tui] cuius *Vicen*¹   sollemnia] natalitia *Benevent*²   ut]
quaesumus domine *praem. Vicen*¹   **2/3** pro quo ... offerimus] *om. Vicen*¹

399 d.   Br 70

Beati martyris tui illius, domine, sollemnia recensemus, ut
eius auxilio tua beneficia capiamus, pro quo tibi laudes offerimus.

Codd.: *Bergom* 1160   *Biasca* 166. 1079   *Milano* 730   *Tri-*
plex 2786

Rubr.: IV Kalendas Ianuarii, natale sancti Iacobi, oratio super sindo-
        nem *Biasca* 166
        In natale unius martyris,
        - alia oratio super populum *i.e.* collecta *Milano*
        - alia oratio ad vesperum vel ad vigiliam *Bergom Triplex*
        - alia oratio *Biasca* 1079

Var. lect. : **1** martyris ... domine] apostoli tui Iacobi nos quaesumus
domine *Biasca* 166

399 e.   Br 70

Beati apostoli tui illius, domine, sollemnia recensentes,
quaesumus, ut eius auxilio tua beneficia capiamus, pro quo
tibi hostias laudis offerimus.

- A -

Codd.: *Aquilea* 251^{r+} *Arbuth* 404 *Bergom* 1149$^{0"}$ *Biasca* 1068$^{0"}$ *GregorTc* 3158 *Otton* 129$^{r+"}$ *Pamel* 538 *Ratisb* 1284. 1294$^{+"}$ *Sarum* 665* *Trento* 866$^{+"}$ *Triplex* 2775$^{0"}$. 2860$^+$ *Vigil* 468$^{+"}$

Rubr.: Orationes et preces in natale unius apostoli,
- alia oratio super populum *i.e.* collecta *codd.* ^{0} *distincti*
- oratio super oblata *seu* secreta *ceteri codd.*

Var. lect.: 1 domine] quaesumus *add.* *Vigil* 1/2 recensentes quaesumus ut] recensemus ut *codd.* " *distincti* 2 quaesumus] *om. Pamel* tua] *om. codd.* $^+$ *distincti* pro quo] in cuius commemoratione *Triplex* 2860 3 hostias laudis] laudes *codd.* ^{0} *distincti*

- B -

Codd.: *Otton* 128^r *Vigil* 209

Rubr.: <XII Kalendas Ianuarii>, in natale sancti Thomae apostoli, secreta *Otton*
III Idus Iunii, natale sancti Barnabae apostoli, secreta *Vigil*

Var. lect. : 1 apostoli ... domine] Barnabae apostoli tui domine quaesumus *Vigil* illius] Thomae *Otton* 1/2 recensentes quaesumus ut] recensemus ut *codd.* 2 tua] *om. codd.*

400.

Beati apostoli et evangelistae tui Matthaei supplicationibus, domine, quaesumus, tibi nostra grata sint munera, in cuius sollemnitate tuis altaribus exhibentur.

Codd.: *Ariberto* 911 *Biasca* 1044

Rubr. : XI Kalendas Octobris, natale sancti Matthaei apostoli et evangelistae, oratio super oblata *codd.*

401.

Beati archangeli tui Michaelis et omnium angelorum tribue nos, domine, orationibus foveri, ut, quorum memoriam praedicamus in terris, eorum sanctis precibus adiuvemur in caelis.

Codd.: *Leofric* 5 *Panorm* 1176

Rubr.: Missa de sancto Michaele, postcommunio *Leofric*
<Die VIII° mensis Maii>, apparitio sancti Michaelis, post-
communio *Panorm*

402.   Br 72

Beati archangeli tui Michaelis intercessione suffulti,
supplices te, domine, deprecamur, ut, quos honore prosequi-
mur, contingamus et mente.

Codd.: *Adelp* 1057   *Aquilea* 242^V *Arbuth* 376". <381>"$^\mu$ Ari-
berto 884"   *Bec* 200$^+$ *Benevent*[1] 502$^{+\&}$ *Benevent*[2] 113$^{+\&}$ *Bergom* 1100"   *Biasca* 1022   *Cantuar* 114$^+$ *Casin*[2] XVIII, 3
Curia 168$^{v\&}$. 205   *Drumm* 10   *Engol* 1393$^+$ *Fulda* 1347.
1859   *GelasV* 1033$^{0"}$ *Gellon* 1522   *Gemm* 215   *Gregor*
728   *GregorTc* 1975^0 *Herford* 331. 344$^\mu$ *Iena* 31^r *Lateran* 276$^+$ *Leofric* 162   *Leon* 858$^{0"}$ *Mateus* 2165   *Ménard* 143 C   *Metz*[1] 89   *Milano* 1159"   *Monac*[2] 49^0 *Nivern* 303$^+$ *Otton* 117^V *Oxford* 172$^+$ *Pad* 702^0 *Pamel* 346   *PaMon-Alp* 20, 3   *Phill* 915   *Praem* 131$^{+\&}$.
188$^+$ *Ratisb* 1145   *Rhen* 877   *Ripoll* 1262   *Rossian* 202,
3^m *Rosslyn* 70$^+$ *Salzb* 301   *Sangall* 1247   *Sarum* 921".
938"$^\mu$ *Trento* 767   *Triplex* 2553. 2560   *Udalr* 995   *Vicen*[2] 327   *Vigil* 373   *West* II 964   *Winch* 169

Rubr.: Mense Septembris, II Kalendas Octobris, natale basilicae
Angeli in Salaria, V alia missa, <postcommunio> *Leon*
In <honore> sancti archangeli Michaelis, oratio super populum
GregorTc
Missa ad postulanda angelica suffragia, alia oratio *Fulda* 1859
VIII Idus Maii, inventio *seu* apparitio sancti Michaelis archangeli, postcommunio *codd.* $^\&$ *distincti*
Die XVI° mensis Octobris, <in festo> sancti Michaelis in
monte Tumba (le Mont Saint-Michel), postcommunio *codd.*
$^\mu$ *distincti*
III Kalendas Octobris, orationes in dedicatione basilicae sancti
archangeli Michaelis,
- alia collecta *GelasV*
- alia oratio *Vicen*[2]
- oratio ad complendum *seu* post communionem *ceteri codd.*

Var. lect.: 1 Beati ... Michaelis] Beati Michaelis archangeli *Rossian*,
Beati Michaelis archangeli tui *Adelp Benevent*[1] *Drumm*, beatarum caelestium virtutum *Fulda* 1859, et omnium caelestium virtutum *add. Iena*
tui] *om. codd.* ^{0} *distincti*   intercessione] interventione *codd.*   " *distincti*,
oratione *Casin*[2]   suffulti] adiuti *Benevent*[1]   2 te domine deprecamur]
domine te precamur *Leon*   quos honore] quas honore *Fulda* 1859, quod
in ore *Drumm*, quod honore *Fulda* 1347 *Otton Sarum* 921, quod ore
codd. $^+$ *distincti*   2/3 prosequimur] consequimur *Oxford*

403.

Beati Christophori martyris tui, quaesumus, domine, intercessione haec communicatio nos expurget a crimine et tuo auxilio defendat.

Codd.: *West* II 900   *Winch* 127

Rubr.: V Idus Augusti, in natali sancti Romani martyris, postcommunio *West*
VIII Kalendas Augusti, natale sancti Christophori martyris, postcommunio *Winch*

Var. lect.: 2 communicatio] communio *West*

404 a.

Beati Clementis, domine, natalitio fidelibus tuis munere suffragetur et, qui tibi placuit, nobis imploret auxilium.

Codd. : *Adelp* 1135⁰   *Engol* 1506   *Fulda* 1441⁰   *GelasV* 1069   *Gellon* 1640   *Monza* 786   *Pamel* 354⁰ *Phill* 1039   *Prag* 210, 3   *Rhen* 953   *Sangall* 1350   *Triplex* 2734   *Winch* 184⁰   *West* III 1611⁰ (Sherborne)

Rubr.: IX Kalendas Decembris, in natale sancti Clementis, oratio ad complendum *seu* post communionem *codd.*

Var. lect.: 1 Beati] martyris tui *add. West*   1/2 natalitio *et* munere suffragetur] natalitia *et* munera suffragentur *codd.* ⁰ *distincti* munere suffragetur] caelestia munera suffragentur *Prag*² *Sangall*² *Triplex*

404 b.

Beati Helani confessoris, domine, intercessio fidelibus tuis suffragetur et, qui tibi placuit, nobis imploret auxilium.

Cod.: *Praem-MP* 193

Rubr. : Die VII⁰ mensis Octobris, <in festo> sancti Helani, postcommunio

404 c.

Beatae Brigidae virginis tuae precibus fidelibus tuis, domine, sumpta munera suffragentur et, quae tibi placuit, nobis imploret auxilium.

Codd.: *Arbuth* 286 *Sarum* 696 *West* III 1534 (Tewkesbury)

Rubr.: <Die I° mensis Februarii, in festo> sanctae Brigidae virginis, postcommunio *codd.*

Var. lect.: 2 munera] mysteria *Arbuth*

405 a.

Beati Clementis sacerdotis et martyris tui natalitia veneranda, quaesumus, domine, ecclesia tua devota suscipiat et
fiat magnae glorificationis amore devotior.

- A -

Codd.: *Bergom* 23° *Biasca* 19° *Engol* 1503 *GelasV*
1067 *Gellon* 1637 *Leon* 1193 *Milano* 810° *Prag* 210, 1
Triplex 2737°

Rubr.: Mense Novembris, IX Kalendas Decembris, natale sancti Clementis, III alia missa, <collecta> *Leon*
IX Kalendas Decembris, in natale sancti Clementis,
- collecta *GelasV Prag*
- oratio super sindonem *Milano*
- alia collecta *ceteri codd.*

Var. lect.: 1 Beati] In natale *praem. Engol*, natalem *praem. GelasV*,
natale *praem. Prag* sacerdotis et martyris tui Clementis *transp. codd.*
° *distincti* 2 domine quaesumus *transp. Leon*

- B -

Codd.: *Ariberto* 745 *Biasca* 906 *Bologna¹* (35) *Douce*
(24) *Engol* 1045 *Fulda* 1088 *GelasV* 907 *Gellon*
1165 *Milano* 996 *PaAng* 213 *Prag* 148, 1 *Ratisb*
889 *Rhen* 702 *Sangall* 940 *Triplex* 2051 *Vigil* 239

Rubr.: VI Kalendas Iulii, natale sanctorum Iohannis et Pauli,
- oratio super populum *i.e.* collecta *Milano*
- oratio super sindonem *Ariberto Biasca*
VII Kalendas Iulii, in vigilia martyrum Iohannis et Pauli, collecta *ceteri codd.*

Var. lect.: 1 Beati ... tui] Beatorum martyrum (tuorum *add. Bologna¹ Vigil*) Iohannis et Pauli *codd.* 3 glorificationis] devotionis *PaAng*

- C -

Codd.: *Adelp* 1193° *Avellan²* 944° *Bec* 235° *Casin¹*
486° *Drumm* 55° *Gemm* 234° *GregorTc* 3246 *Mé-*
nard 165 C *Nivern* 319 *Ratisb* 1336 *Rossian* 237, 1

Rubr.: In natale plurimorum martyrum,
– collecta *Avellan*[2]
– alia collecta *Casin*[1]
In vigilia plurimorum martyrum, collecta *ceteri codd.*

Var. lect. : **1** Beati ... tui] Beatorum martyrum (tuorum *add. codd.*
° *distincti*) *codd.*   **3** fiat ... devotior] praesta ut quorum gloriatur triumphis provocetur exemplis *Adelp*

405 b.

Beatae Genovefae natalitia veneranda, domine, quaesumus, ecclesia tua devota suscipiat et fiat magnae glorificationis amore devotior et tantae fidei proficiat exemplo.

– A –

Codd. : *Cantuar* 71   *Fulda* III   *Gemm* 149   *GregorTc*
3437   *Mateus* 303   *Phill* 98   *Praem-MB MP* 103

Rubr.: III Nonas Ianuarii, natale sanctae Genovefae virginis,
– alia collecta *Phill*
– collecta *ceteri codd.*

Var. lect. : **1** Beatae] Beatissimae famulae tuae *Phill*   veneranda]
om. Gemm GregorTc   **2** et] ut *Cantuar Mateus*

– B –

Codd.: *Arbuth* 284   *Drumm* 79   *Sarum* 694

Rubr.: In natale unius virginis et non martyris, alia collecta *Drumm*
<Die XXX° mensis Ianuarii, in festo> sanctae Batildis reginae,
collecta *Arbuth Sarum*

Var. lect.: **1/2** quaesumus domine *transp. Drumm*   **3** et ... exemplo]
om. Drumm

405 c.

Beatarum virginum ac martyrum tuarum Columbae et
Genofevae natalitia veneranda, domine, quaesumus, ecclesia
tua devota mente suscipiat et fiat magnae glorificationis a-
more devotior et ad tantae fidei gratiam proficiat exemplum
5 sanctitatis.

Cod.: *Medinaceli* 69

Rubr. : III Kalendas Ianuarii, natale sanctarum Columbae et Geno-fevae, collecta

406.

Beati confessoris tui atque pontificis illius, quaesumus, domine, maiestati tuae intercessio veneranda commendet, ut, quam nostris non meremur, eius meritis indulgentiam consequamur.

Cod.: *Adelp* 1202

Rubr.: Natale unius confessoris, collecta

407.

Beati confessoris tui Bedae nos, domine deus, intercessione laetifica, cuius nos pia tribuisti et doctrina proficere et iucunda sollemnitate gaudere.

Cod.: *West* II 818

Rubr. : <VII Kalendas Iunii, natale> sancti Bedae presbyteri et confessoris, collecta

408.

Beati confessoris tui Guthlaci, quaesumus, domine, interventio gloriosa commendet hanc oblationem nostram tuae clementiae, ut, quod nostris actibus non meremur, eius precibus consequamur.

Cod.: *West* II 790

Rubr. : <III Idus Aprilis>, in natali sancti Guthlaci confessoris, secretum

Nota: *Comparez à l'oraison*: "Martyris tui Praeiecti nos, domine, ... precibus consequamur."

409.

Beati confessoris tui Iuvenalis, quaesumus, domine, confessio gloriosa nos circumdet et protegat eiusque merita pietatem tuam pro nobis semper exorent.

Cod.: *Mateus* 1397

Rubr.: Die III° mensis Maii, <in festo sancti> Iuvenalis confessoris, collecta

410.

Beati Dunstani confessoris tui atque pontificis, quaesumus, domine, (de)precatione nos adiuva, in cuius veneratione tua conti(n)gimus sacramenta.

Codd.: *Arbuth* 305 *Drumm* 68 *Sarum* 751 *West* II 877. III 1624 (Tewkesbury)

Rubr.: <Die XIX° mensis Maii, in festo> sancti Dunstani episcopi et confessoris, postcommunio *Arbuth Sarum*
Natale unius confessoris, postcommunio *Drumm*
<XI Kalendas Augusti, in natali> sancti Wandragesili confessoris, postcommunio *West* II 877
In translatione unius confessoris, postcommunio *West* III 1624

Var. lect.: 1/2 domine quaesumus *transp. West* II 877. III 1624

411.

Beati Edmundi confessoris tui atque pontificis, quaesumus, domine, precibus tibi munera offerenda complaceant et oblata nobis proficiant ad salutem.

Codd.: *Arbuth* 396 *Herford* 358 *Sarum* 970 *West* II 1002

Rubr.: XVI Kalendas Decembris, in natali sancti Edmundi, archiepiscopi et confessoris, Cantuariensis, secreta *codd.*

Var. lect.: 2 tibi munera] *Herford West*, munera tibi *transp. Arbuth Sarum*

412.

Beati evangelistae Iohannis natalitia recolentes, domine, sancta mysteria percepimus, exorantes, ut eius doctrinis tam de verbi tui divinitate perpetua quam de humanitate carius assumpta reddamur instructi.

Codd.: *West* I 51 *West* III 1451 (St-Alban's)

Rubr.: <VI Kalendas Ianuarii, in natali> sancti Iohannis evangelistae, postcommunio

413.   Br 69

Beati evangelistae Iohannis, domine, precibus adiuvemur, ut, quod possibilitas nostra non obtinet, eius nobis intercessione donetur.

− A −

Codd. :	*Curia* 19^v	*Gregor* 71°	*Lateran* 168	*Leofric*
133	*Lodi* (13)°	*Mateus* 217	*Ménard* 34 D	*Metz*[1]
62	*PaAug* 8, 7	*Pad* 37°	*Pamel* 191°	*Ratisb* 45	*Tren-*
to 125°	*Udalr* 94			

Rubr.: VI Kalendas Ianuarii, natale sancti Iohannis evangelistae,
- <ad primam missam>, oratio ad complendum *Lateran*
- oratio ad vesperas *Curia Ratisb*
- oratio ad fontes *codd.* ° *distincti*
- oratio ad sanctum Andream *Leofric*
- alia oratio *ceteri codd.*

− B −

Codd. :	*Adelp* 1037"	*Aquilea* 241^r"	*Arbuth* 372^+	*Ari-*
berto 910	*Bec* 197	*Benevent*[2] 172	*Bergom* 1122	*Bias-*
ca 1043	*Cantuar* 112^+	*Casin*[1] 431"	*Curia* 203^v	*En-*
gol 1349	*Fulda* 1328	*Gellon* 1479	*Gemm* 213°	*Gre-*
gor 239*	*Herford* 328^+	*Iena* 36^r	*Lateran* 272	*Leo-*
fric 161°	*Marienberg* 260*	*Mateus* 2134	*Ménard* 140 B°
Milano 1146	*Nivern* 301	*Otton* 114^v°		*Pamel* 344
Phill 871	*Praem* 186°	*Prag* 192, 1	*Ratisb* 1105°	*Rhen*
847	*Ripoll* 1239	*Rossian* 198, 1^+	*Rosslyn* 68	*San-*
gall 1208	*Sarum* 910^+	*Triplex* 2525	*Udalr* 961	*Vi-*
cen[2] 350	*Vigil* 362	*West* II 954"	*West* III 1593°	(Char-
treux)	*Winch* 165			

Rubr.: XI Kalendas Octobris, natale sancti Matthaei evangelistae,
- oratio super sindonem *Ariberto Bergom Biasca Milano*
- collecta *ceteri codd.*

Var. lect. : **1** evangelistae Iohannis] Matthaei evangelistae   *codd.* ° *distincti*, Matthaei apostoli tui et evangelistae *codd.* ^+ *distincti*, Matthaei apostoli et evangelistae *codd.* " *distincti*, evangelistae et apostoli tui Matthaei *Bec Rosslyn*, apostoli et evangelistae Matthaei *Benevent*[2] *Ripoll*, evangelistae Matthaei *ceteri codd.*   domine] quaesumus *praem. Cantuar*, *add. Pamel* **3** donetur] ut ad gaudia pertingamus aeterna *add. Ariberto Biasca Milano*

- C -

Codd.: *Fulda* 1873   *Ratisb* 1299   *Vigil* 107

Rubr.: Missa in veneratione evangelistarum, oratio ad complendum
Fulda
Alia oratio unius apostoli *Ratisb*
VIII Kalendas Martii, natale sancti Marci evangelistae, collecta *Vigil*

Var. lect. : **1** Beati evangelistae Iohannis domine] Beatorum evangelistarum domine *Fulda*, Beati apostoli tui domine illius *Ratisb*, Beati Marci evangelistae tui domine *Vigil*   **2** eius] eorum *Fulda*   nobis] *om.*
Vigil

Nota: *Comparez à l'oraison*: "Sanctorum martyrum tuorum illorum
nos, quaesumus, ... oratione donetur."

414.

Beati evangelistae Iohannis nos, domine, quaesumus,
merita prosequantur et tuam nobis indulgentiam semper implorent.

- A -

Codd. : *Engol* 55   *GelasV* 40   *Lodi* (13)   *Pamel* 190
Prag 6, 3   *Tassilo* 3

Rubr.: VI Kalendas Ianuarii, in natale sancti Iohannis evangelistae
- in primo mane, oratio post communionem *Pamel*
- oratio super populum *Lodi*
- oratio ad complendum *seu* post communionem *ceteri codd.*

Var. lect.: **1** Iohannis evangelistae *transp. Lodi Pamel*

- B -

Codd.: *Bergom* 892   *Biasca* 819   *Engol* 890   *Fulda* 272.
1222°   *GelasV* 851   *Gemm* 201°   *GregorTc* 4432   *Leo-*
fric 72   *Ménard* 53 A   *Monac*⁵ (22)°   *Pamel* 211. 331°.
548   *Phill* 667   *Ratisb* 1020°   *Sangall* 684   *Sangall-A*
50   *Triplex* 563

Rubr.: Alia oratio de sancta Maria *GregorTc*   *Pamel* 548
XVIII Kalendas Septembris, Assumptio sanctae Mariae, alia
oratio *codd.* ° *distincti*
VIII Kalendas Aprilis, in Annuntiatione sanctae Mariae matris
Domini nostri Iesu Christi,
- alia missa, oratio super oblata *Biasca*
- oratio ad vesperum *GelasV*

- oratio ad matutinum sive ad vesperum *Sangall-A*
- alia oratio *ceteri codd.*

Var. lect. : **1** Beati evangelistae Iohannis] Beatae et gloriosae semperque virginis dei genitricis Mariae *codd.*   quaesumus domine *transp. Fulda* 272 *Pamel* 211

– C –

Codd. : *Engol* 1046   *Fulda* 1096   *GelasV* 908   *Gellon* 1169   *Pamel* 313

Rubr.: VII Kalendas Iulii, in vigilia martyrum Iohannis et Pauli, alia collecta *Engol   GelasV*
VI Kalendas Iulii, natale sanctorum Iohannis et Pauli,
- alia collecta *Gellon*
- oratio super populum *Fulda   Pamel*

Var. lect.: **1** Beati evangelistae Iohannis] Beatorum martyrum tuorum Iohannis et Pauli *codd.*

– D –

Cod.: *Nivern* 272

Rubr. : <XIV Kalendas Iulii, natale sanctorum Cyrici et Iulitae>, collecta

Var. lect. : **1** Beati evangelistae Iohannis nos domine] Beatorum martyrum tuorum Cyrici et Iulitae matris eius sociorumque eorum nos quaesumus domine *cod.*

415.

Beati evangelistae tui illius festivitate gaudentes, clementiam tuam deprecamur, omnipotens deus, ut tribuas nos iugiter eius confessione benedici et patrociniis confoveri.

Cod.: *West* III 1619 (Vitell)

Rubr.: In natali unius evangelistae, postcommunio

416.

Beati Gabrielis archangeli tui, deus noster, sanctorumque omnium caelestium spirituum recolentes memoriam laetificet intercessio atque eorum sumpta veneratione sacramenta proficiant ad salutem.

Codd.: *Praem–M1578* 122   *Sarum* 916*

Rubr.: Die XX° mensis Martii, <in festo> sancti Gabrielis, postcommunio *Praem*
Missa de sancto Gabriele, postcommunio *Sarum*

417.

Beati Gregorii martyris tui, domine, natalitia recensentes,
illius, quaesumus, aggregari mereamur consortio, cuius cor-
pori communicamur et sanguini.

Cod.: *Lateran* 165

Rubr.: IX Kalendas Ianuarii, <natale> sancti Gregorii martyris, oratio
ad complendum

418.

Beati Hermetis martyris tui intercessio nos, domine,
quaesumus, et tuam nobis non desinat placare iustitiam et
nos devotum tibi iugiter efficere famulatum.

Cod.: *Lateran* 261

Rubr.: V Kalendas Septembris, <natale> sancti Hermetis, collecta

419.

Beati illius apostoli tui, domine, veneranda sollemnitas et
devotionem nobis augeat et salutem.

Codd.: *Bergom* 1147   *Triplex* 2773

Rubr.: Orationes et preces in natale unius apostoli, alia oratio super
populum *i.e.* collecta *codd.*

Nota: *Comparez à l'oraison*: "Da nobis, omnipotens deus, ut beati
Laurentii ... augeat et salutem."

420.

Beati illius confessoris tui atque abbatis precibus haec
tibi, domine, grata reddatur oblatio et per eam nostrum
purifica famulatum.

Cod.: *West* II 1094

Rubr.: In natali unius abbatis, secretum

421 a.

Beati illius martyris, domine, suffragiis exoratus, percepti sacramenti tui nos virtute defende.

- A -

Codd.: *Engol* 1688   *Gellon* 1842   *GregorTc* 3295   *Pad* 848   *Paris*[1] 252   *Phill* 1232   *Salzb* 438   *Sangall* 1513   *Triplex* 2922

Rubr.: In basilicis martyrum, oratio ad complendum *seu* post communionem *codd.*

Var. lect.: 1 exoratus] exoramus *Phill*

- B -

Codd.: *Ariberto* 663   *Benevent*[1] 460   *Benevent*[2] 103   *Bergom* 899   *Biasca* 825   *Engol* 918   *Fulda* 860   *Gellon* 888   *Ménard* 100 A   *Milano* 935   *Monza* 817   *PaAng* 169   *Phill* 696   *Ragusa* 398   *Ratisb* 687   *Rossian* 99, 3   *Sangall* 713   *Triplex* 1603. 1609   *West* III 1544 (Sherborne)

Rubr.: IX vel VIII Kalendas Maii, natale sancti Georgii martyris,
— alia oratio ad complendum *Fulda*
— oratio ad complendum *seu* post (ad *Rossian*) communionem *ceteri codd.*

Var. lect.: 1 illius martyris] martyris tui Georgii *Rossian*, Georgii martyris tui *ceteri codd.*   domine] *om. Ragusa*

- C -

Codd.: *Engol* 1699   *GregorTc* 3230   *Triplex* 2875   *Winch* 199

Rubr.: In natale unius martyris, oratio ad complendum *seu* post communionem *codd.*

Var. lect.: 2 virtute nos *transp. Triplex*

- D -

Codd.: *Arbuth* 281   *Sarum* 688   *West* III 1531 (Abingdon St-Alban's Tewkesbury)

Rubr. : <Die XXII° mensis Ianuarii, in festo> sancti Vincentii martyris, postcommunio *codd.*

Var. lect.: 2 nos] quaesumus *add. codd.*

– E –

Cod.: *Franc* 90

Rubr. : Orationes et preces in natale sancti Hilarii, oratio post communionem

Var. lect. : 1 exoratus] exoramus *cod.*   2 defende] ut caelestis remedii sacramentum ad perpetuam nobis provenire medicinam obtineat *add. cod.* (*cfr l'oraison*: "Sumptum, domine, caelestis remedii ... pontifex obtineat.")

– F –

Cod.: *Phill* 1186

Rubr.: In natale plurimorum martyrum, oratio post communionem

Var. lect.: 1 Beati martyris illius] Beatorum martyrum illorum *cod.*

– G –

Codd. : *Avellan*² 945   *Drumm* 63   *Gemm* 236   *GregorTc* 3302   *Ménard* 167 C   *Nivern* 317   *Ragusa* 712   *Ratisb* 1356

Rubr.: Missa in natali confessoris, postcommunio *Avellan*²
Ad honorem confessorum, postcommunio *Ragusa*
In vigilia unius confessoris, oratio ad complendum *seu* post communionem *ceteri codd.*

Var. lect. : 1 domine] quaesumus *praem. Ragusa*   exoratus] exoramus *Gemm GregorTc*   2 nos] iugiter *add. Drumm, transp. post* percepti *Ménard Ratisb*

421 b.

Beatae Afrae martyris tuae, domine, suffragiis exoramus, ut percepti sacramenti tui nos virtute defendas.

Codd.: *Aquilea* 207ʳ. 231ʳ. 271ᵛ   *Otton* 146*   *Ratisb* 972   *Rossian* 164, 3

Rubr.: <V Idus Aprilis, in festo sanctae> Mariae Aegyptiacae, complenda *Aquilea* 207ʳ

De coniugata, complenda *Aquilea* 271ᵛ
VII Idus Augusti, natale sanctae Afrae martyris, oratio ad
complendum *seu* complenda *ceteri codd.*

Var. lect.: **1** tuae] sodaliumque eius *add. Aquilea* 231ʳ   suffragiis]
confisi *praem. Aquilea* 231ʳ   **2** ut] *om. Otton Ratisb*   defendas] defende *Otton Ratisb*

421 c.

Beati illius confessoris tui atque pontificis, domine, suffragiis exoramus, ut, percepta sacramenti tui virtute, ab omnibus nos adversitatibus ubique defendas.

Codd.: *Herford* 256. 389   *Herford-M* 343

Rubr.: Nonas Maii, \<natale\> sancti Iohannis de Beverlaco, postcommunio *Herford* 256
IV Idus Octobris, \<natale\> sancti Wilfridi episcopi et confessoris, postcommunio *Herford-M*
In natali unius confessoris et pontificis, postcommunio *Herford* 389

422.

Beati illius, quaesumus, domine, precibus adiuvemur, ut
tuam semper misericordiam percipere valeamus.

Codd.: *Casin*¹ 482   *Gellon* 885   *Monza* 816   *Pad* 845

Rubr.: In basilicis martyrum, alia collecta *Pad*
IX Kalendas Maii, natale sancti Georgii martyris,
 - alia collecta *Gellon*
 - secreta *Monza*
In natale unius confessoris, alia oratio *Casin*¹

Var. lect.: **2** valeamus] mereamur *Casin*¹

423 a.   Br 73

Beati Iohannis Baptistae nos, quaesumus, domine, praeclara comitetur oratio et, quem venturum esse praedixit,
poscat ab eo sempiternum remedium.

Codd.: *Bologna*² II 1   *Engol* 1028   *GelasV* 906   *Gellon* 1147º   *PaAng* 205   *Paris*¹ 105   *Paterniac* XI, 6
Rhen 692º   *Sangall*¹ 923º

Rubr.: VIII Kalendas Iulii, in vigilia (ieiunio *codd.* ° *distincti*) sancti
Iohannis Baptistae,
- alia collecta (recensio altera) *GelasV*
- oratio post communionem *ceteri codd.*

Var. lect.: 1 quaesumus] *om. Bologna*[2]

423 b.   Br 73

Beati Iohannis Baptistae nos, domine, praeclara comitetur
oratio et, quem venturum esse praedixit, poscat nobis favere
placatum.

Codd. : *Adelp* 847°   *Aquilea* 216[ro]   *Arbuth* 317"[+]   *Ari-*
berto 735[+μ]   *Augiense* VI, 3"   *Bec* 156"[+]. 251"[+]   *Benevent*[2]
136"   *Bergom* 960[+μ]   *Biasca* 891[+μ]   *Cantuar* 93"   *Cu-*
ria 175"[+]   *Fulda* 1070°. 1863°   *GelasV* 897   *Gemm* 182"   *Gre-*
gor 570°   *Herford* 272"[+]   *Iena* 25ro   *Juan* 21[o+]   *La-*
teran 223°   *Leofric* 1453"   *Leon* 240°   *Lucca* 136°   *Ma-*
teus 1784"   *Ménard* 121 B°   *Metz*[1] 83°   *Milano* 982[+μ]
Nivern 275"   *Otton* 89ro   *Oxford* 155"   *Pad* 522   *Pa-*
mel 311   *Praem* 141   *Ragusa* 436   *Ratisb* 872"   *Ripoll*
1015°   *Rossian* 139, 3°   *Rosslyn* 57"[+]   *Salzb* 219°   *San-*
gall[2] 923[o+]   *Sarum* 779"   *Trento* 616°   *Triplex* 2022[o+].
2025[μ]   *Udalr* 730°   *West* II 841"   *Winch* 110"

Rubr.: Mense Iunii, VIII Kalendas Iulii, natale sancti Iohannis Baptistae, II alia missa, <postcommunio> *Leon*
Missa in veneratione sancti Iohannis Baptistae, oratio ad
complendum *seu* postcommunio *Bec* 251 *Fulda* 1863
IX Kalendas Iulii, in vigilia (ieiunio *Pad Salzb*) sancti Iohannis Baptistae (et per octavam ipsius *add. Iena*),
- alia collecta *GelasV*
- alia oratio super populum *i.e.* collecta *Triplex* 2025
- oratio super sindonem *Ariberto Bergom Biasca Milano*
- oratio ad vesperas *Lateran*
- oratio ad complendum *seu* post communionem *ceteri codd.*

Var. lect.: 1 domine] quaesumus *praem. codd.* [+] *distincti, om. Luc-*
ca 2 quem] eum *praem. Biasca*, per sanctum corpus et sanguinem filii
tui *praem. West* nobis] *om. Rossian* 2/3 favere placatum] *Pad*[2]
codd. ° *distincti*, fore placatum *Pad*[1] *codd.* " *distincti*, habere pacatum
codd. [μ] *distincti*, facere placatum *GelasV*, fieri placatum *Pamel Ragusa*

424.   Br 1029

Beati Iohannis evangelistae, quaesumus, domine, supplicatione placatus, et veniam nobis tribue et remedia sempiterna
concede.

- A -

Codd. : *Adelp* 133° *Curia-Ott* 16 *Gregor* 70 *Lateran*
166 *Leofric* 133 *Lodi* (13) *Mateus* 216° *Ménard* 34 D
Metz[1] 62 *PaAug* 8, 6 *Pad* 36 *Pamel* 191 *Pa-*
Mon-Ben 7, 5 *Praem-MC* 35 *Ratisb* 46° *Ripoll* 846° *Ross-*
lyn 6° *Trento* 124 *Triplex* 265° *Udalr* 93° *West* III
1451 (Rouen MS. 10.048)

Rubr.: VI Kalendas Ianuarii,
  - ad primam missam, collecta *Lateran*, postcommunio *Praem-*
    MC
  - postcommunio *West*
  - oratio super populum *PaAug*
  - alia oratio *codd.* ° *distincti*
  - oratio ad vesperas *ceteri codd.*

Var. lect. : **1** Iohannis evangelistae] evangelistae Iohannis *Pad*,
Iohannis apostoli et evangelistae *Mateus Rosslyn*   quaesumus domine]
domine quaesumus *transp. Mateus*, domine *Rosslyn*   **2** nobis] peccatorum *add. Mateus Udalr*

- B -

Codd. : *Adelp* 1036 *Aquilea* 241[r] *Bec* 197 *Bergom*
1121 *Cantuar* 112 *Curia* 203[v] *Engol* 1348 *Fulda*
1327 *Gellon* 1478 *Gemm* 213 *Gregor* 238* *Herford*
327 *Lateran* 272 *Leofric* 160 *Mateus* 2132 *Mé-*
nard 140 A *Nivern* 301 *Otton* 114[v] *Phill* 870 *Praem*
185 *Ratisb* 1104 *Rhen* 846 *Ripoll* 1238 *Rossian*
197, 3 *Sangall* 1207 *Triplex* 2524 *Udalr* 960 *Vigil*
361 *West* II 953 *Winch* 165

Rubr.: XI Kalendas Octobris, natale sancti Matthaei apostoli, alia
  oratio super populum *i.e.* collecta *Bergom*
  XII Kalendas Octobris, vigilia sancti Matthaei apostoli et
  evangelistae, oratio ad complendum *seu* post (ad *Rossian*)
  communionem *ceteri codd.*

Var. lect. : **1** Beati] Sancti *Lateran*   Iohannis evangelistae]
evangelistae Matthaei *Mateus Rossian*, apostoli tui et evangelistae Mat-
thaei *Lateran*, apostoli Matthaei et evangelistae *Adelp*, Matthaei evan-
gelistae et apostoli tui *Bec Cantuar*, Matthaei apostoli tui et evange-
listae *Aquilea Herford*, Matthaei apostoli et evangelistae *Leofric*, Mat-
thaei apostoli et evangelistae tui *West*, apostoli et evangelistae Matthaei
Ripoll, Matthaei evangelistae *ceteri codd.*   quaesumus] *om. Mateus*
1/2 supplicatione placatus] precibus adiuvemur *Mateus*   **2** tribue] peccatorum *praem. Udalr, add. Rossian,* delictorum *praem. Herford*

- C -

Codd. : *Herford* 369 *Stockholm* 1 *West* III 1617 (Rouen).
1619 (Vitell)

Rubr.: In vigilia unius apostoli sive evangelistae, alia postcommunio *Herford West* III 1617
Missa communis unius evangelistae,
- collecta *West* III 1619
- secreta *Stockholm*

Var. lect. : 1 Iohannis evangelistae] illius apostoli et evangelistae *Herford*, illius tui evangelistae *Stockholm*

Nota: *Comparez à l'oraison*: "Sanctorum martyrum tuorum, domine, supplicatione ... sempiterna concede."

425 a.

Beati Laurentii martyris honorabilem passionem muneribus, domine, geminatis exsequimur, quae, licet propriis sit memoranda principiis, indesinenter tamen permanet gloriosa.

Codd. : *Adelp* 968⁰   *Arbuth* 355⁰   *Avellan*[1] 897   *Bec*
182   *Benevent*[3] 40   *Cantuar* 105⁰   *Engol* 1232   *Fulda*
1226   *GelasV* 990   *Gellon* 1355   *Gemm* 202   *Gregor*
194*   *Herford* 311   *Lateran* 259   *Leofric* 155   *Mateus* 1980   *Nivern* 291   *Pamel* 331   *Praem* 171⁰   *Prag* 175, 2
Ratisb 1027   *Sangall* 1100   *Sarum* 876⁰   *Triplex* 2341   *Vicen*[1] 581⁰   *West* II 914   *Winch* 146⁰

Rubr. : XVI Kalendas Septembris, in octava sancti Laurentii, oratio super oblata *seu* secreta *codd.*

Var. lect. : 1 martyris] *om. Herford*, tui *add. codd.* ⁰ *distincti*, nos domine precibus protege cuius *add. Avellan*[1]   1/2 muneribus] nostris *add. Leofric*   2 domine] *om. Avellan*[1]

425 b.

Beati Laurentii martyris honorabilem passionem geminatis exsequimur muneribus, offerentes, quae et tibi, domine, quaesumus, grata fiant et nos a nostris emundent flagitiis et mente et corpore pariter purificent.

Codd.: *Montserrat*[2] VI, 2   *Ripoll* 1184

Rubr.: XVI Kalendas Septembris, octava sancti Laurentii, secreta *codd.*

426.

Beati Laurentii martyris tui, domine, geminata gratia nos refove(at), qua glorificationis eius - et optatis praeimus officiis et desideranter exspectamus - adventum.

Codd. : *Benevent*[1] 601   *Engol* 1188   *Fulda* 1180   *Ge-*
lasV 970   *Gellon* 1301   *Lateran* 251   *Rhen* 773   *San-*
gall 1056   *Triplex* 2259

Rubr. : V Idus Augusti, in vigilia sancti Laurentii,
  - collecta *Benevent*[1] *Lateran*
  - alia collecta *ceteri codd.*

Var. lect. : 1 gratia geminata *transp.* *Lateran*   2 refoveat] semper
praem. *Lateran*   2/3 qua ... adventum] qua glorificationis eius diem et
optatis praeimus officiis et desideranter exspectamus venturam *Fulda*, qui
glorificationis eius et optatis praeimus officiis et desideranter ipsius
exspectamus adventum *Lateran*, quam pro glorificationis eius honore et
optatis praeimus officiis et desideranter exspectamus adventuram *San-*
gall[2] *Triplex*

427 a.

Beati Laurentii nos faciat, domine, passio veneranda laetantes et, ut eam sufficienter recolamus, efficiat.

Codd. : *Arbuth* 355[0]μ   *Avellan*[1] 897[+]   *Bec* 182[+]   *Bene-*
vent[3] 35   *Cantuar* 105[+]   *Engol* 1230[0]   *Fulda* 1224[0]   *Ge-*
lasV 988   *Gellon* 1353   *Gemm* 201[0]   *Gregor* 192[*]   *Her-*
ford 311[0"μ]   *Lateran* 258[0]   *Leofric* 155[0"]   *Monac*[5] (22)[0]   *Ni-*
vern 291   *Otton* 148[*0μ]   *Pamel* 331[0]   *Praem* 171[0]
Prag 175, 1[0]   *Ratisb* 1025"   *Sangall* 1098   *Sarum* 875[0μ]   *Tri-*
plex 2339[0]   *Vicen*[1] 580[0]   *West* II 913[0]   *Winch* 146[0]

Rubr. : XVI Kalendas Septembris, in octava sancti Laurentii, collecta
codd.

Var. lect. : 1 Laurentii] martyris tui *add. codd.* μ distincti   domine
faciat *transp. codd.* " distincti   2 efficiat] iterata sollemnitas *praem.*
Otton, dignos *praem. codd.* + distincti, promptiores *add. Sangall*[2] *codd.*
[0] distincti

427 b.

Beati martyris tui Genesii nos faciat, domine, passio
veneranda laetantes et, ut eam sufficienter recolamus, dignos
efficiat.

Codd. : *Ariberto* 859   *Bergom* 1074   *Biasca* 1003   *Tri-*
plex 2368

Rubr. : VIII Kalendas Septembris, natale sancti Genesii martyris,
oratio super populum *i.e.* collecta *codd.*

428.   Br 74

Beati Marci evangelistae tui sollemnitate tibi munera
deferentes, quaesumus, domine, ut, sicut illum praedicatio
evangelica fecit gloriosum, ita nos eius intercessio et verbo
et opere tibi reddat acceptos.

Codd. : *Arbuth* 299   *Bec* 144⁰   *Curia* 163   *Gregor*
127*⁰   *GregorTc* 3494   *Lateran* 197   *Leofric* 143⁰   *Mé-*
nard 100 B   *Pamel* 286⁰   *Panorm* 1126⁰   *Otton* 123*
Praem 127   *Ratisb* 689   *Rossian* 101, 2   *Sarum* 738
West II 796

Rubr. : VII Kalendas Maii, natale sancti Marci evangelistae, oratio
super oblata *seu* secreta *codd.*

Var. lect. : 2 domine] *transp. post* tibi¹ *Rossian*   2/3 fecit praedicatio evangelica *transp. Arbuth*   3 et] *om. Pamel   Rossian*   4 tibi]
om. codd. ⁰ *distincti*   reddat] semper *praem. Rossian*

429.

Beati Martini confessoris tui, domine, nobis patrocinio
suffragante, has oblationes offerimus divinae maiestati tuae,
deprecantes, ut benigne clementerque suscipias, quae animabus fidelium defunctorum remedium et requiem ac viven-
5 tibus indulgentiam et salutem conferant sempiternam.

Codd. : *Engol* 1102   *GregorTc* 3525   *Mateus* 1869   *Ri-*
poll 1059   *Vicen¹* 679   *Winch* 119

Rubr. : IV Nonas Iulii, natale *seu* translatio sancti Martini confessoris
et pontificis (missa de ordinatione episcopatus atque translatione corporis
GregorTc), oratio super oblata *seu* secreta *codd.*

430.   Br 1057

Beati Martini pontificis, quaesumus, domine, nobis pia
non desit oratio, quae et munera nostra conciliet et tuam
nobis indulgentiam semper obtineat.

– A –

Codd. : *Ariberto* 11⁰   *Benevent²* 183   *Bergom* 6⁰   *Biasca* 2⁰
Engol 1476   *Fulda* 1425   *Gellon* 1610   *Ménard* 148 B   *Mi-*
lano 793⁰   *Monac²* 51   *Monza* 652   *Phill* 1008   *Ra-*
tisb 1204   *Rhen* 929   *Rossian* 216, 2   *Sangall* 1320   *Tri-*
plex 2670. 2679⁰   *Udalr* 1042

Rubr.: III Idus Novembris, natale (depositio *Ariberto Bergom Biasca*, transitus *Udalr*) sancti Martini episcopi, oratio super oblata *seu* secreta *codd.*

Var. lect. : **1** Martini pontificis] tui *add. Sangall*, sacerdotis et confessoris tui Martini *codd.* ° *distincti*   pia nobis *transp. Sangall*[2] *Triplex* 2670

– B –

Codd.: *Herford* 262   *Mateus* 2271

Rubr.: VIII Kalendas Iunii, memoria de sancto Aldelmo episcopo,
    secreta *Herford*
    Die XIII° mensis Novembris, <in festo sancti> Britii episcopi,
    secreta *Mateus*

Var. lect.: **1** Martini pontificis] Aldelmi pontificis tui *Herford*, Britii pontificis *Mateus*   nobis] *om. Herford*   **3** obtineat] imploret *Herford*

Nota: *Comparez à l'oraison*: "Sanctorum tuorum nobis, domine, pia non desit ... semper obtineat."

431.

Beati martyris tui illius nos, quaesumus, domine, praeclara comitetur oratio et misericordiam tuam nobis indesinenter imploret.

Codd. : *Bergom* 1172   *Biasca* 1090   *Milano* 740   *Triplex* 2798

Rubr. : Alia missa in natale unius martyris, oratio super populum *i.e.* collecta *codd.*

Var. lect.: **2** nobis] pro *praem. Biasca*

432.

Beati martyris tui illius nos, quaesumus, domine, patrociniis collatis non deseras, qui fragilitatem nostram et meritis tueatur et precibus.

Codd.: *Engol* 1646[+]   *Gellon* 1779[+]   *GregorTc* 3227. 3233   *Ménard* 165 B°   *Paris*[1] 225[+]   *Paris*[2] 3, 2°   *Ratisb* 1334°   *Sangall* 1474   *Triplex* 2871   *Vicen*[1] 782

Rubr.: In natale unius martyris, alia oratio *codd.*

Var. lect.: 1 domine quaesumus *transp. Vicen*[1] 1/2 patrociniis collatis non deseras qui] patrocinius collatus non deserat qui *codd.* + *distincti*, patrocinium collatum non deserat quod *codd.* ° *distincti*, patrocinia consolatos non deserant qui *Vicen*[1] 2/3 et precibus tueatur et meritis *transp. Ménard Ratisb* 3 tueatur] tueantur *Vicen*[1]

433.

Beati martyris tui illius nos quaesumus, domine, gloriosa merita prosequantur, quae fragilitatem nostram et precibus tueantur et meritis.

Codd.: *Bergom* 1168 *Biasca* 1086 *Milano* 736. 1087 *Triplex* 2794

Rubr.: Die XIII° mensis Augusti, <natale> sancti Hippolyti, oratio super populum *i.e.* collecta *Milano* 1087
In natale unius martyris,
– alia oratio super populum *i.e.* collecta *Triplex*
– oratio super sindonem *ceteri codd.*

434.

Beati martyris tui illius nos, quaesumus, domine, precibus adiuvemur et, eius digna sollemnia celebrantes, tuo nomini fac nos semper esse devotos.

Codd. : *Arbuth* 384 *Bergom* 1163 *Biasca* 1082 *Engol* 1645 *Fulda* 1039° *Gellon* 1778 *GregorTc* 3225. 3232 ° *Milano* 732 *Monza* 843 *Paris*[1] 224 *Paris*[2] A, 1 *Ripoll* 1092° *Sangall* 1473 *Sarum* 946 *Triplex* 2789. 2870

Rubr.: <Die XXV° mensis Octobris, in festo> sanctorum Crispini et Crispiniani, postcommunio *Arbuth Sarum*
Nonas Iunii, passio sancti Bonifatii episcopi et sociorum eius, alia oratio *Fulda*
Missa in natale unius confessoris, secreta *Monza*
VIII Kalendas Augusti, <natale> sancti Cucufati martyris, collecta *Ripoll*
In natale unius martyris, alia oratio *ceteri codd.*

Var. lect. : 1 Beati ... nos] Beatorum (Sanctorum *Sarum*) martyrum tuorum Crispini et Crispiniani *Arbuth Sarum* quaesumus] *om. Monza* 2 eius digna sollemnia] eius digne sollemnia *Sangall*[2] *codd.* ° *distincti*, eorum sollemnia sacris mysteriis *Arbuth Sarum* 2/3 tuo ... devotos] fac nos tuo nomini semper esse devotos *transp. Arbuth Sarum*, fac nos tibi toto corde esse devotos *Ripoll* 3 nos] *om. Fulda GregorTc* 3232 *Sangall*[2]

435.

Beati martyris tui illius votivus natalis nobis, quaesumus, domine, iucunditatem suae glorificationis infundat et tibi nos reddat acceptos.

Cod.: *Adelp* 1184

Rubr.: Vigilia unius martyris, collecta

436.

Beati martyris tui Laurentii, domine, quaesumus, intercessione nos protege et animam famuli tui illius episcopi sanctorum tuorum iunge consortiis.

Codd.: *Adelp* 1659[+]   *Aquilea* 293[vo]   *Avellan*[1] 905[o]   *Ful-da* 2557[+]   *GelasV* 1643"   *Gellon* 2948   *GregorTc* 2848. 3006[+]   *Leon* 1151"   *Mauric* 20   *Milano* 1427   *Otton* 188[v]   *Oxford* 75   *Phill* 1956   *Rhen* 1357   *Triplex* 3505[o]   *Vicen*[1] 1613[o"]

Rubr.: Mense Octobris, super defunctos, IV alia missa, <collecta>
     Leon
     Missa pro uno sacerdote defuncto, collecta *codd.* [o] *distincti*
     Missa pro defuncto, collecta *Fulda GregorTc* 3006
     Pro diaconis, collecta *Oxford*
     Orationes ad missam in natale sanctorum sive agenda mortuo-
     rum, collecta *ceteri codd.*

Var. lect.: *Oxford formam adhibet pluralis*   1 martyris tui Laurentii] Petri apostoli tui *Aquilea*, Floridi confessoris tui *Avellan*[1], martyris tui Bonifatii *Fulda*, Stephani protomartyris tui *Oxford*, Galli confessoris tui *Triplex*, martyris tui illius *ceteri codd.*, et omnium sanctorum tuorum *add. Adelp*   domine quaesumus] *codd.* " *distincti*, quaesumus domine *transp. ceteri codd.*   2 episcopi] *om. codd.* [+] *distincti*, cuius anniversarium depositionis diem celebramus *Otton*, diaconorum *Oxford*, sacerdotis *ceteri codd.*

* * *

Beati martyris tui Praeiecti ...

Nota: *Comparez à l'oraison*: "Martyris tui Praeiecti nos, domine, ... precibus consequamur."

437.

Beati martyris tui Symphoriani, domine, nos tuere praesidiis, ut, cuius festivitatem annua devotione recolimus, eius
intercessionibus ab omnibus adversitatibus eruamur.

Codd. : *Avellan* [1] 898   *Fulda* 1237   *GregorTc* 3566   *Mo-*
nac[5] (22)   *Sarum* 716*   *West* II 924   *West* III 1569 (Paris)

Rubr.: In natali plurimorum confessorum, collecta *Sarum*
Die XXIII° mensis Iulii, in natali sancti Apollinaris martyris,
collecta *West* III 1569
<VIII Kalendas Septembris>, in natali sancti Genesii martyris,
collecta *West* II 924
XI Kalendas Septembris,
- <natale> sanctorum Timothei et Symphoriani, alia collecta *Monac*[5]
- natale sancti Symphoriani, collecta *ceteri codd.*

Var. lect.: *Monac*[5] *Sarum formam adhibent pluralis*   1 martyris ...
nos] Apollinaris martyris tui et pontificis nos domine *West* III 1569
domine] quaesumus *praem. Sarum*

438.

Beati Nicolai confessoris tui atque pontificis, domine,
suffragiis adiuti, ab hostium liberemur insidiis atque, caelesti
benedictione repletos, tua nos semper virtute defende.

Cod.: *Lateran* 160

Rubr. : VIII Idus Decembris, <natale> sancti Nicolai episcopi, oratio
ad complendum

439.

Beati nobis, quaesumus, domine, Iuvenalis et confessio
semper prosit et meritum.

Codd. : *Engol* 932   *Fulda* 887   *GelasV* 865   *Gellon*
937   *Lateran* 204   *Marienberg* 238*   *Phill* 740. 811   *San-*
gall 736   *Triplex* 1648. 2698   *Vicen*[1] 332

Rubr.: VII Idus Septembris, natale sancti Clodoaldi confessoris, oratio
super populum *Phill* 811
XVI Kalendas Decembris, natale sancti Otmari confessoris
Christi, alia oratio *Triplex* 2698
V Nonas Maii, in natale sancti Iuvenalis, collecta *ceteri codd.*

Var. lect. : 1 nobis] *transp. post* confessio *Lateran   Triplex* 2698
nobis ... Iuvenalis] confessoris tui Iuvenalis atque pontificis quaesumus
domine deus noster cuius sollemnitatem honore continuo celebramus *Lateran*   domine quaesumus *transp. Gellon   Marienberg*   2 semper] *om.
Lateran*

440.

Beati nos, domine, baptistae Iohannis oratio et intellegere
Christi tui mysterium postulet et mereri.

Codd. :   *Benevent*[1] 552   *Bergom* 968   *Biasca* 899   *Engol* 1029   *Fulda* 1082   *GelasV* 900   *Gellon* 1148   *Juan*
22   *Lateran* 223   *Leofric* 157   *Ménard* 121 C   *Ratisb*
874   *Rhen* 693   *Sangall* 924   *Triplex* 2023

Rubr.: IV Kalendas Septembris, decollatio sancti Iohannis Baptistae,
oratio ad complendum *Leofric*
VIII Kalendas Iulii, natale sancti Iohannis Baptistae,
– in prima missa de nocte, oratio super populum *Ménard*
– alia oratio *Fulda*
IX Kalendas Iulii, in vigilia sancti Iohannis Baptistae,
– oratio ad complendum *seu* post communionem *Benevent*[1] *Lateran*
– alia oratio ad vesperum vel ad vigiliam *Bergom Biasca*
– oratio ad matutinas *Ratisb*
– oratio super populum *ceteri codd.*

Var. lect. : 1 baptistae] *om. Ménard Ratisb*, et martyris *add. Leofric*   Iohannis Baptistae *transp. Lateran*   oratio] per haec sacrificia
quae sumpsimus *add. Leofric*

441.

Beati Otmari confessoris supplicatione, quaesumus, domine, plebs tua benedictionem percipiat, ut de eius meritis et
feliciter glorietur et aeternae societatis laetitia gratuletur.

Codd.: *Aquilea* 247[r]   *Triplex* 2696

Rubr.: XVI Kalendas Decembris, natale sancti Otmari confessoris
Christi,
– collecta *Aquilea*
– alia oratio *Triplex*

Nota: *Comparez à l'oraison*: "Beati Andreae apostoli supplicatione ...
sociata laetari."

442. Br 1056

Beati Pancratii martyris tui, domine, intercessione placatus, praesta, quaesumus, ut, quae temporali celebramus
actione, perpetua salvatione capiamus.

– A –

Codd. : *Adelp* 707 *Aquilea* 212ᵛ *Benevent*⁴ I, 3b *Gel-*
lon 967 *Gregor* 493 *Mateus* 1424 *Ménard* 103 B *Ni-*
vern 230 *Otton* 85ʳ *Pad* 436 *Pamel* 293 *Ratisb*
713 *Schäftlarn* 6 *Tegernsee*¹ 3 *Trento* 539 *Triplex*
1702 *Udalr* 630 *Vicen*¹ 344 *Vigil* 134 *West* III 1549
(Chartreux Cisterciens Vitell Winchcombe)

Rubr.: IV Idus Maii,
  – <in festo sanctorum> Nerei, Achillei et Pancratii, postcommunio *Mateus*
  – natale sancti Pancratii, oratio ad complendum *seu* post
  communionem *ceteri codd.*

Var. lect. : 1/2 Beati ... placatus] Beatorum martyrum tuorum domine
Nerei et Achillei et Pancratii intercessionibus placatus *Mateus* 3 ac-
tione] officio *Otton*

– B –

Codd. : *Adelp* 1011 *Bec* 191 *Cantuar* 109 *Gemm*
210 *Gregor* 220* *GregorTc* 3596 *Mateus* 2078 *Mé-*
nard 137 D *Nivern* 298 *Otton* 111ᵛ *Praem-MB MP*
181 *Ratisb* 1076 *Rossian* 187, 3 *Triplex* 2433 *Udalr*
931 *Winch* 158

Rubr.: V Idus Septembris, <natale> sancti Gorgonii martyris, oratio
  ad complendum *Rossian*
  VI Idus Septembris, natale sancti Adriani martyris (cum sociis
  suis *add. Mateus*), oratio ad complendum *seu* post communionem *ceteri codd.*

Var. lect. : 1 tui] sociorumque eius *add. Mateus* 2 quae] quod
Gemm 2/3 temporali celebramus actione] temporaliter gerimus *codd.*
3 perpetua salvatione] aeterna redemptione *Adelp*

– C –

Codd. : *Adelp* 711 *Bec* 150 *Benevent*⁴ IV, 3 *Fulda*
953 *Gellon* 995 *Ménard* 103 C *Nivern* 231 *Pamel*
296 *Panorm* 1202 *Praem-MB MC* 134 *Ratisb* 716 *San-*
gall 789 *Triplex* 1812 *West* III 1551 (Coutances Vitell)
Zara 4ʳ

Rubr.: VIII Kalendas Iunii, natale sancti Urbani papae et martyris,
- alia oratio post communionem *Pamel*
- oratio ad complendum *seu* post communionem *ceteri codd.*

Var. lect.: 1 tui] *om. Fulda*

- D -

Codd.: *Adelp* 1192   *Praem-MC ML* 214   *Ragusa* 706

Rubr.: In natale unius martyris (et pontificis *om. Ragusa*), oratio post communionem *codd.*

Var. lect. : 2/3 temporali celebramus actione] temporaliter gerimus *Ragusa*

- E -

Cod.: *Aquilea* 223^v

Rubr.: <V Idus Iulii>, in festo sancti Pii papae et martyris, complenda

Var. lect.: 1 Pancratii martyris tui] martyris tui atque pontificis Pii *cod.*   2 quae] ea *praem. cod.*

- F -

Cod.: *Praem-M1508 M1578* 114

Rubr.: Die III° mensis Februarii, <in festo> sancti Blasii, postcommunio

- G -

Cod.: *Praem* 184

Rubr. : Die XVII° mensis Septembris, <in festo> sancti Lamberti, postcommunio

- H -

Codd. : *Arbuth* 345   *Sarum* 846   *West* II 896   *West* III 1577 (St-Alban's)

Rubr.: <Die VI° mensis Augusti, in festo> sanctorum Xysti, Felicissimi et Agapiti, postcommunio *codd.*

Var. lect.: 1 Beati ... tui] Beatorum martyrum tuorum *West*, Beatorum martyrum tuorum Xysti Felicissimi et Agapiti *Arbuth Sarum*   2 quae] mysteria sancta *praem. codd.*

Nota: *Comparez à l'oraison*: "Sanctorum tuorum, domine, intercessione placatus ... salvatione capiamus."

443.

Beati pontificis et confessoris tui Zenonis, quaesumus, domine, a malis omnibus gloriosa nos semper merita tueantur, in cuius sollemnitate percepimus tua sancta laetantes.

Codd.: *Ariberto* 68   *Biasca* 1400

Rubr. : VI Idus Decembris, <natale> sancti Zenonis episcopi, oratio post communionem *codd.*

444.

Beati pontificis tui Silvestri nos, domine, gloriosa confessio tueatur, ut, dum eius pia celebramus merita, nobis profutura ipsius sentiamus auxilia.

Cod.: *Ariberto* 146

Rubr.: II Kalendas Ianuarii, <natale> sancti Silvestri episcopi, oratio super oblata

445 a.   Br 76

Beati Proti nos, domine, et Hyacinthi foveat pretiosa confessio et pia iugiter intercessio tueatur.

Codd. :	*Adelp* 1016	*Aquilea* 238ᵛ	*Arbuth* 366	*Bec*
193	*Benevent²* 114	*Cantuar* 109	*Casin¹* 425	*Curia*
200ᵛ	*Engol* 1311	*Fulda* 1293	*Gellon* 1439	*Gemm*
211	*Gregor* 684	*Herford* 323	*Lateran* 267	*Leofric*
159	*Mateus* 2087	*Ménard* 138 A	*Monza* 748	*Ni-*
vern 298	*Otton* 112ᵛ	*Pad* 656	*Pamel* 337	*Phill*
828	*Praem* 182	*Prag* 186, 1	*Ratisb* 1081	*Ripoll*
1222	*Rossian* 188, 1	*Sangall* 1170	*Sarum* 901	*Tren-*
to 722	*Triplex* 2438	*Udalr* 937	*Vigil* 329	*West* II
943	*Winch* 160			

Rubr.: IV Idus Maii, <natale> sanctorum Nerei et Achillei, collecta *Benevent²*
III Idus Septembris, natale sanctorum Proti et Hyacinthi (Felicis et Regulae *add. Adelp*), collecta *ceteri codd.*

Var. lect. : 1 Beati ... Hyacinthi] Beati Nerei et Achillei nos *Benevent²*, Beati nos domine Proti et Hyacinthi *Ripoll*, Beati Proti et

Hyacinthi nos domine *Monza West*, Beatorum nos domine Proti et Hyacinthi *Lateran*, Beatorum Proti nos et Hyacinthi *Mateus*, Beatorum martyrum tuorum Proti et Hyacinthi nos (quaesumus *add. Sarum*) domine *Arbuth Sarum*, Felicis et Regulae *add. Adelp*   pretiosa] gloriosa *Arbuth*   2 et] ut festa eorum sollemniter recolamus *add. Lateran*

445 b.

Beati sacerdotis et confessoris tui Eustorgii nos, quaesumus, domine, foveat pretiosa confessio et pia iugiter intercessio tueatur.

Codd. : *Ariberto* 904   *Bergom* 1115   *Biasca* 1037   *Milano* 1140   *Triplex* 2517

Rubr.: XIV Kalendas Octobris, depositio sancti Eustorgii, oratio super populum *i.e.* collecta *codd.*

445 c.

Beatorum illorum nos, domine, foveat pretiosa confessio et pia iugiter intercessio tueatur.

Codd.: *Leningrad*[1] 12   *Palat* (29)

Rubr.: In natale plurimorum confessorum,
   - collecta *Leningrad*[1]
   - alia collecta *Palat*

Var. lect. : 1 Beatorum illorum] Sanctorum confessorum tuorum illorum *Leningrad*[1]

446.

Beati sacerdotis et confessoris tui illius, domine, precibus adiuvemur, pro cuius sollemnitate offerimus munera tibi sancta laetantes.

Codd.: *Aquilea* 194[r]   *Cantuar* 130   *Leofric* 267   *West* III 1588 (Sherborne)

Rubr.: <VII Idus Decembris>, in festo sancti Ambrosii archiepiscopi, secreta *Aquilea*
   Die III° mensis Septembris, in ordinatione sancti Gregorii papae, secreta *ceteri codd.*

Var. lect.: 1 et confessoris] *om. Aquilea*   2 tibi] tua *Aquilea Leofric*

447.

Beati sacerdotis et martyris tui Apollinaris annua festivitate ovantes, clementiam tuam supplices exoramus, omnipotens deus, ut, sicut ille ob tanti agonem certaminis triumphali redimitus exsultat corona, ita et nos, orationum
5 illius fulti suffragio, temptationum tela superantes, bravio laetemur aeterno.

Codd. : *Ariberto* 782   *Bergom* 1006   *Biasca* 941   *Milano* 1103   *Triplex* 2162

Rubr.: Die XXV⁰ mensis Augusti, <natale> sancti Genesii, oratio super sindonem *Milano*
X Kalendas Augusti, natale sancti Apollinaris,
– alia oratio super populum *i.e.* collecta *Triplex*
– oratio super sindonem *ceteri codd.*

Var. lect. : 1 sacerdotis et] *om. Milano*   4 triumphali ... corona] triumphavit *Milano*

448.

Beati sacerdotis et martyris tui Xysti nos, quaesumus, domine, frequentantes sollemnia, et sacerdotalis instruat, te miserante, doctrina et gloriosi martyrii foveant ubique suffragia.

Codd. : *Ariberto* 804   *Bergom* 1028   *Biasca* 963   *Milano* 1064   *Triplex* 2229

Rubr.: VIII Idus Augusti, natale sancti Xysti episcopi et martyris, alia (*om. Milano*) oratio super populum *i.e.* collecta *codd.*

Nota: *Comparez à l'oraison*: "Sancti Xysti, domine, frequentata ... ubique suffragiis."

449.   Br 1152

Beati Tiburtii nos, domine, foveant continuata praesidia, quia non desines propitius intueri, quos talibus auxiliis concesseris adiuvari.

– A –

Codd. : *Adelp* 950   *Aquilea* 232ᵛ   *Arbuth* 349⁰   *Bec*
178   *Bologna²* I 3   *Cantuar* 103   *Curia* 190   *Engol*
1208   *Fulda* 1197   *Gellon* 1321   *Gemm* 199   *Gregor*

649	Herford 300°	Lateran 254	Leofric 154	Ma-
teus 1946°	Ménard 131 C	Monza 733	Otton 103ᵛ	Pad
609	Pamel 328	Praem 166	Ragusa 567	Ratisb
997	Ripoll 1163	Rossian 168, 1	Sangall 1073	Sa-
rum 861°	Trento 692	Triplex 2296	Udalr 885	Vi-
cen¹ 558	West II 904°	Winch 141		

Rubr.: III Idus Augusti,
  - in <natale> sanctorum Tiburtii et Susannae, collecta *Curia*
  - natale sancti Tiburtii, (alia *Gellon*) collecta *ceteri codd.*

Var. lect. : 1 Beati Tiburtii] Beatorum martyrum Tiburtii et Susannae *Curia,* martyris tui *add. codd.* ° distincti domine nos *transp. Udalr* domine] quaesumus *add. Vicen¹* foveant nos domine *transp. Rossian* 2 propitius] *om. Ragusa* intueri propitius *transp. Gemm*

- B -

Codd. : *Ariberto* 826   *Bergom* 1050   *Biasca* 984   *Milano* 1083   *Triplex* 2284

Rubr.: IV Idus Augusti, natale sancti Laurentii levitae et martyris,
  - alia oratio super populum *i.e.* collecta *Triplex*
  - oratio super sindonem *ceteri codd.*

Var. lect. : 1 Tiburtii] Laurentii martyris tui *Triplex,* martyris tui Laurentii *ceteri codd.* domine] quaesumus *praem. codd.* 2 talibus] promissis *codd.*

- C -

Cod.: *Praem* 155

Rubr.: Die XXV° mensis Augusti, <in festo> sancti Christophori, collecta

Var. lect.: 1 Tiburtii] Christophori martyris tui *cod.*

- D -

Cod.: *Praem-ML* 214

Rubr.: De uno martyre, collecta

- E -

Cod.: *Metz¹* 88   *West* III 1590 (Cisterciens)

Rubr.: V Idus Septembris, natale sancti Gorgonii, collecta

- F -

Cod.: *Ripoll* 856

Rubr.: V Idus Ianuarii, <natale sanctorum> Iuliani et Basilissae, collecta

Var. lect. : **1** Tiburtii] Iuliani martyris tui et sociorum eius *cod.* domine] quaesumus *add. cod.*

- G -

Cod.: *Sarum* 916

Rubr. : <Die XXVI° mensis Septembris, in festo> sancti Cypriani episcopi et Iustinae virginis, martyrum, collecta

Var. lect. : **1** Tiburtii] Beatorum martyrum tuorum Cypriani et Iustinae *cod.*

- H -

Cod.: *Gregor* 265*

Rubr. : <Idus Octobris>, in vigilia sancti Galli confessoris, <oratio super populum>

Var. lect.: **1** Tiburtii] Galli confessoris tui *cod.*

- I -

Cod.: *West* III 1584 (Cisterciens)

Rubr. : Die XXV° mensis Augusti, in natali sancti Genesii martyris, collecta

Var. lect.: **1** Tiburtii nos domine] Genesii domine nos *cod.*

450.

Beati Xysti, domine, tui sacerdotis et martyris annua festa recolentes, quaesumus, ut, quae votorum nobis sunt instrumenta praesentium, fiant aeternorum patrocinia gaudiorum.

- A -

Codd. :	*Adelp* 926°	*Benevent²* 152	*Casin¹* 405°	*En-*
gol 1167	*Fulda* 1163	*GelasV* 960	*Gellon* 1285°	*Mon-*
za 548°	*Otton* 100ᵛ	*PaAng* 285°	*Prag* 165, 1	*San-*
gall 1036	*Triplex* 2218			

Rubr.: VIII Idus Augusti, in natale sancti Xysti, collecta *codd.*

Var. lect. : 1 domine] *om. Otton* sacerdotis et martyris tui *transp. Otton* 2/3 quae ... gaudiorum] et nobis instrumenta praesentium fiant et aeternorum patrocinia gaudiorum *Adelp* 2 votorum] *Fulda, om. Casin*[1], tuorum *ceteri codd.* 3 gaudiorum] *codd.* ° distincti, praemiorum *Engol*, gratiarum *ceteri codd.*

– B –

Cod.: *Casin*[1] 484

Rubr.: In natale unius confessoris, alia collecta

Var. lect.: 1 Xysti ... martyris] illius sacerdotis et martyris tui *cod.* 2 votorum] *om. cod.*

– C –

Cod.: *Casin*[1] 399

Rubr.: <X Kalendas Augusti>, in <natale> sancti Apollinaris, collecta

Var. lect.: 2 votorum] tuorum *cod.* 3 gaudiorum] gratiarum *cod.*

– D –

Cod.: *Mateus* 1341

Rubr. : Die XXV° mensis Aprilis, <in festo sancti> Marci evangelistae, collecta

Var. lect. : 1 Xysti ... martyris] Marci evangelistae domine episcopi atque martyris *cod.* 2 votorum] tuorum *cod.* 3 gaudiorum] praemiorum *cod.*

– E –

Cod.: *Triplex* 2692

Rubr. : XVI Kalendas Decembris, natale sancti Otmari confessoris Christi, alia oratio

Var. lect.: 1 Xysti ... martyris] Otmari confessoris tui domine *cod.* 2 votorum] tuarum *cod.* 3 gaudiorum] gratiarum *cod.*

451.

Beatis martyribus supplicantibus, domine, fideles tuos propitiatus intende; tui sunt, domine, tibique subiecti; bene-

dictiones tuas, te largiente, iugiter assequantur, quas humiliter et indesinenter exspectant, sed, ut munera collata cus-
5 todiant, pie iusteque sperata percipiant.

Cod.: *Leon* 268

Rubr. : Mense Iunii, in natale sanctorum Iohannis et Pauli, IV alia
missa, <oratio super populum>

Nota: *Comparez à l'oraison*: "Tuere, domine, plebem tuam et beatorum apostolorum ... indesinenter exspectant."

452.

Beatissime spiritus, per quem condita sunt universa, suppliciter tuas exaudire digneris famulas, pro quibus has tuae
porrigimus pietati preces, ut, quemadmodum tuo felici sancto
iuvamine optant liberari, ita suffragiis beatissimae matris dei
5 lumen gratiae tuae in earum celeri expeditione infundere
digneris.

Codd.: *Praem* 254   *Sarum* 848*

Rubr.: Pro mulieribus praegnantibus, postcommunio *codd*.

453.

Beatissimi, domine, martyris tui Genesii sollemnia celebrantes, in conspectu maiestatis tuae hanc offerimus pro
delictis nostris hostiam; imploramus igitur immensam clementiam tuam, ut acceptabilis sit tibi et, quaecumque
5 supplices iuste deprecamur, clemens concedere digneris.

Cod.: *Vicen*[1] 603

Rubr. : VIII Kalendas Septembris, <natale> sancti Genesii martyris
Arelatensis, secreta

454.

Beatissimi Leudegarii martyris tui atque pontificis, quaesumus, domine deus noster, fideli devotione sollemnia celebrantes, concede propitius, ut, qui ei post triumphum martyrii palmam gloriae contulisti, eius interventu medelam tuae
5 propitiationis omnium nostrorum facinorum obtinere mereamur.

Cod.: *Mateus* 2169

Rubr.: Die II° mensis Octobris, <in festo sancti> Leudegarii martyris, collecta

455.

Beatissimorum confessorum tuorum, domine, patrocinia postulantes, supplices quaesumus, ut has hostias, quas in honorem eorum offerimus, pia devotione suscipi iubeas.

Cod.: *Lateran* 306

Rubr.: In natale plurimorum confessorum, secreta

456.

Beatissimorum martyrum tuorum Donati, Felicis, Arontii et fratrum eorum nos, quaesumus, domine, merita adiuvent et, sicut pro nominis tui gloria suum sanguinem effuderunt, ita et pro nobis, te largiente, intercessores exsistant.

Cod.: *Casin*[1] 421

Rubr.: <Kalendas Septembris>, in <natale> sanctorum XII fratrum, collecta

457.

Beatissimorum nos, quaesumus, domine, martyrum tuorum Eustachii cum sociis suis veneranda passio tueatur, ut, sicut illos a ferarum morsibus igniumque cruciatibus eruisti, ita nos quoque a spiritalibus bestiis noxiisque incendiis liberare
5 digneris.

Codd.: *Aquilea* 240[v]   *Benevent*[2] 31   *Casin*[1] 260

Rubr.: <XII Kalendas Octobris, in festo sanctorum> Eustachii et
          sociorum eius, collecta *Aquilea*
          XV Kalendas Martii, <natale> sanctorum martyrum Faustini et
          Iovittae, collecta *ceteri codd.*

Var. lect.: 3 eruisti] *Aquilea*, exemisti *ceteri codd.*

458.

Beato confessore tuo atque pontifice illo intercedente, quaesumus, omnipotens deus, munera suscipe et ab omnibus nos peccatis propitiatus absolve, ut, percepta venia peccatorum, liberis tibi mentibus serviamus.

Cod.: *Adelp* 1200

Rubr.: Vigilia unius confessoris, secreta

459 a.   Br 71

Beatorum apostolorum, domine, quaesumus, intercessione nos adiuva, pro quorum sollemnitate percepimus tua sancta laetantes.

- A -

Codd.: *Aquilea* 235ʳ   *Avellan*[1] 891   *Benevent*[1] 481   *Benevent*[5] 3   *GelasV* 864   *Gellon* 935   *Goth* 45   *Leon* 330. 370   *Milano* 832   *Prag* 115, 3

Rubr.: Mense Iunii, in natale apostolorum Petri et Pauli,
- XVI alia missa, <postcommunio> *Leon* 330
- XXV alia missa, <postcommunio> *Leon* 370
Kalendas Maii, in natale Philippi et Iacobi apostolorum,
- oratio ad complendum *seu* post communionem *Benevent*[1] *GelasV Prag*
- oratio super populum *Gellon*
VI Kalendas Ianuarii, missa in natale apostolorum Iacobi et Iohannis, collectio <quae> sequitur <collectionem> post communionem *Goth*
<IX Kalendas Septembris>, in die sancto <sancti Bartholomaei apostoli>, complenda *Aquilea*
<III Nonas Februarii>, in festo sancti Blasii, communio *Avellan*[1]
<VI Kalendas Ianuarii, natale sancti> Iohannis evangelistae, missa primo mane, <postcommunio> *Benevent*[5]
<VIII Idus Decembris>, in vigiliis ordinationis sancti Ambrosii, oratio post communionem *Milano*

Var. lect.: *Aquilea   Avellan*[1] *Benevent*[5] *Milano   formam adhibent singularis*   1 Beatorum] *om. Goth*   quaesumus domine *transp. Aquilea Avellan*[1] *Goth Milano*   2 pro] in *Benevent*[5]   2/3 percepimus ... laetantes] laetantes sancta tua percepimus dona *Goth*   3 laetantes] commercia *add. Avellan*[1]

- B -

Codd.: *Benevent*[1] 712   *Engol* 1534   *Fulda* 1468[o]   *Ge-lasV* 1084   *Gellon* 1668   *Milano* 827[o]   *Monac*[2] 54   *Mon-za* 673   *Paris*[1] 164   *Phill* 1064[o]   *Prag* 215, 4   *Rhen* 968   *Ripoll* 1388   *Sangall* 1375[o]

Rubr.: Nonis Decembris, octava sancti Andreae, postcommunio *Ripoll*
II Kalendas Decembris, in natale sancti Andreae,
- alia oratio *Fulda*
- oratio ad complendum *seu* post communionem *ceteri codd.*

Var. lect. : **1** Beatorum apostolorum] Beati Andreae *Milano*, Beati
Andreae apostoli *codd.* [o] distincti, Beati Andreae apostoli tui *ceteri codd.*

- C -

Codd. : *Aquilea* 251[r]   *Benevent*[2] 202   *GregorTc* 3156.
3162 *Monza* 835   *Otton* 129[r]   *Ratisb* 1286. 1296   *Rossian* 230,
4 *Trento* 867   *Triplex* 2861   *Vigil* 469

Rubr. : Orationes et preces in natale unius apostoli, oratio ad
complendum *seu* post communionem *codd.*

Var. lect. : **1** Beatorum apostolorum] Beati apostoli *Monza*, Beati
apostoli tui *ceteri codd.*   quaesumus domine *transp. Aquilea*   quaesu-
mus] *om. Triplex*   **1/2** nos adiuva intercessione *transp. Triplex*   **2** pro]
in *GregorTc* 3156 *Monza*

- D -

Codd.: *Avellan*[1] 888   *Lateran* 163. 164   *Otton* 128[r]

Rubr.: XIII Kalendas Ianuarii, vigilia sancti Thomae apostoli, oratio
ad complendum *Lateran* 163
XII Kalendas Ianuarii, natalis sancti Thomae, oratio ad complendum *seu* communio *ceteri codd.*

Var. lect. : **2** pro] in *Lateran* 163   sollemnitate] veneranda *praem.
Lateran* 164

459 b.   Br 71

Beati apostoli tui Iacobi, cuius hodie festivitate corpore
et sanguine tuo nos refecisti, quaesumus, domine, intercessione nos adiuva, pro cuius sollemnitate percepimus tua
sancta laetantes.

- A -

Codd. : *Adelp* 901   *Arbuth* 337   *Bec* 171[+]   *Benevent*[1]
589   *Benevent*[2] 147   *Cantuar* 100[+]   *Curia* 183[0"]   *En-*
gol 1138   *Fulda* 1140   *Gellon* 1250   *Gemm* 191   *Gre-*
gor 180[*+]   *Herford* 289   *Iena* 36[r]   *Lateran* 220no. 239[0]
Leofric 150[+]   *Ménard* 127 C"   *Metz*[1] 105   *Milano* 1046[0]   *Mon-*
za 532   *Nivern* 282[+]   *Otton* 97ro   *PaAng* 260   *Pamel*
320[+]   *Paris*[1] 133   *Praem* 154   *Prag* 160, 3   *Ragusa*
529[+]   *Ratisb* 942"   *Rhen* 757   *Ripoll* 1091[+]   *Rossian* 152,
3"   *Sangall* 1012   *Sarum* 824   *Triplex* 2169[0]   *Udalr*
830   *Vicen*[1] 460[0]   *West* II 881   *Winch* 127

Rubr.: Die XXII[0] mensis Iunii, \<natale\> sancti Iacobi apostoli
     Alphaei, oratio ad complendum *Lateran* 220[n]
     VIII Kalendas Augusti, natale sancti Iacobi fratris sancti
     Iohannis, oratio ad complendum *seu* post communionem *ce-*
     teri codd.

Var. lect.: 1 tui] *om. Monza,* domine *add. Engol*   1/2 cuius ... re-
fecisti] *om. codd.* [+] *distincti*   1 festivitate] festivitatem recolentes *Adelp*
2 tuo] filii tui *codd.* " *distincti*   domine] *om. Engol*   3 nos] *om. Be-*
nevent[1] *Ménard Ratisb*   pro] in *Sangall*[2] *codd.* [0] *distincti*   sollemni-
tate] festivitate *Nivern*   percepimus] suscepimus *Herford,* deferimus *Leofric*   4 sancta] dona *Ménard Pamel*   laetantes] salvator mundi
add. Arbuth Sarum West

- B -

Codd. : *Adelp* 1078   *Ratisb-A* 49   *Sangall-B* 9   *Tri-*
plex 2595

Rubr.: XVII Kalendas Novembris, depositio *seu* nativitate *seu* natale
beati Galli confessoris, oratio ad complendum *seu* post communionem
codd.

Var. lect.: 1 apostoli tui Iacobi] Galli confessoris tui *codd.*

460 a.

     Beatorum martyrum et confessorum illorum vel, quorum
hodie natalitia celebratur, intercedentibus meritis, quaesumus, domine, gratia tua nos protege et famulis vel famulabus tuis, qui nobis eleemosynas suas condonaverunt, tam
5 vivis quam et defunctis, seu iter agentibus vel domo resi-
dentibus misericordiam tuam, domine, ubique praetende, ut,
ab omnibus impugnationibus defensi, tua opitulatione salventur et indulgentiam, quam semper optaverunt, piis supplicationibus consequantur.

Codd. : *Bergom* 1251°   *Biasca* 1196°   *Casin*[1] 86   *Gel-*
lon 3064   *GregorTc* 3074   *Leofric* 8   *PaMon–Alp* 54, 1
Prag 229, 1   *Ratisb* 2227   *Stockholm* 3   *Triplex* 3319°

Rubr.: Missa omnimoda,
    – alia oratio super populum *i.e.* collecta *Triplex*
    – oratio super sindonem *Bergom Biasca*
    Missa in natale sanctorum vel pro vivorum seu agenda mor-
tuorum, collecta *ceteri codd.*

Var. lect. : **1** Beatorum] Beatae dei genitricis Mariae et beatorum
angelorum patriarcharum apostolorum *codd.* ° *distincti*

460 b.

Beatorum apostolorum, martyrum et confessorum, virginum et omnium sanctorum tuorum, quaesumus, domine,
intercessionibus nos protege et famulis et famulabus tuis,
quorum commemorationem agimus, misericordiam tuam ubi-
5 que praetende, ut, ab omnibus impugnationibus defensi, tua
opitulatione salventur et animabus famulorum famularumque
tuarum, quorum nomina ante sanctum altare tuum scripta
esse videntur, quorum nomina et numerum tu solus, domine,
cognoscis, cunctorum tribue remissionem peccatorum, ut in-
10 dulgentiam, quam semper optaverunt, piis supplicationibus
consequantur.

Codd.: *Phill* 2017   *Rhen* 1413

Rubr. : Orationes ad missam in natale sanctorum sive pro salute
vivorum vel requie defunctorum, collecta *codd.*

461.

Beatorum apostolorum, domine, Petri et Pauli desiderata
sollemnia recensentes, praesta, quaesumus, ut eorum supplicationibus muniamur, quorum regimur principatu.

Codd. : *Avellan*[1] 894°   *Bec* 164°   *Engol* 1111   *Fulda*
1128   *Gellon* 1222   *Ménard* 126 C°   *Milano* 1018   *Pa-*
mel 318   *Ratisb* 930°   *Rossian* 147, 3°   *Sangall* 985   *Tri-*
plex 2121   *Winch* 121°   *West* III 1564° (Coutances)

Rubr.: II Nonas Iulii, octava apostolorum Petri et Pauli,
    – oratio super sindonem *Milano*
    – oratio ad complendum *seu* post communionem *codd.*
    ° *distincti*
    – alia oratio *ceteri codd.*

Var. lect.: 1 apostolorum] tuorum *add. Avellan*[1] *Ménard*

Nota: *Comparez à l'oraison*: "Apostolorum, domine, beatorum Petri ... regimur principatu."

462.

Beatorum apostolorum nos, domine, quaesumus, continua oratione custodi, ut iisdem suffragatoribus dirigatur ecclesia, quibus principibus gloriatur.

Codd.: *Fulda* 1867   *GregorTc* 1959   *Pamel* 536

Rubr. : Missa in venerationem omnium *vel* plurimorum apostolorum, collecta *codd.*

463.

Beatorum confessorum, domine, natalitia praeeuntes, supplices te rogamus, ut, quos caelesti gloria sublimasti, tuis adesse concedas fidelibus.

Codd. : *Adelp* 1211   *Fulda* 1043°   *Gemm* 236   *Gre-gorTc* 3307°. 3345   *Ménard* 169 B   *Nivern* 318   *Ratisb* 1375   *Rossian* 204, I. 242, I   *Udalr* 1099   *Winch* 201°

Rubr.: Nonas Iunii, passio sancti Bonifatii episcopi et sociorum eius, alia oratio *Fulda*
Kalendas Octobris, <natale sanctorum> Remigii et aliorum, collecta *Rossian* 204, I
Missa in vigilia unius confessoris, alia oratio *GregorTc* 3307 *Winch*
In vigilia plurimorum confessorum, collecta *ceteri codd.*

Var. lect. : *GregorTc* 3307 *Winch formam adhibent singularis*
1 Beatorum ... praeeuntes] Beati Bonifatii martyris tui atque pontificis sacratissimam passionem hodierna die sollemniter celebrantes *Fulda* domine] *om. codd.* ° *distincti*   natalitia] gloriosa *praem. GregorTc* 3307 *Rossian* 242, I   *Winch*   praeeuntes] celebrantes *Rossian* 204, I, praevenientes *Winch*   1/2 supplices te rogamus] te domine supplices exoramus *codd.* ° *distincti*   2/3 tuis ... fidelibus] tuum nobis iugiter implorent auxilium *Adelp*, ipsos etiam intercessores habeamus *Udalr*, tuis adesse fidelibus concedas *transp. codd.* ° *distincti*

Nota: *Comparez à l'oraison*: "Martyrum tuorum, domine, Gervasii et Protasii ... concede fidelibus."

464.

Beatorum confessorum tuorum, domine, Remigii, Germani, Vedasti, Bavonis, Wasnulfi atque Piati gloriosa confessio nobis piae devotionis augmentum conferat, qui, in tuo nomine fidentes, meruerunt honorari.

Cod.: *Praem-MB* 191

Rubr. : Die I° mensis Octobris, <in festo> sanctorum Remigii, Germani, Vedasti, Bavonis, Wasnulfi et Piati, collecta

465.   Br 75

Beatorum martyrum pariterque pontificum Cornelii et Cypriani nos, domine, quaesumus, festa tueantur et eorum commendet oratio veneranda atque laetificet.

- A -

Codd. : *Adelp* 1022   *Ariberto* 885   *Benevent*[2] 170   *Bergom* 1101   *Biasca* 1023   *Casin*[1] 426   *Curia* 201   *Engol* 1323   *Fulda* 1306   *GelasV* 1026   *Gellon* 1452   *Goth* 406   *Lateran* 268   *Leon* 830   *Mateus* 2100   *Ménard* 138 C   *Milano* 1131   *Monza* 751   *Otton* 113[r]   *Pamel* 338   *Phill* 845   *Prag* 189, 1   *Ratisb* 1089   *Ripoll* 1225   *Rossian* 190, 1   *Sangall* 1182   *Triplex* 2452   *West* II 945

Rubr.: Mense Septembris, XVIII Kalendas Octobris, natale sanctorum Cornelii et Cypriani, III alia missa, <collecta> *Leon*
XVIII Kalendas Octobris, in natale sanctorum Cornelii et Cypriani,
- alia collecta *Pamel*
- collectio post nomina *Goth*
- collecta *ceteri codd.*

Var. lect.: **1** martyrum] tuorum *add. Adelp Curia West*   pariterque pontificum] *om. Otton*   **2** quaesumus domine *transp. Curia Lateran Ménard*   **2/3** et ... laetificet] eorum nos tibi domine commendet oratio ut caris nostris qui in Christo dormiunt refrigeria aeterna concedas *Goth*   **3** veneranda] *om. Ratisb*   atque laetificet] *Leon*, *om. ceteri codd.*

- B -

Codd. : *Adelp* 832   *Aquilea* 214[r]. 254[v]   *Curia* 222[v]   *Drumm* 89   *Praem-CM* 191   *West* III 1536 (Sherborne)

Rubr.: In natale plurimorum martyrum seu pontificum, collecta
Aquilea 254ᵛ *Curia*
Commemoratio de plurimis confessoribus, collecta *Drumm*
III Idus Iunii, <natale sancti> Barnabae apostoli, postcom-
munio *seu* complenda *Adelp Aquilea* 214ʳ
Die Iᵒ mensis Octobris, <in festo> sanctorum Germani, Vedas
ti, Bavonis et Piatonis, collecta *Praem-CM*
Die VIᵒ mensis Februarii, <in natali> sanctorum Vedasti et
Amandi, collecta *West* III 1536

Var. lect.: 1/2 Beatorum ... Cypriani] Beati Barnabae apostoli tui *A-
delp Aquilea* 214ʳ, Beatorum confessorum tuorum *Drumm West* 1 mar-
tyrum] confessorum *Praem-CM*, tuorum *add. Aquilea* 254ᵛ *Curia*
2 quaesumus domine *transp. Adelp Aquilea* 214ʳ *Drumm* festa] merita *Drumm* eorum] eius *Adelp Aquilea* 214ʳ 3 commendet] tuae
maiestati *praem. Adelp Aquilea* 214ʳ atque laetificet] *om. codd.*

466 a.   Br 77

Beatorum martyrum, domine, Saturnini et Chrysanthi
adsit oratio, ut, quos obsequio veneramur, pio iugiter experiamur auxilio.

- A -

Codd.: *Bergom* 1662⁺	*Curia* 207ᵛ⁺	*Engol* 1520ᵒ	*Ful-*
da 1452⁺ *GelasV* 1073ᵒ	*Gellon* 1656ᵒ	*Herford* 221⁺	*La-*
teran 296⁺ *Mateus* 37⁺	*Nivern* 313ᵒ	*Phill* 1052ᵒ	*Praem-*
MB 95 *Prag* 213, 1ᵒ	*Ripoll* 1379	*Rossian* 222, 1	*San-*
gall 1363 *Vicen*¹ 706			

Rubr.: III Kalendas Decembris, in natale sanctorum martyrum
- Chrysanthi et Dariae, collecta *Bergom Curia Herford*
- Chrysanthi, Mauri et Dariae, collecta *Mateus Ripoll*
- Saturnini, Chrysanthi, Mauri et Dariae, collecta *Fulda*
- Saturnini et Chrysanthi, collecta *ceteri codd.*

Var. lect.: 1 domine martyrum *transp. Nivern* martyrum] tuorum
add. codd. ⁺ *distincti* domine] *om. Herford* 2 adsit] quaesumus
praem. Curia, nobis *add. Curia Mateus, praem. codd.* ᵒ *distincti* veneramur obsequio *transp. Curia* pio] pios nobis *Herford* 2/3 pio ...
auxilio] eorum pium iugiter experiamur auxilium *Curia*

- B -

Codd.: *Mateus* 1757   *Praem-MP* 139

Rubr.: Die XVIᵒ mensis Iunii, <in festo> sanctorum Cyrici et Iulitae
(matris eius),
- collecta *Praem-MP*
- postcommunio *Mateus*

Var. lect. : **1** martyrum] tuorum *add. codd.* domine] quaesumus *add. Mateus* Saturnini et Chrysanthi] Cyrici et Iulitae una cum sociis eorum *Mateus* **2/3** ut ... auxilio] et veniam nobis tribue et remedia sempiterna concede *Mateus*

– C –

Codd.: *Bec* 237 *Prag* 226, 1

Rubr.: (Item *Bec*) de pluribus martyribus, collecta *codd.*

Var. lect.: **1** martyrum] tuorum *add. Bec* **2** adsit] nobis *add. Bec*

466 b. Br 77

Beatae Mariae semper virginis, domine, quaesumus, adsit ubique oratio, ut, quam devoto plebs tua veneratur obsequio, suffragari sibi pio iugiter experiatur auxilio.

Codd.: *Alcuin* 116 *GregorTc* 3253. 3436 *Palat* (28)

Rubr.: In vigilia festivitatum sanctae Mariae, oratio super populum
Alcuin GregorTc 3436
Oratio de sancta Maria *Palat*
In vigilia martyrum, oratio super populum *GregorTc* 3253

Var. lect.: **1** Beatae ... virginis] Beatorum martyrum *GregorTc* 3253 domine quaesumus] *om. Palat* adsit] nobis *add. Palat* **2** ubique] *om. GregorTc* 3253 quam] quos *GregorTc* 3253 obsequio veneratur *transp. GregorTc* 3253

467.

Beatorum martyrum tuorum, domine, Crispini et Crispiniani festivitate laetantes, te suppliciter deprecamur, ut, quos in caelesti gloria novimus fulgere, pro nobis intercedere iugiter sentiamus.

Cod.: *Herford* 350 *West* III 1603 (Coutances Vitell)

Rubr.: VIII Kalendas Novembris, de sanctis Crispino et Crispiniano, postcommunio

468.

Beatorum martyrum tuorum, domine, Maximiani, Malchi et Martiniani eorumque sociorum nos praeclara attollat interventio et praesta, ut illis digna sit nostra veneratio et per eos necessitati nostrae tua semper satisfaciat miseratio.

Cod.: *Winch* 127

Rubr. : VI Kalendas Augusti, <natale> sanctorum VII Dormientium, collecta

Var. lect.: 4 miseratio] *correxi*, misericordia *cod.*

469.

Beatorum martyrum tuorum Donati et Carpophori nos, quaesumus, domine, corona laetificet et fidei nostrae praebeat incitamenta virtutum et multiplici nos suffragio consoletur.

Codd. : *Ariberto* 812   *Bergom* 1036   *Biasca* 970   *Milano* 1070   *Triplex* 2244

Rubr.: VII Idus Augusti, <natale> sanctorum Donati et Carpophori,
  - alia oratio super populum *i.e.* collecta *Triplex*
  - oratio super sindonem *ceteri codd.*

Var. lect.: 1 Beatorum] *om. Milano*

Nota: *Comparez à l'oraison*: "Fraterna nos, domine, martyrum tuorum ... suffragio consoletur."

470.

Beatorum martyrum tuorum Faustini et Iovittae oblata, quaesumus, domine, honore munera suscipe et nos eorum meritis a cunctis defende periculis.

Cod.: *Benevent*[2] 31

Rubr.: XV Kalendas Martii, <natale> sanctorum martyrum Faustini et Iovittae, secreta

471.

Beatorum martyrum tuorum nos, domine, precibus et intercessione defende, ut, qui nostrae conscientiae fiduciam non habemus, placentium tibi meritis protegamur.

Codd. : *Cantuar* 81   *Leon* 382   *West* III 1538 (Coutances Durham St-Alban's)

Rubr.: Mense Iulii, VI Idus Iulii, natale sanctorum martyrum Felicis, Philippi, Vitalis, Martialis, Alexandri, Silani et Ianuarii, collecta *Leon*
<Nonis Martii, in festo> sanctarum Perpetuae et Felicitatis, postcommunio *ceteri codd.*

Var. lect. : 1 Beatorum ... tuorum] *Leon*, Beatarum Perpetuae et Felicitatis *ceteri codd.*   2 intercessione] *Leon*, intercessionibus *ceteri codd.*

472.

Beatorum martyrum tuorum Timothei et Apollinaris, domine, intercessione placatus, concede, quaesumus, ut sacramenti tui veneranda perceptio fiat omnium peccatorum nostrorum remissio.

Codd.: *Herford* 313   *Praem-MB MP* 173   *West* II 921   *West* III 1584 (Coutances Paris St-Alban's Vitell)

Rubr.: X Kalendas Septembris,
- memoria de sancto Timotheo et Apollinare, postcommunio *Herford*
- in natali sanctorum martyrum Timothei et Apollinaris, postcommunio *ceteri codd.*

473 a.

Beatorum Petri et Pauli honore continuo plebs tua semper exsultet et his praesulibus gubernetur, quorum et doctrinis gaudet et meritis.

Codd.: *GelasV* 917   *Gellon* 1194   *Prag* 150, 3

Rubr.: IV Kalendas Iulii, in vigilia apostolorum Petri et Pauli, oratio ad complendum *seu* post communionem *GelasV Prag*
III Kalendas Iulii, natale sanctorum Petri et Pauli, <oratio super populum> *Gellon*

473 b.

Beatorum apostolorum Philippi et Iacobi honore continuo, domine, plebs tua semper exsultet et his praesulibus gubernetur, quorum et doctrinis gaudet et meritis.

Codd. : *Adelp* 684   *Ariberto* 678   *Benevent*[1] 2   *Ber-*
gom 904   *Biasca* 835   *Casin*[1] 472   *Engol* 931   *Fulda*

885	Gellon 934	Lateran 202	Mateus 1368	Ménard
101 C	Milano 937	Monza 820	Pamel 288	Phill
739	Praem-MC 128	Ratisb 699	Rhen 563	Sangall
735	Triplex 1641. 1647			

Rubr.: Missa in honorem omnium apostolorum, collecta *Benevent*[1]
In natale plurimorum apostolorum, alia oratio *Casin*[1]
II Kalendas Maii, vigilia apostolorum Philippi et Iacobi,
oratio ad complendum *Lateran*
Kalendas Maii, natale sanctorum Philippi et Iacobi,
- oratio super populum *Ménard Pamel*
- alia oratio *Fulda Ratisb*
- oratio ad complendum *seu* post communionem *ceteri codd.*

Var. lect.: **1** apostolorum] tuorum *add. Mateus* Philippi et Iacobi]
omnium *Benevent*[1], *om. Casin*[1] **3** et doctrinis] doctrina *Praem-MC*

474 a.

Beatus Andreas pro nobis, domine, quaesumus, imploret
apostolus, ut, nostris reatibus absoluti, cunctis etiam periculis
eruamur.

Codd.: *Engol* 1530 *GelasV* 1081 *Gellon* 1673 *Nivern* 315

Rubr.: II Kalendas Decembris, in natale sancti Andreae,
- alia collecta *Engol GelasV*
- alia oratio *Gellon Nivern*

Var. lect.: **2** nostris] et *praem. GelasV*, a *praem. Nivern* cunctis] a
praem. Engol Nivern

474 b.

Beatus apostolus tuus ille, domine, quaesumus, te pro
nobis imploret, ut, a nostris reatibus absoluti, a cunctis etiam
periculis eruamur.

Codd.: *Aquilea* 251[r] *Benevent*[2] 202 *GregorTc* 3154 *Lateran* 163 *Monza* 833 *Ratisb* 1293 *Trento* 865 *Triplex* 2859 *Vigil* 467

Rubr.: XI Kalendas Ianuarii, vigilia sancti Thomae apostoli, collecta
Lateran
In natale unius apostoli, collecta *ceteri codd.*

Var. lect. : **1** ille] Thomas cuius sollemnia praevenimus *Lateran*
1/2 domine ... nobis] quaesumus domine pro nobis *Aquilea*, pro nobis domine te quaesumus *Benevent*[2] *Monza*, te pro nobis quaesumus domine

GregorTc, te quaesumus pro nobis *Lateran*   2 a¹] *om. Trento*   3 erua-
mur] exuamur *Aquilea Lateran*

475.

Beatus levita Stephanus, domine, nobis mysterium, quod
sumpsimus, efficiat salutare, qui post mortem filii tui laurea
martyrum primus meruit coronari.

Codd.: *West* I 49   *West* III 1451 (St-Alban's)

Rubr. : VII Kalendas Ianuarii, <in natali> sancti Stephani protomartyris, postcommunio

476.

Beatus martyr Stephanus, domine, quaesumus, pro fidelibus tuis suffragator accedat, qui, dum bene sit tibi placitus,
pro his etiam possit audiri.

Codd.: *Engol* 46   *Fulda* 77   *GelasV* 35   *Gellon* 46   *Mon-*
za 30   *Nivern* 137   *PaAug* 7, 6   *Phill* 48   *Rhen* 43   *San-*
gall 46   *Triplex* 239

Rubr. : VII Kalendas Ianuarii, in natale sancti Stephani martyris,
oratio ad *seu* super populum *codd.*

Var. lect.: 1 martyr Stephanus] Stephanus martyr *transp. Phill Rhen*,
martyr tuus Stephanus *Monza*, tuus martyr Stephanus *Nivern*   2 bene ...
placitus] beneplacitus tibi sit *Sangall*² *Triplex*   tibi] *om. Fulda Nivern*

477.

Beatus martyr tuus Blasius, domine, nobis misericordiae
tuae imploret auxilium, ut, cuius festa celebramus, eius apud
te patrocinia sentiamus.

Codd. : *Arbuth* 288   *Sarum* 707   *West* II 822   *West* III
1535 (Durham Sherborne)

Rubr.: <Die III° mensis Februarii, <in festo> sancti Blasii episcopi et
martyris, collecta *Arbuth   Sarum   West* III 1535
<III Nonas Iunii>, in natali sancti Erasmi martyris, collecta
West II 822

478.

Beatus martyr tuus, domine, Bonifatius cum sociis suis, qui te in sua glorificavit passione, nos sua tueatur intercessione.

Cod.: *West* II 823

Rubr. : Nonas Iunii, in natali sancti Bonifatii sociorumque eius martyrum, collecta

479.

Beatus Maurilio confessor tuus atque pontifex sua nos, domine, depositione laetificet et, pro nobis tibi supplicans, copiosius audiatur.

Cod.: *Phill* 831

Rubr. : Idus Septembris, depositio sancti Maurilionis episcopi et confessoris, collecta

480 a.

Beatus Pantaleon martyr tuus, domine, qui, diversis suppliciis maceratus, vera et viva factus est hostia, haec, quae tibi offerimus, ad salutem nostram gratificet sua intercessione libamina.

Codd.: *Arbuth* 339   *Sarum* 829. 830

Rubr.: <Die XXVIII° mensis Iulii>, memoria de sancto Pantaleone
martyre, secreta *Arbuth Sarum* 829
Aliter missa de sancto Pantaleone martyre pro voluntate contra febrem acutam, secreta *Sarum* 830

Var. lect.: 2 viva et vera *transp. Arbuth*

480 b.

Beatus Pantaleon martyr tuus, domine, qui, diversis suppliciis maceratus, viva et vera facta est oblatio, haec tibi ad salutem nostram gratificet libamina.

Codd.: *Herford* 291   *Winch* 128

Rubr.: V Kalendas Augusti, natale sancti Pantaleonis martyris, secreta *codd.*

Var. lect.: **2** viva ... oblatio] *Herford*, vera et viva factus est hostia *Winch*

Nota: *cfr West* III 1572 (Coutances Durham Sherborne St-Alban's Vitell)

481 a.

Beatus sacerdos et confessor tuus ille, quaesumus, domine, sua nos intercessione apud te commendet, ut, tibi placito fulti suffragio, quam precamur, indulgentiam peccatorum consequi mereamur.

Codd. : *Bergom* 1196   *Biasca* 1114   *Milano* 761   *Triplex* 2822

Rubr.: Orationes et preces in natale confessorum, alia oratio *codd.*

481 b.

Beati sacerdotis et confessoris tui Udalrici, quaesumus, domine, tibi nos intercessio gloriosa commendet, ut, eius suffulti suffragio, quam precamur, indulgentiam peccatorum consequi mereamur.

Cod.: *Udalr* 783

Rubr.: <IV Nonas Iulii>, in natale sancti Udalrici confessoris, collecta

481 c.

Beatus ille martyr, quaesumus, domine, pia nos intercessione commendet, ut, tibi placito fulti suffragio, quam non meremur, indulgentiam consequamur.

Cod.: *Goth* 433

Rubr.: Missa unius martyris, collectio <quae> sequitur <praefationem *i.e.* introductionem>

482.

Beatus sacerdos et confessor tuus ille, quaesumus, domine, sua nos intercessione laetificet et pie faciat in sua sollemnitate gaudere.

Codd. : *Bergom* 1200. 1207   *Biasca* 1119   *Milano* 766   *Triplex* 2826. 2832

Rubr. : Orationes et preces in natale confessorum,
- alia oratio super populum *i.e.* collecta *Biasca* *Triplex* 2826
- oratio super sindonem *Bergom* 1200
- alia oratio *Milano*
- alia missa, alia oratio super populum *i.e.* collecta *Bergom* 1207 *Triplex* 2832

Var. lect. : 2 sua] quam praevenimus *add. Triplex* 2826

Nota: *Comparez à l'oraison*: "Sanctus, domine, Gorgonius sua nos ... sollemnitate gaudere."

483.

Benedic, anima mea, domino et, tota fidelis Christo plebs, gaudia religiosae gratulationis exsequere: amisit vetustas opprobrium, mors aculeum, custodia reum, catena damnatum. Non nobis in praeiudicio caro rebellis adsurgat; non in do-
5 minatum sanguis parricidalis iure criminis intumescat. Homo est, qui perdidit; deus, homo factus, est, qui redemit. Maiorem tibi exegit, domine, pietatem nostra calamitas, quam perdiderat protoplaustorum effusa libertas.
 Tunc servi dicebamur futuri, nunc filii. Tunc oboedienti-
10 bus immortalitas promittebatur, nunc augetur et dignitas. Tunc portio habenda cum deliciis, nunc communio futura cum angelis. Tunc cum creatura vivendum, nunc cum creatore regnandum. Tunc evitandus diabolus, nunc et subiciendus edicitur. Tunc erat admonitio de cautela praecepti, nunc
15 hortatio de pompa iudicii. Tunc proponebatur in lege metus, nunc in voluntate suggestus. Tunc non licuit paradisum habere per culpam, nunc caelum sperare datur per gratiam.
 Melius ergo, multoque melius crevimus post ruinam. Propter quod humillimi sine cessatione rogamus, ut, donec
20 nos tua curatione perficias, nostris tuam vulneribus non subtrahas medicinam. Quia tu es deus noster, ante cuius conspectum angelorum gloria, apostolorum et martyrum nomina recitantur.

Codd.: *Toledo*³ 612   *Toledo*⁵ 756

Rubr.: Missa in hilaria Paschae dicenda, <oratio> "Alia" *codd.*

484.

Benedic, domine, coronam anni benignitatis tuae, ut et campi tui ubertate pinguedinis repleantur et nos, qui in convalle plorationis consistimus, abundantia pacis ac dulcedinis redundemus.

Cod.: *Toledo*³ 185   *Toledo*⁷ 384

Rubr.: Missa de initio anni, <oratio> ad pacem *codd.*

Fontes: 1/2 Benedic ... repleantur] cfr Ps. 65 (64), 12

485.

Benedic, domine, hanc familiam tuam in caelestibus et reple eam donis tuis spiritalibus; concede eis caritatem, gaudium, pacem, patientiam, bonitatem, mansuetudinem, spem, fidem, continentiam, ut, repleti omnibus donis tuis, deside-
5 rantes ad te pervenire mereantur.

Codd. : *Engol* 1787   *GelasV* 591⁺. 1275   *Gellon* 991⁺. 1962
*Monac*³ X   *Monza* 422⁺. 887°   *Paris*¹ 296   *Phill* 1303
Prag 237, 3   *Rhen* 1108   *Salzb* 479   *Sangall* 1571°   *Triplex* 57°

Rubr.: Orationes et preces dominica post Ascensam Domini, oratio ad
     seu super populum *codd.* ⁺ *distincti*
     Dominica Iᵃ post <natale> sancti Laurentii, <oratio super
     populum> *Monac*³
     Alia benedictio super populum post communionem *ceteri codd.*

Var. lect. : 1 hanc] *om. GelasV* 591   4 continentiam] *codd.* ° *distincti*, castitatem *add. ceteri codd.*   4/5 desiderantes] desideranter *Monac*³ *Sangall*² *Triplex*

Fontes : 1/2 Benedic ... spiritalibus] cfr Eph. 1, 3   2/4 caritatem ...
continentiam] cfr Gal. 5, 22-23

486.

Benedic, domine, huic hostiae, in honorem tui nominis tibi oblatae, et sumentium ex ea sanctifica mentem et purifica voluntatem.

Codd.: *Silos*[3] 819   *Silos*[6] 408   *Toledo*[4] 1231 (1404)

Rubr.: Alia missa de cottidiano, <oratio> post "Pridie" *Silos*[3]
Officium de VII° dominico, <oratio> post "Pridie" *Silos*[6]
Officium de XI° dominico de cottidiano, <oratio> post
"Pridie" *Toledo*[4]

487.

Benedic, domine, nostrae abstinentiae votum; inspice petitionis effectum. Suscipiens quoque hoc sacrificium, dona
cunctis, ex eo sumentibus, et criminibus expiari et copia
benedictionis attolli.

Cod.: *Toledo*[3] 525

Rubr.: Missa de V[a] feria post Lazarum, <oratio> post "Pridie"

488.

Benedic, quaesumus, domine, hoc sacrificium nostrum,
quo per eum et peccata dispereant et nostrorum votorum
ieiunia coram te sanctificata permaneant.

Cod.: *Toledo*[3] 498

Rubr. : Missa de II[a] feria in sequenti hebdomada post Lazarum,
<oratio> post "Pridie"

489.

Benedic, quaesumus, domine, plebem tuam et beati Petri
apostoli tui precibus tribue consequi tuae defensionis auxilium.

Codd. : *Engol* 81[0+]. 242[0]   *Gemm* 165[0+]   *Gregor* 67[*0+].
216[*0]   *Ménard* 50 C   *Pamel* 208   *Ratisb* 196   *Vigil* 315[0]

Rubr.: II Kalendas Ianuarii, in natale sancti Silvestri, oratio ad
populum *Engol* 81
IV Kalendas Septembris, decollatio sancti Iohannis Baptistae,
alia oratio *Gregor* 216* *Vigil*
VIII Kalendas Martii, Cathedra sancti Petri apostoli,
- alia oratio *Gregor* 67* *Ratisb*
- oratio ad *seu* super populum *ceteri codd.*

Var. lect.: **1** quaesumus] *om. Gregor* 216* *Vigil* domine quaesumus *transp.* codd. + *distincti* **1/2** apostoli tui Petri *transp. Pamel* **2** precibus] deprecationibus confidentem *codd.* ° *distincti* tuae] *om. codd.* ° *distincti*

490.

Benedic, quaesumus, domine, plebem tuam et, sanctorum tuorum deprecationibus confidentem, tribue consequi, quod sperare donasti.

Codd. : *Ariberto* 764   *Bergom* 994   *Biasca* 930   *Lateran* 233   *Leon* 246   *Milano* 1027   *Triplex* 2145

Rubr.: Mense Iunii, VIII Kalendas Iulii, natale sancti Iohannis Baptistae, III, <oratio super populum> *Leon*
IV (III *Lateran*) Idus Iulii, natale sanctorum Naboris et Felicis, oratio super populum *i.e.* collecta *ceteri codd.*

Var. lect.: **1** quaesumus] *om. Lateran* **1/2** sanctorum tuorum] *Leon*, beatissimorum martyrum tuorum Naboris et Felicis *ceteri codd.*

Nota: *Comparez à l'oraison*: "Adesto, domine, supplicationibus nostris et intercessione ... provenire subsidium."

491 a.

Benedicat vos deus omni benedictione caelesti sanctosque ac puros efficiat in conspectu suo; superabundent in vos divitiae gloriae eius, verbo veritatis instruat et evangelio salutis erudiat omniumque sanctorum caritate locupletet.

Codd.: *Engol* 1788   *GelasV* 1276   *Gellon* 1551   *Monac*[3] XI, 5   *Paris*[1] 297   *Phill* 1304   *Prag* 237, 4   *Rhen* 1109   *Sangall* 1572   *Triplex* 58

Rubr.: II Idus Octobris, natale sancti Callisti papae, <oratio super populum> *Gellon*
Dominica II[a] post <natale> sancti Laurentii, oratio ad populum *Monac*[3]
Alia benedictio super populum post communionem *ceteri codd.*

Var. lect.: **1** caelesti benedictione *transp. Gellon* **2** superabundent] ut *praem. Sangall*[2] *Triplex*

Fontes: **1** Benedicat ... caelesti] cfr Eph. 1, 3 **2** superabundent] cfr Eph. 1, 8 **3** divitiae gloriae] cfr Eph. 1, 18 **3/4** evangelio salutis] cfr Eph. 1, 13

491 b.

Benedicat vos deus omnipotens omni benedictione caelesti efficiatque vos dignos in conspectu suo; superabundet in vobis divitias gloriae suae et erudiat vos verbo veritatis, ut ei corpore pariter et mente complacere valeatis.

Cod.: *Sarum 836**

Rubr.: Ordo sponsalium

492.

Benedicimus, domine, misericordias tuas, qui nos incessabiliter beati apostoli tui Petri sinis commemoratione foveri, suppliciter exorantes, ut, cuius sollemnia gerimus, patrocinia sentiamus.

Cod.: *Leon* 133

Rubr. : Mense Aprilis, XXXIV alia missa (in dedicatione), <postcommunio>

493.

Benedicte deus et pater universitatis et substantiae omnis creator, condens unicuique naturae demutabilem legem et ipse liber a lege naturae, mortem perimens, diabolum infirmans, malitiam exstinguens, sanctificationem tribuens, im-
5 mortalitatem perficiens et infirmitatem expellens atque immensitatem tuam capacem fidelium tibi animarum accommodans sanctitati.
Qui ad depellendos mundi huius errores et omnem malignae potentiae naturam coarguendam, verbum et virtutem
10 et sapientiam tuam, deum ac dominum nostrum Iesum Christum filium tuum consortem caducae carnis nostrae esse voluisti. Per quem tibi gratias agimus ob hunc verum et consummatum et ad salutem generis humani pretiosa sua passione perfectum paschae diem, in quo inferos adiit, mor-
15 tem vicit, diabolum coarguit et leges tartari solvit; in homine suo, a quo mortis conditione discesserat, coexcitaturus universae carnis, quae in se esset generanda, naturam.
Ob quod facito nos, omnipotens pater, ut hunc sanctum in progenies et memorabilem in generationem diem confitentes,
20 non in amaritudine veterum azimorum neque in anterioris

malitiae fermento sed in nova et sincera renatae innocentiae conspersione celebremus, liberati et regenerati, sanctificati et coronati.

Codd. : *London*[6] 520   *Toledo*[3] 704   *Toledo*[4] 322   *Toledo*[6] 162

Rubr. : Missa in secundo dominico post octavas Paschae, <oratio> "Alia" *codd.*

Fontes: 20/22 non in ... conspersione] cfr 1 Cor. 5, 7-8

494 a.

Benedictio, domine, quaesumus, in tuos fideles copiosa descendat et, quam subiectis cordibus expetunt, largiter consequantur.

Codd. : *Bamberg*[1] 3   *Engol* 521   *Fulda* 582°   *GelasV* 262   *Gellon* 499   *Gregor* 92*   *Lucca* 20°   *Ménard* 74 B *Otton* 12*   *Pamel* 240°   *Prag* 74, 4   *Ratisb* 460   *Rhen* 347   *Rossian* 75, 4   *Sangall* 437   *Sangall** 5   *Triplex* 1017

Rubr.: Dominica V[a] in quadragesima, oratio super populum *codd.*
    ° *distincti*
    Feria IV[a] hebdomadae V[ae] quadragesimae, oratio super populum *Gregor*
    Feria II[a] hebdomadae V[ae] quadragesimae, oratio ad *seu* super populum *ceteri codd.*

Var. lect. : 1 Benedictio] tua *add. Prag*   quaesumus domine *transp.* *Ménard*

494 b.

Benedictio, quaesumus, domine, in tuos fideles copiosa descendat et, quam subiectis cordibus expetunt, largiter consequantur, quoniam, sicut superbis resistis, sic humilibus tuis gratiam benignus impendis.

Codd. : *Ariberto* 171   *Bergom* 202   *Biasca* 198   *Franc* 147   *Milano* 5   *Triplex* 377

Rubr.: Alia missa cottidiana, oratio ad plebem *Franc*
    Dominica I[a] post Theophaniam *seu* Epiphaniam, oratio super populum *i.e.* collecta *ceteri codd.*

Var. lect.: 1 domine quaesumus *transp. Franc*

494 c.

Benedictio tua, domine, quaesumus, mihi famulo tuo copiosa descendat et, quam subiectis cordibus expeto, largiter
consequar.

Codd.: *Bergom* 1652   *GregorTc* 2502   *Rhen* 1295. 1299

Rubr.: Missa pro tribulatione,
- oratio super sindonem *Bergom*
- oratio post communionem *Rhen* 1295
- <oratio super populum> *GregorTc*
Missa votiva pro iis qui sibi, in corpore vivi, missam cantari rogant, alia oratio *Rhen* 1299

Var. lect.: *Rhen* 1295. 1299 *formam adhibent tertiae personae sin-*
gularis   1 quaesumus domine *transp. Bergom*   quaesumus] *om. Rhen*
1299   mihi famulo tuo] super hoc famulo tuo *Rhen* 1295, super famulo
tuo illo *Rhen* 1299, quia iam commemorationem agimus *add. Rhen* 1295
3 consequar] consequatur omnipotens deus quoniam sicut superbis resistis
sic super famulo tuo illo gratiam benignus impendis *Rhen* 1299

495 a.

Benedictio tua, deus, impleat corda fidelium talesque
perficiat, qui et martyrum honorificent passiones et remedia
salutis aeternae, iisdem patrocinantibus, assequantur.

Codd. :   *Adelp* 1117   *Benevent²* 182   *Engol* 1473   *Fulda*
1421   *Gellon* 1607   *Leofric* 203   *Ménard* 148 A   *Pa-*
mel 351   *Phill* 1005   *Praem-MC* 208   *Ratisb* 1202   *San-*
gall 1317   *Triplex* 2666   *West* III 1607 (Sherborne)

Rubr.: Alia oratio in commemorationibus sanctorum *Leofric*
III Idus Novembris,
- vigilia sancti Martini, postcommunio *Benevent²*
- natale sancti Mennae, alia oratio post communionem *Pa-*
mel, oratio ad complendum *seu* post communionem *cete-*
ri codd.

Var. lect.: 1 deus] domine *Ratisb West*   2/3 et² ... assequantur] *om.*
Ratisb   3 aeternae] nostrae *Praem-MC*

495 b.

Benedictio tua, domine, quaesumus, per haec sancta mysteria tuorum impleat corda fidelium, ut et sanctorum mar-

tyrum tuorum Gervasii et Protasii honorificent passiones et
remedia salutis aeternae, quae expetunt, iisdem patrocinan-
5 tibus, assequantur.

Codd.: *Arbuth* 315   *Sarum* 773

Rubr. : <Die XIX° mensis Iunii, in festo> sanctorum Gervasii et
Protasii, postcommunio *codd.*

496.

Benedictio tua, domine, beati Benedicti confessoris intercessione super has hostias descendat, quae et benedictionem
nobis clementer operetur et beatae immortalitatis dona conciliet.

Codd.: *Avellan*[1] 891   *GregorTc* 3538   *Udalr* 820   *West* II
974

Rubr.: IV Idus Octobris, in natali sancti Wilfridi episcopi et confessoris, secretum *West*
V Idus Iulii, in natale sancti Benedicti abbatis, secreta *ceteri
codd.*

Var. lect.: 1 domine] quaesumus *praem. West*   confessoris] tui *add.*
GregorTc, tui atque pontificis *add. West*   2 benedictionem] salutem *West*

497 a.   Br 80

Benedictio tua, domine, larga descendat, quae munera
nostra, deprecante beata Euphemia, tibi reddat accepta et
nobis sacramentum redemptionis efficiat.

Codd. : *Franc* 117   *GelasV* 858   *GregorTc* 1945   *Phill*
963   *Praem-MP* 215   *Prag* 226, 2   *Ripoll* 1313°   *Vi-*
cen[1] 655°. 1085   *Vicen*[2] 311°   *Vitell* 123[r] (306)   *West* III 1576
(Durham)

Rubr.: Idus Aprilis, in natale sanctae Euphemiae, alia secreta *GelasV*
In natale sanctorum, alia oratio super oblata *Franc*
Alia missa in honorem Dei Genitricis et omnium sanctorum,
alia oratio super oblata *seu* secreta *GregorTc*   *Vicen*[1] 1085
XV Kalendas Novembris, natale sanctorum martyrum Agnes,
Lucae et Victoris, secreta *Phill*
De pluribus martyribus, secreta *Praem-MP Prag*
Kalendas Novembris, festivitas omnium sanctorum, secreta
codd. ° *distincti*

Nonas Augusti, passio <sancti> Oswaldi regis et martyris, secreta *West* III 1576 *Vitell*

Var. lect. : **1** Benedictio] suscipe domine sacrificium placationis et laudis ut *praem. Franc* domine] quaesumus *add. Vitell, om. Franc* quae] *GelasV Phill*, et *Prag*, quae et *ceteri codd.* **2** deprecante beata Euphemia] sanctis tuis deprecantibus *Franc Praem-MP Prag*, deprecantibus omnibus sanctis tuis *GregorTc Vicen¹* 1085, sanctis martyribus deprecantibus *Phill*, deprecante sancto Oswaldo *Vitell*, deprecantibus sanctis tuis *codd.* ° *distincti* **3** nobis] ea *add. Vitell*

497 b. Br 80

Benedictio tua, domine, larga descendat, quae munera nostra, deprecante sancto Marco confessore tuo atque pontifice, tibi reddat accepta et nobis sacramentum redemptionis efficiat.

Codd. : *Adelp* 1068   *Benevent²* 105ᵐᵒ   *Engol* 1401   *Fulda* 1358°   *Gellon* 1538   *Lateran* 278°   *Ménard* 144 A   *Milano* 1161   *Monza* 764   *Pamel* 346   *Phill* 939   *Praem-MB* 194°   *Ratisb* 1155   *Rossian* 205, 2   *Sangall* 1256   *Triplex* 2567°   *Udalr* 998°

Rubr.: <Alia oratio super fruges novas> *Benevent²*
Nonis Octobris, natale sancti Marci episcopi,
 - alia secreta *Pamel*
 - oratio super oblata *seu* secreta *ceteri codd.*

Var. lect. : **1** larga] super nos *add. Udalr* quae] et *add. Sangall²codd.* ° *distincti* **3** redemptionis] reconciliationis *Praem-MB*

497 c. Br 80

Benedictio tua, domine, larga descendat, quae et munera nostra, deprecantibus sanctis tuis, tibi reddat accepta et nobis sacramentum redemptionis efficiat.

Codd. : *Aquilea* 246ʳ   *Arbuth* 391°   *Bec* 211   *Benevent²* 179°   *Cantuar* 119   *Curia* 210   *Gemm* 223   *Gregor* 740   *Herford* 355   *Lateran* 287   *Leofric* 166   *Ménard* 147 C   *Monac⁴* 3   *Nivern* 309°   *Otton* 122ᵛ   *Pad* 734   *Pamel* 350   *Praem* 206   *Ratisb* 1191   *Rossian* 214, 2   *Salzb-A* 27   *Sarum* 964°   *Trento* 779   *Triplex* 2654   *Vicen¹* 668   *West* II 994   *West* III 1571 (Whitby)

Rubr.: Die XXV° mensis Iulii, <in natali> sanctorum Christophori et Cucufati, secreta *West*

VI Idus Novembris, natale sanctorum Quatuor Coronatorum
(<natale> sanctorum Claudii, Nicostrati, Symphoriani, Castorii et Simplicii *Lateran*),
- eodem die, <natale> Quinque Martyrum, secreta *Vicen*[1]
- alia secreta *Triplex*
- oratio super oblata *seu* secreta *ceteri codd*

Var. lect. : 1 domine] quaesumus *praem. Sarum   West*, deus *Benevent*[2] et] *om. Otton*   2 sanctis] martyribus *add. codd.* ° *distincti*
tuis] Claudio Symphoriano Nicostrato atque Simplicio *add. Arbuth*, Claudio Nicostrato Symphoriano Castorio atque Simplicio *add. Sarum*
2/3 et nobis ... efficiat] *om. Otton*

498.

Benedictio tua, domine, super populum supplicantem
copiosa descendat, ut, qui, te factore conditus, te est reparatus auctore, te iugiter operante salvetur.

Cod.: *Leon* 1257

Rubr. : Mense Decembris, VIII Kalendas Ianuarii, Natale Domini, V
alia missa, <oratio super populum>

Nota: *Comparez à l'oraison*: "Adesto, domine, supplicationibus nostris
et populum tuum ... operante salvetur."

499.   Br 81

Benedictionem, domine, nobis conferat salutarem sacra
semper oblatio, ut, quod agit mysterio, virtute perficiat.

- A -

Codd. : *Adelp* 659[0+]   *Aquilea* 108[ro+]   *Arbuth* 182[+]   *Bec*
79[0+]   *Benevent*[2] 99[+]   *Brux*[1] 33   *Cantuar* 47[0+]   *Curia*
126[+]   *Engol* 894   *Gallic* 248   *GelasV* 543   *Gellon*
863   *Gemm* 109   *Herford* 154[0+]   *Iena* 161[o]   *Lateran*
123[+]   *Leofric* 105   *Lucca* 80[+]   *Mateus* 1437[o]   *Monac*[2]
28   *Monac*[4] 6   *Monza* 355   *Nivern* 222[+]   *Otton* 76[vo]   *Pa-*
Ang 148   *Pad* 391   *Pamel* 400   *Phill* 672   *Praem*
79[o]   *Prag* 109, 2   *Rhen* 546   *Ripoll* 489   *Rossian*
111, 2[+]   *Salzb* 164. I 14   *Salzb-A* 43   *Sangall* 689   *Sa-*
rum 393[0+]   *Suppl* 1115   *Trento* 1071   *Triplex* 1556
Udalr 579   *Vicen*[1] 112   *Vigil* 118   *West* I 327[o]   *Winch* 3[o]

Rubr.: Dominica (I[a]) post octavam Paschae *seu* II[a] post Pascham
codd. ° *distincti* (missa dominicalis hebdomadae secundae
<post Pascham> *Arbuth*, dominica secunda post albas *Winch*),

- collectio post nomina *Gallic*
- oratio super oblata *seu* secreta *ceteri codd.*

Var. lect. : **1** Benedictionem] tuam *add. Pamel* nobis domine *transp. codd.* + *distincti* sacra] haec sacra *Aquilea*, haec sacrosancta *Lateran* **2** virtute] semper *add. Salzb* I 14

– B –

Codd. : *Ariberto* 487° *Bergom* 652° *Biasca* 621° *Mi-lano* 397 *Prag* 120, 2. 233, 2 *Schäftlarn* (19) *Triplex* 1590°

Rubr.: Dominica II[a] post octavam Paschae *seu* III[a] post Pascham, oratio super oblata *seu* secreta *codd.* ° *distincti*
Dominica V[a] post albas, oratio super oblata *Milano*
In Litania minore, alia missa, secreta *Prag* 120,2
Alia missa cottidiana, oratio super oblata *Prag* 233,2
Missa dominicalis post Pascham, oratio super oblata *Schäftlarn*

Var. lect.: **1** Benedictionem] tuam *add. codd.* ° *distincti* nobis domine *transp. Milano Prag* 233, 2 sacra] haec sacrosancta *Milano*

500.

Benedictionem tuam, domine, his confer muneribus
et sanctorum Chrysanthi et Dariae virginis precibus
misericordiae tuae munus in tuis operare fidelibus.

Cod.: *Winch* 188

Rubr.: Kalendas Decembris, in natale sanctorum Chrysanthi et Dariae martyrum, secreta

501.

Benedictionem tuam, domine, his, tibi oblatis, tribue
sacrificiis et praesta, ut beata Maria Magdalena hoc nobis
apud te obtineat, quod ab unigenito tuo obtinuit, dum ei
mystica obsequia exhibuit.

Codd. : *Arbuth* 335 *Oxford* 161 *Sarum* 820 *West* III 1568 (Abingdon)

Rubr.: XI Kalendas Augusti, <in festo> sanctae Mariae Magdalenae, secreta *codd.*

Fontes: cfr Luc. 7, 36-50. 10, 38-42 ; Ioh. 12, 1-8

502.

Benedictionem tuam, domine, populo supplicanti benignus accumula, ut et de bona conversatione sui praesulis exsultet et de sacrae festivitatis celebritate laetetur.

Cod.: *Leon* 988

Rubr. : Mense Septembris, in natale episcoporum, IV alia missa, <oratio super populum>

503.

Benedictionem tuam, domine, populo suppliciter imploranti medicinam tribue mentis et corporis, ut incessabiliter devotis semper tua beneficia largiaris.

Codd.: *Bonifatius* 68   *Camp* 333

Rubr.: Orationes et preces ieiuniorum diebus, oratio post communionem *codd.*

504 a.   Br 82

Benedictionem tuam, domine, populus fidelis accipiat, qua, corpore salvatus ac mente, et congruam tibi semper exhibeat servitutem et propitiationis tuae beneficia semper inveniat.

Codd. : *Adelp* 1559°	*Bergom* 1468⁺	*Fulda* 2038	*Ge-*
lasV 1396°	*Gellon* 2715°	*GregorTc* 2606	*Leofric* 187⁺ *Mi-*
lano 1314⁺	*Monza* 988⁺	*Nivern* 355	*Pamel* 447⁺ *Pa-*
*ris*¹ 422°	*Phill* 1746°	*Praem-M1578* 246⁺ *Prag* 253, 3°	
Ratisb 2129⁺	*Ripoll* 1635	*Sangall** 128°	*Suppl* 1351 *Tren-*
to 1204°	*Triplex* 3279	*Vicen*¹ 1245°	*Vigil* 655°

Rubr.: Missa pro mortalitate hominum, secreta *Ripoll*
Orationes pro mortalitate animalium *codd.* ° *distincti seu* missa pro peste animalium, oratio ad complendum *seu* post communionem *ceteri codd.*

Var. lect. : 1 domine] quaesumus *praem. Trento Vigil,* add. *Fulda Nivern* 2 et] *om. Leofric* semper] *om. codd.* ⁺ *distincti*

504 b.   Br 82

Benedictionem tuam, domine, populus fidelis accipiat, qua, corpore salvatus ac mente, et gratam tibi semper ex-

hibeat servitutem et propitiationis tuae beneficia semper
inveniat.

- A -

Codd.: *Engol* 74   *Fulda* 282   *Gellon* 72   *Gemm* 53   *Ni-*
vern 145   *PaAug* 10, 6   *Phill* 74   *Rhen* 67   *Sangall*
72   *Triplex* 308

Rubr.: Dominica Iª post Natale Domini,
  - oratio ad vesperam *Nivern*
  - oratio ad *seu* super populum *ceteri codd.*

- B -

Codd.: *Fulda* 1592   *Gregor* 913   *Ménard* 186 C   *Pa-*
mel 379. 407   *Ratisb* 1527. 2520   *Trento* 40   *Udalr* 1351   *Vi-*
cen[1] 1351

Rubr.: Dominica IXª post Pentecosten, oratio super populum *Fulda*
      Pamel 407
      Dominica XXIª post Pentecosten, oratio super populum *Mé-*
      nard   Ratisb 1527
      Alia oratio cottidiana *ceteri codd.*

Var. lect.: 2 semper] *om. Vicen*[1]

505.

Benedictionem tuam, quaesumus, domine, sacrae plebi
copiosa pietate largire, quae per tuam tibi gratiam semper
reddatur accepta.

Cod.: *Gallic* 218

Rubr.: In missa <paschali> Vª feria, collectio <quae sequitur praefationem *i.e.* introductionem>

506 a.

Benedictionis tuae gratiam, domine, intercedente beato
apostolo tuo illo, suscipiamus, ut, cuius praeveniendo gloriam
celebramus, eius supplicando auxilium sentiamus.

Codd.: *Adelp* 1205"ᵘ   *Alcuin* 120⁰   *Fulda* 1030". 1371⁺"   *Gre-*
gor 58*. 257*⁺   *GregorTc* 3147⁰. 3308. 3515. 3574. 3635⁺   *Leo-*
fric 172ᵘ   *Mateus* 2325"   *Ménard* 167 C"ᵘ   *Nivern* 316"   *Pa-*
mel 538"   *Praem-MP* 177   *Ratisb* 1280⁰". 1357"ᵘ   *Rossian*
239, 1"   *Winch* 201"

Rubr.: In vigilia unius apostoli,
  - oratio ad complendum *Nivern*
  - oratio super populum *codd.* ° *distincti*
In vigilia unius confessoris (et pontificis *add. Rossian*, unius doctoris *Adelp*),
  - collecta *Adelp   Rossian*
  - oratio ad *seu* super populum *Leofric   Ménard*
  - alia oratio *Ratisb* 1357
  - oratio ad vesperas *GregorTc* 3308 *Winch*
In vigilia unius apostoli vel martyris vel confessoris (seu virginis *om. Pamel*), postcommunio *Mateus   Pamel*
II Nonas Iunii, vigilia sancti Bonifatii, oratio ad vesperum *Fulda* 1030
Nonis Februarii, vigilia sancti Vedasti, oratio super populum *Gregor* 58*
VIII Idus Octobris, vigilia sanctorum Dionysii, Rustici et Eleutherii, oratio ad *seu* super populum *codd.* + *distincti*
V Nonas Iulii, vigilia sancti Martini episcopi et confessoris, oratio super populum *GregorTc* 3515
IV Nonas Septembris, in vigilia sancti Remagli, <oratio super populum> *GregorTc* 3574
Die I° mensis Septembris, <in festo> sancti Lupi, oratio ad primas vesperas *Praem-MP*

Var. lect. : *codd.* + *distincti formam adhibent pluralis*   1 domine gratiam *transp. codd.* " *distincti*   1/2 intercedente beato apostolo tuo illo] *Nivern codd.* ° *distincti*, intercedente beato confessore tuo illo *codd.* ᵘ *distincti*, intercedente beato Bonifatio martyre tuo atque pontifice *Fulda* 1030, intercedentibus sanctis martyribus tuis Dionysio Rustico et Eleutherio *codd.* + *distincti*, intercedente beato apostolo tuo illo martyre tuo illo confessore tuo illo (virgine tua illa *om. Pamel*) *Mateus Pamel*, intercedente (interveniente *Rossian*) beato illo confessore tuo atque pontifice *ceteri codd.*   2/3 gloriam celebramus] celebramus obsequium *Nivern*, gloriam praedicamus *Rossian*

506 b.

Benedictionis tuae, domine, gratiam, intercedente beata Waltpurgae virgine tua, consequamur, ut, cuius venerando gloriam praedicamus, eius in omnibus nostris necessitatibus auxilium sentiamus.

Codd.: *Otton* 17ᵛ   *Triplex* 2761

Rubr.: Ipso die (*i.e.* natalis sancti Matthiae apostoli, VI vel V Kalendas Martii), <natale> sanctae Waltpurgae virginis, oratio ad complendum *Otton*
Kalendas Maii, natale sanctae Waltpurgae virginis, oratio ad complendum *Triplex*

507.

Benedictionis tuae gratiam, domine, plebs christiana suscipiat, ut, sanctorum merita pretiosa concelebrans, honoris tui fructum referat pia sollemnitate pontificum.

Codd.: *Bec* 201   *GregorTc* 3382   *West* III 1597 (Rouen)

Rubr.: In festivitate sacerdotum, oratio super populum *GregorTc*
<Kalendis Octobris, natale> sanctorum episcoporum Germani, Remigii et Vedasti, postcommunio *Bec   West*

Var. lect. : **2** sanctorum] tuorum Germani Remigii et Vedasti *add. Bec*   concelebrans] celebrans *West*

508 a.

Benedictionis tuae, quaesumus, domine, plebs tibi sacra fructus reportet et gaudium, ut, quod in huius festivitatis die corporali servitio exhibuit, spiritaliter se retulisse cognoscat.

Codd. : *Ariberto* 1019   *Bergom* 1235   *Biasca* 1150   *Milano* 635   *Triplex* 3175

Rubr. : Orationes et preces in dedicatione ecclesiae, oratio post communionem *codd.*

508 b.

Benedictionis tuae, domine, plebs tibi devota fructum reportet et gaudium, ut, quod sanctis martyribus tuis Felici, Simplicio, Faustino et Beatrici exhibuit temporali servitio, perenni praesidio consequatur.

Codd.: *Arbuth* 340   *Sarum* 832

Rubr.: <Die XXIX° mensis Iulii, in festo> sanctorum Felicis, Simplicii, Faustini et Beatricis martyrum, postcommunio *codd.*

509.

Benedictionum tuarum ubertate repleti, quaesumus, domine, ut - omnium sanctorum confessorum tuorum intercessione - eius semper subsidiis multiplicemur et donis.

Cod.: *Adelp* 1619

Rubr.: <Missa votiva> de confessoribus, oratio post communionem

510.

Beneficia tua, domine, plebs tua reportet, sancti Felicis precatione collata, ut, cuius officiis devota non deest, sumptis gaudeat adiumentis.

Codd.: *Pamel* 199   *Paris*[1] 25

Rubr. : XIX Kalendas Februarii, in natale sancti Felicis in Pincis, oratio ad *seu* super populum *codd.*

511.

Beneficiis tuis, domine, quaesumus, populus fidelis semper exsultet, ut, te instruente dispositus, et conversatione tibi placeat et, quae votis expetit, salubriter assequatur.

Codd.: *Leon* 436   *Milano* 221

Rubr.: Mense Iulii, orationes et preces diurnae, IV alia missa, <oratio super populum> *Leon*
Feria V[a] hebdomadae V[ae] in quadragesima, oratio super sindonem *Milano*

Var. lect. : 1 tuis] *om. Milano*   3 votis expetit salubriter] piis desideriis postulat *Milano*

512.

Bone redemptor noster domine, qui, mansuetus mansueti animalis aselli terga insedens, ad passionem redemptionis nostrae spontaneus appropinquans, cum tibi ramis arboreis certatim sternitur via et triumphatricibus palmis cum voce
5 laudis occurritur, quaesumus maiestatem tuam divinam, ut oris nostri confessionem atque corporis in ieiuniis humiliationem libens suscipias et fructum nos viriditatis habere concedas, ut, sicut illi in tua fuerunt obvia cum arboreis virgis egressi, ita nos, te redeunte in secundo adventu, cum
10 palmis victoriae mereamur occurrere laeti.

Codd.: *Bobbio* 190   *Goth* 197   *Rhen* 1418

Rubr.: Missa in symboli traditione, collectio <quae> sequitur praefationem *i.e.* introductionem *Bobbio Goth*
Benedictio super ramos palmarum *Rhen*

Var. lect.: 1/2 mansuetus ... insedens] *om. Rhen*   6/8 oris ... ut] *om. Bobbio*

513.

Bonitatem tuam, domine, quam sanctificatricem nostram esse cognoscimus, petimus et rogamus, ut, interveniente sancto tuo illo, caelesti adipe animas nostras repleas et per mysterium corporis et sanguinis, quod sumpsimus et potati
5 sumus, peccata nostra solita miseratione dimittas.

Cod.: *Silos*[6] 9

Rubr.: Officium de sanctis, ad missam, completuria

514.

Bonitatis immensae auctor et domine, adclines tuam quaesumus pietatem, ut oratio abstinentiae nostrae et viventibus salutem et defunctis valeat impetrare quietem.

Cod.: *Toledo*[3] 448

Rubr.: Missa de III[a] feria post vicesima, <oratio> post nomina

515.

Bonitatis tuae largitatem deprecamur, omnipotens deus, ut haec oblatio, quam in honorem sancti Christophori martyris tui offerimus, nobis ad animae corporisque proficiat salutem.

Cod.: *Otton* 139*

Rubr.: <VIII Kalendas Augusti, natale> sancti Christophori martyris, secreta

516.

Bonorum omnium, deus, auctor atque largitor, fac, quaesumus, ut ecclesiae tuae proles, te instituente succrescens, in novam tui filii creaturam, sancto fovente spiritu, nutriatur.

Codd.: *Ariberto* 541 (2)   *Bergom* 766   *Biasca* 737   *Triplex* 1866

Rubr.: Mane die sancto Pentecostes, in ecclesia minore, missa pro
baptizatis,
- alia oratio super populum *i.e.* collecta *Triplex*
- oratio super sindonem *ceteri codd.*

517.

Bonorum, deus, operum institutor, famulae tuae illius corda purifica, ut nihil in ea, quod punire sed quod coronare
possis, invenias.

Codd. : *Fulda* 2759°   *GelasV* 799   *Gellon* 2619   *Gemm*
275   *GregorTc* 2285°. 2288°   *Phill* 1632   *Triplex* 3147

Rubr. : Missa in die consecrationis viduae, oratio ad complendum
seu post communionem *codd.*

Var. lect.: 1/2 corda] cor *codd.* ° *distincti*

518.

Bonorum omnium, deus, auctor et largitor, qui, ut humanum genus ad confessionem tui nominis provocares, etiam
in fragili perfecisti conditione martyrium, praesta, quaesumus, ut ecclesia tua, hoc exemplo commonita, nec pati pro
5 te metuant et caelestis praemii gloriam concupiscant.

Cod.: *Leon* 1176

Rubr. : Mense Novembris, in natale sanctae Caeciliae, II alia missa,

Caelestem nobis praebeant haec mysteria, quaesumus, domine, medicinam et vitia nostri cordis expurgent.

Codd. : *Adelp* 1335   *Aquilea* 185ʳ   *Arbuth* 256⁺   *Bec* 124   *Benevent*² 196⁰   *Cantuar* 69   *Casin*² XXVI, 2⁰   *Cu- ria* 148ᵛ   *Engol* 1447   *Fulda* 1679   *GelasV* 1240   *Gel- lon* 1581   *Gemm* 137   *Herford* 209⁺˙   *Iena* 233   *La- teran* 154   *Leningrad*¹ 1   *Leofric* 125   *Mateus* 2755   *Mé- nard* 188 A   *Monza* 642⁰   *Nivern* 257   *Otton* 145ʳ   *Pad* 724 ⁰   *Pamel* 413   *Panorm* 869   *Phill* 983   *Praem* 92   *Prag* 200, 2   *Ratisb* 1541   *Rhen* 919   *Ripoll* 692   *Ros- sian* 273, 2ᵐ. 273, 3   *Salzb* 319⁰. I 92⁰   *Sangall* 1295   *Sa- rum* 523⁺   *Stuttgart*⁴ XXXVIII, 3   *Suppl* 1190   *Trento* 1143⁰   *Triplex* 2638   *Udalr* 1197   *West* I 463   *Winch* 49

Rubr.: Orationes et preces cum canone per dominicas dies, XVI alia missa, secreta *GelasV*
Dominica IIIᵃ post <dedicationem basilicae> sancti Angeli <Michaelis>, secreta *Prag*
Dominica *seu* hebdomada XXIᵃ post (octavam) Pentecostes (Vᵃ post <dedicationem basilicae> sancti Angeli <Micha- elis> *codd.* ⁰ *distincti*, XXIᵃ post Trinitatem *codd.* ⁺ *dis- tincti*),
– <postcommunio> *Rossian* 273,3
– oratio super oblata *seu* secreta *ceteri codd.*

Var. lect.: 1/2 domine] *transp. post* nobis *Benevent*²

520.

Caelesti alimonia vegetati, quaesumus, omnipotens deus, ut, sanctarum virginum tuarum Katherinae et Margaretae, et beatae Mariae Magdalenae meritis intercedentibus, et tibi casto corpore servire et tuae dilectioni valeamus iugiter ad-
5 haerere.

Codd.: *Herford* 411   *Sarum* 823*

Rubr. : De sanctis (virginibus) Katherina, Margareta et Maria Magdalena, postcommunio *codd.*

521.

Caelesti benedictione, misericors deus, populum tuum praesentem confirma et, quem magno ac speciali patrono, beato scilicet Willibrordo confessore tuo atque pontifice,

decorasti, eius semper praesenti suffragio ab omni ad-
5 versitate protege propitius.

Cod.: *Praem-MB* 206

Rubr.: Die VII° mensis Novembris, <in festo> sancti Willibrordi,
postcommunio

522.

Caelesti benedictione, omnipotens pater, populum tuum
sanctifica et, beati Martini confessoris tui atque pontificis
festivitate gaudentem, per intercessionem eiusdem protectoris
nostri fac nos in aeterna cum sanctis tuis gloria gaudere.

Codd : *Alcuin* 125   *Gregor* 299*   *GregorTc* 3521. 3531.
3583   *Leofric* 254   *Nivern* 280   *Pamel* 353   *Vicen*1
682   *West* III 1563 (Vitell)

Rubr.: III Nonas Septembris, in natale sancti Remagli, <oratio super
populum> *GregorTc* 3583
III Idus Novembris, natale sancti Martini episcopi, alia oratio
Pamel
IV Nonas Iulii, missa de ordinatione episcopatus atque translatione corporis <sancti Martini confessoris>, oratio super
populum *GregorTc* 3531
Eodem die, natale *seu* translatio sancti Martini confessoris,
- postcommunio *West*
- oratio super populum *Gregor*
- oratio ad vesperos *Alcuin   GregorTc* 3521
- alia oratio *ceteri codd.*

Var. lect. : **4** nostri] *om. Vicen*1   gloria cum sanctis tuis *transp.*
*Nivern   Pamel   Vicen*1   *West*

523.

Caelesti cibo potuque roborati, omnipotenti deo laudes et
gratias, fratres carissimi, referamus, poscentes, ut nos, quos
dignos habuit participatione corporis et sanguinis domini
nostri Iesu Christi unigeniti sui, dignos etiam caelesti re-
5 muneratione percenseat.

Cod.: *Goth* 9

Rubr.: Ordo missae in vigilia nativitatis domini nostri Iesu Christi,
collectio post communionem

524.   Br 92

Caelesti lumine, quaesumus, domine, semper et ubique
nos praeveni, ut mysterium, cuius nos participes esse voluisti,
et puro cernamus intuitu et digno percipiamus effectu.

– A –

Codd. : *Ariberto* 170° *Bergom* 201° *Biasca* 197° *Ful-*
da 821 *GelasV* 67° *Gregor* 459. 24* *Herford* 97" *Ma-*
teus 1308 *Ménard* 189 B⁺ *Metz*¹ 79 *Milano* 4° *Ni-*
vern 221 *Pamel* 283 *Praem–MC* 38 *Prag* 13, 5° *Ra-*
tisb 1554⁺ *Rossian* 275, 3⁺ *Sarum* 336" *Trento* 505 *Tri-*
plex 363°. 1536 *Udalr* 577 *Vicen*¹ 110 *West* II 576". II
622 *West* III 1511" (Évreux). 1514 (Tewkesbury)

Rubr.: In Theophania *seu* Epiphania, oratio ad complendum *seu* post
communionem *codd.* ° *distincti*
In vigilia Epiphaniae, postcommunio *Gregor* 24* *Praem–MC*
Dominica XXVᵃ post octavam Pentecostes *seu* XXVIᵃ post
Pentecostes, oratio ad complendum *codd.* ⁺ *distincti*
Benedictio novi ignis in vigilia Paschae, alia oratio *codd.*
" *distincti*
Benedictio cereorum in die Purificationis, alia oratio *West* II
622 *West* III 1514
Alia oratio ad complendum diebus festis *ceteri codd.*

Var. lect.: 1 semper] hic *add. Herford Sarum*

– B –

Codd. : *Adelp* 166 *Aquilea* 22ʳ *Arbuth* 39 *Bec* 15
Buchsheim (18) *Cantuar* 17 *Curia* 24ᵛ *Engol* 122 *Ful-*
da 136 *Gellon* 124 *Gemm* 55 *Gregor* 27* *Herford*
30 *Leofric* 68 *Mateus* 315 *Ménard* 40 C *Monza*
71 *Nivern* 148 *Otton* 6ᵛ *Pamel* 198 *Phill* 125
Praem 39 *Prag* 15, 3 *Ragusa* 76 *Ratisb* 101 *Rhen*
106 *Ripoll* 24 *Rossian* 16, 3 *Sangall* 114 *Sarum*
90 *Triplex* 384 *Udalr* 130 *West* I 70

Rubr.: In octava Theophaniae *seu* Epiphaniae, oratio ad complendum
seu post communionem *codd.*

Var. lect. : 1 lumine quaesumus domine] domine quaesumus lumine
Ragusa, nos quaesumus domine lumine *Sarum*   semper] hic *add. Aquilea*
Herford 2 nos¹] *om. Sarum*   participes nos *transp. Monza* 3 dig-
no] divino *Ripoll*   percipiamus] participemus *Aquilea*

525.

Caelesti munere satiati, misericors deus, gratias agimus et precamur, ut, qui nova beneficia per beatum Geraldum te operari gaudemus, ipso supplicante, per hoc caeleste munus ad pietatis opera renovemur.

Codd.: *Mateus* 2188   *Ripoll* 1289

Rubr.: III Idus Octobris, <in festo> sancti Geraldi confessoris, postcommunio *codd.*

526.

Caelesti munere satiati, quaesumus, domine deus noster, ut beati Rufi martyris tui meritis ubique nos adiuves.

Codd.: *Arbuth* 358   *Sarum* 883

Rubr.: <Die XXVII° mensis Augusti, in festo> sancti Rufi martyris, postcommunio *codd.*

527 a.

Caelesti munere satiati, quaesumus, domine deus noster, ut haec nos dona martyrum tuorum deprecatione sanctificent.

Codd. : *Engol* 161^μ. 1053^+#. 1163   *Franc* 112^μ   *Fulda* 1095"#   *GelasV* 818^0μ. 914^+#. 959   *Gellon* 1173^+#. 1893   *Lateran* 176^0μ   *Leon* 399   *Pamel* 313^+. 323   *Praem-MC* 142"   *Praem-MP* 185   *Prag* 19, 3^0μ#. 149, 3"#. 164, 3#   *Ratisb* 955#   *Rhen* 888^μ   *Rossian* 158, 3   *West* III 1593 (Rouen). 1598 (Rouen)

Rubr.: Mense Iulii, VI Idus Iulii, natale sanctorum martyrum Felicis,
        Philippi, Vitalis, Martialis, Alexandri, Silani et Ianuarii, III
        alia missa, <postcommunio> *Leon*
        XIII Kalendas Februarii, in natale sancti Sebastiani,
        - oratio ad complendum *seu* post communionem *codd.*
        ° *distincti*
        - alia oratio post communionem *Engol* 161
        VI Kalendas Iulii, in natale martyrum Iohannis et Pauli,
        - oratio ad complendum *seu* post communionem *codd.*
        " *distincti*
        - alia oratio post communionem *codd.* + *distincti*
        Alia missa de uno martyre, oratio post communionem *Franc*
        Missa in <honorem> sanctorum sive in remissionem peccatorum, oratio post communionem *Gellon* 1893

Die XVII° mensis Septembris, <in festo> sancti Lamberti,
postcommunio *Praem-MC* 185 *West* III 1593
VI Nonas Octobris, natale sancti Leudegarii, oratio post communionem *Rhen* *West* III 1598
Kalendas Augusti, in natale Macchabaeorum,
- alia oratio ad complendum *Pamel* 323
- oratio ad complendum *seu* post communionem *ceteri codd.*

Var. lect. : **2** nos haec *transp.* *Pamel* 313 *Praem-MC* haec ...
deprecatione] et nos beatissimi martyris tui Lamberti atque pontificis
deprecationes *Praem-MP* nos] *om. codd.* # *distincti* dona] tua *add.*
Gellon 1893 martyrum tuorum] martyrum et confessorum tuorum
illorum *Gellon* 1893, Iohannis et Pauli *add. codd.* + *et* " *distincti,* (sancti *Rhen*) martyris tui illius *codd.* ᵘ *distincti* deprecatione] intercessione *Rossian* sanctificent] nos *praem.* *Ratisb*, et ad gaudia aeterna perducant *add.* *Gellon* 1893, et ad caelestia regna perducant *add.*
Lateran

527 b.

Caelesti munere saginati, quaesumus, domine deus noster,
ut haec nobis dona martyrum tuorum supplicatio beata sanctificet.

Codd. : *Adelp* 672 *Engol* 909 *GelasV* 1116 *Gellon*
878 *Ménard* 99 C *Monza* 711 *Otton* 121* *PaAng*
161 *Phill* 687 *Praem-MC* 126 *Ratisb* 683 *Rossian* 98, 3
Sangall 704 *Triplex* 1582

Rubr.: Alia missa in natale plurimorum sanctorum, oratio post communionem *GelasV*
XVIII Kalendas Maii, natale sanctorum Tiburtii, Valeriani et
Maximi, oratio ad complendum *seu* post communionem
ceteri codd.

Var. lect. : **1** saginati] satiati *Adelp* **2** supplicatio] intercessio *A-*
delp *Ménard* *Ratisb* beata] *om.* *Praem-MC* **2/3** sanctificet] conciliet
Praem-MC *Rossian*, prodesse perficiat *Otton* *Sangall²* *Triplex*

528.

Caelesti munere satiati, quaesumus, omnipotens deus: tua
nos protectione custodi et castimoniae pacem mentibus nostris atque corporibus, intercedente sancta Maria, propitiatus
indulge, ut, veniente sponso filio tuo unigenito, accensis
5 lampadibus eius digni praestolemur occursum.

(recensio altera)

Caelesti munere satiatos, omnipotens deus, tua nos protectione custodi, ut castimoniam et pacem mentibus nostris atque corporibus, intercedente sancta Maria, propitiatus indulgeas et, veniente sponso filio tuo unigenito, accensis
5 lampadibus eius digni praestolemur occursum.

Codd. : *Ariberto* 848"   *Bec* 250⁺   *Bergom* 1068"   *Bias-ca* 1002⁰"   *Cantuar* 137⁺   *Drumm* 85⁺   *Engol* 1228   *Ful-da* 1218⁰   *GelasV* 996   *Gellon* 1351   *Lateran* 256⁰   *Mé-nard* 133 *A*⁰   *Milano* 1101⁰"   *Monza* 577   *Oxford* 61⁺   *Prag* 174, 3   *Ratisb* 1011⁰   *Rhen* 792   *Rosslyn* 81⁺   *Salzb* III 4   *Sangall* 1096"   *Triplex* 2331⁰"   *West* III 1583 (Sherborne)

Rubr.: De sancta Maria in Adventu Domini, oratio post communionem *codd.* + *distincti*
    Die XXII⁰ mensis Augusti, in octava Assumptionis beatae Mariae, postcommunio *West*
    XIX Kalendas Septembris, vigilia sanctae Mariae, oratio ad complendum *Lateran Ménard Ratisb*
    XVIII Kalendas Septembris, in Assumptione sanctae Mariae,
    - alia oratio ad complendum *Fulda*
    - oratio ad complendum *seu* post communionem *ceteri codd.*

Var. lect.: *codd.* " *distincti recensionem adhibent alteram*   1 satiati quaesumus] *Bergom   Engol   codd.* + *distincti*, satiatos quaesumus *Ariberto*, satiatos *Sangall* ² *codd.* ⁰ *distincti*, satiati *ceteri codd.*   tua] et praem. *Lateran*   2 nos] *om. Fulda   GelasV*, quaesumus *add. West*
2 custodi] ubique *praem. Cantuar*   castimoniae pacem] castimoniam *West*   3 Maria] virgine *praem. Cantuar   Lateran*, dei genitrice *praem. West*   4/5 ut … occursum] cuius iteratam venerandae assumptionis recolimus sollemnitatem *West*   4 unigenito] *om. Prag*   5 digni praestolemur eius *transp. Fulda*

Fontes: 4/5 ut … occursum] cfr Matth. 25, 1-13

529.

Caelesti participatione, domine, recreati, suppliciter exoramus, ut, sicuti sanctorum Kiliani et sociorum eius festa celebrare gaudemus, ita, eorum suffragantibus meritis, nobis salutare fiat sacramentum.

Cod.: *Mis. Vet. Angl.* 201 (309)

Rubr.: <Nonis Iulii>, vigilia sancti Kiliani, oratio ad complendum

530.

Caelesti refectam mysterio, tuere, quaesumus, domine, familiam tuam, ut, intercedente beata Agatha virgine tua et martyre, salutis aeternae remedia, quae, te adspirante, requirimus, te largiente, consequamur.

Codd.: *Arbuth* 289   *Sarum* 708

Rubr.: Die V° mensis Februarii, <in festo> sanctae Agathae virginis et martyris, postcommunio *codd.*

531.

Caelesti saturari dape cupientibus occurre, omnipotens deus, qui, beatissimo Tirso tuo gentili adhuc misertus, inter ceteras, quas pro tuo nomine sustulit, poenas, paratum supplicium plumbi in adversarios eius oratione ipsius martyris
5 retrorsisti. Propter quod flebilibus te, deus, rugitibus imploramus, ut per hunc martyrem, a quo praedicti metalli supplicium detorsisti, detergas massam totius nostri peccati atque, te opitulante, qui illatam sibi poenam in se persequentes eiecit, ministret sibi obsequentibus tutelam patro-
10 cinii indisrupti, ut per eum famulantes obtineant veniam, per quem persequentium est devicta audacia et, per quem infidelitas poenali consumpta est igne, per eum crudelitas flamma ardeat caritatis divinae.

Cod.: *Toledo*³ 265

Rubr.: Missa in die sancti Tirsi, <oratio> "Alia"

532 a.

Caelestia, domine, sumpsimus sacramenta; praesta, quaesumus, ut, interveniente beato confessore tuo illo, cuius sollemnia recurrimus, nobis conferant medicinam.

Cod.: *Adelp* 1201

Rubr.: Vigilia unius confessoris, oratio post communionem

532 b.

Caelestia sacramenta sumpsimus, domine; praesta, quaesumus, ut, intervenientibus beatis confessoribus tuis illis, quorum sollemnia recurrimus, nobis perpetuam conferant medicinam.

Cod.: *Adelp* 1213

Rubr.: Vigilia plurimorum confessorum, oratio post communionem

533.   Br 95

Caelestia dona capientibus, quaesumus, domine, non ad iudicium provenire patiaris, quod fidelibus tuis ad remedium providisti.

– A –

Codd. : *Bergom* 1456°   *Fulda* 2078°   *GregorTc* 2693°
Leon 567   *Mercati* 9   *Pad* 275°   *Triplex* 975°

Rubr.: Mense Iulii, orationes et preces diurnae, XXVII alia missa,
<postcommunio> *Leon*
Alia missa de ieiunio, oratio post communionem *Bergom*
Missa pro peccatis, (feria IIIª *add. Fulda*), oratio ad complendum *seu* post communionem *Fulda GregorTc*
<Ordinarium missae>, alia oratio post communionem *Mercati*
Feria Vª hebdomadae Vªe quadragesimae, oratio ad complendum *Pad*
Feria VIª hebdomadae IVªe quadragesimae, oratio ad complendum *Triplex*

Var. lect. : **2** provenire] pervenire *codd.* ° *distincti*   quod] quae
Bergom   **3** providisti] praeparasti *Bergom*

– B –

Codd. : *Engol* 477   *Fulda* 547   *GelasV* 237   *Gellon*
462   *Limoges* 121ʳ   *Ménard* 71 A   *Monza* 214   *Prag* 68, 3
Ratisb 427   *Rhen* 315   *Sangall* 405   *Sens* 100   *Triplex* 949

Rubr. : Feria IIIª hebdomadae IVªe quadragesimae, oratio ad complendum *seu* post communionem *codd.*

Var. lect. : **2** provenire] *Engol Limoges*, pervenire *ceteri codd.*
quod] quae *Monza*

– C –

Codd. : *Adelp* 432⁺   *Aquilea* 63ᵛ   *Arbuth* 106"   *Ari-*
berto 345⁺   *Bec* 49⁺"   *Benevent*² 69⁺"   *Bergom* 411°⁺   *Bias-*
ca 378°⁺   *Cantuar* 32⁺"   *Curia* 47⁺   *Gemm* 79   *Gregor*
275   *Herford* 70⁺"   *Lateran* 68⁺"   *Leofric* 86°   *Ma-*

teus 927   *Milano* 189[+]   *Nivern* 178[+"]   *Pamel* 238   *Pa-*
Mog 16[r]   *Panorm* 128[+"]   *Praem* 56[+"]   *Prag* 70, 3   *Ros-*
sian 71, 3   *Sarum* 228[+"]   *Udalr* 351[+]   *Vigil* 3   *West* I 1980[+"]

Rubr. : Feria V[a] hebdomadae IV[ae] quadragesimae, oratio ad complendum *seu* post communionem *codd.*

Var. lect. : 1 capientibus] capientes *codd.* ° *distincti*   quaesumus]
om. Rossian   non] ut *praem. Mateus*   2 provenire] *codd.* " *distinc-*
ti, (rasura) venire *Curia-Av,* pervenire *ceteri codd.*   patiaris pervenire
transp. Vigil   quod] quae *codd.* [+] *distincti*

534.

Caelestibus deliciis satiati, te, domine, deprecamur, ut
gloriosi patris nostri Iudoci suffragio paradisi sociemur con-
vivio.

Cod.: *Winch* 193

Rubr. : <XIX Kalendas Ianuarii>, alia missa sancti Iudoci, postcommunio

535.

Caelestibus, domine, donis satiatos, quaesumus, ut et
voluntate pie recteque vivendi et virtute atque efficacia
perficiendi nos iugiter donare digneris.

Codd.: *Ménard* 183 A   *Ratisb* 1490   *Rossian* 264, 3   *Te-*
gernsee[2] 14

Rubr. : Dominica XIV[a] post octavam Pentecostes *seu* XV[a] post
Pentecosten, oratio ad complendum *seu* post (ad *Tegernsee* [2]) communionem *codd.*

Fontes: 2 pie recteque vivendi] cfr Tit. 2, 12

536.   Br 97

Caelestibus, domine, pasti deliciis, quaesumus, ut semper
eadem, per quae veraciter vivimus, appetamus.

- A -

Codd. : *Engol* 1750   *GelasV* 1311   *Pad* 114   *Paris*[1]
281   *Prag* 39, 3   *Ratisb* 265   *Rossian* 36, 3

Rubr.: Alia missa cottidiana, oratio post communionem *Engol Ge-lasV Paris*[1]
Feria VII[a] *seu* sabbato in sexagesima, oratio ad complendum *Prag Ratisb*
Dominica IV[a] post Theophaniam, oratio ad complendum *Ros-sian*
Dominica V[a] post Theophaniam, oratio ad complendum *Pad*

Var. lect.: 1/2 eadem semper *transp. Prag Ratisb* 2 per quae] quo
GelasV vivimus veraciter appetamus *transp. Engol Prag Ratisb*

– B –

Codd. : *Adelp* 187	*Aquilea* 27vo	*Engol* 229	*Fulda*
323 *Gellon* 223[o]	*Gemm* 59	*Gregor* 54*	*Leofric*
70 *Mateus* 560	*Ménard* 49 C	*Monza* 92	*Nivern*
151 *Otton* 1vo	*Pamel* 400	*Phill* 236	*Praem* 40
Prag 29, 3 *Ratisb* 187	*Rhen* 165[o]	*Ripoll* 47	*Salzb-A*
42 *Sangall* 209	*Suppl* 1113	*Trento* 1069	*Triplex*
529 *Udalr* 207			

Rubr.: Dominica V[a] post octavam Theophaniae (*Nivern*) *seu* VI[a] post Theophaniam *vel* Epiphaniam, oratio ad complendum *seu* post communionem *codd.*

Var. lect. : 1 semper] *om. Fulda* 2 eadem per quae] easdem per quas *Fulda* vivimus veraciter appetamus *transp. codd.* [o] *distincti*

537.

Caelestibus, domine, refecti muneribus, supplices deprecamur, ut beati Marci evangelistae et martyris tui protegamur auxiliis, cuius devotis mentibus celebramus triumphum.

Cod.: *Avellan*[3] 849

Rubr. : <VII Kalendas Maii>, in natali sancti Marci evangelistae, postcommunio

538.

Caelestibus, domine, quaesumus, praesidiis muniantur, qui in tua protectione confidunt, ut, te solo praesule gloriantes, tuo semper foveantur auxilio.

Cod.: *Leon* 526

Rubr. : Mense Iulii, orationes et preces diurnae, XIX alia missa, <oratio super populum>

539.

Caelestibus donis, quaesumus, domine, da nobis libera mente servire, ut munera, quae deferimus pro famulo tuo illo, et medelam nobis operentur et gloriam.

Cod.: *Otton* 181*

Rubr.: Item alia missa pro amico, secreta

540.

Caelestibus epulis recreati, quaesumus, omnipotens deus, ut, intercedente beato Alexio confessore tuo, salutare mysterium quod, te largiente, percepimus, te custodiente, servemus.

Cod.: *Aquilea* 225ᵛ

Rubr.: <XVI Kalendas Augusti>, de festo sancti Alexii, complenda

541.

Caelestibus pasti dapibus, supplices te rogamus, omnipotens deus, quatenus per gloriosa almi patris Botulfi merita aeternis nos iubeas sociari gaudiis.

Codd.: *Gemm* 5   *West* III 1601 (Whitby). 1625 (Whitby)

Rubr.: XII Kalendas Iulii, natale sancti Botulfi, oratio ad complendum *Gemm*
Die XIIIⁿ mensis Octobris, in die sancti Edwardi, postcommunio *West* III 1601
In natali unius abbatis, postcommunio *West* III 1625

Var. lect. : 2 patris Botulfi] *Gemm*, regis et confessoris Edwardi *West* III 1601   3 iubeas nos *transp. West* III 1601

542.

Caelestibus refecti mysteriis, quaesumus, domine deus noster, ut, intercedente beata illa, virtus accepti in nobis permaneat sacramenti.

Cod.: *Arbuth* 433

Rubr.: In natali unius matronae, postcommunio

543.   Br 101

Caelestibus refecti sacramentis et gaudiis, supplices, domine, te rogamus, ut, quorum gloriamur triumphis, protegamur auxiliis.

- A -

Codd.: *Aquilea* 238ᵛᵒ   *Ariberto* 838   *Bec* 155ᵒ   *Bologna*² I
4ᵒ   *Drumm* 61   *Leon* 315   *Milano* 1111ᵒ   *Triplex*
2969   *West* III 1558 (Coutances). 1572 (Whitby)

Rubr.: Mense Iunii, in natale apostolorum Petri et Pauli, XIII alia
missa, <postcommunio> *Leon*
VI Idus Septembris, <in festo sancti> Adriani martyris, complenda *Aquilea*
Idus Augusti, missa sancti Cassiani martyris, oratio post communionem *Ariberto*
Die XIXᵒ mensis Iunii, <in festo sanctorum> Gervasii et Protasii, postcommunio *Bec   West* III 1558
Die XIIᵒ mensis Augusti, natale sancti Eupli et Gratiliani et Leuci, oratio ad complendum *Bologna*²
In natale plurimorum martyrum, oratio post communionem *Drumm*
Die XXVIᵒ mensis Augusti, <natale> sancti Alexandri, oratio post communionem *Milano*
Ad poscenda sanctorum suffragia, oratio ad complendum *Triplex*
Die XXVᵒ mensis Augusti, <in natali> sanctorum Christophori et Cucufati, postcommunio *West* III 1572

Var. lect. : 1/2 supplices domine te rogamus] *Leon*, supplices te domine deprecamur *Ariberto   Drumm*, supplices te rogamus omnipotens deus *Triplex*, supplices te rogamus domine *ceteri codd.*   2 gloriamur] gaudemus *Drumm*

- B -

Codd. : *Avellan*¹ 898   *Bec* 187   *Cantuar* 107   *Engol*
1262   *Gellon* 1392   *Gemm* 205   *Herford* 315   *Nivern*
293   *Praem* 175   *Sangall* 1127   *Triplex* 2376   *Vicen*¹
609   *Vigil* 303

Rubr.: VI Kalendas Septembris, natale sancti Rufi,
- alia oratio post communionem *Engol Gellon*
- oratio ad complendum *seu* post communionem *ceteri codd.*

Var. lect. : 1 refecti] repleti *Bec Cantuar*   1/2 supplices domine te rogamus] *Leon*, supplices te rogamus omnipotens deus *Bec   Cantuar Herford*, supplices te rogamus domine *ceteri codd.*   2 quorum] cuius *Bec Cantuar*

- C -

Codd. : *Adelp* 1045   *Bec* 198   *Cantuar* 113   *Curia*
204   *Engol* 1358   *Fulda* 1337   *Gemm* 214   *GregorTc*
3600   *Herford* 329   *Lateran* 274   *Leofric* 161   *Ma-*
teus 2149   *Nivern* 302   *Praem* 186   *Ratisb* 1136   *Ri-*
poll 1246   *Winch* 167

Rubr. : X Kalendas Octobris, natale sanctorum Mauritii, Exuperii, Candidi et Victoris, Innocentii et Vitalis, oratio ad complendum *seu* post communionem *codd.*

Var. lect. : 1/2 supplices domine te rogamus] *Leon*, suppliciter te precamur omnipotens deus *Fulda*, supplices te domine rogamus *Ripoll*, supplices te rogamus omnipotens deus *Bec Herford Winch*, supplices te rogamus domine *ceteri codd.*   2 ut] sanctorum tuorum Mauritii Exuperii Candidi Victoris Innocentii et Vitalis cum sociis eorum *add. Lateran*

- D -

Codd. : *Adelp* 1108   *Aquilea* 246ʳ   *Arbuth* 391   *Bec*
211   *Benevent*[2] 179   *Cantuar* 120   *Curia* 210ᵛ   *Fulda*
1415   *Gemm* 223   *Gregor* 741   *Herford* 355   *Lateran*
288   *Leofric* 166   *Ménard* 147 C   *Monac*[4] (10)   *Ni-*
vern 310   *Otton* 122ᵛ   *Pad* 735   *Pamel* 350   *Praem*
206   *Ratisb* 1193   *Ripoll* 1322   *Salzb-A* 27   *Sarum*
964   *Trento* 780   *Triplex* 2657   *Vicen*[1] 669   *West* II
994   *Winch* 180

Rubr.: VI Idus Novembris, natale sanctorum Quatuor Coronatorum (sanctorum Claudii, Nicostrati, Symphoriani, Castorii et Simplicii *Lateran*),
- eodem die, \<natale\> Quinque Martyrum, oratio ad complendum *Vicen*[1]
- alia oratio ad complendum *Triplex*
- oratio ad complendum *seu* post communionem *ceteri codd.*

Var. lect.: 1 sacramentis refecti *transp. Ratisb Vicen*[1]   1/2 supplices domine te rogamus] *Leon*, suppliciter te precamur omnipotens deus *Fulda*, supplices te domine rogamus *Otton*, supplices te domine deprecamur *ceteri codd.*   2 quorum] cuius *Otton*   gloriamur] gaudemus *Cantuar Sarum West*

544.

Caelestibus refecti sacramentis et gaudiis, supplices te rogamus, omnipotens deus, ut ea, quae in veneratione beati Patricii confessoris tui atque pontificis tuae obtulimus maiestati, in nostrae proficiant salvationis augmentum.

Cod.: *Sarum* 722

Rubr.: <Die XVII° mensis Martii, in festo sancti> Patricii episcopi et confessoris, alia missa, postcommunio

545.

Caelestibus refecti sacramentis, quaesumus, domine, ut terram, quam nostris videmus iniquitatibus tabescentem, congruentium facias irrigari inundatione pluviarum.

Cod.: *Aquilea* 286ʳ

Rubr.: Pro pluvia, complenda

Nota: *Comparez à l'oraison*: "Terram tuam, domine, quam vidimus ... gratiae sempiternae."

546.

Caelestibus refectis sacramentis, aeterne deus, et beati Felicis martyris tui annuis sollemnibus gratulatis, praesta nobis famulis tuis, ut, cuius sollemnia colimus, eius semper meritis apud te muniamur et precibus.

Cod.: *Vicen*¹ 505

Rubr. : Kalendis Augusti, alia missa in festivitate sancti Felicis Gerunda, oratio ad complendum

547.

Caelestibus sacramentis et divinis epulis vegetati, quaesumus, domine, ut, intercedente beata Anna, quam matrem matris tui Filii confitemur, ad aeternam mereamur pertingere consolationem et pacem.

Cod.: *Praem–M1508 M1578* 156

Rubr. : Die XXVI° mensis Iulii, <in festo> sanctae Annae, postcommunio

548.

Caelestibus sacramentis refecti, maiestatem tuam altaribus tuis, domine, deprecamur inclinati ut, quae in sollemnitate beatae Cuthbergae laetanter percepimus, auxilio eius intercessionis nobis proficiant ad utriusque profectum salutis.

Codd.: *Arbuth* 361   *Sarum* 891   *West* III 1530 (Tewkesbury)

Rubr.: \<Die XXXI° mensis Augusti, in festo\> sanctae Cuthbergae
virginis non martyris, postcommunio *Arbuth*   *Sarum*
Die XXI° mensis Ianuarii, \<in natali\> sanctae Agnes, postcommunio *West*

Var. lect. : 1 maiestatem tuam] *Sarum, om. Arbuth*   1/2 maiestatem ... inclinati] supplices te domine deprecamur *West*

549.

Caelestibus satiati sacramentis, clementissime deus, tuam deposcimus munificentiam, ut per interventum sanctae virginis Aetheldrethae aeternae beatitudinis beneficia possimus capere largiora.

Codd.: *Gemm* 182   *West* III 1558 (Sherborne Vitell)   *Winch* 108

Rubr.: IX Kalendas Iulii, natale sanctae Aetheldrethae virginis, oratio ad complendum *seu* postcommunio *codd.*

550.

Caelestibus sumptis mysteriis, supplices te, pater omnipotens, imploramus, ut, interveniente beato Gaugerico confessore tuo atque pontifice, ad refectionem vitae caelestis perducamur.

Cod.: *Praem-MB* 167

Rubr. : Die XI° mensis Augusti, \<in festo\> sancti Gaugerici, postcommunio

551.

Caelestis alimoniae vegetati libamine, quaesumus, domine deus noster, ut nos semper gloriosae virginis Mariae continua foveat protectio, cuius nostrae salutis causa exstitit hodierna conceptio.

Codd.: *Aquilea* 195^r   *Herford* 225   *West* III 1614 (Sarum MS. 11.414 Sherborne Whitby)

Rubr.: VI Idus Decembris, in die Conceptionis beatae Mariae, post-communio *codd.*

Var. lect.: 2 gloriosae semper *transp. Herford*   3 protectio] intercessio *Herford*   causa salutis *transp. Herford*

552.

Caelestis, domine, alimoniae refecti sacramento, quaesumus, ut, intercedentibus sanctis virginibus ac martyribus tuis, quae pro illarum celebramus gloria, ad nostrae salutis proficiant incrementa.

Codd.: *Triplex* 3346   *West* II 981   *West* III 1602 (St-Alban's)

Rubr. : <XII vel XI Kalendas Novembris>, in festo XI milium virginum, oratio ad complendum *seu* postcommunio *codd.*

553.

Caelestis, domine, mysterii perceptione munitos, tales nos, quaesumus, beati confessoris tui Germani precibus effice, ut, quod ille deferentibus indeptus est angelis, nostra quoque fragilitas mereatur adipisci.

Cod.: *Benevent²* 177

Rubr. : III Kalendas Novembris, natale sancti Germani Capuani episcopi, postcommunio

554 a.   Br 104

Caelestis doni benedictione percepta, supplices te, deus omnipotens, deprecamur, ut hoc idem nobis semper et sacramenti causa sit et salutis.

Cod.: *Leon* 255

Rubr. : Mense Iunii, VIII Kalendas Iulii, natale sancti Iohannis Baptistae, V alia missa, <postcommunio>

554 b.   Br 104

Caelestis doni benedictione percepta, supplices te, deus omnipotens, deprecamur, ut hoc idem et sacramenti causa sit et salutis.

Codd.: *Adelp* 1087   *Franc* 128   *Prag* 204, 3   *West* II 983

Rubr.: <VIII Kalendas Novembris>, in natali sanctorum martyrum
Crispini et Crispiniani, oratio post communionem *Adelp
West*
Missa cottidiana, oratio post communionem *Franc*
Dominica Vª post <dedicationem basilicae> sancti Angeli
<Michaelis>, oratio ad complendum *Prag*

Var. lect.: **1** deus] domine *praem. West*   **2** hoc] *om. Adelp West*
idem] intercedentibus sanctis tuis quorum festa agimus *add. Adelp*, nobis
intercedentibus sanctis tuis Crispino et Crispiniano quorum festa agimus
add. West

554 c.   **Br 104**

Caelestis doni benedictione percepta, supplices te, domine, deprecamur, ut hoc idem nobis semper et sacramenti
causa sit et salutis.

Codd.: *Engol* 589   *GelasV* 347   *PaAug* 49, 3   *Prag* 89, 3

Rubr. : Feria IVª hebdomadae VIªe quadragesimae, oratio ad complendum *seu* post communionem *codd.*

554 d.   **Br 104**

Caelestis doni benedictione percepta, supplices te, deus
omnipotens, deprecamur, ut hoc idem et sacramenti nobis
causa sit et salutis.

Codd.: *Engol* 2236   *GelasV* 1348   *GregorTc* 2510

Rubr. : Alia missa in tribulatione, oratio ad completa *seu* post communionem *codd.*

554 e.   **Br 104**

Caelestis doni benedictione percepta, supplices te, deus
omnipotens, deprecamur, ut hoc idem nobis et sacramenti
causa sit et salutis.

– A –

Codd. : *Adelp* 455   *Aquilea* 69ʳ   *Arbuth* 116   *Ariberto*
370   *Bec* 54   *Benevent*² 68   *Bergom* 441   *Biasca* 403   *Cantuar* 33   *Curia* 50   *Engol* 533   *Fulda* 599   *Gellon*

Rubr.: Feria IVᵃ hebdomadae Vᵃᵉ quadragesimae,
- <oratio super populum> PaAug 44, 4
- oratio ad complendum *seu* post communionem *ceteri codd.*

– B –

Rubr. : Feria Vᵃ in quinquagesima, oratio ad complendum *seu* post communionem *codd.*

Var. lect. : 1 benedictione] participatione *Udalr*   2 deprecamur] exoramus *Bec*

Nota: *Comparez à l'oraison*: "Sancti Iohannis natalitia ... sit et salutis."

555.

Caelestis doni sacramentis praeparatione nostra perceptis, suppliciter te, domine, deprecamur, ut intercessione beati confessoris tui atque pontificis Nicolai, cuius sollemnia celebramus, eadem nobis ad corporis et animae medelam
5 provenire sentiamus.

Cod.: Otton 167*

Rubr. : <VIII Idus Decembris>, in natale sancti Nicolai episcopi et confessoris, oratio ad complendum

556.

Caelestis gratiae largitor, omnipotens deus, individua tri-
nitas, te in spiritalibus laetitiae adoramus obsequiis, qui sanctorum tuorum mentibus et insinuas omne, quod cupiunt,

et tribuis omne, quod poscunt, cum, in martyrii certamine
5 constituti, acquisierunt de supplicio gloriam, de morte victoriam, se sibi negantes, ne tibi, deus, postmodum nega-
rentur, Iulianus interea et socii eius, animas suas promp-
tissima devotione perdentes, ut eas in aeternum, te resti-
tuente, recipiant. Etenim separare eos a caritate Christi nec
10 mors nec vita praevaluit, qui, ad illustris pugnae certamen
sublimati, fallacias et minas mundi fortissima congressione
vicerunt, vilissimamque iudicantes huius temporis vitam, pro
testamentis dominicis pretiosas animas tradiderunt. Oramus
ergo, inclite deus, ut eorum illustribus meritis nobis ob
15 facinora peccatorum veniam condonare digneris.

Cod.: *Toledo*³ 201

Rubr.: Missa in die sancti Iuliani, <oratio> "Alia"

Fontes: 9/10 separare ... praevaluit] cfr Rom. 8, 38–39

557.

Caelestis hic panis, quem sumpsimus, domine, et nobis
indulgentiam tribuat et famulum tuum illum ab antiqui hostis
irrisione defendat.

Codd.: *Metz*³ 5   *Ripoll* 1694   *Vicen*¹ 1396

Rubr.: Missa pro his qui a daemonio vexantur, oratio ad complendum
seu post communionem *codd.*

Var. lect.: 3 irrisione] illusione *Metz*³

Fontes: 2 antiqui hostis] cfr Apoc. 12, 9. 20, 2

558.

Caelestis mensae, quaesumus, domine, sacrosancta libatio
corda nostra purget semper et pascat.

Codd. : *Bec* 119   *Cantuar* 66   *Engol* 1382. 1492   *Ge-*
lasV 1043   *Gellon* 1512   *Leofric* 123   *Ménard* 185 B   *Mi-*
lano 598   *Monza* 617   *Paterniac* XXI, 6   *Phill* 905   *Ra-*
tisb 1514   *Rhen* 872   *Rossian* 268, 3   *Sangall* 1237   *Tri-*
plex 2515

Rubr.: In ieiunio mensis septimi, feria VIᵃ, oratio post communionem
GelasV

Hebdomada XXVIIª post Pentecosten, oratio super populum *Engol 1492*
Dominica XIXª post octavam Pentecostes (tradition ambrosienne), oratio post communionem *Milano*
Dominica XIXª post (octavam) Pentecostes (clôturant ou non la semaine des Quatretemps de septembre)(quod est VII post <natale> sancti Laurentii *add. Monza*, dominica ante festum sancti Angeli *Paterniac*), oratio ad complendum *seu* post communionem *ceteri codd.*

Var. lect.: **1** mensae] misericordiae *Bec*   **2** pascat semper et purget *transp. Sangall*[2] *Triplex*

559.

Caelestis mensae refectio, domine, interveniente beatae dei genitricis Mariae merito sanctique Petri principis apostolorum necnon et tuorum Benedicti, Martini, Swithuni confessorum omniumque sanctorum suffragio, aeternam mihi
5 conferat sanitatem et misericordia tua sacerdotum tuorum piam in omnibus, quaeso, corroboret voluntatem.

Cod.: *Red Book of Derby* 164 (274)

Rubr.: Propria missa sacerdotis, postcommunio

560.   Br 106

Caelestis participatio, domine, sacramenti animabus patris et matris meae requiem et lucem obtineat perpetuam meque cum illis gratia tua coronet aeterna.

Codd. : *Adelp* 1702   *Aquilea* 295[r]   *Arbuth* 468   *Bec*
272   *Cantuar* 155   *Curia* 252   *Drumm* 38   *Herford*
430   *Iena* 122   *Lateran* 324   *Oxford* 76   *Praem* 272   *Ripoll* 1781[n]   *Sarum* 873*   *West* II 1172

Rubr. : Missa pro patre et matre defunctis, oratio ad complendum *seu* post communionem *codd.*

Var. lect. : **1** participatio domine sacramenti] domine participatio sacramenti *Arbuth Praem Sarum*, participatio sacramenti quaesumus domine *Bec Lateran Ripoll*   **1/2** patris et matris meae] parentum nostrorum *Oxford*, parentum meorum *Drumm* , *add. Aquilea Iena*   **2** perpetuam] sempiternam *Herford Praem-MB ML*.

561.

Caelestis refecti muneris dono, quaesumus immensam clementiam tuam, omnipotens et misericors deus, ut, intercedentibus pro nobis meritis celeberrimi martyris tui Genesii,
acceptabile sit tibi, quod obtulimus, et nostrorum veniam
5 consequi mereamur delictorum.

Cod.: *Vicen*[1] 605

Rubr. : VIII Kalendas Septembris, <natale> sancti Genesii martyris
Arelatensis, oratio post communionem

562.   Br 107

Caelestis vitae munere vegetati, quaesumus, domine, ut,
quod est nobis in praesenti vita mysterium, fiat aeternitatis
auxilium.

Codd.: *Adelp* 319   *Arbuth* 63   *Bec* 26   *Benevent*[2] 43   *Bo-*
nifatius 41   *Cantuar* 22   *Curia* 34ᵛ   *Engol* 295   *Ful-*
da 393   *GelasV* 102   *Gellon* 293   *Gemm* 63   *Herford*
45   *Lateran* 41   *Leofric* 75   *Leon* 658   *Mateus* 646   *Mi-*
lano 40   *Monza* 127   *Nivern* 163   *Otton* 24ᵛ   *Pamel*
217   *Phill* 305   *Praem* 46   *Rhen* 211   *Ripoll* 89   *Ros-*
sian 45, 3   *Sangall* 269   *Sarum* 146   *Triplex* 631   *Turic* II,
6   *West* I 103

Rubr.: Mense Iulii, preces diurnae cum sensibus necessariis, XLIII
      alia missa, <postcommunio> *Leon*
      In ieiunio, oratio post communionem *Bonifatius*
      Feria VIIᵃ *seu* sabbato in quinquagesima, oratio ad complen-
      dum *seu* post communionem *ceteri codd.*

Var. lect.: 1 vitae] mensae *Bec*   domine] deus noster *add. Sarum*
2 nobis est *transp. Otton*

563.

Caelestis vitae munus accipientes, quaesumus, omnipotens
deus: quod pro famula tua illa deprecati sumus, clementer a
tua pietate exaudiri mereatur.

Codd. : *Adelp* 1591   *Aquilea* 302ʳ   *Fulda* 2624   *Ge-*
lasV 1470   *Gellon* 2656   *GregorTc* 2763   *Phill* 1670   *Tri-*
plex 3227

Rubr. : Orationes ad missam pro sterilitate mulierum, oratio ad complendum *seu* post communionem *codd.*

564.

Caelestium munerum libamine satiati, quaesumus, domine, quatenus haec dona beatorum martyrum Gereonis, Victoris, Cassii atque Florentii sociorumque eorum deprecatione nos sanctificent et ad perfectum tuae perennitatis bravium tuo
5 medicinali ducatu perducant.

Cod.: *Praem-MP* 197

Rubr. : Die X° mensis Octobris, <in festo> sanctorum Gereonis, Victoris, Cassii, Florentii et sociorum, postcommunio

565.

Caelestium sacramentorum participes effecti, quaesumus, domine deus noster, ut, intercedente beato Udalrico confessore tuo atque pontifice, et peccatorum nostrorum indulgentiam et vitam consequi mereamur aeternam.

Cod.: *Adelp* 877

Rubr. : <IV Nonas Iulii, natale sancti> Udalrici confessoris, oratio post communionem

566.

Caelestium sacramentorum refecti libamine et praesentis festivitatis gaudio saginati, supplices deprecamur, ut, cuius congratulamur tripudio, eius semper protegamur auxilio.

Cod.: *Ariberto* 779

Rubr.: Die XVII° mensis Iulii, <natale> sanctae Marcellinae virginis, oratio post communionem

567.

Caelestium vitae aeternae adoremus dominum, fratres carissimi, suppliciter deprecantes, ut populum suum semper ubique custodiat, protegat atque defendat; principes mitiget, potestates gubernet, iudices regat, nocentes reprimat, hostes
5 repellat, laborantibus opem tribuat, oppressos liberet, vinctos dimittat, captivos revocet, lapsos restituat, contritos foveat, languidos curet, cunctis misericordia subveniat pius et misericors deus preces nostras propitiatus exaudiat.

Cod.: *Bobbio* 468

Rubr.: Missa dominicalis III^a, <collectio> post nomina

568.

Caelorum atque terrarum conditor et gubernator, omnipotens deus, precanti populo tua succurre pietate et praesta,
ut, qui in honorem sanctae Brigidae praesentem diei huius
gerimus sollemnitatem, per ipsius suffragia perenni miseri-
5 cordia tua potiamur.

Codd.: *Adelp* 215　　　*Aquilea* 200^r　　　*Gemm* 157　　　*Herford*
236　　*Oxford* 147　　　*Rosslyn* 48　　　*West* II 759　　　*West* III 1533
(Coutances Sherborne Vitell)　　　*Winch* 68

Rubr.: Kalendas Februarii, in natali sanctae Brigidae virginis, collecta
codd.

569.

Carmina precum nostrarum reseratis auribus tuis perfice,
domine deus, ut, quidquid ex tua pietate postulaverimus,
candor lucis aeternae, deus ex deo totus, tuae semper. Igitur,
trine deus, culpas offensionis, in qua cadit totum genus
5 humanum et misericorditer lapsis ad surgendum porrige
manum (*sic*).

Cod.: *Silos*⁶ 403

Rubr.: Officium de VII° dominico, ad missam, <oratio> "Alia"

570 a.

Celebratis, domine, quae pro apostolorum tuorum beata
passione peregimus, ipsorum, quaesumus, nobis fiant intercessione salutaria, in quorum natalitiis sunt exsultanter impleta.

Cod.: *Leon* 301

Rubr.: Mense Iunii, in natale apostolorum Petri et Pauli, VIII alia
missa, <postcommunio>

570 b.

Celebrantes, quae pro martyrum tuorum illorum beata passione peregimus, ipsorum nobis, quaesumus, fiant intercessione salutaria, in quorum natalitiis sunt exsultanter impleta.

Codd: *Benevent*[1] 752   *Engol* 1679   *Gellon* 1812   *GregorTc* 3261. 3286   *Paris*[1] 246   *Phill* 1223   *Rhen* 1057   *Sangall* 1504   *Triplex* 2886   *Vicen*[1] 798

Rubr. : In natale plurimorum martyrum, oratio ad complendum *seu* post communionem *codd.*

Var. lect.: 1 Celebrantes] domine *add. GregorTc* 3286, domine divina mysteria *add. Benevent*[1], celebritatis annuae vota *Sangall*[2] *Triplex* 2 quaesumus] domine *praem. Sangall*[2] *Triplex Vicen*[1]

570 c.

Celebrantes, quae pro beatorum martyrum tuorum Felicis et Fortunati beata passione peragimus, ipsorum nobis, quaesumus, fiat intercessione salutaris, in quorum natalitiis sunt exsultanter impleta.

Cod.: *Aquilea* 233[r]

Rubr. : <XIX Kalendas Septembris, in festo sanctorum> Felicis et Fortunati martyrum, complenda

570 d.

Celebrantes, quae pro martyrum tuorum Saviniani et Potentiani beata sollemnitate peregimus, ipsorum, quaesumus, fiant intercessione salutaria, in quorum natalitiis sunt exsultanter expleta.

Cod.: *Praem-MP* 200

Rubr.: Die <XXII°> mensis Octobris, <in festo> sanctorum Saviniani, Potentiani et sociorum, postcommunio

570 e.

Celebrantes, quae apostoli tui illius beata passione, domine, peregimus, ipsius nobis, quaesumus, fiant intercessione salutaria, in cuius natalitio sunt percepta.

Cod.: *West* II 1033

Rubr.: In die unius apostoli, postcommunio

Nota: *Comparez à l'oraison*: "Peractis sollemniter, domine, quae pro apostolorum ... exsultanter impensa."

571.

Christe, cuius magnitudo potentiae Vincentii martyris tui corpus, quod vesano Datiani furore fuerat marinis proiectum in fluctibus, undis advehentibus honorandum revocavit littoribus, tu nos, eodem martyre suffragante, a procelloso
5 istius saeculi profundo manu pietatis in supernis attolle, ut, qui, inimico impellente, in hoc mare, excrescentibus delictis, cecidimus, per caritatem, quae est coopertio peccatorum, ad portum salutis quandoque perveniamus, laetaturi cum omnibus invicem, quos dilectio tua iungit in hac praesenti
10 martyris tui sollemnitate.

Cod.: *Toledo*[3] 249

Rubr.: Missa in die sancti Vincentii, <oratio> ad pacem

Fontes: 7 caritatem ... peccatorum] cfr Prov. 10, 12

572.

Christe, cuius virtus atque potentia tantum in apostolo tuo Iacobo emicuit, ut in nomine tuo emissis ad se daemoniorum catervis potentialiter meruerit imperare, tu ecclesiam tuam ab adversantium impugnatione defende, ut, virtute
5 spiritus exsuperando adversa, illius doctrinam opere compleat, cuius hodie exemplum piae passionis honorat.

Codd.: *London*[4] 325   *Toledo*[3] 156

Rubr.: Missa sancti Iacobi apostoli fratris sancti Iohannis, <oratio> "Alia" *codd.*

573.

Christe dei filius, cuius incarnatio reparavit mundum cuiusque nomen angelica est voce denuntiatum, tu offeren-

tium nomina illic adscribe, quo ipse praecessisti in corpore,
ut, quos adventus primi gratia redemisti, in secundi adventus
5 examinatione nulla exurantur poena supplicii sicque nunc pro
defunctorum fidelium quiete exaudiamur, quo, te opitulante,
aeterno cum illis pariter fruamur consortio beatorum.

Cod.: *Toledo*[3] 21

Rubr. : Missa in III° dominico de Adventu Domini, <oratio> post
nomina

574.

Christe dei filius, quem olim ob hodiernae sollemnitatis
festum turba multiplex Hebraeorum, cum ramis et palmis
ovantibus animis, susceperunt, concede nobis, ut, sicut illi
praesentia tua gavisi sunt, ita haec sacrificia pietatis tuae
5 sanctificentur obtutu, quo, ex his libantes, ita per veram
fidem ratamque dilectionem vivam tibi praeparemur in hostiam, ut securi accedamus ad tuae passionis sacratissimam
cenam.

Codd.: *Toledo*[3] 543   *Toledo*[5] 531

Rubr.: Missa de ramis palmarum dicenda, <oratio> post "Pridie"

575.

Christe dei filius, qui dissidium pacis, quod inter angelos
et homines obiecerat nequam ille spiritus pravitatis, tuae
incarnationis mysterio restaurasti, ut illi angeli, numquam
dilapsi, reformatos per te ad gratiam homines conservos
5 agnoscerent, quos extorres pridem per culpam sentirent; et,
qui se adorare prius non prohibebant, postmodum, ne fieret,
prolato clamore recusabant.
Tanto itaque beneficio redempti, quaesumus, ne amplius
in pristino lapsu decepti cadamus, sed renovationem baptismi
10 ita fidei conservemus et opere, ut sanctorum angelorum tuorum societate semper studeamus connexi manere.

Codd.: *London*[5] 909   *Toledo*[3] 968

Rubr.: Missa in die sancti Michaelis, <oratio> ad pacem *codd.*

576.

Christe dei filius, qui exanime beatae virginis corpus
niveo candore vestisti, dignare nos vestire iustitiae stolis et
operibus sanctitatis, ut per haec, quae tibi offerimus, munera
sic niveo alternae dilectionis vestiamur amictu, ut aeternae
5 pacis lumine cum ea, quae te professa est, potiamur.

Cod.: *Toledo³* 294

Rubr.: Missa in die sanctae Eulaliae Barcinonensis, <oratio> ad pacem

577.

Christe dei filius, qui martyrem tuum Cucufatem, inter
ignes saeculi positum, plus supernis ignibus cremas, ut ad-
motos illi persecutorum ignes subicias, fac in nobis ignem
illum inexstinguibili succensione flammescere, quem venisti
5 in terram mittere et quem voluisti ardere, quo eius accensio-
ne ita interiora nostra exaestuent, ut et te ex toto corde
diligere et veram servare possimus cum proximis caritatem.

Codd.: *London⁵* 441   *Toledo³* 1090   *Toledo⁶* 798

Rubr.: Missa sancti Cucufatis, <oratio> ad pacem

Fontes: 3/5 ignem ... ardere] cfr Luc. 12, 49

578.

Christe, dei filius, qui non vindicta pasceris sed purae
mentis confessione placaris, offerentium fac tibi acceptabile
votum et defunctis dona consortium beatorum, quo in huius
confessoris tui illius commemoratione et confessiones a te
5 acceptentur viventium et requies concedatur spiritibus sepultorum.

Codd.: *Silos³* 623   *Silos⁶* 74   *Toledo³* 1011

Rubr.: Missa de uno confessore, <oratio> post nomina *codd.*

579.

Christe dei filius, qui, obseratis seris ad discipulos in-
trans, aeterna eos pace confirmas, praebe in his sollemni-

tatibus obsequenti catervae et simultatis vitium fugere et
caritatis verae concordiam veraciter retinere, quo, tui disci-
5 puli per dilectionem effecti, illis peracta paschae sollemnia
sacrificiis honoremus, quibus ipsi purificari a nostris criminibus mereamur.

Codd.: *London*[6] 286   *Toledo*[3] 687   *Toledo*[4] 252   *Tole-*
do[6] 97

Rubr.: Missa de octavis Paschae, <oratio> ad pacem *codd.*

Fontes: 1/2 obseratis ... confirmans] cfr Ioh. 20, 19 *et* 26

580.

Christe dei filius, qui per angelum tuum destinato munere
coronarum Valeriani, Tiburtii atque Caeciliae corda corro-
boras ad credendum, ut hoc et illis esset et castimoniae
signum et tuae dulcedinis incrementum, rogamus te, ut ad
5 instar illorum ita pax tua in nobis semper habitet, quo et
faeculente carnis valeamus pellere incentiva et dulcedinis
tuae renovari ubertate multimoda.

Cod.: *Toledo*[3] 49

Rubr.: Missa in die sanctae Caeciliae, <oratio> ad pacem

581.

Christe dei filius, qui per sanguinem crucis tuae omnia,
quae sunt in caelis sive in terra pacificasti, tu nobis, exspec-
tantibus propinquam paschae tuae sollemnitatem, donum pacis et caritatis attribue, ut, vestibulo induti alternae dulce-
5 dinis, pretium sumamus nostrae redemptionis.

Cod.: *Toledo*[3] 558

Rubr.: Missa de III[a] feria in hebdomada maiore, <oratio> ad pacem

582.

Christe dei filius, qui, per totum mundum discreta prae-
dicantium praesidia mittens, hos nostris partibus destinasti
doctores, Torquatum videlicet, Secundum, Indaletium, Tise-
fontem, Euphrasium, Caecilium et Aesicium, quorum ignitis

5 praedicationum iaculis error perfidiae, Hispaniarum partibus
illapsus, abscederet, exceptionis nostrae suscipe votum et hos
nobis praepara in solatium, quos patronos sibi plebs vernula
confitetur, ut, quorum praedicatione fidei flamma nostris
terris invecta est, eorum obtentu et cuncta repellantur in-
10 commoda et expiata coram te maneant pectora nostra.

Codd.: *London*⁶ 497   *Toledo*³ 731   *Toledo*⁴ 451

Rubr. : Missa in die septem episcoporum, qui in Hispaniam ab
apostolis missi sunt, Torquati et sociorum eius, <oratio> "Alia" *codd.*

583.

Christe dei filius, qui spiritum sanctum in speciem ignis
super discipulos emisisti, quo variis linguis loquerentur
magnalia dei, dignare hoc igne nostrarum mentium frigus
expellere et torpentia ieiunantium corda in dilectione tui et
5 proximi excitare. In nobis scandala pellat, qui in illis
doctrinae cumulavit eloquia; quique eos linguis fecit eloqui,
nobis in nos fervorem adveniens multiplicet caritatis, quo
omnes, qui adventus sui gratia innovari nos cupimus, placidum eidem in nostris cordibus caritatis hospitium prae-
10 paremus.

Codd.: *London*⁶ 938   *Toledo*³ 769

Rubr.: Missa de litaniis ante Pentecosten pro adventu paracliti Spiritus sancti, <oratio> ad pacem *codd.*

Fontes: 1/3 speciem ... dei] cfr Act. 2, 1-11

584.

Christe dei filius, qui, stigmata passionis tuae praeclaro
munere dilatando, diversa nationum genera unitati ecclesiae
tuae consocias aggregando, inter quos beatum Christophorum
alienigenae gentis et speciei et fidei tuae gratia ditas et
5 nominis gloria decoras et passionis ornamento glorificas, fac
nos, quaesumus, ita unitati sanctae ecclesiae tuae coniunctos
exsistere, ut numquam ab eius discedamus societate sed sic
caritatis tuae munere in ea perpetim colligemur, ut fide et
opere tibi placere in perpetuum mereamur.

Codd.: *London*⁵ 308   *Toledo*³ 824   *Toledo*⁶ 706

Rubr.: Missa in die sancti Christophori (et comitum eius *add. To-ledo*⁶), <oratio> ad pacem *codd.*

585.

Christe dei filius, quo docente didicimus non in solo pane vivere sed in omni verbo, quod tuo procedit ex ore, praesta nobis, ut, qui, magisterium tuum sequentes, praesentis qua-dragesimae initia hodierno die incipimus festivis consecrare
5 in canticis, optata remedia a te impetrare possimus tam vi-ventibus quam defunctis, quo et nobis serviendi tibi con-cedatur cum affectu effectus et illis a te praestetur aeternae beatitudinis locus.

Codd.: *Toledo*³ 320   *Toledo*⁵ 16

Rubr.: Missa de initio quadragesimae, id est, de carnibus tollendis, <oratio> post nomina *codd.*

Fontes: 1/2 cfr Deut. 8, 3 ; Matth. 4, 4 ; Luc. 4, 4

586.

Christe deus ac domine noster, quaesumus, ut ita a te hoc nostrum sanctificetur ieiunium, quo et peccata diffugiant et vita nostra ad meliora successibus cottidianis proficiat.

Cod.: *Toledo*³ 520

Rubr.: Missa de Vᵃ feria post Lazarum, <oratio> "Alia"

587.

Christe deus, cuius nos redemptos morte gaudemus et sanguine liberatos, castigatis ieiunio animabus atque corpori-bus pacis tuae dono largire, quo, proximante passionis tuae celebritate, sic dilectionis perfectionem ad invicem teneamus,
5 qualiter ad mensam tuam absque ullo reatu hodie accedamus.

Cod.: *Toledo*³ 549

Rubr.: Missa de IIᵃ feria in hebdomada maiore, <oratio> ad pacem

588.

Christe, deus fortis atque mirabilis, te poscimus, te rogamus, ut, qui victricem animam Cucufatis martyris tui inter crepitantes craticulae flammas non es passus exstingui, has tibi oblatas hostias placabili vultu iubeas intueri, quo ita
5 in nobis sentiamus placabilem fieri tuae serenitatis adspectum, ut, quod fidelium vota praesumunt, impensio expleat angelorum.

Codd.: *London*[5] 444 *Toledo*[3] 1093 *Toledo*[6] 798

Rubr.: Missa sancti Cucufatis, <oratio> post "Pridie" *codd.*

589.

Christe deus, omnium gratiarum largitor, qui primum ac summum Tolosanae civitatis sanctum Saturninum sacerdotem instituisti, ad cuius praedicationem atque virtutem ita ora daemonum siluerunt, ut se consulentium cultoribus suis ob-
5 strusa veluti absentia probarentur, tu ora nostra praeconio verae praedicationis accinge et vitiorum insolentium simultates a nostris pectoribus abice, ut ita pacis nutrimento coalescamus ad invicem, quo, dum ea, quae praedicamus sermonibus, opere impleverimus, ad te, qui es retributor
10 iustissimus, sine confusione perveniamus.

Cod.: *Toledo*[3] 58

Rubr.: Missa in die sancti Saturnini, <oratio> ad pacem

590.

Christe deus, qui, ascendendo in caelis, praesentiam corporalem tuis subtraxisti discipulis, permitte nobis, ut te spiritu diligamus, quem in carne nunc videre nequimus et tamen ad iudicium fideliter exspectamus. Crea in nobis cor novum
5 et spiritum rectum, ut, qui iam ascensionis tuae celebravimus festum, promissum a te mereamur suscipere spiritum sanctum.

Codd.: *London*[4] 612 *London*[6] 738 *Toledo*[3] 758 *Toledo*[4] 615

Rubr.: Missa de dominico post Ascensionem, <oratio> "Alia" *codd.*

Fontes: 4/5 crea ... rectum] cfr Ps. 51 (50), 12 6 promissum ... sanctum] cfr Ioh. 14, 16

591.

Christe deus, qui inter iniquos suspendi passus es, crucis
sustinendo iniuriam, dato nobis perfectae vitae tolerantiam,
ut caritate illa, qua ipse, mundum diligens, pro eodem mortem subisti, inveniamur ipsi, te opitulante, perfecti sicque
5 passionis tuae exemplo illata toleremus scandala, ut, sanguine crucis tuae omnia pacificante, capitis nostri mereamur
effici membra.

Codd.: *London*[6] 522   *Toledo*[3] 706   *Toledo*[4] 324   *Toledo*[6] 164

Rubr.: Missa in secundo dominico post octavas Paschae, <oratio> ad
pacem *codd.*

Fontes: 1 inter iniquos suspendi] cfr Matth. 27, 38

592.

Christe domine, attributor perennalis gratiae et collator,
qui, virginum tuarum Christetis et Callistae paenitentiam per
gloriosam famulam tuam Dorotheam suscipiens, igne eas
examinando glorificas, dum ipsa crematione torrentis ignis
5 iam paene perditas eis restaurares coronas, supplicum tuorum
precibus benignus intendens, et paenitentium intuere lamenta
et offerentium sanctifica holocausta, quo et per paenitentiam
nos tibi facias complacere et per honestos mores tibi con-
iungere, ut, per quam praedictarum virginum tuarum paeni-
10 tentiam dignatus fuisti suscipere, per eam, pius collator, et
viventibus et defunctis destines aeternam salvationem.

Cod.: *Toledo*[3] 284

Rubr.: Missa in die sanctae Dorotheae, <oratio> post nomina

593.

Christe domine, crucifer gloriose, qui constantiam beati
Andreae apostoli, propter gloriam tui nominis crucifixi, ita
confortasti in praelio, ut extolleres in triumpho, exaudi hunc
coetum supplicem ac praesentem et praesta ut, qui hoc tem-
5 pore eius sollemnitati debitum faenus exsolvimus, futuris temporibus modum vitae castissimae, ipso opitulante, servemus.

Cod.: *Goth* 129

Rubr. : Missa in natale sancti Andreae apostoli, collectio <quae> sequitur <praefationem *i.e.* introductionem>

594.

Christe domine, dei atque hominum mediator, qui per sanguinem crucis tuae cuncta, quae in caelis et quae in terris sunt, pacificare dignatus es, hoc per tropaeum passionis tuae tua pietas egit, quod et in initio tuae secundum carnem
5 nativitatis angelus nuntiavit omnisque caelestis exercitus proclamavit: "Gloria semper deo in excelsis et in terra pax hominibus bonae voluntatis". Hoc et post triumphum crucis tua placabilitas suis haec commendavit discipulis et donavit, ut in hoc omnibus tui ministri apparerent, si perfectam pacis
10 concordiam invicem custodirent.
Praesta igitur, domine, ut hii, qui vexillum crucis tuae in frontibus gestant, puram atque sinceram cum fratribus retineant caritatem et nos in osculo sancto digneris reconciliare.

Codd.: *London*[6] 569   *Toledo*[3] 742   *Toledo*[4] 499   *Toledo*[6] 267

Rubr.: Missa in die sanctae Crucis, <oratio> ad pacem *codd.*

Fontes: 1/3 qui per ... pacificare] cfr Col. 1, 20   **4/7** et in ... voluntatis] cfr Luc. 2, 13-14   **9/10** in hoc ... custodirent] cfr Ioh. 13, 35

595.

Christe domine, in cuius adventu pax est reddita terris, pax collata hominibus bonae voluntatis, concede, quaesumus, ut, qui, per primum adventum ad nos in humanitate veniens, mundum tibi in pace conciliare dignatus es, reconciliatos per
5 te in tua pace praestes iugiter permanere, quatenus in secundo adventu tuo, dum in maiestate et gloria veneris, facias heredes pacis aeternae, quos hic tuae pacis depositum feceris inviolabiliter custodire.

Cod.: *Toledo*[3] 31

Rubr.: Missa in IV° dominico de Adventu Domini, <oratio> ad pacem

Fontes: 1/2 pax[1] ... voluntatis] cfr Luc. 2, 14 b   **4** mundum ... conciliare] cfr Col. 1, 20   **6** in ... veneris] cfr Matth. 25, 31

596.

Christe domine, qui et tuo vesci corpore et tuum corpus
effici vis fideles, fac nos in remissionem peccatorum esse,
quod sumpsimus, atque ita se animae nostrae divina alimonia, per benedictionem tuam facta, permisceant, ut caro, spi-
5 ritui subdita et in conspectum pacificum subiugata, obtem-
peret, non repugnet.

Codd.: *Gallic* 12   *GregorTc* 3552

Rubr. : II Kalendas Augusti, natale sancti Germani episcopi et
confessoris, collectio *seu* oratio super populum *codd.*

597.

Christe domine, qui te exinanisti, ut nos adimpleres, qui
humiliasti te, ut nos exaltares, ut, qui eras ante virginem,
esses ex virgine ex deo patre natus, deus ante saecula, hodie
homo nascereris ob saecula, te oramus et petimus, ut preces
5 nostras placatus exaudias.

Cod.: *Bobbio* 77

Rubr.: Missa in Natale Domini, <collectio> post nomina

Fontes: 1/2 qui te ... exaltares] cfr Phil. 2, 7-8

598.

Christe, aeterna salvatio et salutis integerrima plenitudo,
pro quo ancilla tua ea desecta parte corporis cruciatur, qua
infantibus succus lactis ingeritur, facito nos, ut, ubera sug-
gentes matris ecclesiae, numquam praecidamur ab invicem,
5 quo, alternae caritatis lacte potati, aeternorum simus civium
societate condigni.

Cod.: *Toledo*3 276

Rubr.: Missa in die sanctae Agathae, <oratio> ad pacem

599.

Christe filius dei, qui, elevatus in cruce, discipulum matri
matremque discipulo commendans, passionis nostrae calicem

ebibens consummasti, tu nos placabilis efficito tibi, ut tam
oblationes quam oblatores ita respiciendo sanctifices, sancti-
5 ficando vivifices vivificandoque tibi ipse commendes, quo
Iohannem apostolum tuum dilectio tua fecit honorabilem
inter fratres.

Codd.: *Toledo³* 152   *Toledo⁷* 278

Rubr.: Missa in die sancti Iohannis apostoli et evangelistae, <oratio>
post "Pridie" *codd.*

Fontes: 1/2 elevatus ... commendans] cfr Ioh. 19, 26–27   2/3 passionis
... consummasti] cfr Matth. 20, 22; Ioh. 18, 11   5/7 quo ... fratres] cfr Ioh.
21, 20–23

600.

Christe filius dei, quo nascente pax acclamata est ab
angelis, tu ieiunia nostra sanctifica bono pacis, quo et
utraque virtute fulgeamus et pro utriusque a te piissimo mu-
neremur.

Cod.: *Toledo³* 504

Rubr.: Missa de IIIᵃ feria post Lazarum, <oratio> ad pacem

Fontes: 1/2 quo ... angelis] cfr Luc. 2, 14

601.

Christe, filius dei vivi, cuius virtutem mulier illa samaritana praenoscere meruit, cuius fidem casto corde suscepit
cuiusque nomen, abiens in civitatem, celebre nuntiavit, da
nobis, ut ea veritate nomen nostrum aeternis adscribatur in
5 paginis, qua veritate nomen gloriae tuae ob miraculum
deitatis admirabile factum est Samariae in populis. Praesta
etiam, sancte deus, ut omnes, qui fideli intentione fatemur et
credimus nomen tuae sanctissimae trinitatis, numquam aeternis mancipemur suppliciis, quique in eadem, qua a te
10 percepimus, fide vocati sunt, nullis flammarum adustionibus
crucientur, sed concede eis, ut, sicut in hac vita inconcusse
statum verae fidei tenuerunt, ita illius vitae gaudiis aeterno
munere potiantur.

Cod.: *Toledo³* 356

Rubr.: Missa de muliere samaritana, <oratio> post nomina

Fontes: 1 Christe ... vivi] cfr Ioh. 11, 27   1/6 cfr Ioh 4, 5-42

602.

Christe, filius dei vivi, qui, apostolum tuum Petrum ita
confessione iustificans, revelasse illi patrem tuum hanc ipsam
tuam intellegentiam esse docuisti, cum, alia atque alia de te
hominibus incerta opinione narrantibus, ille te, non secun-
5 dum carnem et sanguinem metiendo, in veritate intelligeret,
crederet, praedicaret, huius te intercessione supplices deprecamur, ut in desiderio nos ad te veniendi positos fides mo-
dica, mundo turbante, non subruat sed auxiliatricem dexteram ad liberandos nos, priusquam ad dubietatem, valida
10 tentatione deducti, mergi forsitan incipiamus, extendas ac, si,
propter fragilitatem nostram quod titubamus, increpites, non
tamen, propter iniquitatem nostram ut pereamus, exspectes.

Codd.: *GaM* 12*, 4, 5   *London*⁴ 528   *Toledo*³ 301

Rubr.: Ordo missae in cathedra sancti Petri apostoli, <oratio> "Alia"
codd.

Fontes: 1/6 Christe ... praedicaret] cfr Matth. 16, 13-20   7/10 ut in ...
extendas] cfr Matth. 14, 23b-33   10/12 ac si ... exspectes] cfr Luc. 22, 32

603.

Christe, finis legis ad iustitiam omni credenti et bonorum
omnium limes, qui ex circumcisione praeputioque venientibus
lapis effectus es angularis, olim mysterio figurante, cum
Iacob capiti unctus est, suppositus lapis, quem et Abraham in
5 se uno ostendit, cum alios ex circumcisione, alios ex fide sua
venire portendit, quatenus ex utraque gente unam in se
faceret plebem, te quaesumus, te rogamus, ut, pro quibus
praecepta legis implesti, ut absolveres, praeceptorum tuorum
efficias effectores, ut, in pace tua acquisiti, pace potiamur
10 maiestatis tuae placabili.

Codd.: *London*⁴ 426   *Toledo*³ 176   *Toledo*⁷ 342

Rubr.: Missa in die Circumcisionis Domini, <oratio> ad pacem *codd.*

Fontes: 2/3 qui ex ... angularis] cfr Eph. 2, 11-22   3/4 olim ... lapis]
cfr Gen. 28, 10-22   4/7 quem et ... plebem] cfr Rom. 4

604.

Christe Iesu, auctor formationis omnimodae, haec nomina, quae coram tuo sunt altario recitata, caelesti mereantur praenotari in pagina.

Cod.: *Silos*[3] 225

Rubr.: Missa votiva pluralis, <oratio> post nomina

605.

Christe Iesu, cuius doctrina in templum mediante die festo admirabilis visa est, fac nos in doctrinis tuis iugi meditatione manere atque ea semper ex ipsis memoriae nostrae commendabilia esse, quae et ad amorem nos fraternum abs-
5 que ullius simultatis vitio pertrahant et in tui dilectionis desiderio ardentiori succendant.

Codd.: *Toledo*[3] 429   *Toledo*[5] 309

Rubr.: Missa in mediante die festo, <oratio> ad pacem *codd.*

Fontes: 1/2 doctrina ... admirabilis] cfr Ioh. 7, 14-15

606.

Christe Iesu domine et salvator, cuius nomen fragrantissimus odor in universo adspargitur mundo, da nobis, devicto saeculo, municipatu frui sidereo, ut illic nostrorum nominum praescriptio fiat, quo martyr noster tecum iam gloriosus ex-
5 sultat, quique prece martyris persecutorem destruxisti cum idolis, obtentu eius sacrificium hoc placabilis suscipe pro viventibus vel defunctis.

Codd.: *London*[5] 440   *Toledo*[3] 1089

Rubr.: Missa sancti Cucufatis, <oratio> post nomina *codd.*

607.

Christe Iesu, filius dei patris, qui nos sanguine tuo redemisti, fons pacis exsistis et origo purae dilectionis, praebe nobis indignis famulis tuis hanc, a te acceptam, cum omnibus

hominibus servare pacem, dum vivimus, ut ad te, qui es auc-
5 tor perfectae caritatis, quandoque feliciter veniamus.

Cod.: *London*⁵ 55 (1249)

Rubr.: Officium de sancto Hieronymo, <oratio> ad pacem

608.

Christe Iesu, qui es claritas angelorum, salus et gloria in
te credentium animarum, interventu Thomae apostoli et
martyris tui sit, quaesumus, nobis a te collata munditia cordis et corporis, ut tuis ubique pareamus praeceptis, et, sicut
5 eum Indorum apostolum dedisti ad construendum spiritale
aedificium, ita, eodem suffragante, cordibus nostris augeas
fundamentum fidei. Non enim hic sanctus tuus utique missus
tale opus erexit, ubi labentis saeculi frueretur luxuria sed
ubi credentium animarum iugiter conquererentur lucra. Haec,
10 ut ruinosa vetustas saeculi terrenis lateribus erectum quandoque dirueret palatium, sed caelesti in regno ex lapidibus
pretiosis tibi credentibus peregit habitaculum feliciter sine
fine mansurum.
   Huius ergo intercessione nobis pro miseris ipse placatus
15 accipiens, sit, te favente, modesta regibus clementia, pontifi-
cali culmine finctis vita sanctis virtutibus fecunda, omnium
sacerdotum actio sanctorum angelorum excubiis circum-
saepta, levitarum et monachorum toga caritatis et castitatis
decore ornata. Rutilet etiam in virginibus pudicitia sacra, sit
20 continentibus puritas defaecata et laicis omnibus beatae vitae
honestas clarissima. Sicque redemptam tuo sanguine plebem
omnibus bonis propitius repleas, ut a cunctis incommodis
pius eruas et defendas.

Cod.: *London*⁴ 79 (1337)

Rubr.: Missa in die sancti Thomae apostoli, <oratio> "Alia"

609.

Christe Iesu, qui es resurrectio mortuorum et vita, omnibus nobis subveniat misericordia tua et, sicut occultis
consiliis tuis Lazarum quadriduanum revocasti ad vitam, ita
quoque miserationibus consuetis et vivis morum correctionem
5 attribuas post ruinam et defunctis aeternae mansionis gaudia
indefessa.

Codd.: *Toledo*³ 484   *Toledo*⁵ 209

Rubr.: Missa de Lazaro dicenda, <oratio> post nomina *codd.*

Fontes: cfr Ioh. 11

610.

Christe Iesu, qui, virginali nasciturus de utero, praecur-
sorem tuum Iohannem senili fecisti exoriri ex alvo, quem
lucernam ardentem tuo constituisti in templo, fac nos lucere
in ecclesia tua ardore fidei et instructione docendi, caritatis
5 opere et humilitatis perfectione, orationis studio et castimoniae documento. Sicque nunc has oblationes offerentis populi
fidelis accepta, ut cunctis congrua largiaris remedia; per eum
et spiritale gaudium vivis et poenarum evasionem conferendo
defunctis, per quem tibi in cordibus incredulorum et via est
10 praeparata et indultae gratiae primordia sunt ostensa.

Codd.: *London*⁵ 183   *Toledo*³ 805   *Toledo*⁶ 587   *To-*
ledo-B 23

Rubr.: Missa in nativitate sancti Iohannis (praecursoris), <oratio> post
nomina *codd.*

Fontes: 1/2 cfr Luc. 1

611.

Christe, omnipotens deus, qui beatum Clementem antistitem, propter nomen tuum in altitudine maris paganorum
tempestate dimersum, ut in certamine probasti bellorum, ita
post bellum, patefactis arenis, educis gloriosum, quaesumus
5 pietatem tuam, ut nos, a concupiscentiae procellis erutos, pa-
ternae gloriae repraesentes innoxios.

Cod.: *Goth* 118

Rubr.: Missa in natale sancti Clementis episcopi, collectio <quae>
sequitur <praefationem *i.e.* introductionem>

612.

Christe, qui, ad humana veniens humilis, deus in sidere
declararis, illabere sensibus nostris, quo ecclesia tua, quae
apparationis tuae festum hodierna die ovando concelebrat, in

pace tua iugi tempore solidata consistat, ut et hic opera
5 caritatis instanti devotione retentet et ad te remuneratura
perveniat gaudens, qui olim ad liberationem eius per admirabile sidus apparere dignatus es.

Codd.: *London*[4] 473   *Toledo*[3] 194

Rubr.: Missa in die Apparitionis Domini, <oratio> ad pacem *codd.*

Fontes: 1/7 sidere *et* sidus] cfr Matth. 2, 1-12

613.

Christe, qui es alpha et omega, initium et finis, tu bene-
dicito his sacrificiis, ob principium praesentis anni tibi
oblatis, et ita offerentium vocabula in libro vitae conscri-
bens, ut defunctis requiem praestes, quo omnes, qui initia
5 huius anni cum tripudio laudationis attollimus, reliquum
excursum eius in tua servitute transigere mereamur.

Codd.: *Toledo*[3] 184   *Toledo*[7] 383

Rubr.: Missa de initio anni, <oratio> post nomina *codd.*

Fontes: 1 cfr Apoc. 1, 8

614.

Christe, qui es origo et auctor purae dilectionis, pacem
tuam, quaesumus, permisce parsimoniis nostris, quo tibi et
per ieiunium obsequamur et per dulcedinem copulemur.

Codd.: *Toledo*[3] 531   *Toledo*[5] 469

Rubr.: Missa de VI[a] feria post Lazarum, <oratio> ad pacem *codd.*

615.

Christe, qui incursionem malorum spirituum superari posse per ieiunium docuisti, tu a carne nostra et petulantiam
libidinis pelle et gulae libitum refrenando compesce, ut
corpus nostrum tibi per abstinentiam subiciatur, quod per
5 ingluviem mancipatum est illecebris vitiorum.

Codd.: *Toledo*[3] 529   *Toledo*[5] 467

Rubr.: Missa de VIᵃ feria post Lazarum, <oratio> "Alia" *codd.*

Fontes: 1/2 Christe ... docuisti] cfr Matth. 17, 20

616.

Christe, qui moriens peremisti imperium mortis et resurgens spem resurrectionis praebuisti indignis, praesta nobis, ut
haec oblatio offerentium et mortificationem nostrorum operetur facinorum et a criminibus resurgendi nobis praeparet
5 commeatum. Sit huius litatione gaudium in caelis, securitas
in terris, indulgentia vivis, requies defunctis, ut in hoc die,
quo ipse victor redisti ab inferis, plenissimum amorem crucis
impertias populis christianis.

Codd.: *Toledo*³ 723   *Toledo*⁴ 389   *Toledo*⁶ 217

Rubr.: Missa de IVᵒ dominico post octavas Paschae, <oratio> post
nomina *codd.*

617.

Christe, qui pro nobis deo patri in sacrificium es oblatus,
qui, sanguine tuo terrena caelestibus socians, resurrectione
tua nos doces sperare superna, his sacrificiis propitiatus
illabere hisque benedicturus descende. Sint haec, quae tibi
5 offerimus, libamina ita plenitudine benedictionis tuae refer-
ta, ut resurrectionis tuae festa celebrantibus optatam pariant
medicinam.

Codd.: *London*⁶ 421   *Toledo*³ 700   *Toledo*⁴ 292   *To-*
*ledo*⁶ 135

Rubr.: Missa in primo dominico post octavas Paschae, <oratio> post
"Pridie" *codd.*

618.

Christe, redemptio nostra, qui olim noctem istam tuae
resurrectionis illuminasti potentia, precamur, ut in hac, qua
ipse vivus surrexisti a mortuis, et expiationem criminum vivis et requiem iubeas praestare defunctis.

Codd.: *Toledo*³ 603   *Toledo*⁵ 711

Rubr.: Missa in vigilia Paschae dicenda, <oratio> post nomina *codd.*

619.

Christe, redemptor nostrae mortalitatis, qui, caelestibus
aquis emissis, Romanum tuum olim liberasti a flammis,
immitte nunc super hoc sacrificium imbres tuae benedictionis, ut, qui ex eo libaverint, et peccatis careant et vir-
5 tutum spiritalium copiam adipiscant.

Cod.: *Toledo*[3] 1173

Rubr.: Missa in die sancti Romani, <oratio> post "Pridie"

620.

Christe, requies certa laborum et fessarum relevatio animarum, qui septimo hoc die et, creata perficiendo, quiescis
et, humana redimendo, in quiete sepulchri corporaliter degis,
facito nos, ut, qui tuae mortis ac resurrectionis in hoc die
5 tibi sacrificium exhibemus, servitutis operam respuamus.
Repelle, quaesumus, a nobis fermentum malitiae et per
caritatis opera in nostris cordibus requiesce, quo in hoc
sabbatum sarcinam criminum non portemus sed in otio
sanctae pacis paschales tibi hostias immolemus.

Codd.: *Toledo*[3] 678   *Toledo*[6] 58

Rubr.: Missa de sabbato Paschae ante octavas, <oratio> ad pacem
codd.

Fontes: 6 fermentum malitiae] cfr 1 Cor. 5, 8

621.

Christe, verbum summi patris, qui caro factus es, ut
habitares in nobis, illabere sensibus nostris, quo omnes, qui
tuae incarnationis mysterio sumus redempti, perpetua manea-
mus pacis societate connexi.

Codd.: *London*[4] 60   *Toledo*[3] 104   *Toledo*[7] 23

Rubr.: Missa in die sanctae Mariae, <oratio> ad pacem *codd.*

Fontes: 1/2 Christe ... nobis] cfr Ioh. 1, 14 a

622.

Christianam, quaesumus, domine, respice plebem et, quam
aeternis dignatus es renovare mysteriis, a temporalibus culpis
dignanter absolve.

Codd. : *Casin*[1] 339   *Engol* 862   *Fulda* 1507   *GelasV*
533   *Gellon* 825   *Milano* 379   *Pamel* 282   *Phill* 640   *Ri-*
poll 455   *Sangall* 661   *Sangall** 107   *Sangall-A* 46   *Tri-*
plex 1539

Rubr.: Dominica III[a] post octavam Paschae, oratio super populum
Fulda
Feria VI[a] in albis, <oratio> ad sanctum Andream *Ripoll*
Oratio ad complendum diebus festis *Triplex*
Alia oratio paschalis (vespertinalis *add. GelasV*, ad vesperum,
ad matutinum *add. Gellon) ceteri codd.*

Var. lect. : 2 aeternis] paschalibus *Fulda*   renovare dignatus es
transp. Casin[1]

Nota: *Comparez à l'oraison*: "Respice, quaesumus, domine, populum
tuum et quem aeternis ... dignanter absolve."

623.

Christum dominum deprecemur, quem adorant magi. Prophetarum vaticinia complentur: veniunt ex oriente legati, fides gentium declaratur; circumciditur octava die circumcisionis inventor; ad templum ducitur offerendus, qui est
5 adorandus in templo.

Cod.: *Bobbio* 106

Rubr.: Missa die Circumcisionis Domini, <collectio> ad pacem

624.

Cibati pane vitae et salutari poculo propinati, fratres
carissimi, agamus gratias omnipotenti deo patri, obsecrantes
misericordiam eius, ut hoc sanctum benedictionis suae donum, quod in nominis sui honorem percepimus, illaesum
5 atque inviolatum in nobis semper servare dignetur.

Cod.: *Goth* 486

Rubr.: Missa dominicalis I[a], oratio post communionem

625.

Cibi salutaris ac poculi dona libantes, quaesumus, domine, ut, qui paschale mysterium sumpsimus, prodesse nobis in perpetuum gaudeamus.

Codd.: *Ariberto* 432   *Bergom* 548   *Biasca* 512   *Milano* 322   *Triplex* 1338

Rubr.: In vigiliis Paschae, alia missa in ecclesia maiore, oratio ad complendum *seu* post communionem *codd.*

626.

Cibo caelesti saginati et poculo aeterni calicis recreati, fratres carissimi, domino deo nostro laudes et gratias indesinenter agamus, petentes, ut, qui sacrosanctum corpus domini Iesu Christi spiritaliter sumpsimus, exuti a carnalibus
5 vitiis, spiritales effici mereamur.

Cod.: *Goth* 23

Rubr.: Ordo missae in die nativitatis domini nostri Iesu Christi, oratio post communionem

627.

Clamantibus nobis ad te, domine, miserere; moveat misericordiam tuam vox fidelis et flebilis atque illa, de qua totum speramus, pietas non reputet quod offendimus, dum respicit quod rogamus, et, cum grandis sit miseria esse nos
5 reos, maior tibi sit clementia non esse nos miseros, tuo supplices egemus auxilio. Ante te et criminis nostri mala ponimus et dolores a te precando misericordiam, quam peccando repulimus, exspectamus. Praestetur his de indulgentia tua, quod rogaris accipere, quos agnoscis fiduciam de sua
10 iustitia non habere, quo, viventium oblatione suscepta, requies a te defunctis concedatur aeterna.

Codd.: *Silos*[6] 362   *Toledo*[3] 1116   *Toledo*[4] 882

Rubr.: Officium de VI° dominico, ad missam, <oratio> "Alia" *Silos*[6]
Missa cottidiana II[a], <oratio> post nomina *Toledo*[3]
Officium in II° dominico de cottidiano, <oratio> post nomina *Toledo*[4]

Var. lect. : **10/11** quo ... aeterna] sed, quia tu, domine, verbo oris tui dixisti: "Omnis enim, qui petit, accipit et, qui quaerit, invenit et pulsanti aperietur", proinde rogamus sanctam clementiam, immaculate deus, ut hic famuli tui, quod petunt, accipiant, et, quod quaerunt, inveniant et pulsantibus eis aperias ostium clementiae tuae, ut intrent in sancta sanctorum, ubi est remissio omnium peccatorum *Silos*[6]

Fontes: 10/11 (app.) Omnis enim ... aperietur] cfr Matth. 7, 8

628.

Clamantium ad te, quaesumus, domine, preces dignanter exaudi et, sicut Ninivitis, in afflictione positis, pepercisti, ita et nobis, in praesenti tribulatione succurre.

Codd. : *Bergom* 739[0+] *Biasca* 708[0+] *Casin*[1] 79 *En-gol* 2264[0] *Fulda* 2103 *Gellon* 905[0] *Gemm* 112[+] *Gre-gor* 856 *Leofric* 242 *Ménard* 197 B[+] *Milano* 449[0] *Mon-za* 368[0] *Pad* 946 *Pamel* 374 *Phill* 1717[0] *Ratisb* 2051[+] *Ripoll* 776 *Trento* 904 *Triplex* 1764[0+] *Udalr* 1300 *Vicen*[1] 1277

Rubr.: In Litania minore, in secundo die, ad missam, collecta *Gellon Gemm Monza*
Orationes quae dicendae sunt in litaniis vel in vigiliis cottidianis diebus, de die tertio, alia oratio *Bergom Biasca Triplex*
Litaniae per hebdomadam, sabbato, alia oratio *Casin*[1]
Alia oratio pro peccatis *ceteri codd.*

Var. lect. : **1** quaesumus domine] domine quaesumus *Pad*, domine *codd.* [0] *distincti* **2** et] ut *et* **3** succurre] succurras *codd.* [+] *distincti* **3** et] *om. Fulda Leofric*

Fontes: 2 sicut ... pepercisti] cfr Ion. 3

629.

Clarum nobis, domine, post resurrectionem filii tui maius solito lumine aethereum iubar elatum et, perpetuae illius noctis horrore discusso, temporalium licet diem, cum aeterna iam luce radiantem, testificata virtutum tuarum gloria, ce-
5 lebramus. Tu ergo, omnipotens deus, pater domini nostri, orantis populi tui in caelum vota surgentia placidus ac serenus acceptans, munimina tribue, spei dona concede. Offerentibus quoque tribue pacem et defunctis aeternae pausationis quietem.

Codd.: *London*[6] 35   *Toledo*[3] 623   *Toledo*[5] 805

Rubr.: Missa de II[a] feria Paschae, <oratio> post nomina *codd.*

630.

Clemens et clementissime deus, qui per Clementem romu-
leum episcopum plurimos tuae divinitati congregas aggeres
martyrum et multimodam catervam accumulas confessorum,
dona pro tua miseratione spiritibus fidelium requiem defunc-
5 torum et nobis omnibus exoptatam remissionem omnium peccatorum.

Cod.: *Toledo*[3] 75

Rubr.: Missa in die sancti Clementis, <oratio> post nomina

631.

Clemens et clementissime domine deus, qui pacem tuam
per Clementem episcopum cordibus radicasti fidelium, pace
tua, qua ipse es, salvare intendas afflictas reliquias christianorum, ut, quia, veram pacem pacifici praedicando, durissi-
5 mum et censuale a diversis nationibus sufferimus iugum, per
te, qui vera et firmissima pax es, pervenire mereamur ad
paradisi gaudium sempiternum.

Cod.: *Toledo*[3] 76

Rubr.: Missa in die sancti Clementis, <oratio> ad pacem

632

Clemens, omnipotens et misericors deus, duritiam nostri
cordis averte, qua nec verbera multiplicata metuimus nec
tantis mysteriis collata dona sentimus, et tua nobis inspira-
ratione concede, ut et delictis veniam postulemus et gratias
5 pro nostra salvatione reddamus.

Cod.: *Leon* 188

Rubr.: Mense Maii, orationes pridie Pentecosten, <secreta>

633.

Clementia tua, domine, munera nostra dignanter respiciat et beati Hieronymi confessoris tui et sacerdotis deprecatione per eadem nos purifica.

Cod. : *Arbuth* 376   *Sarum* 922   *West* II 964   *West* III 1596 (Abingdon St-Alban's)

Rubr. : <II Kalendas Octobris>, in natali sancti Hieronymi episcopi, secreta *codd.*

Var. lect.: **1** domine] quaesumus *praem. Arbuth, add. Sarum* **2** et[2] sacerdotis tui *transp. Sarum* **3** eadem nos purifica] *West*, haec eadem nos placatus purifica *Arbuth Sarum*

634.

Clementiam tuam, domine, deprecamur, ut his oblationibus plebis, quas in honorem beatissimi Germani antistitis et confessoris offerimus, signatum diem hodiernae sollemnitatis celebremus cum inconcussa fidei libertate, quam ille
5 constanti mente defendit, precantes, ut robur patientiae eius nobiscum, si non opere, saltem voluntate comitetur.

Codd.: *GregorTc* 3550   *Praem-MB* 159

Rubr. : II Kalendas Augusti, natale sancti Germani episcopi et confessoris, oratio super oblata *seu* secreta *codd.*

Nota: *Comparez à l'oraison*: "Auditis nominibus offerentium, indeficientem divinam clementiam ... peccata dimittat."

635 a.

Clementiam tuam, domine, suppliciter exoramus, ut paschalis muneris sacramentum, quod fide recolimus et spe desideramus intenti, perpetua dilectione capiamus.

Codd. : *Casin*[2] XII, 2°   *Engol* 869   *Fulda* 831   *GelasV*
506   *Gellon* 839   *Gregor* 123*   *Leofric* 105   *Mateus*
1314   *Ménard* 105 C   *Monza* 344   *Nivern* 222   *Otton*
116*°   *PaAng* 140   *Pad* 382   *Pamel* 283°   *Phill* 647   *Ra-*
tisb 208. 735   *Rhen* 537   *Salzb* 156   *Sangall* 667   *Sangall**
III   *Triplex* 1544°

Rubr.: Dominica IV[a] post octavam Paschae, oratio super oblata *seu* secreta *Ménard Ratisb* 735

Orationes et preces de Pascha annotina, oratio super oblata *seu* secreta *ceteri codd.*

Var. lect.: **3** intenti] intenta *Sangall²* codd. ° *distincti*

635 b.

Clementiam tuam, domine, suppliciter exoramus, ut, quod paschalis muneris sacramentum fide recolimus et spe desideramus intenti, per tuam dilectionem capiamus.

Codd.: *Ariberto* 449 (3)   *Bergom* 595   *Biasca* 559   *Triplex* 1424

Rubr. : Feria IVᵃ in albis, missa pro baptizatis in ecclesia minore, oratio super oblata *seu* secreta *codd.*

635 c.

Clementiam tuam, domine, suppliciter exoramus, ut paschalis muneris sacramentum, quod fide recolimus et spe desideramus intenti, perpetua tua dilectione cum omnibus sanctis tuis in resurrectione domini nostri Iesu Christi filii 5 tui capiamus.

Cod.: *Herford* 421

Rubr.: De omnibus sanctis in tempore paschali, secreta

636.

Clementiam tuam quaesumus, omnipotens deus, ut, intercedente pro nobis beato Apollinare martyre tuo atque pontifice, veniam omnium consequi mereamur peccaminum et vitam capere valeamus aeternam.

Codd.: *Gemm* 190   *West* II 877   *West* III 1569 (Rouen York)

Rubr. : X Kalendas Augusti, natale sancti Apollinaris martyris, collecta *codd.*

637.

Clementiam tuam supplices exoramus, omnipotens deus, ut populum tuum, quem sacro baptismate renovare dignatus es,

per haec paschalia munera ad aeternae vitae gaudia pervenire concedas.

Codd.: *Ariberto* 439 (3)   *Bergom* 571   *Biasca* 535   *Triplex* 1382

Rubr. : Feria IIª in albis, missa pro baptizatis in ecclesia minore,
oratio super oblata *seu* secreta *codd.*

638.

Clementissime, aeterne, omnipotens domine, cunctarumque
creaturarum creator, te benedicimus teque collaudamus pro
martyrum tuorum illorum triumphis, quibus, pro tuo nomine
certantibus, dedisti immortalitatis coronam. Eorum ergo
5 impetratu preces nostras suscipiat tua larga clementia et, his
orantibus, concedas nobis veniam, qui tuis electis omnibus
parasti loca beata.

Codd.: *Silos*³ 505   *Toledo*³ 1018 bis a

Rubr.: Missa omnimoda vel de sanctis, <oratio> "Alia" *codd.*

639.

Clementissime Christe, impenetrabili maiestati tuae tre-
mebundus assisto, dum multifarie obnoxia in me et accu-
santia crimina recognosco; debita altaribus tuis indignus
sacrificia tuo conspectui offerre praesumo, qui ante tuae
5 maiestatis praesentiam iaceo, corpore, mente cordeque pollu-
tus; habes in te tuum antidotum, Christe, qui sanare, bone
medice, vulnera nosti; conscriptum, quaeso, contra me, arbiter alme, dele chirographum, ne ultor in me suum peccati
ultra valeat exigere nummum, et hoc a tua clementia indigno
10 ore menteque deposco, ut sereno familiam tuam, sacra tuo
nomini officia praeparantem, digneris aspicere vultu, ne per
me indignum eorum salutis pereat pretium, pro quibus dignatus es, tuum sanctum fundendo sanguinem, esse redemptio
sed tua nos semper et ubique protectione conserva, ut, quos
15 pretioso sanguine redemisti in terris, aeterna facias cum
sanctis tuis gloria munerari in caelis.

Cod.: *Triplex* 3367

Rubr.: Missa propria et accusatio sacerdotis, collecta

Fontes: 7/8 conscriptum ... chirographum] cfr Col. 2, 14

640.

Clementissime conditor, qui tanta caritate succendisti discipulum, ut, se de nave iactato, ad te celer festinaret pede
nudo per pelagus et, videns hanc dilectionem, claves ei daret
siderum, voces inspice suggerentium ut, quicumque ex prae-
5 cepto iunguntur ad osculum, livore pectoris excluso, illuc per
gratiam ducantur, quo caeli Petrus est ianitor.

Codd.: *Bobbio* 120   *Goth* 151

Rubr. : Missa in cathedra sancti Petri apostoli, collectio ad pacem
codd.

Var. lect.: 4/6 ut ... ianitor] *om. Bobbio*

Fontes : 1/3 tanta ... pelagus] cfr Matth. 14, 28-30   3/4 claves ...
siderum *et* 6 caeli ... ianitor] cfr Matth. 16, 19

641.

Clementissime creaturarum omnium deus, pro cuius nomine beatissimi Xystus atque Laurentius martyres viriliter cer-
taverunt et diverso moriendi genere coronati sunt, cum et
Xystus tuo domitas iugo cervices carnificis gladio peremp-
5 turus exhibuit et Laurentius, combustum in craticula corpus
suum versari praecipiens, spiritum vitae inter flammas ef-
flavit, te quaesumus, te rogamus, ut horum precibus corpus
nostrum tentationum flammis non ardeat, cor divinis flatibus
concalescat sicque Xystus ex accepto sacerdotali privilegio
10 ligata criminum nostrorum vincula resolvat ac defunctorum
nexus orationis favore disrumpat, ut, ministerii sui curam
cunctis Laurentio impendente, et vivi piaculis et sepulti se
noverint evasisse suppliciis.

Codd.: *London*[5] 636   *Toledo*[3] 877

Rubr. : Missa sanctorum Xysti, Laurentii atque Hippolyti martyrum,
<oratio> post nomina *codd.*

642.

Clementissime deus, qui in pacis unitate laetaris, scilicet
qui auctor es pacis et pax ab angelicis conclamatus es choris,
concede per huius intercessionem athletae, ut ipsius dilectionis vinculo, quo discipulos, ad caelos remeans, congloba-

5 sti, ipso nos almifico nexu in tua et proximi dilectione con-
stringas.

   Cod.: *Madrid-A* <4> (1517)

   Rubr.: Missa in die sancti Thomae, <oratio> ad pacem

643.

Clementissime domine, clementiam tuam simpliciter imploramus, ut, sancto primoque martyre tuo Stephano interveniente pro nobis, et praesentis vitae felicitatem et futurae
mereamur obtinere beatitudinem.

   Cod.: *Toledo*³ 120

   Rubr.: Missa in die sancti Stephani, <oratio> "Alia"

644.

Clementissime et sanctissime domine, sanctifica haec munera, impuris manibus tibi delibata, per quae et offerentium
suscipias vota et ex his sumentium cuncta dimittas peccata.

   Cod.: *Toledo*³ 79

   Rubr.: Missa in die sancti Clementis, <oratio> post "Pridie"

645.

Clementissimo et per te Clementi tuo, domine, lacrimosas
fundimus preces, ut suo intercessu a te, deus, qui sine initio
clemens et pius es, quos iubes, clementes in bonis actibus
efficias.
5   Praestetur ecclesiae tuae pax indeficiens, bonitas affluens,
clementia regens, pietas benefaciens, protectio exuberans,
lenitas mulcens, patrocinium defendens, mansuetudo corripi-
ens, tranquillitas iustificans, visitatio salvans, misericordia
subveniens et consueta subventio, nobis miseris parcens, quo
10 mereamur, repulsis adversariis, tibi domino deservire et ad
tuam clementiam quandoque iustificati laetabundi attolli.

   Cod.: *Toledo*³ 74

   Rubr.: Missa in die sancti Clementis, <oratio> "Alia"

646.

Cognoscimus, domine, tuae circa nos clementiae largitatem et ideo fiducialius imploramus ut, quos pascere non desistis immeritos, et digne tibi servire perficias et donis uberioribus prosequaris.

Cod.: *Leon* 1300

Rubr. : Mense Decembris, in ieiunio mensis decimi, II alia missa, <collecta>

647.

Commemoramus, domine, passionem Iesu Christi domini nostri, qui, se tibi per crucis destinam in verum sacrificium offerens, confractis avernis obicibus, cum glorificata carne tertia die rediens a mortuis vivus, suis postmodum apparuit
5 discipulis gloriosus. Et ideo per eius te mortem poscimus et rogamus, ut his sacrificiis ita propitius illabi iubeas, quo omnes, pro quibus offertur, et fermento malitiae careant et novitate spiritus paschalium gaudiorum mereantur peragere sacramenta.

Codd.: *London*[6] 525   *Toledo*[3] 709   *Toledo*[4] 327   *To-ledo*[6] 167

Rubr. : Missa in secundo dominico post octavam Paschae, <oratio> post "Pridie" *codd.*

648.

Commemorantes ergo redemptoris nostri praecepta simulque passionem et in caelum ascensionem, offerimus tibi, deus pater omnipotens, haec dona et munera et fidelium tuorum sacrificia illibata, quae benedicere et sanctificare digneris et
5 in conspectu tuae maiestatis acceptare.

Cod.: *London*[5] 1277 (1288)

Rubr.: Officium in die sanctae Christinae, <oratio> post "Pridie"

649.

Commenda tibi, deus pater, sacrificium singulare, in quo tantum te confidimus nobis posse placari, precantes, ut, sicut

unicum dilectum filium tuum singulariter propitiationem
fecisti pro peccatis nostris, ita specialiter sicut filiis nobis
5 miserearis, cunctis offensionum nostrarum inimicitiis abolitis.

Cod.: Toledo³ 594

Rubr.: Missa, in die, sabbato Paschae, <oratio> post nomina

650.

Comple, domine, vota supplicum, exaudi gemitus peccatorum, osculetur nos ab osculo oris sui pacis magister et
conditor, ut in nobis, hoc recipientibus holocaustum, pacem,
quam speramus, habeamus.

Cod.: Goth 269

Rubr.: Missa in vigiliis sanctae Paschae, <collectio ad pacem>

651.

Compleas in nobis, domine Iesu, salvator mundi, de te in
aeterna societate, quod hic donasti nobis in sacramenti tui
pignore salutari.

Cod.: Arbuth 393

Rubr. : <Die IX° mensis Novembris>, in festo sancti Salvatoris,
postcommunio

652.

Complentes, domine, sacrificiorum hodie sollemnia ac
missarum adimplentes officia, agentes tibi gratias, petimus
ac rogamus, ut nos quoque a malis omnibus clementer eripias.

Cod.: London⁵ 105 (1502)

Rubr.: Missa in die sancti Adriani, completuria

653.

Complentes igitur atque servantes praecepta unigeniti tui,
precamur, omnipotens pater, ut his creaturis, superpositis

altario tuo, spiritum sanctificationis infundas, ut, per trans-
fusionem caelestis atque invisibilis sacramenti panis hic,
5 transmutatus in carnem, et calix, transformatus in sanguinem,
sit offerentibus gratia et sumentibus medicina.

Cod.: *Toledo*⁴ 1119 (1377)

Rubr. : Officium de VIIIº dominico de cottidiano, <oratio> post
"Pridie"

654.

Completis nostrae redemptionis et tuae gratiae documen-
tis, referentes tibi gratias, benedicimus te, domine Iesu
Christe fili dei vivi, qui sanas vulnera peccatorum nostrorum, qui ad vitam reparas nostrum occasum, qui spem bea-
5 tae resurrectionis dedisti nobis in consolationis pignore
spiritum sanctum, qui dabis aeternam mansionem in regione
vivorum.
    Dum ergo illa resurgendi tempus adducit, hic nos dignare
in diei consolare labore, in mundi non perire pernicie et in
10 transitu nostro ad te venire in tuae dilectionis dulcedine et
in tua laude atque benedictione tecum persistere sine fine.

Cod.: *Toledo*⁴ 1396 (1449)

Rubr.: In XVIº dominico de cottidiano, <oratio> post "Pridie"

Fontes : 3 Christe ... vivi] cfr Matth. 16, 16; Ioh. 11, 27

655.

Comprime, domine, quaesumus, os iniqua loquentium et
eos, qui nos moliuntur insimulare, confuta.

Cod.: *Leon* 456

Rubr.: Mense Iulii, orationes et preces diurnae, VIII alia missa, <alia
collecta>

Fontes : 1 os iniqua loquentium] cfr Ps. 63 (62), 12 c

656 a.

Comprime, domine, quaesumus, noxios semper incursus et
salutarem temporibus nostris propitius da quietem.

Codd. : *Engol* 1740   *GelasV* 1304   *Gellon* 1920   *Leo-*
fric 247   *Ménard* 199 A   *Pamel* 416   *Phill* 1271   *Ra-*
tisb 2488   *Sangall* 1539   *Suppl* 1214   *Triplex* 22   *Udalr* 1220

Rubr.: Alia oratio cottidiana *Ménard   Ratisb*
Orationes cottidianis diebus ad missam cum canone, alia missa,
collecta *ceteri codd.*

Var. lect.: 1 quaesumus domine *transp. Leofric*

656 b.

Comprime, domine, noxios semper incursus et salutarem
quietem propitius dona temporibus, ut, qui nostris offensis
crebrius fatigamur et merito nostrae iniquitatis affligimur,
per huius litationem sacrificii pietatis tuae gratiam consequi
5 mereamur.

Cod.: *Silos*[3] 417

Rubr.: Missa tribulantis, <oratio> post "Pridie"

Nota: *Comparez à l'oraison*: "Quaesumus, omnipotens deus, ut, qui
nostris fatigamur ... consequi mereamur."

657.

Concede credentibus, misericors deus, salvum nobis de
Christi passione remedium, ut humanae fragilitatis praeteri-
tae culpae laqueis aeterno suffragio plebs absolvatur.

Codd. : *Biasca* 468   *Bobbio* 197   *Engol* 600   *GelasV*
350   *Gellon* 590   *Gregor* 98*   *Milano* 262   *Phill*
467   *Ratisb* 519   *Sangall* 487   *Triplex* 1167   *Turic* VIII, 2

Rubr.: Missa in Cena Domini, collectio <quae sequitur praefationem
i.e. introductionem> *Bobbio*
Alia oratio quae dicenda est in Autentica ad matutinum vel
ad vesperum *Biasca Milano*
Feria V[a] in Cena Domini, reconciliatio paenitentis, ad missam,
alia collecta *ceteri codd.*

Var. lect. : 1 nobis] *om. Ratisb   Sangall*[2]   *Triplex*   2 fragilitatis]
et *add. iidem codd.*   3 plebs absolvatur] absolvantur *iidem codd.*

658.

Concede, domine, electis nostris, ut, sanctis edocti mysteriis, et renoventur fonte baptismatis et inter ecclesiae tuae

membra numerentur.

Codd.: *Engol* 510 *Fulda* 2658 *GelasV* 254 *Gellon* 490.
2334 *Prag* 73, 1 *Rhen* 1152 *Sens* 102

Rubr.: Missa quae pro scrutinio tertio in aurium apertione celebratur,
collecta *codd.*

Var. lect.: 1 domine] quaesumus *praem. Fulda Prag Sens*

659.

Concede, domine, populo tuo veniam peccatorum et religionis augmentum atque, ut ei tua dona multiplices, sanctorum martyrum tuorum patrocinia fac adesse.

Cod.: *Leon* 57

Rubr.: Mense Aprilis, XVIII alia missa, <collecta>

660.

Concede, domine, quaesumus, morum nos correctione re-
levari, quia, cum haec dona contuleris, cuncta nobis utilia
non negabis.

Codd.: *Goth* 167 *Leon* 907

Rubr.: Orationes et preces ieiunii mensis septimi, IX alia missa, <alia
collecta> *Leon*
Ordo missae in initio quadragesimae, collectio post eucharistiam *Goth*

Var. lect.: 1 quaesumus domine *transp. Leon*

661.

Concede, domine, tuis, pro delicto supplicantibus, famulis
veniae proventum, qui ob passionis praemium coronam beato
Vincentio contulisti. Tribue, quaesumus, nostris eius intercessione medelam ulceribus, cuius vulneribus mirifice carni-
5 ficem superasti. Exstingue sancti spiritus rore nostrorum incentiva vitiorum, qui iusti fide ignitas iuste sartagines gla-
ciasti. Depelle fidei munere nostrae infidelitatis caliginem,
qui profundi carceris noctem ob sancti merita caelesti iubare
radiasti. Et, quia athletae tui, domine, corpus exanime fera-

10 rum ferocitas, te obsistente, vorare non valuit, nobis, tua
protectione defensis, nulla saltem suggestio inimici vestigium
infigat delicti.

Pelagus, Christe, tui testis factus feretrum, eum, te iu-
vante, revexit ad littus; supplicum tuorum cursus vitae, te
15 opitulante, redeat ad salutem. Illum immaculatae conscientiae
meritum et, fidei virtute consummata passione, religio, te
praesule, perduxit ad caelum; nos confessio flebilis, te miserante, eripiat ab inferno, ut per hoc sacrificium, quod tibi,
in honorem praedicti martyris tui dedicandum, offerimus,
20 cum martyribus tuae retributionis effulserit gloria, eorum
suffragio evasisse se peccatores gaudeant securi a poenis.

Cod.: *Toledo*[3] 252

Rubr.: Missa in die sancti Vincentii, <oratio> post "Pridie"

662.

Concede fidelibus tuis, quaesumus, domine, et sine cessatione capere paschalia sacramenta et desideranter exspectare
ventura, ut, in mysteriis, quibus renovati sunt, permanentes,
ad novam vitam his operibus perducantur.

Codd.: *Arbuth* 60   *Sarum* 141   *West* I 98   *West* III 1458
(St-Alban's* Tewkesbury)

Rubr.: Feria V[a] post cineres, postcommunio *codd.*

Var. lect.: 1 domine quaesumus *transp. Sarum*   2 desideranter] de-
siderabiliter *West* I 98

Nota: *Comparez à l'oraison*: "Da, quaesumus, domine, fidelibus tuis et
sine cessatione ... operibus perducantur."

663.   Br 115

Concede, misericors deus, fragilitati nostrae praesidium,
ut, qui sanctae dei genitricis requiem celebramus, intercessionis eius auxilio a nostris iniquitatibus resurgamus.

Codd. :	*Adelp* 961	*Aquilea* 233[r]	*Arbuth* 350	*Bec*
180	*Benevent*[2] 161	*Bologna*[2] I 6	*Curia* 192	*Ful-*
da 1211. 1850	*Gemm* 200. 246	*Gregor* 660		*GregorTc*
1852	*Herford* 302	*Lateran* 257	*Leofric* 154	*Lucca*
168	*Mateus* 1965	*Ménard* 133 A	*Monac*[3] I, 2	*Mo-*
nac[5] (21)	*Nivern* 290	*Otton* 105[r]	*Oxford* 165	*Pamel*

330   *Praem* 4. 168. 169   *Ratisb* 1012   *Ripoll* 1176   *Ros-*
sian 171, 3   *Rosslyn* 63   *Sangall-B* 60   *Sarum* 865   *Tegern-*
see[2] 9   *Triplex* 2324   *Udalr* 896   *Vicen*[1] 573   *West* II
909. III 1358   *Winch* 144

Rubr.: Alia missa de sancta Maria, sabbato, oratio ad complendum
Gemm 246
Alia missa in venerationem sanctae Mariae, oratio ad complendum *seu* post communionem *Fulda* 1850   *GregorTc*
Suffragium ad laudes et vesperas, per annum, in officio canonico, de beata virgine Maria *Praem* 4   *West* III 1358
XVIII Kalendas Septembris, Assumptio sanctae Mariae,
– ad missam matutinalem, collecta *Bec*
– oratio ad processionem *Praem* 169
– ad missam, secreta *Benevent*[2]   *Monac*[3]
XIX Kalendas Septembris, vigilia Assumptionis sanctae Mariae,
– alia oratio ad communionem *Triplex*
– oratio ad vesperas *Lateran   Ratisb*
– alia oratio *Ménard*
– oratio ad complendum *seu* post communionem *ceteri codd.*

Var. lect. : **1** Concede] quaesumus *add. Arbuth   Herford   Lateran
Leofric   Sarum   West* III 1358, nobis *add. Bologna*[2]   misericors] omnipotens *Lateran*   fragilitati] fragilitatis *Bologna*[2], per tanti mysterii dulcedinem *praem. West* II 909   praesidium] subsidium *Curia   Otton   Ratisb   Rossian*   **2** genitricis] et virginis *add. Oxford   Rosslyn   West* II
909, et virginis Mariae *add. Arbuth   Sarum*, Mariae *add. Aquilea   Praem*
4   *West* III 1358, et perpetuae virginis Mariae *add. Gemm* 246
requiem celebramus] gloriam celebramus *Fulda* 1850   *GregorTc*, memoriam celebramus *Gemm* 246, memoriam agimus *Praem* 4   *West* III 1358,
festivitatem praevenimus *Nivern*   **3** eius] eiusdem *Oxford*

664.

Concede, misericors deus, ut devotus tibi populus semper
exsistat et de tua clementia, quod ei prosit, indesinenter obtineat.

Codd. : *Engol* 433. 864[0+"]   *Fulda* 503. 801[0+"]   *GelasV* 209.
536[0+]   *Gellon* 420. 828[0+"]   *Leofric* 105"   *Ménard* 67 B   Pa-
mel 231   *Panorm* 37   *Phill* 425. 642[0"]   *Praem-MC* 52
Prag 61, 4   *Ratisb* 392   *Rhen* 309   *Sangall* 370   *Sens*
67   *Triplex* 864   *West* III 1463 (Sherborne)

Rubr.: Dominica I[a] post octavam Paschae, oratio ad populum *Leofric*
Alia oratio paschalis (vespertinalis *add. GelasV*, ad vesperum,
ad matutinum *add. Gellon*) codd. ° *distincti*
Feria III[a] hebdomadae III[ae] quadragesimae,
– oratio ad vesperos *Pamel*
– oratio ad *seu* super populum *ceteri codd.*

Var. lect. : 1 Concede] nobis *add. Fulda* 503   devotus] et *praem. codd.* " *distincti*   semper] tuus *codd.* + *distincti, praem. Sangall²* *Triplex, om. Phill* 642   2 de] *om. Fulda* 503

665.

Concede, misericors deus, ut, quod paschalibus exsequimur institutis, fructiferum nobis omni tempore sentiamus.

Codd. : *Ariberto* 457°   *Bergom* 613°   *Biasca* 577°   *Engol* 854   *Fulda* 825   *GelasV* 519   *Gellon* 813   *Ménard* 105 B *Pamel* 282   *Phill* 632   *Ratisb* 732   *Sangall* 653   *Sangall-A* 38   *Triplex* 1451°. 1528

Rubr.: Dominica IIIª post octavam Paschae, oratio ad complendum *Ménard Ratisb*
    Feria Vª in albis, missa in ecclesia maiore, oratio super oblata *seu* secreta *codd.* ° *distincti*
    Alia oratio paschalis (vespertinalis *add. GelasV,* ad vesperum, ad matutinum *add. Gellon) ceteri codd.*

Var. lect.: 1 Concede] quaesumus *add. Ménard Pamel Ratisb*   paschalibus] pro *praem. Fulda*

666.

Concede, misericors deus, ut, sicut nos tribuis sollemne tibi deferre ieiunium, sic nobis indulgentiae tuae praebeas benignus auxilium.

Codd. : *Engol* 538   *Fulda* 608   *GelasV* 240   *Gellon* 511   *Luzern* 3   *Ménard* 76 A   *Ratisb* 475   *Rhen* 359   *Ripoll* 257   *Sangall* 449   *Sangall** 17   *Trento* 356   *Triplex* 1058

Rubr.: Feria IVª hebdomadae IVᵃᵉ quadragesimae, alia collecta *GelasV*
    Feria Vª hebdomadae Vᵃᵉ quadragesimae,
    – collecta *Ripoll Trento*
    – oratio post evangelium *Luzern*
    – oratio super populum *Ménard Ratisb*
    – oratio ad vesperum *Fulda*
    – alia collecta *ceteri codd.*

Var. lect.: 1 nos] nobis *Rhen*

667.

Concede nobis, clementissime pater, huius virtute sacramenti, quod devote percepimus, et intercessione beati Arma-

gilli confessoris tui periculosa carnis desideria ac latentis
insidias inimici superare.

Cod.: *Sarum* 926*

Rubr.: In festo sancti Armagilli, postcommunio

668 a.

Concede nobis, domine deus noster, ut, celebraturi sancta
tua, non solum observantiam corporalem sed, quod est potius, habeamus mentium puritatem.

Cod.: *Leon* 639

Rubr.: Mense Iulii, preces diurnae cum sensibus necessariis, XL alia
missa, <secreta>

668 b.

Concede nobis, domine, quaesumus, ut, celebraturi sancta
mysteria, non solum abstinentiam corporalem sed, quod est
potius, habeamus mentium puritatem.

Codd.: *Engol* 526°. 539 *Fulda* 603 *GelasV* 265° *Gel-*
lon 512 *Luzern* 4 *Ménard* 75 C *Monza* 243 *Otton*
40ʳ *PaAng* 75 *Prag* 75, 2° *Ratisb* 472 *Rhen* 360 *Ri-*
poll 258 *Rossian* 78, 2 *Sangall* 450 *Sangall** 18 *Tren-*
to 357 *Triplex* 1059 *West* III 1466 (Sherborne)

Rubr.: Dominica in Passione, secreta *West*
Feria IIIᵃ hebdomadae Vᵃᵉ quadragesimae, secreta *codd.* ° *dis-*
tincti
Feria Vᵃ hebdomadae Vᵃᵉ quadragesimae, oratio super oblata
seu secreta *ceteri codd.*

Var. lect.: 1 quaesumus] *om. Ripoll*, deus *Luzern Monza PaAng*

669.

Concede nobis, domine deus noster, ut et te tota mente
veneremur et omnes homines rationabili diligamus affectu.

Cod.: *Leon* 432

Rubr.: Mense Iulii, orationes et preces diurnae, IV alia missa, <alia
collecta>

670.

Concede nobis, domine, exemplo Euphemiae virginis tuae, ut, tela nequissimi spiritus superantes, aeternorum civium simus participatione felices, quo, sicut praedictae virginis facies ac sociorum eius, verberatae alapis, albescebant, sic 5 nostrae, te ad iudicium veniente, ex bonis actibus enitescant.

Codd.: *London*[5] 833   *Toledo*[3] 930

Rubr.: Missa in die sanctae Euphemiae, <oratio> "Alia" *codd.*

671.

Concede nobis, domine, gratiam tuam in beati Laurentii martyris celebritate multiplicem, ut de tanti agone certaminis discat populus christianus et firma solidari patientia et pia exsultare victoria.

Codd.: *Goth* 396   *Leon* 743   *Paterniac* XVI, 2

Rubr.: Mense Augusti, IV Idus Augusti, natale sancti Laurentii, II alia missa, <collecta> *Leon*
Missa in natale sancti Laurentii martyris, collectio post nomina *Goth*
X Kalendas Augusti, natale sancti Apollinaris episcopi et martyris, alia collecta *Paterniac*

Var. lect. : 1/2 Laurentii martyris] martyris tui atque pontificis Apollinaris *Paterniac*

Nota: *Comparez à l'oraison*: "Fac nos, quaesumus, domine, beati martyris ... eius victoria."

672.

Concede nobis, domine, interventu apostoli tui Thomae, et remissionem peccaminum et bonae vitae inspirare nobis peragere cursum, ut et sacrificia in huius sollemnitate passionis acceptes et sumentibus ea sanctificationis gratia tuae illustres.

Cod.: *Madrid-A* <7> (1520)

Rubr.: Missa in die sancti Thomae, <oratio> post "Pridie"

673.   Br 117

Concede nobis, domine, praesidia militiae christianae

sanctis inchoare ieiuniis, ut, contra spiritales nequitias pugnaturi, continentiae muniamur auxiliis.

- A -

Codd. : *Ariberto* 222   *Bergom* 271   *Biasca* 250   *GelasV* 631. 654   *Leon* 207   *Monza* 118   *Triplex* 587

Rubr.: Mense Maii, in ieiunio mensis quarti, <collecta> *Leon*
Alia missa in vigilia Pentecostes, collecta *GelasV* 631
Orationes et preces <ieiunii> mensis quarti, feria IV^a, collecta
GelasV 654
Feria V^a in quinquagesima, collecta *Monza*
Dominica in sexagesima,
- alia oratio super populum *i.e.* collecta *Triplex*
- oratio super sindonem *Ariberto   Bergom   Biasca*

Var. lect. : **1** domine] omnipotens deus *Ariberto   Bergom   Biasca   Triplex*   **3** continentiae] salutaris *add. Ariberto   Bergom   Biasca*

- B -

Codd. : *Adelp* 300   *Aquilea* 32^v   *Avellan*[1] 879   *Bec* 23°   *Benevent*[2] 40°   *Curia* 30^+   *Engol* 276   *Fulda* 366   *Gellon* 274   *Gemm* 61   *Gregor* 153   *Lateran* 35   *Leofric* 74   *Mateus* 606^+   *Ménard* 55 B   *Metz*[2] 164^+   *Milano* 20°   *Monac*[2] 5°   *Monza* 115°   *Nivern* 161   *Oxford* 101^+   *Pad* 127   *Pamel* 214   *PaMon-Ben* 29, 1   *Phill* 284   *Praem* 44^+   *Ragusa* 117°   *Ratisb* 266   *Rhen* 193   *Ripoll* 71   *Rossian* 42, 1   *Rosslyn* 17°   *Salzb-A* 7   *Sangall* 251   *Sarum* 134^+   *Schir* 12   *Trento* 209   *Triplex* 605   *Udalr* 224

Rubr.: Feria IV^a in quinquagesima *seu* in capite ieiunii,
- oratio ad benedictionem cinerum *Avellan*[1]   *Lateran*
- oratio ante cinerum impositionem *Adelp   Aquilea*
- oratio, completa cinerum impositione *codd.* ^+ *distincti*
- ad missam ad sanctam Sabinam, prima collecta *Gemm   Ripoll   Udalr*
- ad missam ad sanctam Sabinam, collecta *codd.* ° *distincti*
- collecta ad sanctam Anastasiam *ceteri codd.*

Var. lect.: **1** domine] quaesumus *praem. Sarum*, *add. Leofric   Oxford*   **2** sanctis] sic *praem. Sarum*

674.

Concede nobis, domine, quaesumus, gratiam tuam, per quam boni esse possimus, et praesta, ut eandem studiis competentibus exsequamur.

Cod.: *Leon* 498

Rubr. : Mense Iulii, orationes et preces diurnae, XV alia missa, \<collecta\>

675 a.   Br 116

Concede nobis, domine, quaesumus, ut haec hostia salutaris et nostrorum fiat purgatio delictorum et tuae propitiatio potestatis.

– A –

Codd. : *Engol* 2292   *GelasV* 1391   *GregorTc* 2601   *Ménard* 208 B   *Triplex* 3271

Rubr. : Alia missa tempore - quod absit - mortalitatis, oratio super oblata *seu* secreta *codd.*

– B –

Codd. : *Adelp* 1296[+]   *Aquilea* 175[r"]   *Arbuth* 240[+]   *Bec*
112[+]   *Cantuar* 63[+]   *Curia* 144   *Engol* 1295   *Fulda*
1623[+]   *GelasV* 1215   *Gellon* 1425   *Gemm* 131   *Herford*
197"   *Iena* 215   *Lateran* 146"   *Leofric* 121   *Mateus*
2641   *Nivern* 252   *Otton* 140[v]   *Pad* 650[o]   *Pamel*
410   *Panorm* 769[+]   *Phill* 805   *Praem* 90   *Rhen* 822   *Ri-*
poll 650   *Rossian* 265, 2[m]   *Salzb* 283[o]. I 74[o]   *Salzb-A*
62   *Sangall* 1154   *Sarum* 506[+]   *Suppl* 1172   *Trento*
1125[o]   *Triplex* 2418   *Udalr* 1185   *Vicen*[2] 260   *West* I
432[+"]   *Winch* 39

Rubr.: Orationes et preces cum canone per dominicas dies, alia missa, secreta *GelasV*
Dominica *seu* hebdomada XV[a] post (octavam) Pentecosten (IV [a] post natalem sancti Laurentii *codd.* [o] *distincti*, XV[a] post Trinitatem *Arbuth Herford Sarum*), oratio super oblata *seu* secreta *ceteri codd.*

Var. lect. : 1 quaesumus domine *transp. codd.* " *distincti* quaesumus] *om. Rossian*   1/2 salutaris hostia *transp. Cantuar Iena*   2 delictorum] peccatorum *Herford Sarum West*   3 potestatis] pietatis *Praem-M1508 codd.* [+] *distincti*, maiestatis *Aquilea Herford Otton Praem-MA MB*, potestati *Rossian*

675 b.   Br 116

Concede nobis, domine deus, ut haec hostia salutaris et nostrorum fiat purgatio delictorum et tuae propitiatio maiestatis.

Codd. :   *Adelp* 446   *Aquila* 67ʳ   *Bec* 52   *Benevent*²
73   *Cantuar* 33   *Curia* 48ᵛ   *Engol* 518°   *Fulda* 585   *Gel-*
lon 497   *Gemm* 81   *Gregor* 289⁺   *Herford* 74   *Lateran*
71   *Leofric* 88   *Mateus* 964   *Ménard* 74 A   *Monac*²
23⁺   *Monza* 234   *Nivern* 181   *Otton* 38ᵛ⁺   *PaAng*
66°   *Pad* 262   *Pamel* 241   *PaMog* 18ᵛ   *Panorm* 165
Praem 58   *Ratisb* 457   *Rhen* 345⁺   *Ripoll* 243   *Ros-*
sian 75, 2°   *Salzb* 69   *Sangall* 435°   *Sangall** 3°   *Tren-*
to 345⁺   *Triplex* 1014°. 1019⁺   *Udalr* 366⁺   *Vigil* 19

Rubr.: Feria IIᵃ hebdomadae Vᵃᵉ quadragesimae, oratio super oblata
seu secreta *codd.*

Var. lect. : **1** nobis] quaesumus *Lateran* , *om. Aquila*   deus] *Pad*¹
codd. ⁺ *distincti,* quaesumus *codd.* ° *distincti,* noster *add. Pad*² *ceteri*
codd. **1/3** et ... maiestatis] *Herford-M*, et purificationem nobis praebeat et medelam *Herford* (par homoioteleuton avec l'oraison qui suit
dans le manuscrit [*cfr* l'oraison: "Sacramenti tui, quaesumus, domine, participatio ... praebeat et medelam."])   **2** delictorum] peccatorum *Adelp*
2/3 maiestatis] maiestati *Mateus,* potestatis *Vigil*

676 a.   Br 121

Concede nobis, domine, quaesumus, ut sancta tua tibi placito corde sumamus et, quidquid in nostra mente vitiosum
est, ipsius doni medicatione curetur.

Cod.: *Leon* 1263

Rubr.: Mense Decembris, VIII Kalendas Ianuarii, Natale Domini, VII
alia missa, <postcómmunio>

676 b.   Br 121

Concede nobis, domine, quaesumus, ut <per> sacramenta,
quae sumpsimus, quidquid in nostra mente vitiosum est,
ipsius medicationis dono curetur.

– A –

Codd.: *Brux*¹ 5   *Engol* 16   *GelasV* 15   *Gellon* 31   *Pa-*
*ris*¹ 14   *Prag* 3, 4

Rubr. : In Vigilia *seu* Natale Domini, mane prima, oratio ad complendum *seu* post communionem *codd.*

Var. lect.: **1** per] *om. codd.*

- B -

Codd. : *Monza* 908   *West* III 1493 (St-Alban's). III 1539 (St-Alban's)

Rubr.: Alia missa sacerdotis propria, oratio post communionem *Monza*
Dominica XVII post octavam Pentecostes, postcommunio
West III 1493
Die XII° mensis Martii, in natali sancti Gregorii, post-
communio *West* III 1539

Var. lect. : **1** nobis domine quaesumus] quaesumus misericors deus
West III 1493, nobis quaesumus domine *West* 1539   **1/2** ut per sacramenta quae sumpsimus] ut sacramenta quae sumpsimus *Monza*, per sacramenta quae sumpsimus ut *West* III 1493, ut per sacramentum quod sumpsimus
interveniente beato Gregorio *West* III 1539   **2** quidquid] quod *Monza*
3 curetur] emundet<ur> *Monza*

- C -

Codd. : *Adelp* 1345"   *Aquilea* 190ᵛ⁺   *Bec* 126   *Bene-*
vent[2] 199   *Cantuar* 70   *Curia* 149ᵛ   *Engol* 1491   *Ful-*
da 1698   *Gellon* 1625   *Gemm* 138   *Herford* 212   *lena*
243⁺   *Leningrad*[1] 11   *Leofric* 254   *Mateus* 2779   *Mé-*
nard 189 D⁺   *Monza* 662°   *Nivern* 259   *Otton* 146ʳ⁺   *Pad*
750°   *Pamel* 415   *Panorm* 898"   *Paris*[1] 156   *Phill*
1027   *Praem* 93". 94"   *Ratisb* 1559⁺   *Rhen* 943   *Ripoll*
706   *Rossian* 276, 3⁺. 276, 3ᵐ   *Salzb* 333°. I 102°   *San-*
gall 1338   *Stuttgart*[4] LXI, 3   *Suppl* 1200   *Trento* 1153°   *Tri-*
plex 2712   *Udalr* 1207"   *Vigil* 407°   *West* I 471"   *Winch* 53

Rubr.: Dominica *seu* hebdomada XXIVᵃ post (octavam) Pentecosten
(dominica ante Adventum *Bec*, dominica IIᵃ post <natale> sancti Martini
Benevent[2], dominica XXIVᵃ post Trinitatem *Herford*, dominica Vᵃ ante
Natale Domini *Mateus*, dominica *seu* hebdomada VIII post <dedicationem
basilicae> sancti Angeli <Michaelis> *codd.* ° *distincti*), oratio ad complendum *seu* post communionem *codd.*

Var. lect. : **1** nobis domine quaesumus] quaesumus nobis domine
transp. Adelp, quaesumus misericors deus *West*   quaesumus domine
transp. Aquilea Bec   quaesumus] *om. Monza*   **1/2** ut per sacramenta
quae sumpsimus] *codd.* " *distincti*, ut per haec sacramenta quae
sumpsimus *Fulda Herford Leningrad*[1] *Winch*, ut sacramentum quod
sumpsimus *Bec Cantuar*, ut sacramenti quod sumpsimus *Leofric*, per
sacramenta quae sumpsimus ut *West*, ut sacramenta quae sumpsimus *ceteri
codd.*   **1/3** ut per ... curetur] ut quidquid in nostra mente vitiosum est
sacramenti quod sumpsimus medicatione curetur *Sangall*[2] *codd.* ⁺ *distincti*   **3** ipsius] tuae *Adelp Fulda Winch*, tui *Panorm*   medicationis
dono] medicamine *Aquilea*, medicaminis dono *Herford Panorm*

676 c.   Br 121

Concede nobis, domine, quaesumus, ut <per> sacramenta,
quae sumpsimus, quidquid in nostra mente vulneratum est,
ipsius miserationis dono curetur.

Codd.: *Engol* 208   *GelasV* 831   *Phill* 215   *Prag* 26, 3

Rubr.: IV Nonas Februarii, orationes in Purificatione sanctae Mariae
    seu <in festo> sancti Simeonis (*Engol Phill*),
    - oratio ad complendum *seu* post communionem *GelasV
      Prag*
    - alia oratio post communionem *Engol Phill*

Var. lect.: 1 per] *om. codd.*

677.

Concede nobis, domine, veniam delictorum et eos, qui nos
impugnare moliuntur, expugna, quia, sub tuo munimine con-
stitutis, nulla diaboli nocebit obreptio.

Codd. : *Engol* 1932   *Gellon* 2164   *Gregor* 965   *Leofric*
246   *Leon* 533   *Ménard* 200 B   *Pad* 923   *Pamel* 383   *Ratisb* 2555   *Phill* 1375   *Trento* 954   *Udal* 1406

Rubr.: Mense Iulii, orationes et preces diurnae, XXI alia missa, <col-
    lecta> *Leon*
    Alia oratio vespertinalis seu matutinalis *ceteri codd.*

Var. lect. : 1 domine] *Leofric Leon*, quaesumus *praem. Ménard Ratisb Trento, add. ceteri codd.*   nos] te *Ménard*   2/3 quia ... obreptio]
Leon, om. ceteri codd.

678.

Concede nobis, domine, ut, qui sanctis altaribus tuis primitias offerimus frugum, per pacis bonum et caritatis affectum habeas acceptum, ut, cum nostra nosque tibi offerimus,
primitias ipsi in nobis tuae indesinenter dulcedinis habeamus.

Codd.: *London*[5] 414   *Toledo*[6] 747 (1463)

Rubr.: Missa de primitiis, <oratio> ad pacem *codd.*

679.   Br 120

Concede nobis haec, quaesumus, domine, frequentare
mysteria, quia, quoties huius hostiae commemoratio celebratur, opus nostrae redemptionis exseritur.

- A -

Codd. : *Ariberto* 502   *Bergom* 667   *Biasca* 636   *Bonifa-*
tius 38   *Engol* 374   *GelasV* 170   *Prag* 54, 2   *Triplex* 1674

Rubr.: Feria IIª hebdomadae IIᵃᵉ quadragesimae, oratio super oblata
seu secreta *Engol GelasV Prag*
Orationes et preces inter ieiunia sexagesimae diebus dominicis, alia oratio super oblata *Bonifatius*
Dominica IVª post octavam Paschae *seu* Vª post Pascha, oratio
super oblata *seu* secreta *ceteri codd.*

Var. lect. : **2/3** commemoratio celebratur] celebratio commemoratur
Engol GelasV Prag   **3** exseritur] *Bonifatius,* exercetur *ceteri codd.*

Nota: La leçon *exseritur* est défendue par P. SIFFRIN, dans *Jahrb. f.*
Liturgiew., 10, 1930, p. 30; et par O. CASEL, *ibid.,* 11, 1931, p. 36 sv.

- B -

Codd. : *Adelp* 1281   *Aquilea* 169ʳ⁺   *Arbuth* 231⁺   *Bec*
106   *Cantuar* 61   *Curia* 142⁺   *Engol* 1153   *Fulda*
1595⁺   *GelasV* 1196   *Gellon* 1273   *Gemm* 128   *Herford*
191⁺   *Iena* 200   *Lateran* 142⁺   *Leofric* 119   *Mateus*
2581   *Ménard* 180 C⁺   *Monac³* XI, 2   *Monza* 542   *Ni-*
vern 249⁺   *Otton* 138ᵛ   *PaAng* 275⁰   *Pad* 580⁰   *Pamel*
408   *Panorm* 724⁺   *Paris¹* 135   *Praem* 89   *Prag* 167, 2.
176, 2   *Ratisb* 1463⁺   *Rhen* 761   *Ripoll* 630   *Rossian* 260,
2⁺   *Salzb* 253⁰. I 59⁰   *Salzb-A* 57⁺   *Sangall* 1025   *Sa-*
rum 490⁺   *Suppl* 1157   *Trento* 1110   *Triplex* 2199   *Udalr*
1170   *West* I 420⁺   *Winch* 33⁺

Rubr.: Orationes et preces cum canone per dominicas dies, V alia
missa, secreta *GelasV*
Dominica Vª post octavam Apostolorum, secreta *Prag* 167, 2
Dominica IIª post <natale> sancti Laurentii, secreta *Mo-*
nac³ Prag 176, 2
Dominica *seu* hebdomada Xª post (octavam) Pentecosten
(IVª post octavam Apostolorum *codd.* ⁰ *distincti,* Vª post
natale Apostolorum *Monza Trento,* Xª post Trinitatem *Ar-*
buth Sarum), oratio super oblata *seu* secreta *ceteri codd.*

Var. lect. : **1** haec] *om. Aquilea*   haec quaesumus domine] quaesumus
domine haec *transp. Lateran Mateus Nivern,* domine quaesumus haec
Otton Rossian   frequentare] digne *praem. codd.* ⁺ *distincti*   **3** exseri-
tur] exercetur *codd.*

Nota: *Comparez à l'oraison:* "Da nobis haec, quaesumus, domine, frequentare ... redemptionis exseritur."

680.

Concede nobis indignis famulis tuis, mitissime deus, <ut> per oblationem tui tibi placere mereamur in vera caritate, qui es fidelis omnibus invocantibus te in veritate.

Cod.: *Adelp* 1516

Rubr.: Ad postulandam dignam vitam, secreta

Fontes: 3 fidelis ... veritate] cfr Ps 145 (144), 13c *et* 18b

681.   Br 836

Concede nobis, misericors deus, et digne tuis servire semper altaribus et eorum perpetua participatione salvari.

Codd. :	*Engol* 252	*Fulda* 326	*GelasV* 71	*Gellon*
249	*Ménard* 53 A	*Monac²* 2	*Monza* 104	*Pamel*
212	*Phill* 263	*Prag* 31, 2	*Ratisb* 227. 234	*Rhen*
177	*Rossian* 39, 2	*Sangall* 230	*Triplex* 568	

Rubr.: Alia missa infra hebdomadam <septuagesimae>, oratio super
   oblata *Ratisb* 234
   In septuagesima,
   – alia oratio super oblata *Pamel*
   – oratio super oblata *seu* secreta *ceteri codd.*

Var. lect. : **1** et] *om. Monza Rossian*   et ... servire] ut digne tuis servire mereamur *Ratisb* 227   1/2 servire semper] deservire *Pamel,* semper servire *transp. Rossian*

Nota: *Comparez à l'oraison:* "Praesta nobis, misericors deus, ut digne tuis servire ... participatione salvari."

682.

Concede nobis, misericors deus, et studia perversa deponere et sanctam semper amare iustitiam.

Codd. :	*Bergom* 1556	*Fulda* 1967	*GelasV* 1518	*Gel-*
lon 2739	*GregorTc* 2659	*Phill* 1769	*Ratisb* 2135	*San-*
gall* 150	*Triplex* 3031	*Vicen¹* 1180		

Rubr.: Feria IIIª in L.mo, alia oratio in baptisterio *Bergom*
Missa in contentione, alia collecta *ceteri codd.*

Var. lect.: 1 nobis misericors deus] quaesumus domine nos *Bergom*
et] *om. Bergom Fulda GregorTc Ratisb Vicen*[1]

683.

Concede nobis, misericors deus, ut, quod imbecillitas nostra pro suo modulo non valet impetrare, sancti Laurentii
precibus assequamur.

Cod.: *Paterniac* XIX, 7

Rubr. : IV Idus Augusti, natale sancti Laurentii levitae et martyris,
missa mane prima, oratio ad populum

684.

Concede nobis, misericors deus, ut, sicut nomine patris et
filii divini generis intellegimus veritatem, sic in spiritu
sancto totius cognoscamus substantiam trinitatis.

Codd. : *Fulda* 977   *GelasV* 651   *Gellon* 1020   *Nivern*
239   *Pad* 471   *Pamel* 300   *Rhen* 631   *Sangall* 821   *San-*
gall-A 64   *Triplex* 1864   *Vicen*[1] 179

Rubr.: Alia oratio ad vesperos infra octavam Pentecostes *GelasV*
Sabbato Pentecostes, orationes ad missam post ascensum fontis,
<oratio super populum> *Gellon*
Dominica Pentecostes, alia oratio *ceteri codd.*

Var. lect.: 1 nomine] in *praem. Fulda Pad Pamel Sangall*[2] *Tri-*
plex

685.

Concede nobis, omnipotens deus, et in his, quae tibi
placent, fixam tenere constantiam et tua semper protectione
muniri.

Cod.: *Triplex* 3290

Rubr.: Missa pro agapem faciente, alia oratio

686.

Concede nobis, omnipotens deus, intercedente beato Lamberto martyre tuo atque pontifice, cuius annuam sollemnitatem celebramus, ut descendat hic benedictio tua super sacrificium nostrum in transformatione spiritus tui sancti, ut
5 haec benedicendo benedicas, sanctificando sanctifices, ut, quicumque ex utraque benedictione sumpserimus, aeternitatis praemium et vitam consequi mereamur aeternam.

Codd.: *West* III 1593 (Rouen). 1597 (Rouen)

Rubr.: Die XVII° mensis Septembris, in natali sancti Lamberti
episcopi et martyris, secreta *West* III 1593
Die II° mensis Octobris, in natali sancti Leudegarii episcopi et
martyris, secreta *West* III 1597

687.

Concede nobis, omnipotens deus, sanctae martyris Euphemiae et exsultare meritis et beneficia referre suffragiis.

Codd. : *Adelp* 283   *Aquilea* 296^r *Avellan*[1] 891$^+$ *Bamberg*[2] 6^{0+} *Cantuar* 163$^{0'''\mu}$ *Engol* 901$^+$ *Fulda* 846$^{'''\mu}$ *GelasV* 854   *Gellon* 870   *Gemm* 169^{0+} *Herford* 235$^{'''\mu}$ *Lateran* 194$^+$ *Mateus* 1320$^{+'''\mu}$ *Nivern* 225   *Otton* 21^r *Pa-Ang* 154   *Panorm* 1099$^{+'''\mu}$ *Phill* 679   *Praem-MP* 125$^{+'''\mu}$ *Prag* 110, 1   *Rossian* 97, 1   *Sangall* 696^0 *Triplex* 1573^0 *Udalr* 1242^0 *Vicen*[1] 296$^{+'''}$ *West* III 1570 (Durham)   *Winch* 84$^{'''\mu}$

Rubr.: <VII Kalendas Augusti>, de sancta Anna, complenda *seu* postcommunio *Aquilea Cantuar*
VI Kalendas Februarii, memoria de sancta Paula, collecta
Herford
Die XXIV° mensis Iulii, in natali sanctae Christinae virginis,
collecta *West*
Idus Aprilis, in natale sanctae Euphemiae, collecta *ceteri codd.*

Var. lect. : **1** nobis] nobis quaesumus *Herford West*, nos quaesumus *Aquilea PaAng*, quaesumus *codd.* ° distincti   sanctae] sacrae *Adelp*, *om. Vicen*[1], nos *praem. Cantuar*   martyris] tuae *add. codd.* + distincti   **1/2** martyris Euphemiae] dei genitricis Mariae et beatorum parentum eius Ioachim et Annae ac omnium de eorundem cognatione sanctorum *Aquilea*, Annae *Cantuar*, Paulae matronae *Herford*   **2** et[1]] *om. codd.* " distincti   exsultare] nos *add. Otton*   et[2] ... suffragiis] et beneficiorum ipsorum attolli suffragiis *Aquilea*, et beneficiorum eius attolli suffragiis *codd.* μ distincti

688.

Concede nobis, omnipotens deus, ut, ab improbis volun-
tatibus recedentes, praeceptorum tuorum rectitudinem subsequamur et, qui deviis etiam desiderata concedis, praestes
meliora correctis.

Cod.: *Leon* 966

Rubr.: Mense Septembris, in natale episcoporum, II alia missa, <alia
collecta>

689.

Concede nobis, omnipotens deus, ut beati Silvestri confessoris tui atque pontificis honoranda celebritas tibi placitum tribuat famulatum.

Cod.: *Ariberto* 145

Rubr.: II Kalendas Ianuarii, <natale> sancti Silvestri episcopi, oratio
super sindonem

690.

Concede nobis, omnipotens deus, ut, despectis falsitatibus
iniquorum, quae animae nostrae conveniunt, rationabilia exsequamur.

Cod.: *GelasV* 1523

Rubr.: Orationes in contentione, alia missa, alia collecta

691.

Concede nobis, omnipotens deus, ut his muneribus, quae
pro sanctorum martyrum Gervasii et Protasii honore deferimus, et te placemus exhibitis et nos vivificemur acceptis.

Codd. :	*Adelp* 843	*Arbuth* 384	*Bec* 155	*Cantuar*
92[n]	*Engol* 1016	*Fulda* 1064	*GelasV* 894	*Gellon*
1134	*Lateran* 219	*Ménard* 120 D	*Monza* 538	*Pamel*
310	*Prag* 144, 2	*Ratisb* 866	*Sangall* 911	*Sarum*
946	*Triplex* 1996	*West* III 1557 (Coutances Sherborne Vitell)		

Rubr.: XI Kalendas Iulii, vigilia sanctorum multorum, secreta *Lateran*
V Kalendas Augusti, natale sanctorum Nazarii et Celsi, secreta
Monza

<Die XXV° mensis Octobris, in festo> sanctorum Crispini et
Crispiniani, secreta *Arbuth Sarum*
XIII Kalendas Iulii, natale sanctorum martyrum Gervasii et
Protasii,
- alia secreta *Pamel*
- oratio super oblata *seu* secreta *ceteri codd.*

Var. lect.: **1** nobis] quaesumus *Lateran Sarum, add. Arbuth* omni-
potens] misericors *Pamel* **2** martyrum] tuorum *add. Adelp Arbuth Sarum* Gervasii et Protasii] tuorum Albini Paulini et Niceti episcopi cum
nongentis octoginta novem *Lateran* **3** te placemus] tibi placeamus *Cantuar Engol* nos] *om. Cantuar*

692.

Concede nobis, omnipotens deus, ut intercessione beati
Pelagii martyris tui haec munera sancta, quae sumpsimus, et
praesens animarum nobis medicamen conferant et praemium
aeternae salutis acquirant.

Cod.: *Vicen*[1] 390

Rubr.: VI Kalendas Iulii, <natale> sancti Pelagii martyris, oratio post
communionem

693.

Concede nobis omnipotens deus, ut per annua quadragesimalis exercitia sacramenti et ad intellegendum Christi
proficiamus arcanum et effectus eius digna conversatione
sectemur.

Codd.:

Bonifatius 43	*Brux*[1] 16°	*Casin*[1] 296	*Engol*
298	*Fulda* 397	*GelasV* 104°	*Gellon* 295°	*Goth*
173	*Ménard* 58 C	*Milano* 42	*Monac*[9] IV°	*Pamel*
218	*Phill* 308	*Prag* 45, 1°	*Rhen* 214	*Sangall* 272	*Tri-*
plex 633°	*Turic* III, 2		

Rubr.: Alia oratio per totam hebdomadam <tempore quadragesimae>
Casin[1]
In ieiunio, collecta *Bonifatius*
Alia missa ieiunii, collectio ad pacem *Goth*
Dominica <I[a]> in quadragesima,
- collecta *codd.* ° *distincti*
- alia oratio *Ménard Pamel*
- alia collecta *ceteri codd.*

Var. lect.: **1** nobis] quaesumus *Ménard* **4** sectemur] ut sinceram
nobis pacem tribuas *add. Goth*

694.

Concede nobis, omnipotens deus, ut, qui diem consecrationis huius templi annua celebritate recolimus, ipsi quoque per sanctificationem tui spiritus tibi habitaculum effici mereamur.

Cod.: *Benevent*[1] 809

Rubr.: Missa in dedicatione anniversaria, oratio post communionem

695.

Concede nobis, omnipotens deus, ut, sacramenti dominici nobis operante virtute, ipsius aeternitatis mereamur esse consortes, qui mortalitatis nostrae dignatus est fieri particeps.

Codd.: *Ariberto* 81   *Bergom* 59   *Biasca* 59

Rubr.: Dominica IIª de Adventu, oratio super oblata *codd.*

696.

Concede nobis, omnipotens deus, ut salutare tuum nova caelorum luce mirabili, quod ad salutem mundi hodierna festivitate processit, nostris semper innovandis cordibus oriatur.

- A -

Codd. : *Adelp* 124   *Bergom* 128   *Biasca* 128   *Casin*[1] 225   *Engol* 37   *Fulda* 64   *Gellon* 38   *Gemm* 51   *Gregor* 57   *Leofric* 65   *Mateus* 188   *Ménard* 32 A   *PaAug* 6, 8   *Pad* 23   *Pamel* 188   *PaMon-Ben* 5, 4   *PaMon-Sup* 2, 4   *Phill* 40   *Ratisb* 28   *Rhen* 35   *Sangall* 38   *Trento* 103   *Triplex* 219   *Udalr* 79

Rubr.: In Natale Domini, ad sanctum Petrum, collecta *Trento*
Alia oratio de Natale Domini, (ad vesperum *add. Bergom Biasca*, ad vesperum sive ad matutinum *add. Engol Gellon*) ceteri *codd.*

Var. lect. : **1** nobis] quaesumus *Mateus, add. Ratisb, om. PaMon-Ben*   **1/2** ut ... quod] ut salutaris tui nova caelorum lux admirabilis quae *Casin*[1]   **1** nova] *om. Pamel*

- B -

Codd. :   *Adelp* 163   *Buchsheim* (17)   *Fulda* 128   *Goth* 67 b
Gregor 95   *Leofric* 67   *Mateus* 289   *Nivern* 147   *Pa-*
mel 197   *PaMon-Ben* 14, 4   *Ratisb* 88   *Triplex* 369   *Udalr* 122

Rubr.: Praefationes *i.e.* invitationes ad orationem cum collectionibus
in vigiliis Epiphaniae, collectio <quae> sequitur <praefatio-
nem II^am> *Goth*
VIII Idus Ianuarii, Epiphania, alia oratio *ceteri codd.*

Var. lect.: 1 Concede ... deus] *devient Goth* 67 a (*cfr l'oraison*: "Omnipotens sempiterne deus, fidelium splendor ... appare claritatem.")
2 luce] claritate *Goth*   2/3 quod ... processit] *om. Goth*   3 nostris ...
oriatur] *om. Nivern*

697.

Concede nobis, omnipotens deus, ut, sicut in passione sua
dominus noster Iesus Christus diversa utrisque intulit stipen-
dia meritorum, ita, ablato a nobis vetustatis errore, resurrectionis eius gratiam consequamur.

Codd.: *Ariberto* 407   *Bergom* 482   *Biasca* 441

Rubr.: Feria V^a in Cena Domini, oratio super populum *i.e.* collecta

Nota: *Comparez à l'oraison*: "Deus, a quo et Iudas reatus sui poenam
... gratiam largiatur."

698.

Concede nobis, omnipotens deus, ut, sicut temporali cena
tuae passionis reficimur, ita satiari mereamur aeterna.

Codd.: *Goth* 214   *Milano* 271

Rubr.: Missa in Cena Domini,
- oratio super oblata *Milano*
- oratio post communionem *Goth*

699.

Concede nobis, quaesumus, omnipotens et misericors deus,
per sancti Swithuni meritum
nostrorum remissionem peccaminum
et per gloriosi eiusdem praesulis interventum
supernae felicitatis praemium.

5

Cod.: *Winch* 117

Rubr.: VI Nonas Iulii, depositio sancti Swithuni episcopi, alia collecta

700.

Concede nobis, omnipotens et misericors deus, ut haec nostra sit salutifera oblatio et, intercedente beato Germano confessore tuo atque episcopo, a nostris reatibus liberet et a cunctis tueatur adversitatibus.

Cod.: *Arbuth* lii

Rubr.: Missa propria <sancti> Germani episcopi, secreta

701.

Concede nobis, omnipotens et mitissime deus, apud quem nulla est iniquitas, ut, qui huius sanctuarii tui possessionem diripiendo invadunt, celeri satisfactione corrigantur.

Codd. : *Arbuth* 454   *Cantuar* 144   *Herford* 445   *Sa-rum* 820*

Rubr.: Contra invasores ecclesiae (et rerum sanctuarii *add. Herford*), collecta *codd.*

Var. lect. : **1** mitissime] iustissime *Arbuth Cantuar*   **2** est] *om. Arbuth*   **3** diripiendo] diripiunt atque *praem. Cantuar*   celeri] te miserante *praem. Cantuar*

702.

Concede nobis, quaesumus, domine, alacribus animis beati confessoris tui Benedicti sollemnia praevenire, cuius diversis decorata virtutibus tibi vita complacuit.

Codd.: *Fulda* 243   *Gemm* 167   *GregorTc* 3455. 3475   *Praem-CM* 209   *Vicen*[1] 429

Rubr.: XII Kalendas Aprilis, natale sancti Benedicti abbatis, alia oratio *GregorTc* 3475
V Idus Iulii, translatio sancti Benedicti abbatis, collecta *Vicen*[1]
Die XIII° mensis Novembris, <in festo> sancti Britii, collecta *Praem-CM*
XIII Kalendas Aprilis, vigilia sancti Benedicti abbatis, collecta *ceteri codd.*

Var. lect. : **1** nobis] *om. Gemm Praem-CM* quaesumus domine]
domine *GregorTc* 3475 *Praem-CM*, omnipotens deus *Vicen*[1], ut *add.*
Praem-CM beati] beatissimi *Vicen*[1] **2** praevenire] *Fulda*, celebremus *Praem-CM*, celebrare *ceteri codd.* diversis] sacris *Vicen*[1] **3** virtutibus decorata *transp. Praem-CM*

703.

Concede nobis, quaesumus, domine, veniam peccatorum et
religionis augmentum atque, ut in nobis tua dona multiplices,
tuis fac mandatis promptiores.

Codd. : *Arbuth* 118 *Herford* 78 *Sarum* 250 *West* I
224 *West* III 1467 (St-Alban's Tewkesbury)

Rubr.: Feria VI[a] hebdomadae V[ae] quadragesimae, oratio super populum *codd.*

Var. lect. : **1** domine] omnipotens deus *Arbuth* **2** dona tua *transp.*
Arbuth

Nota: *Comparez à l'oraison*: "Concede, quaesumus, domine, populo
tuo ... largire praesidia."

704.

Concede nobis, quaesumus, omnipotens deus, venturam
beati apostoli tui illius sollemnitatem congruo praevenire
honore et venientem digna celebrare devotione.

- A -

Codd. : *Adelp* 1177 *Aquilea* 249[r] *Alcuin* 117 *Gre-*
gorTc 3144 *Herford* 367 *Lateran* 298 *Ménard* 162 D *Ni-*
vern 316 *Otton* 128[v] *Ragusa* 599 *Ratisb* 1276 *Ros-*
sian 229, I

Rubr.: In vigilia unius apostoli (apostolorum *Adelp*), collecta *codd.*

Var. lect.: **1** nobis] *om. Aquilea Otton* quaesumus] *om. Ragusa*
2 beati] *om. Ménard Ratisb* beati ... illius] beatorum apostolorum illorum *Adelp* **2/3** honore praevenire *transp. Nivern* **3** honore] officio
Rossian

- B -

Codd.: *Avellan*[2] 943 *Gemm* 231 *Mateus* 2323 *Pamel* 537

Rubr.: In vigilia unius apostoli vel martyris vel confessoris (seu virginis *add. Mateus*) (missa in vigilia uniuscuiusque volueris *Avellan*[2]), collecta *codd.*

Var. lect.: **2** beati apostoli tui illius] beati illius *Avellan*[2], beati illius apostoli martyris confessoris *Gemm Pamel*, apostoli tui illius martyris tui illius confessoris tui illius virginis tuae illius *Mateus*   **3** devotione] veneratione *Avellan*[2]

– C –

Codd. : *Drumm* 61   *Leofric* 172   *Ménard* 167 B   *Ratisb* 1353

Rubr.: In vigilia unius confessoris, collecta *codd.*

Var. lect.: **2** apostoli] confessoris *codd.*

– D –

Codd.: *Fulda* 1367   *Gregor* 253*   *GregorTc* 3631   *Winch* 171

Rubr. : VIII Idus Octobris, vigilia sanctorum Dionysii, Rustici et Eleutherii, collecta *codd.*

Var. lect.: **2** beati apostoli tui illius] beatorum martyrum tuorum Dionysii Rustici et Eleutherii *codd.*   **2/3** congruo ... venientem] *om. Winch*

– E –

Cod.: *Gregor* 55*

Rubr.: <Nonis Februarii>, vigilia sancti Vedasti, collecta

Var. lect. : **2** beati apostoli tui illius] beati Vedasti confessoris tui atque pontificis *cod.*

– F –

Cod.: *GregorTc* 3570

Rubr.: IV Nonas Septembris, in vigilia sancti Remagli, collecta

Var. lect. : **1** nobis] *om. cod.*   **2** beati apostoli tui illius] <beati Remagli confessoris tui atque pontificis> *cod.*

– G –

Cod.: *Cantuar* 90

Rubr.: <VIII Kalendas Iunii>, in vigilia festivitatis sancti Augustini Anglorum apostoli, collecta

Var. lect. : **2** beati apostoli tui illius] beati Augustini confessoris tui atque pontificis *cod.*

- H -

Codd.: *GregorTc* 3511. 3522   *Mateus* 2249   *Ripoll* 1331

Rubr.: V Nonas Iulii, vigilia sancti Martini episcopi et confessoris,
collecta *GregorTc* 3511
IV Nonas Iulii, natale sancti Martini confessoris, alia oratio
GregorTc 3522
IV Idus Novembris, vigilia sancti Martini, collecta *Mateus*
Ripoll

Var. lect. : **2** beati apostoli tui illius] beati confessoris tui Martini
GregorTc 3511. 3522, beati Martini confessoris tui atque pontificis *Mateus*
Ripoll

- I -

Codd.: *Lucca* 125   *Vet. Mis. Angl.* 200 (309)

Rubr.: II Nonas Iunii, vigilia sancti Bonifatii, collecta *codd.*

Var. lect. : **2** beati apostoli tui illius] beati Bonifatii martyris tui
atque pontificis *Lucca*, Bonifatii martyris tui ac pontificis et sociorum
eius *Vet. Mis. Angl.*

- J -

Codd. : *Aquilea* 203[r]   *Avellan*[1] 895   *Herford* 226. 288.
312   *Praem* 101. 153. 173   *Ragusa* 519

Rubr.: <VII Kalendas Martii>, in vigilia sancti Matthiae apostoli,
collecta *Aquilea*
X Kalendas Septembris, in vigilia sancti Bartholomaei apostoli, collecta *Herford* 312 *Praem* 173
XIII Kalendas Ianuarii, in vigilia sancti Thomae apostoli,
collecta *Herford* 226 *Praem-BS CG* 101
IX Kalendas Augusti, vigilia sancti Iacobi apostoli, collecta
ceteri codd.

Var. lect.: **1** quaesumus] *om. Avellan*[1] *Ragusa*

705.

Concede nobis, quaesumus, omnipotens et misericors deus,
ut, sicut per beatos apostolos tuos Petrum et Paulum christianam suscepimus fidem, ita per ipsos etiam percipiamus
aeternae vitae felicitatem.

Codd.: *Ripoll* 1045

Rubr.: III Kalendas Iulii, natale apostolorum Petri et Pauli, alia oratio

706. Br 122

Concede nos famulos tuos, quaesumus, domine deus, perpetua mentis et corporis sanitate gaudere et gloriosa beatae
Mariae semper virginis intercessione a praesenti liberari
tristitia et futura perfrui laetitia.

– A –

Codd. : *Adelp* 1398 *Alcuin* 20 *Aquilea* 276^v *Arbuth*
441$^{\mu\&}$ *Bec* 248 *Benevent*[1] 254$^{+"}$ *Bergom* 1287$^{0+"}$ *Bias-*
ca 1187$^{0"}$ *Cantuar* 136 *Curia-Ott* 248$^\&$ *Drumm* 7.
82$^\mu$ *Fulda* 1842$^+$ *Gemm* 245^0 *GregorTc* 1841 *Herford*
409$^\&$ *Iena* 34^r *Lateran* 314 *Leofric* 178$^{+"}$ *Mateus*
2799 *Milano* 711$^{0+"}$ *Monza* 872 *Nivern* 321$^\&$ *Otton*
153ro *Oxford* 60 *Pamel* 533$^{0+"}$ *Praem* 227$^\mu$ *Ratisb*
1965$^+$ *Ripoll* 1461^{0+} *Rossian* 290, 1^0 *Rosslyn* 79$^{0\mu}$ *San-*
gall-B 37 *Sarum* 779$^{*\mu\&}$ *Trento* 1255 *Triplex* 2954^0
Udalr 1491^0 *Vicen*[1] 848$^+$ *Vigil* 494 *West* II 1127$^{\mu\&}$

Rubr.: Missa sanctae Mariae, (sabbato *add. codd.* ^{0} *distincti*)',
– oratio super sindonem *Bergom Biasca Milano*
– collecta *ceteri codd.*

Var. lect.: 1 nos famulos tuos] nobis famulis tuis *codd.* $^+$ *distincti*
quaesumus] *om. Otton* domine] omnipotens *Benevent*[1] deus] noster *add.*
Ratisb 2 sanitate] prosperitate *codd.* " *distincti*, salute *codd.* $^\mu$ *dis-*
tincti gloriosa] gloriosae ac *Drumm* 7. 82 *Oxford* 4 futura] aeterna
codd. $^\&$ *distincti*

– B –

Codd. : *Curia* 187$^+$ *Fulda* 2843 *GregorTc* 4428 *Pa-*
lat (28) *Pamel* 548 *Praem* 3^0. 10^0 *Ratisb* 1022 *Vi-*
cen[2] 324 *West* III 1321^{0+}. 1324^{0+} (3 fois)

Rubr.: Die V^0 mensis Augusti, festum nivis beatae Mariae, collecta
Curia
Orationes in monasterio, in dormitorio fratrum in capella
australi *Fulda*
Alia oratio de sancta Maria *GregorTc Pamel Palat*
Suffragium beatae Mariae virginis ad horas *Praem-BS* 3
West III 1321. 1324
XVIII Kalendas Septembris, Assumptio sanctae Mariae, alia
oratio *Ratisb*
VI Idus Septembris, in Nativitate sanctae Mariae, alia oratio
Vicen[2]
Oratio ad processionem *Praem-P1584 RC* 10

Var. lect.: 1 nos famulos tuos] nobis famulis tuis *Vicen*[2] 2 sanitate]
salute *codd.* ^{0} *distincti* 4 futura] aeterna *codd.* $^+$ *distincti*

707.

Concede nos famulos tuos, quaesumus, domine, in beati Benedicti confessoris tui gaudentes sollemnitate, et ab omnibus absolvi peccatis et cunctis erui periculis.

Cod.: *Adelp* 886

Rubr. : <V Idus Iulii>, translatio sancti Benedicti, oratio post communionem

708.

Concede, omnipotens deus, his salutaribus sacrificiis placatus, ut famulus tuus ille ad peragendum regalis dignitatis officium inveniatur semper idoneus et caelestis patriae gaudiis reddatur acceptus.

Codd. : *Bergom-A* 2   *Fulda* 1932   *GregorTc* 2040   *Leofric* 180   *Nivern* 27   *Otton* 191*   *Pamel* 428   *Ratisb* 2084   *Suppl* 1278

Rubr.: Orationes ad missam tempore synodi pro rege dicendas,
   - oratio ad complendum *Fulda   Ratisb*
   - oratio super oblata *seu* secreta *ceteri codd.*

Var. lect.: 1 Concede] quaesumus *add. Leofric   Otton   Ratisb*

709.

Concede, omnipotens deus, ut et gaudiorum plenitudinem consequamur et maiestati tuae propensius <possimus> esse devoti.

Cod.: *Leon* 1097

Rubr. : Mense Septembris, in natale episcoporum, XXIII alia missa, <collecta>

710 a.

Concede, quaesumus, domine, beatos apostolos tuos intervenire pro nobis; ita enim nos salvari posse confidimus, si eorum precibus ecclesia gubernetur, quibus utitur, te constituente, principibus.

Cod.: *Leon* 344

Rubr. : Mense Iunii, in natale apostolorum Petri et Pauli, XIX alia missa, <postcommunio>

710 b.

Concede, quaesumus, domine, beatum apostolum tuum Petrum intervenire pro nobis; ita enim nos salvari posse confidimus, si eius precibus ecclesia gubernetur, quo utitur, te constituente, principe.

Cod.: *Phill* 151

Rubr. : XV Kalendas Februarii, Cathedra sancti Petri apostoli, qua primo Romae sedit, alia collecta

710 c.

Concede, quaesumus, domine, apostolos tuos intervenire pro nobis, quia tunc nos salvari posse confidimus, si eorum precibus tua gubernetur ecclesia, quibus utitur, te constituente, principibus.

Codd. : *Engol* 1082   *Fulda* 1116   *GelasV* 934   *Gellon* 1197   *Sangall* 968   *Sangall-A* 77   *Triplex* 2094

Rubr. : III Kalendas Iulii, in natale apostolorum Petri et Pauli, alia oratio (ad vesperum *add. GelasV*, ad vesperos sive matutinas *add. Engol*) *codd.*

710 d.

Concede, quaesumus, domine, apostolum tuum Thomam intervenire pro nobis, cuius diem celebramus translationis, quia tunc nos salvari posse confidimus, si eius precibus tua gubernetur ecclesia, cuius utitur, te constituente, doctrina.

Codd. : *Ariberto* 760   *Bergom* 990   *Biasca* 926   *Triplex* 2113

Rubr.: V Nonas Iulii, translatio sancti Thomae apostoli,
- alia oratio super populum *i.e.* collecta *Triplex*
- oratio super sindonem *ceteri codd.*

711.

Concede, quaesumus, domine, beati sacerdotis et confessoris tui illius nos deprecatione muniri, ut et temporaliter his patrociniis foveamur et spiritaliter praeparemur aeternis.

Codd. : *Bergom* 1198   *Biasca* 1116   *Milano* 763   *Tri-*
plex 2824   *Udalr* 807

Rubr.: <XII Kalendas Augusti>, in natale sancti Arbogasti, collecta
Udalr
Orationes et preces in natale confessorum, alia oratio *ceteri*
codd.

Var. lect.: 2 et] *om. Biasca Udalr*

712.

Concede, quaesumus, domine deus noster, ut animae famulorum famularumque tuarum, quorum quarumque commemorationem speciali devotione agimus et pro quibus orare
iussi et debitores sumus, atque omnium benefactorum nostro-
5 rum ac omnium consanguineorum et familiarium nostrorum
cunctorumque fidelium in sinibus sanctorum tuorum requies-
cant moxque, ex mortuis resuscitati, tibi placeant in regione
vivorum.

Cod.: *Sarum* 878*

Rubr.: Orationes pro defunctis, pro quibus orare tenemur, collecta

713 a.

Concede, quaesumus, domine deus noster, ut inter adversa, quae peccatorum debitis sustinemus, quod fiducia nostra
non obtinet, martyrum tuorum nobis intercessio consequatur.

Cod.: *Leon* 408

Rubr.: Mense Iulii, VI Idus Iulii, natale sanctorum martyrum Felicis,
Philippi, Vitalis, Martialis, Alexandri, Silani et Ianuarii, VI alia missa,
<alia collecta>

713 b.

Concede, quaesumus, domine deus noster, ut inter adversa, quae peccatis sustinemus, quod fiducia nostra non obtinet, apostoli tui illius nobis intercessio consequatur.

Cod.: *Phill* 1162

Rubr.: In natale omnium apostolorum, collecta

713 c.

Concede, quaesumus, domine deus noster, ut inter adversa, quae pro delictorum debito sustinemus, quod fiducia nostra non obtinet, beati martyris tui Sebastiani intercessio consequatur.

Codd. : *Ariberto* 182   *Bergom* 222   *Biasca* 210   *Milano* 882   *Triplex* 423

Rubr.: XIII Kalendas Februarii, natale sancti Sebastiani,
- alia oratio super populum *i.e.* collecta *Triplex*
- oratio super sindonem *ceteri codd.*

714.

Concede, quaesumus, domine deus noster, ut mysteria sancta, quae sumpsimus, intercedente beato Romano confessore tuo atque pontifice, et gratiam nobis devotionis obtineant et effectum beatae perennitatis acquirant.

Codd.: *Arbuth* 384   *Sarum* 944

Rubr. : <Die XXIII° mensis Octobris, in festo> sancti Romani Rothomagensis archiepiscopi et confessoris, postcommunio *codd.*

Nota: *Comparez à l'oraison*: "Concede, quaesumus, domine, ut oculis tuae maiestatis ... perennitatis acquirat."

715 a.

Concede, quaesumus, domine deus noster, ut per tua semper sacramenta vivamus, quia protegere non desistis, quos tuis semper indulseris inhaerere mysteriis.

Cod.: *Leon* 727

Rubr. : Mense Augusti, VIII Idus Augusti, natale sancti Xysti in coemeterio Callisti, VI alia missa, <secreta>

715 b.

Concede, quaesumus, domine deus noster, ut per tua semper, quae sumpsimus, sacramenta vivamus, quia suffragiis sacerdotis et martyris tui Leudegarii protegere non desistis, quos tuis semper indulseris inhaerere mysteriis.

Codd. : *Bec* 201   *Cantuar* 115   *GregorTc* 3626   *Mateus*
2171   *Phill* 937   *West* III 1598 (Sherborne St-Alban's Whitby)

Rubr. : V Nonas Octobris, natale sancti Leudegarii episcopi et martyris, oratio ad complendum *seu* post communionem *codd.*

Var. lect. : 1/2 per ... sacramenta] perpetuo semper quod sumpsimus sacramento *Bec Cantuar West*   4 mysteriis] mandatis *Mateus*

716.

Concede, quaesumus, domine deus noster, ut, qui ad destructionem diaboli et remissionem natus est hodie peccatorum, et a culparum subreptione nos expiet et ab hostium incursione defendat.

Cod.: *Leon* 1251

Rubr. : VIII Kalendas Ianuarii, Natale Domini, IV alia missa, <postcommunio>

717.

Concede, quaesumus, domine, famulo tuo episcopo nostro, ut praedicando et exercendo, quae recta sunt, exemplo bonorum operum animas suorum instruat subditorum et aeternae remunerationis mercedem a te piissimo pastore percipiat.

Codd. : *Adelp* 1411°   *Arbuth* 448   *Cantuar* 141°   *Fulda* 2865°   *Gemm* 250   *Herford* 414   *Leofric* 12   *Metz*[2] 199°   *Ragusa* 725   *Rosslyn* 84   *Sarum* 816*   *West* II 1152°

Rubr.: Missa pro abbate, collecta *codd.* ° *distincti*
Missa pro episcopo (vivente *add. Herford*), collecta *ceteri codd.*

Var. lect. : 1 episcopo] antistiti *Herford*, abbati *codd.* ° *distincti*
4 mercedem] cum credito sibi grege *add. Fulda*

718.

Concede, quaesumus, domine, fidelibus tuis digne sancti Gregorii pontificis tui celebrare mysteria, ut eius, quae fideliter exsequuntur, et hic experiantur auxilia et aeternis effectibus apprehendant.

Codd. : *Ariberto* 644   *Benevent*[2] 32°   *Bergom* 870   *Biasca* 801   *Engol* 246   *Fulda* 235°   *Gellon* 243   *Lateran*

191 *Ménard* 51 C⁰⁺ *Milano* 912 *Monza* 99. 865 *Pa-*
mel 209⁰⁺ *Phill* 257 *Rhen* 171 *Rossian* 31, 1⁰ *San-*
gall 224   *Triplex* 547 *West* III 1542 (Rouen). III 1552⁰
(Durham) *Winch* 79⁰⁺. 99⁰

Rubr.: Die IV⁰ mensis Aprilis, in natali sancti Ambrosii, collecta
   West III 1542
   II Kalendas Iunii, natale sanctae Petronellae virginis, collecta
   West III 1552 *Winch* 99
   V Idus Martii, vigilia sancti Gregorii papae, collecta *Bene-*
   vent² Fulda
   IV Idus Martii, natale *seu* depositio sancti Gregorii papae,
   - alia collecta *Pamel*
   - oratio ad complendum *Lateran*
   - collecta *ceteri codd.*

Var. lect. : 1/2 sancti Gregorii pontificis tui] sancti Gregorii confessoris tui atque pontificis *Benevent² Fulda*, sancti Ambrosii confessoris
tui atque pontificis *West* III 1542, sanctae virginis tuae Petronellae
West III 1552, sanctae martyris tuae Petronellae *Winch* 99 2 mysteria]
sollemnia *codd.* ⁰ *distincti* eius] *om. Ariberto* 2/3 quae ... exsequun-
tur] *om. codd.* ⁺ *distincti* 3 exsequuntur] exspectant *Benevent² Fulda*
3/4 et² ... apprehendant] *om. Winch* 99

719 a.

Concede, quaesumus, domine, populo tuo veniam peccatorum et, quod meritis non praesumit, indulgentiae tuae celeri
largitate percipiat.

Codd. : *Engol* 1976 *Fulda* 1526 *Gellon* 1179 *Gemm*
125 *Graz* 6 *Gregor* 933 *Leofric* 245 *Ménard* 119 C
Monza 499 *Pamel* 380 *Panorm* 632 *Phill* 1421 *Tren-*
to 59 *Udalr* 1368 *Vicen*¹ 1370

Rubr.: Dominica Vᵃ post octavam Pentecostes (*Gemm*) *seu* dominica
   vel hebdomada VIᵃ post Pentecosten,
   - oratio post communionem *Monza*
   - oratio super populum *Gellon Gemm*
   In ieiunio mensis IVⁱ, feria IVᵃ, oratio ad complendum
   seu postcommunio *Fulda Ménard Panorm*
   Alia oratio cottidiana *ceteri codd.*

Var. lect.: 2 tuae] *om. Panorm* celeri] *om. Gemm*

719 b.

Concede, quaesumus, domine, famulo tuo illi suorum per
haec sacramenta veniam delictorum et, quod meritis non
praesumit, indulgentiae tuae largitate percipiat.

Codd.: *Fulda* 2229   *GregorTc* 2457

Rubr.: Missa votiva pro amico, oratio super oblata *codd.*

720.

Concede, quaesumus, domine, populo tuo veniam peccatorum et religionis augmentum atque, ut ei tua dona multiplices, sanctorum martyrum tuorum Protasii et Gervasii patrocinia fac adesse et largire praesidia.

Codd. : *Ariberto* 720   *Bergom* 944   *Biasca* 875   *Triplex* 1991

Rubr.: XIV Kalendas Iulii, vigilia sanctorum Gervasii et Protasii,
- alia oratio super populum *i.e.* collecta *Biasca Triplex*
- oratio super sindonem *Ariberto Bergom*

Nota : *Comparez à l'oraison*: "Concede nobis, quaesumus, domine, veniam peccatorum ... mandatis promptiores."

721.   Br 124

Concede, quaesumus, domine, semper nos per haec mysteria paschalia gratulari, ut continua nostrae reparationis operatio perpetua nobis fiat causa laetitiae.

- A -

Codd.: *GelasV* 486   *Prag* 132, 2

Rubr.: Feria V[a] in albis, secreta *GelasV*
Feria V[a] infra octavam Pentecostes, secreta *Prag*

- B -

Codd. : *Adelp* 647   *Aquila* 105[r]   *Arbuth* 177   *Bec* 77   *Benevent*[2] 97   *Benevent*[3] 3   *Cantuar* 47   *Casin*[2] IX, 2   *Cu- ria* 124   *Engol* 825   *Fulda* 783   *Gellon* 789   *Gemm* 107   *Gregor* 430   *Herford* 151   *Lateran* 121   *Leofric* 103   *Mateus* 1267   *Ménard* 97 A   *Metz*[1] 78   *Monza* 331   *Nivern* 218   *Otton* 75[r]   *PaAng* 133   *Pad* 367   *Pa- mel* 278   *Panorm* 479   *Phill* 603   *Praem* 78   *Ratisb* 662   *Rhen* 505   *Ripoll* 457   *Rossian* 95, 2   *Salzb* 148. II 15   *Sangall* 624   *Sarum* 382   *Trento* 477   *Triplex* 1482   *Udalr* 549   *Vicen*[1] 78   *Vigil* 96   *West* I 323 *Winch* 2

Rubr.: Sabbato in albis, oratio super oblata *seu* secreta *codd.*

Var. lect.: **1** domine] omnipotens deus *Aquilea*   nos domine semper *transp. Arbuth*   **2** continua] continuata *Salzb* II 15   *Vigil*   **3** fiat] proficiat *Lateran*   laetitiae] salutis *Aquilea*

722.

Concede, quaesumus, domine, ut ad preces tuas corda nostra flectamus et, esse tibi possibilia cuncta fidentes, non de elementorum profutura nobis speremus effectu sed de tua virtute suppliciter imploremus.

Cod.: *Leon* 916

Rubr.: Mense Septembris, orationes et preces ieiunii mensis septimi, XI alia missa, <collecta>

723.   Br 132

Concede, quaesumus, domine, ut oculis tuae maiestatis munus oblatum et gratiam nobis devotionis obtineat et effectum beatae perennitatis acquirat.

- A -

Codd.:   *Adelp* 144[+]   *Aquilea* 18[r]   *Benevent*[2] 11   *Brugen* III, 3   *Cantuar* 15[+]   *Curia* 21   *Engol* 93   *Fulda* 285[o]   *Gellon* 93   *Gemm* 53   *Gregor* 17[*]   *Herford* 24   *Iena* 26   *Lateran* 27[+]   *Leofric* 66[o]   *Mateus* 264[o]   *Ménard* 37 D   *Monza* 52[o]   *Nivern* 145   *Otton* 3[v]   *PaAug* 14, 3   *Pad* 53   *Pamel* 397[o]   *Phill* 92   *Praem* 36   *Prag* 11, 2[o]   *Ratisb* 70[+]   *Rhen* 79   *Rossian* 11, 2   *Rosslyn* 9[+]   *Salzb* 384   *Salzb-A* 36[o]   *Sangall* 87   *Suppl* 1094[o]   *Trento* 141   *Triplex* 335   *Udalr* 109[+]   *Vicen*[2] 100[+]

Rubr.: Dominica II[a] post Natale Domini (*codd.* [o] *distincti*) *seu* I[a] dominica post octavam Domini (*Gemm PaAug*) *seu* dominica I[a] post Natale Domini (*codd.* [+] *distincti*) *seu* dominica post Natale Domini (*Benevent*[2] *Curia Iena Ménard*) *seu* dominica infra Natalem Domini (*Otton Rossian*) *seu* dominica infra octavam Nativitatis (*Aquilea Praem*) *seu* dominica III[a] post Natale Domini (*Nivern*) *seu* VI[a] die a Nativitate Domini, si haec in dominica evenerit (*Herford*) *seu* alia dominica post Natale Domini (*ceteri codd.*), oratio super oblata *seu* secreta *codd.*

Var. lect.: **1** quaesumus] nobis *Iena*   domine] *om. Pamel*, omnipotens deus *Aquilea Benevent*[2] *Curia Nivern*   **2** devotionis] piae *praem. Aquilea Benevent*[2] *Cantuar Curia-Av Nivern*   **3** beatae] *om. Gellon PaAug Sangall Triplex*

- B -

Codd.: *Adelp* 487   *Aquilea* 76ʳ   *Avellan*³ 843   *Bec* 58   *Benevent*¹ 432   *Cantuar* 35   *Curia* 60   *Gemm* 85   *Gregor* 313   *Herford* 82   *Iena* 62ᵛ   *Lateran* 83   *Leofric* 91   *Mateus* 1029   *Ménard* 77 B   *Metz*¹ 68   *Nivern* 184   *Otton* 42ʳ   *PaAug* 46, 2   *Pad* 282   *Pamel* 246   *PaMon-Sup* 6, 2   *Panorm* 231   *Praem* 63   *Ragusa* 182   *Ratisb* 493   *Rossian* 81, 2ᵐ   *Rosslyn* 26   *Salzb* 79   *Salzb-A* 13   *Splitt* 11   *Trento* 369   *Triplex* 1115   *Udalr* 397   *Vigil* 34

Rubr.: Dominica in palmis, oratio super oblata *seu* secreta *codd.*

Var. lect. : **1** Concede] nobis *add. Benevent*¹   domine] omnipotens deus *Praem*   **2** oblatum munus *transp. Rosslyn*   devotionis] tuae *praem. Avellan*³   **3** beatae] nobis *Pamel, om. Rosslyn*

- C -

Codd.: *Adelp* 1317   *Aquilea* 182ʳ   *Bec* 118   *Cantuar* 66   *Curia* 146   *Fulda* 1649   *Gemm* 134   *Gregor* 718   *Herford* 204   *Lateran* 150   *Leofric* 123   *Mateus* 2710   *Nivern* 254   *Otton* 143ᵛ   *Pad* 692   *Pamel* 343   *Panorm* 831   *Praem* 91   *Ripoll* 672   *Rossian* 196, 7   *Trento* 757   *Triplex* 2506   *Udalr* 984   *Vicen*¹ 252   *Winch* 45

Rubr.: In ieiunio mensis septimi, sabbato in XII lectionibus,
 - alia secreta *Triplex*
 - oratio super oblata *seu* secreta *ceteri codd.*

Var. lect. : **1** domine] omnipotens deus *codd.*   **2** devotionis] piae *praem. Cantuar*   **2/3** et² ... acquirat] et praemia aeterna concedat *Lateran*   **3** beatae] nobis *Fulda*   perennitatis] immortalitatis *Otton*

- D -

Codd.: *Leofric* 83   *Ragusa* 64   *Turic* VI, 4

Rubr.: Feria Vᵃ hebdomadae IIIᵃᵉ quadragesimae, secreta *Leofric*
 Dominica Iᵃ post Epiphaniam, secreta *Ragusa*
 Feria IIIᵃ hebdomadae maioris, secreta *Turic*

Var. lect.: **1** domine] omnipotens deus *Leofric*

724.

Concede, quaesumus, domine, ut perceptum novi sacramenti mysterium et corpore sentiamus et mente.

- A -

Codd. : *Engol* 616   *Fulda* 669   *GelasV* 373   *Gellon*
609   *Gregor* 108*   *Monza* 277   *Phill* 480   *Ripoll*
320   *Sangall* 500   *Triplex* 1193

Rubr.: Feria Vᵃ in Cena Domini, reconciliatio paenitentis, ad missam,
oratio ad complendum *seu* post communionem *codd.*

Var. lect.: 1 perceptum] *Engol Fulda Ripoll*, percepti *ceteri codd.*
1/2 sacramenti] testamenti *Monza*

- B -

Codd. : *Douce* 2   *Engol* 640   *GelasV* 393   *Gellon*
625   *Leofric* 261   *PaAug* 50, 6   *Phill* 491   *Sangall* 510

Rubr.: Feria Vᵃ in Cena Domini,
        - missa ad vesperum, oratio post communionem *Engol Ge-*
        lasV
        - ad unicam missam, <postcommunio> *PaAug*, alia postcom-
        munio *Leofric*
        - missa chrismalis, oratio post communionem *ceteri codd.*

Var. lect.: 1/2 sacramenti] testamenti *Leofric*

725.

Concede, quaesumus, domine, ut, sicut famulus tuus ille
oblatis optavit muneribus, beatorum martyrum tuorum illorum hic semper merita celebrentur.

Codd. : *Engol* 2143   *GelasV* 717   *Gellon* 2464   *Phill*
1501   *Prag* 231, 2   *Rossian* 250, 2   *Udalr* 1140

Rubr.: Orationes et preces in dedicatione basilicae quam conditor non
dedicatam reliquit, oratio super oblata *seu* secreta *codd.*

Var. lect. : 1 Concede] nobis *add. Prag*   domine] omnipotens deus
Prag Rossian Udalr, tui virtute mysterii *add. Rossian   Udalr*   2 oblatis *et* muneribus] *om. Rossian Udalr*   beatorum] beati apostoli tui
illius et eorum *Udalr*   martyrum] *om. Rossian*

726.

Concede, quaesumus, misericors deus, ut, intercedente
beato Ricardo confessore tuo atque pontifice, tuae maiestati
munus oblatum et gratiam nobis bene vivendi obtineat et
gloriam sempiternam post hanc vitam acquirat.

Codd. : *Arbuth* 296   *Sarum* 732   *West* II 787   *West* III
1541 (Sherborne)

Rubr. : <III Nonas Aprilis>, in natali sancti Ricardi episcopi et
confessoris, secreta *codd.*

Var. lect.: **4** post hanc vitam] *om. Sarum*

Nota: *Comparez à l'oraison*: "Concede, quaesumus, domine, ut oculis
tuae maiestatis ... perennitatis acquirat."

727.

Concede, quaesumus, misericors deus, ut sancti martyris
tui Adriani veneranda festivitas salutaris auxilii praestet nobis augmentum.

Cod.: *Ripoll* 1215

Rubr.: VI Idus Septembris, <natale> sancti Adriani, collecta

728 a.

Concede, quaesumus, omnipotens deus, ad eorum gaudia
aeterna pertingere, de quorum nos virtute tribuis annua sollemnitate gaudere.

Codd. : *Curia* 169^v	*Fulda* 912	*Gellon* 968°	*Gemm*
175° *Gregor* 494	*Leofric* 143. 264	*Mateus* 1425	*Mé-*
nard 103 B^o *Nivern* 231	*Otton* 85^r	*Pad* 437	*Pamel*
293 *Panorm* 1191	*Phill* 767°	*Praem* 133	*Ripoll*
971 *Rossian* 109, 1	*Sangall* 763	*Schäftlarn* 7°	*Tren-*
to 540 *Triplex* 1708	*Vigil* 135		

Rubr.: III Idus Maii, natale sanctae Mariae ad martyres *seu* dedicatio
ecclesiae beatae Mariae ad martyres, collecta *codd.*

Var. lect. : **1** ad eorum] *Sangall*^{1} *codd.* ^{o} distincti, nos add. *San-*
gall^2 *ceteri codd.*   **2** pertingere aeterna *transp. Nivern*

728 b.

Concede, quaesumus, omnipotens deus, ad beatae Mariae
semper virginis gaudia aeterna pertingere, de cuius nos veneranda assumptione tribuis annua sollemnitate gaudere.

Codd. : *Adelp* 962	*Ariberto* 845°	*Avellan*^{1} 897	*Bec*
180^{o+} *Benevent*^{1} 622	*Benevent*^{2} 160	*Bergom* 1065°	*Bias-*

ca 999°	Cantuar 104⁰⁺	Curia 192	Engol 1225	Ful-
da 1212	Gellon 1347	Gemm 201	Gregor 198*	Gre-
gorTc 3558	Herford 312⁺	Leofric 252	Lucca 169	Mé-
nard 133 B	Milano 1098°	Monac⁵ (21)	Monza 574	Ni-
vern 290	Otton 105ᵛ°	Pad 621	Pamel 330	Paris¹
154	Piacenza 2ʳ	Praem-MC MP 169°	Ragusa 578	Rhen
789	Rosslyn 64⁺	Salzb 268. III 1	Sangall 1092°	Tren-
to 701	Triplex 2325°	West II 919⁺		

Rubr.: XIX Kalendas Septembris, vigilia sanctae Mariae,
  - collecta Benevent¹ Benevent²
  - postcommunio Avellan¹ Bec Cantuar
  - oratio ad vesperum Fulda Pamel
  - alia oratio Lucca Ménard
XI Kalendas Septembris, in octava sanctae Mariae virginis,
  collecta Herford Leofric Praem West
XVIII Kalendas Septembris, Assumptio (Dormitio GregorTc)
  sanctae Mariae,
  - ad vigiliam in nocte, collecta Nivern
  - oratio ad vigiliam Monac⁵
  - collecta per octavam Rosslyn
  - oratio super sindonem Ariberto Bergom Biasca Milano
  - oratio ad vesperum Gemm
  - alia oratio Curia Gregor
  - collecta ceteri codd.

Var. lect. : 1 Concede] nobis add. codd. ° distincti   quaesumus]
nobis Benevent¹ Benevent² Monza   ad] nos praem. GregorTc Herford
West   2 semper virginis om. Otton   gaudia] nos add. Rosslyn   ae-
terna] om. Herford   nos] om. codd. ⁺ distincti   2/3 assumptione veneranda transp. Benevent¹ Benevent² Ragusa

729.

Concede, quaesumus, omnipotens deus, animabus famulorum atque sacerdotum tuorum illorum felicitatis aeternae
consortium, quibus donasti sacri altaris tui consequi ministerium.

Codd. : Avellan² 947   Fulda 2526   Gemm 307   GregorTc 2852. 2856   Otton 200*   Praem 270   Ratisb 2338

Rubr.: Missa pro episcopis et clericis <defunctis>, collecta Avellan²
    Missa pro defuncto diacono, alia collecta GregorTc 2856
    Missa pro defuncto sacerdote, collecta Otton
    Missa pro defuncto diacono vel sacerdote, alia collecta Ratisb
    Missa pro pluribus episcopis, abbatibus et sacerdotibus, col-
      lecta Praem
    Missa pro pluribus sacerdotibus defunctis, collecta Fulda
      Gemm GregorTc 2852

Var. lect.: *GregorTc* 2856 *Otton Ratisb formam adhibent pluralis*
1/2 famulorum atque sacerdotum tuorum illorum] famulorum tuorum
episcoporum sacerdotum et diaconorum et omnium clericorum *Avellan²,*
famulorum tuorum episcoporum ac sacerdotum *Praem*

730.

Concede, quaesumus, omnipotens deus, beati apostoli tui
Barnabae sollemnitatem honore congruo celebrare et digna
suscipere devotione.

Cod.: *Aquilea* 214ʳ

Rubr.: <III Idus Iunii>, in festo sancti Barnabae apostoli, collecta

Nota: *Comparez à l'oraison*: "Concede nobis, quaesumus, omnipotens
deus, venturam beati ... celebrare devotione."

731.

Concede, quaesumus, omnipotens deus, famulo tuo illi
consolationis auxilium et, diuturnis calamitatibus laborantem,
propitius respirare concede.

Codd.: *Monza* 965   *Otton* 184*   *Ratisb* 2242

Rubr.: Missa pro tribulatione, collecta *codd.*

Var. lect.: *Otton Ratisb formam adhibent pluralis*

Nota: *Comparez à l'oraison*: "Praesta populo tuo, domine, quaesumus,
consolationis ... respirare concede."

732.

Concede, quaesumus, omnipotens deus, fidelibus tuis, beati Benedicti confessoris tui festa celebrantibus, cunctorum
veniam peccatorum, ut, qui exsultantibus animis eius claritati
congaudent, ipso apud te interveniente, consocientur et meri-
5 tis.

Cod.: *Aquilea* 205ᵛ

Rubr. : <XII Kalendas Aprilis>, in festo beati Benedicti abbatis,
collecta

733.

Concede, quaesumus, omnipotens deus, fragilitati nostrae sufficientiam competentem, ut suae reparationis effectum et pia conversatione recenseat et cum exsultatione suscipiat.

Codd. : *Casin*[1] 275   *Engol* 251. 447   *Fulda* 325   *Ge-lasV* 70. 216   *Gellon* 248   *Ménard* 53 A   *Monza* 103   *Pa-mel* 212   *Phill* 262   *Ratisb* 231   *Rhen* 176   *Sangall* 229   *Triplex* 567

> **Rubr.**: Feria VI[a] hebdomadae III[ae] quadragesimae, alia collecta *En-gol* 447 *GelasV* 216
> In Septuagesima,
> - collecta *Casin*[1] *Fulda Ménard*
> - alia oratio *Ratisb*
> - alia collecta *ceteri codd.*

Var. lect.: 1 omnipotens deus] domine *Engol* 447   *GelasV* 216

734.

Concede, quaesumus, omnipotens deus, hanc gratiam plebi tuae adventum unigeniti tui cum summa vigilantia exspectare, ut, sicut ipse auctor nostrae salutis docuit, velut fulgentes lampadas in eius occursum nostras animas praeparemus.

Codd. : *Bobbio* 55   *Engol* 1565   *Fulda* 1775   *GelasV* 1136   *Gellon* 1698   *Ménard* 195 B   *Pamel* 365   *Phill* 1092   *Sangall* 1403   *Triplex* 131

> **Rubr.**: Alia missa de Adventu Domini, alia collecta *GelasV*
> III[a] missa in Adventu Domini, praefatio *i.e.* introductio *Bobbio*
> Alia oratio de Adventu Domini (ad vesperos sive matutinas
> add. *Engol*) *ceteri codd.*

Var. lect.: 1 omnipotens deus] domine *Bobbio*

Fontes: cfr Matth. 25, 1-13 ; Luc. 12, 35-40

735.

Concede, quaesumus, omnipotens deus, illius nos lucis consortes effici, quam tuus hodie filius in sui transfiguratione corporis, tua eum paternitate pandente, patefecit.

Cod.: *Arbuth* 344

Rubr. : <Die VI° mensis Augusti>, in festo Transfigurationis Iesu Christi, collecta

736.

Concede, quaesumus, omnipotens deus, per merita et intercessionem beati illius, ut, qui merito nostrae iniquitatis affligimur, munere tuae pietatis per unigenitum tuum a saevis barbaris celerrime eruamur.

Cod.: *GregorTc* 2571

Rubr.: Missa pro imminenti persecutione barbarica, alia collecta

737.

Concede, quaesumus, omnipotens deus, sacramenta, quae sumpsimus in honore beatae Mariae virginis matris, immaculato corde servare, ut, nunc festa eius colentes, post excessum huius vitae ad ipsius mereamur transire consortium.

Cod.: *Sarum* 648

Rubr. : Missa recollectionis festorum beatae Mariae virginis, postcommunio

738.   Br 127

Concede, quaesumus, omnipotens deus, spiritum nos sanctum votis promereri sedulis, quatenus eius gratia ab omnibus liberemur temptationibus et peccatorum nostrorum indulgentiam mereamur accipere.

Codd. :   *Adelp* 1384°.   1481°   *Alcuin* 52"   *Avellan*[2] 939° *Curia* 231[vo+]   *Drumm* 24[+]   *Fulda* 1794[+]   *GregorTc* 2329 "   *Leofric* 177"   *Pamel* 520   *Praem* 222[0+]   *Ratisb* 2045[+]   *Trento* 1383"   *Triplex* 2938[+]   *Udalr* 1454[0+]   *Vicen*[1] 868   *Vigil* 532°

Rubr.: De cordis emundatione per spiritum sanctum postulanda, (sabbato *add. Ratisb*),
    – oratio ad complendum *seu* post (ad *Avellan* [2]) communionem *codd.* ° *distincti*
    – oratio ad *seu* super populum *codd.* " *distincti*
    – alia oratio *ceteri codd.*

Var. lect.: 1 Concede] nos *add. Avellan*[2]   1/2 spiritum nos sanctum] sanctum nos spiritum *transp. codd.* [+] *distincti*, sanctum nobis spiritum

Adelp 1384   *Pamel*, spiritum sanctum nos *Leofric*, spiritum sanctum *Avellan²*   **4** mereamur accipere] mereamur *Adelp* 1384 *Udalr*, percipere mereamur *Fulda Praem Ratisb*, consequamur *Drumm Pamel*

739.   Br 128

Concede, quaesumus, omnipotens deus, ut ad meliorem vitam sanctorum tuorum exempla nos provocent, quatenus, quorum sollemnia agimus, etiam actus imitemur.

- A -

Codd. : *Adelp* 188   *Arbuth* 276   *Buchsheim* (19)   *Can-tuar* 72   *Curia-Ott* 164ᵛ   *Engol* 124   *Fulda* 139   *Gel-lon* 127   *Gemm* 151   *Gregor* 99   *Herford* 228   *La-teran* 170   *Leofric* 134   *Mateus* 326   *Ménard* 40 D   *Ni-vern* 151   *Otton* 8ʳ   *Pad* 69   *Pamel* 198   *PaMon-Ben* 15, 1   *Panorm* 921   *Phill* 133   *Praem* 104   *Ragusa* 324   *Ratisb* 102   *Rhen* 108   *Ripoll* 862   *Rossian* 17, 1   *San-gall* 116   *Sarum* 675   *Trento* 157   *Triplex* 386   *Udalr* 131   *West* II 742   *Winch* 58

Rubr.: XIX Kalendas Februarii, natale sancti Felicis in Pincis,
    - alia collecta *Gellon*
    - collecta *ceteri codd.*

Var. lect. : **2** sanctorum tuorum] sancti Felicis confessoris tui *Arbuth West*, sancti confessoris tui Felicis *Cantuar*, sancti Felicis martyris tui atque pontificis *Sarum*   sanctorum tuorum exempla] tuorum exempla fidelium *Herford*   tuorum] *om. Buchsheim*   **3** quorum] beati confessoris tui Felicis cuius *Lateran*, beati Felicis cuius *Ragusa*, cuius *Arbuth Cantuar Sarum West*   agimus] celebramus *Arbuth Sarum West*   actus] actiones *Nivern*   imitemur] et intercessionibus adiuvemur *add. Arbuth West*

- B -

Codd. : *Ariberto* 670   *Biasca* 827   *Fulda* 1029   *Mé-nard* 167 C   *Ratisb* 1358   *West* III 1536 (Cisterciens). 1596 (Cisterciens)

Rubr.: IV Kalendas Maii, natale sanctorum Vitalis et Valeriae, oratio super sindonem *Ariberto Biasca*
    II Nonas Iunii, vigilia sancti Bonifatii, oratio super populum *Fulda*
    In vigilia unius confessoris, oratio ad vesperos *Ménard Ratisb*
    Die VIº mensis Februarii, <in natali> sanctorum Vedasti et Amandi, collecta *West* III 1536
    Die Iº mensis Octobris, <in natali> sanctorum episcoporum Germani, Remigii et Vedasti, collecta *West* III 1596

Var. lect. : **2** sanctorum tuorum] sanctorum Vitalis et Valeriae *Ariberto*, sancti confessoris tui illius *Ménard Ratisb*   provocent] praevehant *Ariberto*   **2/3** quatenus ... imitemur] quo eorum quibus festa celebramus sollemniis actu et sensibus haereamus *Ariberto*   **3** quorum] cuius *Ménard Ratisb*   agimus] praevenimus *Ménard Ratisb*   etiam actus imitemur] fidem imitemur et actus *Fulda,* et intercessionibus adiuvemur *add. Ménard Ratisb*

740.

Concede, quaesumus, omnipotens deus, ut anima famuli tui illius abbatis atque sacerdotis per haec sancta mysteria in tuo conspectu semper clara consistat, quae fideliter ministravit.

Codd. : *Adelp* 1695[+]   *Arbuth* 468"   *Avellan*[1] 871   *Bec* 269[0+"]   *Benevent*[1] 170[0+]   *Bergom* 1405[+]   *Drumm* 36[0+"]   *Fulda* 2532   *GelasV* 1640   *Gellon* 2945   *Gemm* 305[0+]   *GregorTc* 2838   *Iena-A* 49[0+]   *Leningrad*[2] 51[0+]   *Mauric* 17[+]   *Milano* 1423   *Monza* 1057   *Oxford* 75"   *Phill* 1952   *Prag* 293, 3   *Ratisb* 2325   *Rhen* 1354   *Sarum* 872*"   *Trento* 1410   *Triplex* 3501[+]   *Vicen*[1] 1606[0+]   *Vigil* 677[+]   *West* II 1171"

Rubr.: (Alia) missa pro sacerdote (sive abbate *om. codd.* [o] *distincti*),
          - oratio post communionem *codd.* " *distincti*
          - oratio super oblata *seu* secreta *ceteri codd.*

Var. lect.: *Drumm formam adhibet pluralis*   **1** famuli] servi *Avellan*[1]   **2** abbatis atque] *om. codd.* [+] *distincti*   sacerdotis] cui regiminis et sacerdotii donasti meritum *add. Avellan*[1]   per haec sancta mysteria] *transp. post* ut *Arbuth Oxford Sarum*   **3** semper] *om. Arbuth Sarum* quae fideliter] quae tibi fideliter *Arbuth Avellan*[1] *Bergom Mauric Milano,* quae fideliter tibi *Fulda,* quae hic fideliter *Ratisb,* qui tibi fideliter *Oxford Sarum,* quae tibi in hoc exsilio fideliter *Triplex*   **3/4** quae fideliter ministravit] *om. Bec Drumm West*

741.

Concede, quaesumus, omnipotens deus, ut beata virgo Marcellina suis pro nobis apud tuam misericordiam meritis obtineat, quo ipsius gloriosum excessum dignis ad tuam magnificentiam laudibus honoremus.

Cod.: *Ariberto* 775

Rubr.: Die XVII[o] mensis Iulii, <natale> sanctae Marcellinae virginis, alia oratio super populum *i.e.* collecta

742.

Concede, quaesumus, omnipotens deus, [ut] beati Birini confessoris tui nos ubique intercessionibus adiuvari, cuius nos doctrinis ad agnitionem tui nominis pervenire donasti.

Cod.: *Winch* 189

Rubr.: <III Nonas Decembris>, depositio sancti Birini episcopi, post-communio

743.

Concede, quaesumus, omnipotens deus, ut beati Martini confessoris tui frequentata sollemnitas ad perpetuam populo tuo proficiat salutem et, quem saepius veneramur in terris, semper habeamus patronum in caelis.

Codd. : *Alcuin* 126   *Aquilea* 213^V *Arbuth* 397° *Bec* 214° *GregorTc* 3532. 3584   *Herford* 359° *Leofric* 268° *Mateus* 2274° *Sarum* 973° *West* II 1003° *West* III 1610 (Durham Sherborne Vitell Whitby)

Rubr.: <II Nonas Iunii>, in festo sancti Quirini martyris, collecta *Aquilea*
IV Idus Septembris, in octava sancti Remagli, collecta *GregorTc* 3584
V Idus Iulii, octava sancti Martini (et infra octavam *add. Bec*), collecta *ceteri codd.*

Var. lect.: 1 omnipotens] et misericors *add. West*   1/2 beati ... tui] beati Quirini martyris tui atque pontificis *Aquilea*   2 confessoris tui] atque pontificis *add. codd.* ^{O} *distincti*   2/3 ad ... tuo] ad perpetuae nobis sollemnitatis *Bec*   3 proficiat] transeat *West*   4 habeamus] mereamur habere *Aquilea*

744.

Concede, quaesumus, omnipotens deus, ut ecclesia tua et in suorum firmitate membrorum et in nova semper fecunditate laetetur.

Codd.: *GelasV* 539   *Gellon* 830

Rubr.: Alia oratio paschalis vespertinalis *GelasV*
Alia oratio paschalis ad vesperum <sive> ad matutinum *Gellon*

Nota: *Comparez à l'oraison*: "Da, quaesumus, omnipotens deus, ut ecclesia tua ... fecunditate laetetur."

745.

Concede, quaesumus, omnipotens deus, ut familia tua, in
hoc praesenti monasterio congregata, sine ullius murmurationis periculo in servitio sancti nominis tui secura possit
exsistere et miserationum tuarum largitatem cum pace et
5 concordia adipisci mereatur.

Cod.: *Fulda* 2299

Rubr.: Missa pro periculo murmurationis canenda, collecta

746 a.

Concede, quaesumus, omnipotens deus, ut festa paschalia,
quae venerando colimus, etiam vivendo teneamus.

Codd. : *Curia* 122	*Engol* 790	*Fulda* 743°	*Gellon*
745°	*Gemm* 104	*Gregor* 399	*Lateran* 118	*Leofric*
100	*Lucca* 71	*Mateus* 1212	*Ménard* 93 D	*Nivern*
214°	*Pad* 339	*Pamel* 275	*Panorm* 413°	*Phill*
568	*Praem* 76	*Ratisb* 632°	*Rhen* 468	*Ripoll* 428
Sangall 586	*Sangall-A* 5	*Sangall** 72	*Trento* 450	*Tri-*
plex 1379	*Udalr* 522	*Vicen*[1] 44		

Rubr.: Feria IV[a] in albis, alia oratio ad vesperas *Praem*
Feria II[a] in albis,
  - oratio ad vesperas *Lucca*
  - oratio ad sanctum Andream *Sangall Triplex*
  - alia oratio *codd.* ° *distincti*
  - oratio ad fontes *ceteri codd.*

Var. lect.: 1 paschalia festa *transp. Ripoll*   2 venerando] *om. Ni-*
vern

746 b.

Concede, quaesumus, omnipotens deus, ut festa paschalia,
quae devotione colimus, moribus exsequamur.

Codd.: *Bobbio* 285   *Gallic* 226   *Goth* 285

Rubr.: Missa paschalis III[a], <collectio> ad pacem *Bobbio*
Missa paschalis, VI[a] feria, collectio <ad pacem> *Gallic*
Missa matutinalis per totam Pascha pro parvulis qui renati
sunt, secunda feria, <collectio> ad pacem *Gallic*

Var. lect.: 2 exsequamur] et pacem quam per omnia custodiri iussisti
non tantum osculis sed animis conservare nos iubeas ut spiritalibus donis
institutis apostolica praecepta servemus *add. Bobbio*

747.

Concede, quaesumus, omnipotens deus, ut hac festivitate beatae martyris tuae Caeciliae, qua ad caelestia meruit evocari praemia, coniunctis sibi Tiburtio et Valeriano, sicut credimus et speramus, eorum suffragiis adiuvemur.

Codd.: *Bergom* 17   *Biasca* 13   *Milano* 803   *Triplex* 2725

Rubr. : X Kalendas Decembris, natale sanctae Caeciliae, alia oratio super populum *i.e.* collecta *codd.*

748.

Concede, quaesumus, omnipotens deus, ut huius perceptione sacramenti ita nostrae fragilitatis vitia expurgentur, quatenus per spiritum sanctum repromissum in nobis donum tuae gratiae sentiamus.

Codd. : *Arbuth* 208   *Sarum* 443   *West* I 377   *West* III (Abingdon St-Alban's)

Rubr. : Feria VI^a quatuor temporum infra octavam Pentecostes, (de sollemnitate *add. West* I 377) postcommunio *codd.*

749.   Br 130

Concede, quaesumus, omnipotens deus, ut huius sacrificii munus oblatum fragilitatem nostram ab omni malo purget semper et muniat.

– A –

Codd. : *Aquilea* 215^r   *Engol* 1555   *Fulda* 552. 1731   *Gellon* 1691   *GregorTc* 2695. 3421   *Phill* 1083   *Sangall* 1394   *Trento* 62. 241   *Udalr* 1731   *West* III 1460 (Rouen MS. 10.048 York). 1602 (Paris). 1628 (Paris Vitell)

Rubr.: Alia missa de Adventu, cottidianis diebus, oratio super oblata
seu secreta *Engol Gellon Phill Sangall*
XV Kalendas Iulii, in festo sanctarum virginum et martyrum Cyriae et Muscae, secreta *Aquilea*
Feria IV^a hebdomadae IV^{ae} quadragesimae, alia <collecta> *Fulda* 552
Feria IV^a post dominicam III^{am} ante Natale Domini, oratio super oblata *Fulda* 1731
Missa pro peccatis, oratio super oblata *GregorTc* 2695
Missa in natale plurimarum virginum, oratio super oblata *GregorTc* 3421   *West* III 1628

<Ordinarium missae>, alia oratio super oblata *Trento* 62
Feria Vᵃ hebdomadae Iᵃᵉ quadragesimae, oratio super oblata
     Trento 241 *West* III 1460
Missa pro devoto, secreta *Udalr*
Die XXI° mensis Octobris, in natali sanctarum XI millium
     virginum, secreta *West* 1602

Var. lect. : **2** nostram] famuli tui illius *Udalr*   purget] mundet
Udalr **3** muniat] et sanctarum virginum meritis et precibus a praeteritis
nos delictis exuat et futuris *add. GregorTc* 3421

– B –

Codd.: *Adelp* 180   *Aquilea* 25ᵛ   *Arbuth* 47   *Bec* 19   *Be-*
*nevent*² 24   *Cantuar* 18   *Curia* 26   *Engol* 197   *Fulda*
309   *Gemm* 57   *Gregor* 44*   *Herford* 34   *Iena* 38   *La-*
teran 31   *Leofric* 69   *Mateus* 541   *Ménard* 48 A   *Mon-*
za 79   *Nivern* 149   *Otton* 1ʳ   *Pad* 101   *Pamel* 399   *Pa-*
*ris*¹ 49   *Phill* 206   *Praem* 40   *Prag* 25, 2   *Ratisb*
173   *Rhen* 142   *Ripoll* 38   *Rossian* 33, 1   *Salzb* 404. I
11   *Salzb–A* 40   *Sangall* 180   *Sarum* 104   *Stuttgart*¹ II,
2   *Suppl* 1106   *Trento* 1062   *Triplex* 486   *Udalr*
203   *West* I 80

Rubr.: Dominica Iᵃ post Theophaniam *seu* Epiphaniam, secreta *Ros-*
     *sian Stuttgart*¹
     Dominica IIIᵃ post Epiphaniam, secreta *Lateran*
     Dominica IVᵃ post octavam Epiphaniae, secreta *Arbuth Her-*
     ford Sarum West
     Dominica IVᵃ post Theophaniam *seu* Epiphaniam (IIIᵃ post
     octavam Theophaniae *Cantuar Nivern*), oratio super oblata
     seu secreta *ceteri codd.*

Var. lect.: **1** huius sacrificii] oculis tuae maiestatis *Iena*   **2** oblatum]
et gratiam nobis devotionis obtineat et *add. Iena*   purget ab omni malo
transp. Cantuar   **3** semper] *om. Sarum Stuttgart*¹

– C –

Codd.: *Adelp* 411   *Aquilea* 58ʳ   *Ariberto* 318   *Bec* 44   *Be-*
*nevent*² 64   *Bergom* 384   *Biasca* 351   *Cantuar* 30   *Cu-*
ria 44ᵛ   *Gemm* 75   *Gregor* 253   *Herford* 66   *Lateran*
64   *Leofric* 84   *Mateus* 872   *Ménard* 69 A   *Milano*
162   *Nivern* 175   *Otton* 34ᵛ   *Pad* 227   *Pamel* 235   *Pa-*
Mog 14ᵛ   *Panorm* 74   *Praem* 54   *Ratisb* 409   *Ripoll*
198   *Rossian* 66, 2   *Sens* 87   *Trento* 309   *Triplex*
911   *Udalr* 329

Rubr.: Sabbato hebdomadae IIIᵃᵉ quadragesimae, oratio super oblata
seu secreta *codd.*

Var. lect.: **2** oblatum] *om. Ménard*

750.

Concede, quaesumus, omnipotens deus, ut ieiuniorum nobis sancta devotio et purificationem tribuat et maiestati tuae
nos reddat acceptos.

Codd.: *Adelp* 398   *Aquilea* 54ʳ   *Arbuth* 92   *Bec* 43⁰   *Cantuar* 29   *Herford* 64   *Otton* 33ᵛᵒ   *Pamel* 232   *Praem*
53⁰   *Ripoll* 184⁰   *Sarum* 201   *Trento* 300   *West* I
167   *West* III (Bayeux Coutances Dominicains Durham Évreux Rouen
St-Alban's Tewkesbury Whitby York)

Rubr.: Feria Vᵃ hebdomadae IIIᵃᵉ quadragesimae, collecta *codd.*

Var. lect. : **1** omnipotens] et misericors *add.* *Praem.*   **1/2** nobis]
nostrorum *Praem.*   **2** tribuat] nobis *praem.* *Praem*   **3** nos] *om. codd.*
⁰ *distincti*

751.

Concede, quaesumus, omnipotens deus, ut in adventu filii
tui domini nostri Iesu Christi cum omnibus sanctis placitis
tibi actibus praesentemur.

Cod.: *Aquilea* 2ʳ

Rubr. : <Commemoratio> de omnibus sanctis <tempore Adventus>,
complenda

Nota: *Comparez à l'oraison*: "Prope esto, domine, omnibus exspectan-
tibus ... actibus praesentemur."

752 a.   Br 1036

(recensio brevis)

Concede, quaesumus, omnipotens deus, ut intercessio nos
dei genitricis Mariae et omnium sanctorum ubique laetificet,
ut, dum eorum merita recolimus, patrocinia sentiamus.

Codd.: *GregorTc* 1936   *Vicen*¹ 1076

Rubr.: Alia missa in honore Dei Genitricis et omnium sanctorum, alia
collecta *codd.*

(recensio media)

Concede, quaesumus, omnipotens deus, ut intercessio nos
sanctae dei genitricis Mariae sanctorumque omnium aposto-

lorum, martyrum, confessorum, virginum et omnium electorum tuorum ubique laetificet, ut, dum eorum merita recoli-
5 mus, patrocinia sentiamus.

Codd. : *Adelp* 1229 *Avellan*[3] 857 *Benevent*[1] 296 *Biasca* 1368[+] *Curia* 233 *Fulda* 1914 *Gemm* 249 *GregorTc* 1882[+] *Lateran* 308 *Leofric* 179 *Metz*[1] 97[+] *Nivern* 309. 325 *Pamel* 422[+] *Rossian* 292, 1 *Stockholm* 2
Suppl 1243[+] *Triplex* 2966. 3310

Rubr.: <Kalendas Novembris, festivitas omnium sanctorum>, alia
oratio *Nivern* 309
Missa ad poscenda suffragia sanctorum, collecta *ceteri codd.*

Var. lect. : **1** omnipotens deus] domine *Triplex* 2966 nos] *transp.*
ante ubique *Triplex* 2966. 3310 **2** genitricis] virginis *add. Avellan*[3]
3 martyrum] *om. Pamel* virginum] *om. codd.* [+] *distincti* **4** tuorum]
quorum festa per universum mundum hodie celebrantur *add. Stockholm*

(recensio longa)

Concede, quaesumus, omnipotens deus, ut intercessio nos
sanctae dei genitricis Mariae sanctarumque omnium caelestium virtutum et beatorum patriarcharum, prophetarum, apostolorum, martyrum, confessorum atque virginum et omnium
5 electorum tuorum ubique laetificet, ut, dum eorum merita
recolimus, patrocinia sentiamus.

Codd. : *Aquilea* 287[r] *Arbuth* 444[o] *Avellan*[1] 899 *Bec*
255 *Cantuar* 140 *Drumm* 28 *Herford* 421 *Mateus*
2810 *Otton* 153[ro] *Oxford* 67 *Praem* 13. 229 *Ripoll*
1485 *Rosslyn* 91 *Sarum* 826*[o] *Udalr* 1502[o] *Vicen*[1]
880 *Vigil* 491 *West* II 1141

Rubr.: Alia oratio post Litaniam in conventu *Praem* 13
Missa ad poscenda suffragia sanctorum, collecta *ceteri codd.*

Var. lect. : **1** omnipotens] et misericors *add. Herford* nos] *transp.*
ante ubique *codd.* [o] *distincti* **2** genitricis] semper virginis *add. Avellan*[1], semperque virginis *add. Herford Praem.* 13. 229 **2/3** sanctarumque ... beatorum] sanctorumque omnium spirituum *Aquilea Otton*, sanctorumque omnium caelestium virtutum angelorum et archangelorum *Ripoll
Vicen*[1], et beatorum archangelorum *Udalr Vigil* **3/4** apostolorum] evangelistarum *add. Arbuth Sarum* **5** tuorum] vel quorum festa per universum mundum hodie celebrantur *add. Udalr Vigil*

752 b.

Concede, quaesumus, omnipotens deus, ut sancta dei genitrix sanctique tui apostoli et omnes martyres, confessores ac

virgines perfectique tui nos ubique laetificent, ut, dum eorum merita recolimus, patrocinia sentiamus.

Codd.: *Casin*¹ 451   *Fulda* 2852   *Ratisb* 1961

Rubr.: <Kalendas Novembris>, in die omnium sanctorum, alia oratio
*Casin*¹
Orationes in monasterio, alia oratio in choro *Fulda*
Alia missa omnium sanctorum cottidianis diebus, alia collecta
Ratisb

Var. lect. : 1/2 genitrix] sanctus Michael *add. Casin*¹, Maria *add.*
Fulda 3 tui] iusti *add. Casin*¹ *Fulda* ubique] hic et *praem Fulda*

Nota: *Comparez à l'oraison:* "Sancti tui nos, quaesumus, domine, ubique laetificent ... patrocinia sentiamus."

753.

Concede, quaesumus, omnipotens deus, ut magnae festivitatis ventura sollemnia prospero celebremus effectu pariterque reddamur et intenti caelestibus disciplinis et de nostris
temporibus laetiores.

Codd. :	*Bergom* 101	*Biasca* 101	*Bobbio* 59	*Bonifatius*
48	*Engol* 1558	*Fulda* 1773	*Gellon* 1693	*Gemm*
143	*Gregor* 811	*Leofric* 130	*Mateus* 135	*Ménard*
195 A	*Nivern* 266	*Pad* 812	*Pamel* 365	*PaMon-*
Sup 1, 4	*Paris*¹ 202	*Phill* 1086	*Ratisb* 1591	*Rhen*
985	*Ripoll* 744	*Sangall* 1397	*Trento* 849	*Triplex*
125	*Udalr* 1278			

Rubr.: IIIᵃ missa in Adventu Domini, <collectio> post nomina *Bobbio*
In ieiunio, alia collecta *Bonifatius*
Alia oratio de Adventu, (infra hebdomadam *add. Ripoll,* ad
vesperum vel ad matutinum *add. Biasca Engol Paris*¹) *ce-*
teri codd.

Var. lect. : 1 quaesumus omnipotens deus] nobis domine quaesumus
Bobbio, nobis omnipotens et misericors deus *Bonifatius* 2 ventura] *om.*
Biasca 3 et¹] *om. Gemm* 3/4 et² ... laetiores] et peccatorum indulgentiam consequamur *Bobbio* 4 laetiores] lectiores *Gregor Nivern,* cer-
tiores *Leofric*ᵐ

754 a.   Br 133

Concede, quaesumus, omnipotens deus, ut paschalis perceptio sacramenti continua in nostris mentibus perseveret.

- A -

Codd. : *Arbuth* 179   *GelasV* 462   *Gellon* 725   *West* I
326   *West* III 1475 (Abingdon St-Alban's)

Rubr.: Sabbato sancto, ad missam in nocte, alia oratio post communionem *GelasV Gellon*
Missa dominicalis per hebdomadam post octavam Paschae,
postcommunio *Arbuth*
Dominica in octava Paschae, postcommunio *West*

Var. lect.: 2 mentibus] moribus *Gellon*

- B -

Codd. :   *Adelp* 632   *Aquilea* 101^V *Ariberto* 449   *Avel-*
*lan*³ 848   *Bec* 74   *Benevent*² 93   *Bergom* 590   *Biasca*
554   *Cantuar* 46   *Casin*² V, 3   *Curia* 122^V *Engol*
796   *Fulda* 750   *Gellon* 753   *Gemm* 105   *Gregor*
404   *Herford* 145   *Lateran* 118   *Leofric* 101   *Lucca*
74   *Mateus* 1222   *Ménard* 94 B   *Metz*¹ 77   *Milano*
342   *Monza* 320   *Nivern* 215   *PaAng* 119   *Pad* 344   *Pa-*
mel 275   *Panorm* 426   *Phill* 574   *Praem* 75   *Ratisb*
638   *Rhen* 475   *Ripoll* 433   *Rossian* 91, 6   *Salzb* 134   *San-*
gall 592   *Trento* 454   *Triplex* 1398. 1410   *Udalr* 526   *Vi-*
*cen*¹ 50

Rubr.: Feria III^a in albis,
- alia oratio post communionem *Gellon*
- oratio ad complendum *seu* post communionem *ceteri codd.*

Var. lect.: 1 ut] qui *add. Monza PaAng*   1/2 sacramenti perceptio
transp. Adelp Rossian   2 mentibus] cordibus *Fulda*

754 b.   Br 133

Concede, quaesumus, omnipotens deus, ut paschalis per-
fectio sacramenti mentibus nostris continua perseveret.

Codd. : *Ariberto* 541   *Bergom* 760   *Biasca* 731   *Gallic*
192   *GelasV* 630   *Metz*¹ 81   *Milano* 460   *Prag* 127, 5
Triplex 1847

Rubr.: Missa in die sancto Paschae, oratio post communionem *Gallic*
<Dominica Pentecostes>, primo mane, ad primam missam, ora-
tio ad complendum *Metz*¹
In vigilia Pentecostes, ad missam, oratio ad complendum
seu post communionem *ceteri codd.*

Var. lect. : 1 quaesumus] nobis *Prag*   1/2 perfectio] perceptio *Tri-*
plex   2 mentibus] in *praem. Triplex*

755.

Concede, quaesumus, omnipotens deus, ut per has oblationes, quas tibi offerimus pro anima famuli et sacerdotis tui
illius, ante conspectum gratiae tuae semper exsultet, ut, qui
tuis mysteriis fideliter ministravit, his oblationibus, te mise-
5 rante, se sentiat liberatum.

Cod.: *Mauric* 12

Rubr.: Missa pro defuncto sacerdote, oratio super oblata

Nota: *Comparez à l'oraison*: "Concede, quaesumus, omnipotens deus,
ut anima famuli tui ... fideliter ministravit."

756.

Concede, quaesumus, omnipotens deus, ut proxima ventura sollemnia (... *lac.* ...) itaque, quaesumus, tibi, pater,
acceptam et ad investigandam proximam Christi nativitatem
(... *lac.* ...) ipsius educatione sectemur.

Cod.: *Benevent*[2] 4[m]

Rubr.: Missa in die Natalis Domini, statio ad sanctum Petrum, oratio
post evangelium

757.

Concede, quaesumus, omnipotens deus, ut, qui beatae
Barnabae apostoli tui sollemnia colimus, eius meritis et
precibus pietatis tuae subsidia capiamus.

Cod.: *Adelp* 830

Rubr.: <III Idus Iunii, natale sancti> Barnabae apostoli, collecta

758.   Br 191

Concede, quaesumus, omnipotens deus, ut, qui beati Iohannis Baptistae sollemnia colimus, eius apud te intercessione
muniamur.

Codd. : *Aquilea* 216[r]   *Avellan*[1] 892   *Bec* 156   *Bologna*[2]
II 2   *Cantuar* 93   *Curia* 175   *Engol* 1030   *Fulda*
1072   *Gellon* 1149   *Gemm* 182   *Gregor* 571   *Juan* 24   *La-*

Rubr.: In octava sancti Iohannis Baptistae, collecta *Udalr*
VIII Kalendas Iulii, natale sancti Iohannis Baptistae, in primo
mane de nocte (et infra octavam *add.* Praem), collecta *ce-*
teri codd.

Var. lect. : 1 beati] *om.* Metz[1]   2/3 intercessione muniamur] intercessionibus muniamur *Avellan*[1] *Curia-Av Gemm Leofric* 19, intercessionibus adiuvemur *Aquilea Bologna*[2] *Cantuar Lateran*

Nota: *Comparez à l'oraison*: "Da, quaesumus, omnipotens deus, ut, qui
beati Marcelli ... intercessionibus adiuvemur."

759.

Concede, quaesumus, omnipotens deus, ut, qui beati martyris tui illius sollemnia colimus, cuius gaudemus natalitiis,
instruamur exemplis.

Cod.: *Triplex* 2872

Rubr.: Alia missa in natale unius martyris, collecta

760.   Br 134

Concede, quaesumus, omnipotens deus, ut, qui ex merito
nostrae actionis affligimur, tuae gratiae consolatione respire-
mus.

Rubr.: Dominica IV[a] quadragesimae (dominica media quadragesimae
Herford Sarum, dominica in medio quadragesimae *Arbuth*, dominica in
media quadragesima *Adelp Iena Otton*), collecta *codd.*

Var. lect.: 2/3 respiremus] liberemur *Fulda Lucca*

* * *

Concede, quaesumus, omnipotens deus, ut, qui festa paschalia ... vitae sitiamus.

Nota: *Cfr l'oraison*: "Concede, quaesumus, omnipotens deus, ut, qui sollemnitatem doni ... vitae sitiamus."

761.   Br 135

Concede, quaesumus, omnipotens deus, ut, qui festa paschalia venerando egimus, per haec contingere ad gaudia aeterna mereamur.

Codd.: *Adelp* 646   *Aquilea* 104[r]   *Arbuth* 175   *Ariberto* 470   *Bec* 76   *Benevent*[2] 97   *Bergom* 633   *Biasca* 602   *Cantuar* 46   *Casin*[1] 328   *Casin*[2] IX, 1   *Curia* 124   *Engol* 823   *Fulda* 781   *Gellon* 788   *Gemm* 107   *Gregor* 429   *Herford* 149   *Lateran* 121   *Leofric* 102   *Mateus* 1262   *Ménard* 96 D   *Metz*[1] 78   *Milano* 363   *Monza* 330   *Nivern* 217   *Otton* 75[r]   *PaAng* 132   *Pad* 366   *Pamel* 278   *Panorm* 474   *Phill* 601   *Praem* 78   *Ratisb* 661   *Rhen* 503   *Ripoll* 456   *Rossian* 95, 1   *Salzb* 147. II 14   *Sangall* 622   *Sarum* 378   *Trento* 476   *Triplex* 1480. 1493   *Udalr* 548   *Vicen*[1] 77   *Vicen*[2] 180   *Vigil* 95   *West* I 320   *Winch* 1

Rubr.: Sabbato in albis,
- alia collecta *Gellon*
- collecta *ceteri codd.*

Var. lect.: 2 egimus] peregimus *Adelp Salzb* II 14 *Trento Vigil* contingere] pertingere *Ariberto Bergom Biasca Milano*

762.   Br 136

Concede, quaesumus, omnipotens deus, ut, qui hodierna die unigenitum tuum ad caelos ascendisse credimus, ipsi quoque mente in caelestibus habitemus.

Codd.: *Adelp* 724   *Aquilea* 112[v]   *Arbuth* 192   *Avellan*[3] 849   *Bec* 84   *Benevent*[1] 516   *Benevent*[2] 116   *Bergom* 677   *Biasca* 646   *Buchsheim* (19)   *Cantuar* 50. 161   *Casin*[1] 359   *Casin*[2] XIII, 1   *Curia* 128[v]   *Drumm* 12   *Fulda* 942   *Gellon* 978   *Gemm* 114   *Gregor* 497   *Her-*

ford 161	*Iena* 19ᵛ	*Lateran* 126	*Leofric* 109	*Lucca*
89	*Marienberg* 226*	*Mateus* 1505	*Ménard* 108 D	*Metz*[1]
80	*Milano* 406	*Monac*[2] 33	*Monza* 403	*Nivern*
234	*Otton* 80ʳ	*Pad* 440	*Pamel* 293	*PaMon-Lib*
1, 1	*Phill* 776	*Praem* 81	*Ratisb* 773	*Rhen* 591	*Ri-*
poll 518	*Rossian* 116, 1	*Rosslyn* 40	*Salzb* 189	*San-*
gall 772	*Sarum* 411	*Schäftlarn* 8	*Trento* 543	*Tri-*
plex 1782	*Udalr* 637	*Vicen*[1] 145	*Vicen*[2] 188	*West* I
340	*West* III 1478 (Sherborne)	*Winch* 9	*Zara* 3ʳ	

Rubr.: In octava Ascensionis, collecta *West* III 1478
In Ascensa Domini,
– alia collecta *Gellon*
– oratio super sindonem *Milano*
– alia oratio ad vesperum vel ad matutinum *Bergom Biasca*
– collecta *ceteri codd.*

Var. lect.: 2 ad] in *Benevent*[1]   3 mente] *om. Casin*[2]

763.

Concede, quaesumus, omnipotens deus, ut, qui in sancti
Iohannis Baptistae et martyris tui passione dona sacramenti
percepimus, eius interventu auxilium tuum sentiamus.

Cod.: *Aquilea* 237ᵛ

Rubr. : <IV Kalendas Septembris>, in decollatione sancti Iohannis
Baptistae, complenda

764.   Br 138

Concede, quaesumus, omnipotens deus, ut, qui paschalis
festivitatis sollemnia colimus, in tua semper sanctificatione
vivamus.

Codd. : *Bergom* 579   *Biasca* 543   *Casin*[1] 326   *Casin*[2]
V, 4   *Engol* 797   *Fulda* 751   *Gellon* 754   *Gemm* 105   *Gre-*
gor 405   *Lateran* 118   *Leofric* 101   *Lucca* 75   *Ma-*
teus 1223   *Ménard* 94 B   *Metz*[1] 77   *Otton* 73ᵛ   *Pad*
345   *Pamel* 275   *Panorm* 427   *Phill* 575   *Praem* 77   *Ra-*
tisb 639   *Rhen* 476   *Ripoll* 434   *Sangall* 593   *Sangall-A* 7
Trento 455   *Triplex* 1390. 1399   *Udalr* 527   *Vicen*[1] 51

Rubr.: Feria IIª in albis, oratio ad vesperum *Bergom Biasca Tri-*
plex 1390
Feria Vª in albis, alia oratio ad vesperas *Praem*

Feria IIIª in albis,
- oratio ad complendum *Otton*
- oratio ad fontes *Lateran*
- alia oratio *Panorm*
- oratio ad vesperos *ceteri codd.*

Var. lect.: **2** festivitatis sollemnia] festivitatis gaudia *Casin*[1], sollemnitatis festum *Fulda*, sollemnitatis festa *Lucca*   **2/3** in tua ... vivamus] devoti in tua semper laude vivamus *Praem* (par homoioteleuton avec l'oraison suivante dans la tradition grégorienne [*cfr* l'oraison: "Praesta, quaesumus, omnipotens deus, ut per haec paschalia festa ... laude vivamus."])

765.   **Br 261**

Concede, quaesumus, omnipotens deus, ut, qui peccatorum nostrorum pondere premimur, a cunctis malis imminentibus per haec paschalia festa liberemur.

Codd. : *Adelp* 629   *Benevent*[2] 92   *Bergom* 591   *Biasca*
555   *Curia* 122   *Engol* 789   *Fulda* 742   *Gellon* 744   *Gemm*
104   *Gregor* 398   *Lateran* 117   *Leofric* 100   *Mateus*
1211   *Ménard* 93 C   *Metz*[1] 76   *Nivern* 214   *Pad* 338   *Pamel* 274   *Panorm* 412   *Phill* 567   *Ratisb* 631   *Rhen*
467   *Ripoll* 427   *Rossian* 90, 7   *Sangall* 584   *Sangall-A*
4   *Sangall** 71   *Trento* 449   *Triplex* 1377. 1411   *Udalr*
521   *Vicen*[1] 43

Rubr.: Feria IIIª in albis, oratio ad vesperum *Bergom   Biasca   Triplex* 1411
    Feria IIª in albis,
    - oratio ad complendum *Trento*
    - alia oratio *Adelp Panorm Rossian*
    - oratio ad vesperos *ceteri codd.*

Var. lect. : **2** nostrorum] *om. Sangall Sangall-A Sangall**   **3** festa paschalia *transp. Curia Udalr*

766.   **Br 261**

Concede, quaesumus, omnipotens deus, ut, qui peccatorum nostrorum pondere premimur, beati Dominici confessoris tui patrocinio sublevemur.

Codd.: *Aquilea* 230[v]   *Arbuth* 344   *Curia* 187[v]   *Praem* 162

Rubr. : Die IVº (*Curia*) vel Vº mensis Augusti, <in festo> sancti Dominici confessoris, complenda *seu* postcommunio *codd.*

767. Br 137

Concede, quaesumus, omnipotens deus, ut, qui protectionis
tuae gratiam quaerimus, liberati a malis omnibus, secura tibi
mente serviamus.

– A –

Codd. : *Engol* 443   *Fulda* 515   *Gellon* 431   *Gregor*
84*   *Ménard* 68 A   *Milano* 154   *Pamel* 233   *Phill*
437   *Ratisb* 398   *Sangall* 380   *Sens* 72   *Triplex* 885

Rubr.: Feria V^a hebdomadae III^{ae} quadragesimae,
– collecta *Ménard Ratisb Sens*
– oratio post communionem *Milano*
– oratio super populum *ceteri codd.*

– B –

Codd. : *Adelp* 397   *Aquilea* 54^r *Arbuth* 92   *Ariberto*
307   *Bec* 42   *Benevent*[2] 61   *Bergom* 369   *Biasca* 340   *Cantuar* 29   *Curia* 43   *Gemm* 74   *Gregor* 243   *Herford*
63   *Lateran* 62   *Leofric* 83   *Mateus* 845   *Milano*
146   *Nivern* 174   *Otton* 33^v *Pad* 216   *Pamel* 232   *Pa-
Mog* 12^v *Panorm* 47   *Praem* 52   *Ripoll* 183   *Rossian*
63, 4   *Sarum* 201   *Trento* 299   *Triplex* 879   *Udalr*
319   *West* I 166

Rubr.: Feria IV^a hebdomadae III^{ae} quadragesimae,
– oratio super sindonem *Ariberto Bergom Biasca Milano*
– oratio super populum *ceteri codd.*

Var. lect. : 2 omnibus malis *transp.* *PaMog*   3 serviamus] famulemur *Cantuar*

– C –

Codd. : *Adelp* 464   *Aquilea* 70^v *Bec* 56   *Benevent*[2]
77   *Bergom* 448   *Cantuar* 34   *Curia* 51   *Gemm* 83   *Gregor* 307   *Herford-M* vi   *Lateran* 74   *Leofric* 90   *Mateus* 1007   *Milano* 226   *Nivern* 183   *PaAug* 45, 4   *Pa-
Darm* 11-13   *Pamel* 244   *Panorm* 208   *Praem* 59   *Ripoll* 266   *Rossian* 79, 4^m *Salzb-A* 11   *Splitt* 9   *Trento*
363   *Triplex* 1081   *Udalr* 384

Rubr.: Feria VI^a hebdomadae V^{ae} quadragesimae,
– oratio super sindonem *Bergom Milano*
– oratio super populum *ceteri codd.*

Var. lect.: 3 serviamus] famulemur *Cantuar*

– D –

Codd.: *GregorTc* 2162   *Milano* 564

Rubr.: Alia missa sacerdotis propria, alia oratio *GregorTc*
Dominica XIIIª post octavam Pentecostes, oratio super populum *i.e.* collecta *Milano*

Var. lect.: *GregorTc formam adhibet singularis*   **3** serviamus] servire merear *GregorTc*

768.

Concede, quaesumus, omnipotens deus, ut, qui resurrectionis dominicae sollemnia colimus, innovatione tui spiritus a morte animae resurgamus.

– A –

Codd. : *Benevent*[2] 91   *Bergom* 565   *Biasca* 529   *Casin*[1]
324   *Casin*[2] III, 6   *Curia* 119   *Drumm* 12   *Engol*
780   *Fulda* 730   *Gellon* 734   *Gemm* 103   *Gregor*
389   *Lateran* 104   *Leofric* 100   *Lucca* 68   *Mateus*
1197   *Ménard* 92 D   *Metz*[1] 76   *Nivern* 213   *Pad* 334   *Pamel* 273   *PaMon-Sup* 8, 7   *Panorm* 397   *Phill* 558   *Praem*
73   *Ratisb* 622   *Rhen* 458   *Ripoll* 419   *Rossian* 89,
7   *Sangall* 574   *Sangall** 61   *Trento* 445   *Triplex*
1352   *Udalr* 515   *Vicen*[1] 34   *Vicen*[2] 172

Rubr.: Dominica Paschae,
- ad processionem, oratio in introitu chori *Praem*
- alia oratio *Drumm   Panorm   Rossian*
- ad sanctum Iohannem, oratio ad vesperas *ceteri codd.*

Var. lect.: **2** sollemnia] festa *Vicen*[1]   **2/3** innovatione ... resurgamus] et redemptionis nostrae suscipere laetitiam mereamur *Lucca* (par homoioteleuton avec et adaptation de l'oraison qui suit dans la tradition grégorienne [*cfr l'oraison*: "Praesta, quaesumus, omnipotens deus, ut, qui resurrectionis dominicae ... laetitiam mereamur."])   **2** innovatione] invocatione *Engol Gellon PaMon-Sup*, in novitate *Drumm*   tui] *om. Bergom Biasca Nivern Sangall*[1]

– B –

Codd.: *Gallic* 242   *Goth* 314

Rubr.: Missa clausae Paschae,
- praefatio *i.e.* introductio *Gallic*
- <collectio> post nomina *Goth*

Var. lect.: **2** innovatione] per innovationem *codd.*

Nota: *Comparez à l'oraison*: "Deus, qui per unigenitum tuum aeternitatis ... animae resurgamus."

769 a.   Br 138

Concede, quaesumus, omnipotens deus, ut, qui sollemnitatem doni spiritus sancti colimus, caelestibus desideriis accensi, fontem vitae sitiamus.

- A -

Codd. : *Aquilea* 116ᵣₒ   *Arbuth* 197⁰   *Benevent²* 118   *Bergom* 753   *Biasca* 725   *Curia* 133   *Fulda* 958   *Gellon* 1010   *Gemm* 116   *Gregor* 515   *Herford* 164⁰   *Iena-A* 44   *Leofric* 110   *Lucca* 102   *Mateus* 1540⁰   *Ménard* 110 D   *Metz¹* 80   *Nivern* 236   *Otton* 88ᵛᵒ   *Pad* 459   *Pamel* 297   *Praem* 82   *Ratisb* 791   *Rhen* 612   *Ripoll* 536   *Rossian* 118, 8   *Salzb-A* 16   *Sangall* 797   *Sarum* 422 ᵒ   *Schäftlarn* 10   *Suppl* 1062   *Triplex* 1826   *Udalr* 661   *Vicen¹* 161   *Vicen²* 506   *West* I 354   *Winch* 12

Rubr.: Sabbato Pentecostes,
      - alia oratio *Otton*
      - oratio ante psalmum 41 *Herford*
      - oratio de psalmum 41 *ceteri codd.*

Var. lect. : **1** Concede] nobis *add.* *Nivern*   quaesumus] nobis *Bergom Biasca*   **2** sancti spiritus *transp. codd.* ᵒ *distincti*

- B -

Codd.: *Bec* 91   *Cantuar* 53   *Fulda* 992   *Gregor* 146*   *Leofric* 113   *Mateus* 1607   *Nivern* 241   *Ripoll* 557   *Vicen¹* 193   *Vicen²* 208   *West* III 1482 (Durham Paris St-Alban's Whitby Winchcombe)

Rubr.: Feria Vᵃ infra octavam Pentecostes, collecta *codd.*

Var. lect.: **2** sancti spiritus *transp.* *Vicen¹*

- C -

Cod.: *Praem* 83

Rubr.: In die sancto Pentecostes, oratio post aspersionem aquae

769 b.   Br 138

Concede, quaesumus, omnipotens deus, ut, qui festa paschalia agimus, caelestibus desideriis accensi, fontem vitae sitiamus.

– A –

Codd. : *Adelp* 562   *Arbuth* 153   *Avellan*[3] 846   *Fulda*
705   *Gemm* 93   *Gregor* 371   *Herford* 106   *Lateran*
101   *Lucca* 55   *Mateus* 1131   *Ménard* 88 A   *Metz*[1]
72   *Monac*[10] 6   *Otton* 91*   *Oxford* 132   *Pad* 326   *Pa-*
mel 266   *Praem* 71   *Prag* 99, 6   *Ratisb* 595   *Rossian*
87, 15   *Rosslyn* 34   *Salzb* 119   *Sarum* 348   *Trento*
427   *Trento-A* 344*   *Udalr* 500   *Vicen*[1] 18

Rubr.: In vigilia Paschae,
     – ad missam, oratio post communionem *Prag*
     – oratio post lectionem VIII[am] in Esaia (Is. 4, 1-6) *Salzb*
     – oratio ante psalmum 41 *Ménard   Ratisb*
     – oratio de psalmum 41 *ceteri codd.*

Var. lect. : **1/2** paschalia festa *transp. Lateran*   **2** agimus] peregimus *Mateus*   **2/3** fontem vitae sitiamus] fonte vitae satiemur *Avel-*
lan[3] *Trento-A*

– B –

Codd.: *Praem* 73. 81. 219

Rubr.: Oratio post aspersionem aquae,
     – in die sancto Paschae *Praem* 73
     – in die Ascensionis *Praem* 81
     – in dedicatione ecclesiae vel altaris *Praem* 219

Var. lect.: **1/2** festa paschalia agimus] ascensionem domini nostri Iesu
Christi colimus *Praem* 81, dominicae ascensionis sollemnia agimus *Praem-*
BS 81, festa dedicationis colimus *Praem* 219

770.

Concede, quaesumus, omnipotens deus, ut, qui triumphum
laudabilem beati levitae et martyris Iuliani recolimus, dignam ipsius imitationem sectando, gaudiorum eius effici mereamur participes.

Codd. : *Ariberto* 729   *Bergom* 954   *Biasca* 885
Milano 991   *Triplex* 2007

Rubr. : X Kalendas Iulii, natale sancti Iuliani martyris, oratio super
populum *i.e.* collecta *codd.*

Var. lect.: **2** martyris] tui *add. Biasca*

771.   Br 139

Concede, quaesumus, omnipotens deus, ut, qui sub peccati
iugo ex vetusta servitute deprimimur, exspectata unigeniti filii tui nova nativitate liberemur.

– A –

Codd. : *Bergom* 97   *Biasca* 97   *Engol* 1564   *Fulda*
1776   *GelasV* 1148   *Gellon* 1696   *Ménard* 195 C   *Pa-*
mel 365   *Phill* 1090   *Ratisb* 1596   *Rhen* 989   *Sangall*
1401   *Triplex* 129

Rubr.: Alia oratio de Adventu Domini *codd.*

Var. lect. : **1** qui] *Biasca GelasV*, quia *ceteri codd.*   **2** ex vetusta
servitute] ex debito *Engol GelasV*   **2/3** filii] *om. GelasV*   tui filii
transp. Bergom Biasca

– B –

Codd. : *Adelp* 1364°   *Aquilea* 6ᵛ   *Arbuth* 13   *Cantuar*
8   *Curia* 11ᵛ   *Gemm* 141   *Gregor* 798°   *Herford* 8   *La-*
teran 13°   *Leofric* 128°   *Mateus* 99   *Ménard* 193 C°   *Ni-*
vern 264   *Otton* 148ᵛ   *Pad* 801°   *Pamel* 362°   *Praem*
32   *Ripoll* 730   *Rossian* 282, 2ᵐᵒ   *Sarum* 34   *Trento*
836°   *Triplex* 94°   *Udalr* 1264   *Vicen²* 69   *Vigil*
448°   *West* I 22

Rubr.: Sabbato in XII lectionibus post dominicam IIIᵃᵐ de Adventu,
alia oratio *codd.*

Var. lect.: **1** qui] quia *codd.* ° *distincti*   sub] *om. Otton*   **2** ex]
om. Adelp   **2/3** filii] *om. West*   **3** tui] *om. Vigil*

772.

Concede, quaesumus, omnipotens deus, ut sancta dei
genitrix sanctique tui apostoli, martyres, confessores, virgines
atque omnes sancti, quorum in ista continentur ecclesia patrocinia, nos ubique adiuvent, quatenus hic in illorum prae-
5 senti suffragio tranquilla pace in tua laude laetemur.

Codd. : *Adelp* 1236   *Alcuin* 103   *Aquilea* 287ʳ   *Avellan¹*
899   *Drumm* 85   *Fulda* 1883   *Gemm* 246   *GregorTc*
1870   *Iena* 43   *Leofric* 178   *Monza* 1135 (p. 1*)   *Ni-*
vern 326   *Otton* 153ᵛ   *Pamel* 540   *Ratisb* 1969   *Ri-*
poll 1481   *Rossian* 294, 1   *Trento* 1275   *Triplex* 2850
Udalr 1505   *Vicen¹* 1125. 1697   *Vigil* 502

Rubr.: Missa in qualibet ecclesia pro veneratione sanctorum quorum reliquiae ibidem sunt, collecta *codd.*

773.

Concede, quaesumus, omnipotens deus, ut sanctorum martyrum tuorum illorum intercessionibus adiuvemur, pro quorum sollemnitate laetamur.

Cod.: *Udalr* 1102

Rubr.: In vigilia plurimorum martyrum, oratio ad complendum

774.

Concede, quaesumus, omnipotens deus, ut sanctorum martyrum tuorum, quorum celebramus victorias, participemur et praemiis.

– A –

Codd. :	*Arbuth* 312	*Engol* 147	*GelasV* 815	*Gellon*
163	*Herford* 268	*Praem–MC* 139	*Prag* 19, 1	*Sarum* 767

Rubr.: XIII Kalendas Februarii, in natale sanctorum martyrum Sebastiani (*GelasV Gellon Prag*), Mariae, Marthae, Audifax et Habacuc (*Engol GelasV*), collecta *Engol GelasV Gellon Prag*
XVII Kalendas Iulii, <natale> sanctorum martyrum Viti, Modesti (et Crescentiae *om. Arbuth*), collecta *Arbuth Herford Sarum*
Die XVIII° mensis Iunii, <in festo> sanctorum Marci et Marcelliani, postcommunio *Praem*

Var. lect.: 1/2 martyrum] *om. Praem*

– B –

Codd. :	*Casin*[1] 489	*Engol* 1682	*Gellon* 1827	*Gre–*
gorTc 3266. 3279		*Ménard* 167 A	*Pamel* 420	*Phill*
1226	*Ratisb* 1352	*Rhen* 1058	*Sangall* 1507	*Tri–*
plex 2882. 2884	*West* III 1621 (Winchcombe)			

Rubr.: In natale plurimorum martyrum,
 – collecta *West*
 – alia missa, secreta *Triplex* 2884
 – oratio ad vesperos *Pamel*
 – alia oratio *ceteri codd.*

Var. lect.: 1/2 martyrum] *om. Gellon* 2 tuorum] *om. Rhen*

775.

Br 140

Concede, quaesumus, omnipotens deus, ut, sicut apostolorum tuorum illorum gloriosa natalitia praevenimus, sic ad
tua beneficia promerenda maiestatem tuam pro nobis ipsi
praeveniant.

- A -

Codd. : *Aquilea* 250[r] *Avellan*[2] 943 *Bec* 228 *Curia*
220[v] *Drumm* 46 *Engol* 1625 *GelasV* 939 *Gemm*
232 *GregorTc* 3168 *Herford* 368 *Monac*[3] XIV, 1 *Ni-*
vern 317 *Phill* 1158 *Praem-MC* 213 *Ragusa* 608 *Ra-*
tisb 1302 *Rossian* 231, 1 *Udalr* 1084 *Vigil* 471 *West* III
1617 (Rouen). 1618 (Winchcombe)

Rubr.: In vigilia unius apostoli sive evangelistae, (alia) collecta *Her-*
ford West III 1617
In natale plurimorum apostolorum, collecta *Ratisb West* III
1618
In vigilia omnium *vel* plurimorum apostolorum, collecta *ceteri*
codd.

Var. lect. : *Herford West* III 1617 *formam adhibent singularis*
1/2 apostolorum] beatorum *praem. Udalr Vigil* 2 tuorum] *om. Avel-*
lan[2] *Vigil* praevenimus] celebramus *Ratisb Vigil* 3/4 ipsi praeve-
niant] perpetuo interpellent *Ratisb*, ipsi proveniant *Vigil*

- B -

Codd. : *Adelp* 1088 *Aquilea* 244[v] *Arbuth* 384 *Ari-*
berto 929[o] *Bec* 207 *Benevent*[2] 176[o] *Bergom* 1141[o] *Bias-*
ca 1062[o] *Cantuar* 118 *Curia* 208 *Engol* 1435 *Ful-*
da 1383 *Gellon* 1568 *Gemm* 220 *Gregor* 275* *Her-*
ford 350 *Lateran* 282 *Leofric* 164 *Marienberg* 289* *Ma-*
teus 2206 *Ménard* 145 A *Monza* 772[o] *Nivern* 306
Otton 120[v] *Phill* 971 *Praem* 201 *Ratisb* 1167 *Rhen*
908 *Ripoll* 1297 *Salzb-A* 25 *Sangall* 1283 *Sarum*
947 *Triplex* 2621. 2625[o] *Udalr* 1012 *Vicen*[1] 634 *West* II
983 *Winch* 175

Rubr.: V Kalendas Novembris, natale apostolorum Simonis et Iudae,
collecta *codd.* [o] *distincti*
VI Kalendas Novembris, vigilia apostolorum Simonis et Iudae,
collecta *ceteri codd.*

Var. lect. : 2 tuorum] *om. Ratisb* illorum] *om. Leofric*, Simonis et
Iudae *codd.*, et martyris tui Fidelis *add. Ariberto Biasca Triplex* 2625

- C -

Codd. : *Aquilea* 243ᵛ   *Ménard* 167 D   *Ratisb* 1359   *Triplex* 2589   *Vigil* 208   *Winch* 117

Rubr.: <XVII Kalendas Novembris, in festo sancti> Galli abbatis, collecta *Aquilea*
Idus Octobris, vigilia sancti Galli confessoris Christi, oratio ad vesperum *Triplex*
In vigilia unius confessoris, alia oratio *Ménard   Ratisb*
III Idus Iunii, natale sancti Barnabae apostoli, collecta *Vigil*
<Kalendas Iulii>, vigilia sancti Swithuni episcopi, collecta *Winch*

Var. lect. : *codd. formam adhibent singularis* 1/2 apostolorum tuorum illorum] confessoris tui illius *Aquilea Ménard Ratisb Triplex*, Barnabae apostoli tui *Vigil*, beati confessoris tui atque antistitis Swithuni *Winch*   2 gloriosa natalitia] sollemnia *Aquilea*, natalitia gloriosa *transp. Ratisb*, gloriosum natale *Winch*   praevenimus] agimus *Aquilea*, celebramus *Vigil*, devotis praevenimus obsequiis *Winch*   sic] etiam *add. Vigil*
3 pro nobis ipsi] ipse pro nobis *Aquilea*   4 praeveniant] proveniat *Vigil*

776.

Concede, quaesumus, omnipotens deus, ut, sicut nos paschalibus gaudiis fecisti temporaliter gratulari, sic nos in aeterna beatitudine cum omnibus sanctis facias intuitu pacifico perfrui.

Cod.: *Panorm* 487

Rubr.: Sabbato in albis, alia oratio

777.

Concede, quaesumus, omnipotens deus, ut tua mysteria, quae in omnium sanctorum martyrum tuorum commemoratione percepimus, eorum intercessione nobis ad salutem proficere sentiamus.

Cod.: *Adelp* 1616

Rubr.: <Missa votiva> de martyribus, oratio post communionem

778 a.   Br 131

Concede, quaesumus, omnipotens deus, ut unigeniti tui nova per carnem nativitas liberet, quos sub peccati iugo vetusta servitus tenet.

Codd. : *Adelp* 114   *Aquilea* 13[r]   *Arbuth* 24   *Avellan*[3]
836   *Benevent*[1] 335   *Benevent*[2] 2   *Cantuar* 11   *Casin*[1]
220   *Curia* 16[v]   *Engol* 21[o]   *Fulda* 54   *GelasV* 6   *Gel-*
lon 26[o]   *Gemm* 50   *Gregor* 49   *Herford* 16. 407   *Iena*
8[v]   *Lateran* 22   *Leofric* 64   *Mateus* 175   *Medinaceli*
40   *Ménard* 31 C   *Metz*[1] 59   *Monza* 19[o]   *Nivern* 134   *Ox-*
ford 90   *PaAug* 5, 2[o]   *Pad* 17   *Pamel* 186   *Pa-*
Mon-Ben 4, 1   *Phill* 28[o]   *Praem* 34   *Ragusa* 13   *Ratisb*
22   *Rhen* 24[o]   *Rossian* 6, 1   *Salzb* 365   *Sangall* 25[o]   *Sa-*
rum 57   *Triplex* 204[o]   *Udalr* 71   *Vicen*[2] 93   *West* I 41

Rubr.: De vigilia Domini in nocte, alia collecta *GelasV*
Missa de beata Maria infra Natale, collecta *Herford* 407
In Natale Domini ad sanctum Petrum,
    - alia collecta *codd.* ° *distincti*
    - collecta *ceteri codd.*

Var. lect.: **1** quaesumus] *om. PaMon-Ben* ut] *GelasV PaMon-Ben,*
nos *add. ceteri codd.*   unigeniti] filii *add. Ménard* **2** per carnem]
om. Ratisb

778 b.

Concede, quaesumus, omnipotens deus, ut, quos sub peccati iugo vetusta servitus tenet, eos unigeniti tui nova per
carnem nativitas liberet.

Codd. : *Bergom* 116   *Biasca* 116   *Gregor* 53 bis   *Trento*
112   *Triplex* 183

Rubr.: In Natale Domini, in nocte sancta, ad missam,
    - alia oratio super populum *i.e.* collecta *Triplex*
    - oratio super sindonem *Bergom Biasca*
Alia oratio de Natale Domini *Gregor Trento*

Var. lect.: **2** eos] *om. Trento*

Nota: Cfr O. CASEL, *La "nova Nativitas" dans les oraisons de Noël*,
dans *Les Questions liturgiques et paroissales*, 17, 1932, pp. 285-293.

779.

Concede, quaesumus, omnipotens deus, ut, veterem cum
suis rationibus hominem deponentes, illius conversatione vivamus, ad cuius nos substantiam paschalibus remediis transtulisti.

Codd. : *Drumm* 83"   *Engol* 844[+]   *Fulda* 812[+]   *Gellon*
833[o]   *Gregor* 449[o]   *Leofric* 104[o]   *Mateus* 1298"   *Mi-*
lano 370"   *Monza* 342   *Nivern* 220"   *Pamel* 281"   *Phill*

622°   *Ratisb* 729[+]   *Rhen* 525°   *Ripoll* 469   *Rosslyn*
82[+]   *Sangall* <645>"   *Sangall-A* 28°   *Schäftlarn* 2   *Tren-*
to 495"   *Triplex* 1520"   *Udalr* 567"   *Vicen*[1] 100"

Rubr.: Dominica III[a] post octavam Paschae, collecta *Ratisb*
Missa de Resurrectione, oratio post communionem *Drumm Rosslyn*
Alia oratio paschalis (matutinalis et vespertinalis *add. Monza) ceteri codd.*

Var. lect. : **1/2** veterem ... hominem] veterem hominem cum actibus suis *Milano*   **2** rationibus] *codd.* ° *distincti*, actionibus *codd.* [+] *distincti*, actibus *codd.* " *distincti*   illius] *om. Rhen*, in *praem. Pamel Trento*

780.

Concede, quaesumus, omnipotens deus, ut, viam tuam devota mente currentes, subripientium delictorum laqueos evadamus.

Codd. : *Engol* 1131°. 1968   *Franc* 148   *Fulda* 1588°   *Ge-lasV* 1191   *Gellon* 1253°. 2187   *Gemm* 128[+]   *Gregor* 919   *Leofric* 118[+]. 244   *Leon* 1040   *Ménard* 180 B[+]   *Metz*[1] 100   *Monza* 534°   *Pamel* 379   *Phill* 1413   *Ratisb* 1461[+]. 2522   *Rhen* 750°   *Salzb* III 24   *Sangall* 1005°   *Trento* 46   *Triplex* 2151°   *Udalr* 1357   *Vicen*[1] 1357

Rubr.: Mense Septembris, in natale episcoporum, XIII alia missa, <alia collecta> *Leon*
Orationes et preces cum canone per dominicas dies, IV alia missa, alia collecta *GelasV*
Alia missa cottidiana, <collectio> post prophetiam *Franc*
Dominica *seu* hebdomada X[a] post (octavam) Pentecosten (dominica IV[a] post natale Apostolorum *Monza*),
- alia collecta *codd.* ° *distincti*
- oratio ad *seu* super populum *codd.* [+] *distincti*
Alia oratio cottidiana *ceteri codd.*

781.

Concede, quaesumus, omnipotens et misericors deus, ut beata Euphemia, quae virginitatis pariter et martyrii promeruit palmam, intercessionibus suis et praesentis vitae remedia nobis conferat et aeternam salutem.

Codd. : *Ariberto* 894   *Bergom* 1110   *Biasca* 1032   *Milano* 1136   *Triplex* 2471

Rubr. : XVI Kalendas Octobris, natale sanctae Euphemiae, oratio super populum *i.e.* collecta *codd.*

782.

Concede, quaesumus, omnipotens et misericors deus, ut, qui venerandam gloriosissimi pontificis et confessoris tui Syri depositionem annuis frequentamus excubiis, dignam ipsius imitationem sectando, gaudiorum eius mereamur esse parti-
5 cipes.

Codd.: *Aquilea* 195ᵛ   *Ariberto* 69

Rubr.: V Idus Decembris, in festo *seu* depositione sancti Syri episcopi,
  – oratio super populum *i.e.* collecta *Ariberto*
  – complenda *Aquilea*

Var. lect.: 2 pontificis et confessoris] *Ariberto*, confessoris et sacerdotis *Aquilea*

783.

Concede, quaesumus, omnipotens et misericors deus, ut, qui beati Christophori martyris tui memoriam agimus, eius piis meritis et intercessionibus a morte perpetua, subitanea peste, fame, timore, paupertate et ab omnibus insidiis inimi-
5 corum nostrorum liberemur in terris, per te, Iesu Christe, salvator mundi, rex gloriae, quem idem Christophorus meruit in suis humeris portare.

Cod.: *Sarum* 903*

Rubr.: In commemoratione sancti Christophori martyris, collecta

784.

Concede, quaesumus, omnipotens et misericors deus, ut sancta virgo virginum Maria omnesque ordines angelorum atque omnes sancti et electi tui nos semper et ubique adiuvent, ut, quorum suffragia pariter poscimus, eorum iugiter
5 precibus ab omni adversitate liberari remissionemque omnium peccatorum consequi et ad tuam misericordiam pervenire mereamur.

Cod.: *Ragusa* 716

Rubr.: Ad honorem omnium sanctorum, collecta

785.

Concede, quaesumus, rex aeterne, ut huius sacrificii munus interventu sancti Sigismundi regis et martyris tui fragilitatem nostram ab omni adversitate semper protegat et muniat.

Cod.: *Aquilea* 210ᵛ

Rubr.: <VI Nonas Maii>, in festo sancti Sigismundi regis et martyris, secreta

786.

Conciliet nobis misericordiam tuam, domine, munus oblatum nostraeque simul protectioni proficiat et saluti.

Cod.: *Leon* 616

Rubr.: Mense Iulii, preces diurnae cum sensibus necessariis, XXXVI alia missa, <secreta>

787.

Concordator discordiae et origo societatis aeternae, indivisa trinitas, deus, qui Sisenii infidelitatem, ab ecclesiae unitate disiunctam, per sanctum Clementem antistitem et subdis catholicae fidei et innectis perpetuae caritati, exaudi
5 preces nostras illamque nobis pacem tribue, quam quondam, aetherem ascensurus, apostolis reliquisti, ut, qui praesentium labiorum impressione illigati fuerint osculo, tua custodia pacifici permaneant in futuro.

Cod.: *Goth* 120

Rubr.: Missa in natale sancti Clementis episcopi, collectio ad pacem

788.

Concurrat, domine, quaesumus, populus tuus et, toto tibi corde subiectus, obtineat, ut, ab omni perturbatione securus, et salvationis suae gaudia promptus exerceat et pro regenerandis benignus exoret.

Codd.: *Engol* 512   *Fulda* 2677   *GelasV* 256   *Gellon* 493.
2337   *Prag* 73, 3   *Rhen* 1155   *Sens* 166

Rubr.: Dominica V^a in quadragesima, missa quae pro scrutinio tertio in aurium apertione celebratur, oratio ad complendum *seu* post communionem *Engol*

Var. lect.: *Fulda formam adhibet femininam* 1 quaesumus domine *transp. Rhen* quaesumus] *om. Fulda* populus tuus] plebs fidelis *Fulda* 3/4 regenerandis] hominibus *add. Prag*

789.

Concurrentes ad te, clementissime pater, omnipotens aeterne deus, in celebritate beatae martyris tuae Iustinae, praesta, quaesumus, ut eius semper gubernemur effectu et peccatorum nostrorum veniam consequi mereamur.

Cod.: *Salzb* 308

Rubr.: Nonas Octobris, natale sanctae Iustinae, oratio ad complendum

790.

Conditor et redemptor humani generis, Christe filius dei patris, concede nobis famulis tuis, ut hodie tam viventibus quam defunctis criminum donetur remissio, qualiter cras omnibus in commune sit exsultationis omnimoda plenitudo.

Codd.: *Toledo*³ 566   *Toledo*⁵ 551

Rubr.: Missa de IV^a feria ante Cenam Domini, <oratio> post nomina *codd.*

791.

Conditor et redemptor humani generis, Christe filius dei, qui capiti virginis tuae, quod iam erat caelesti rore perfusum, magnam contulisti gratiam capillorum, quo suis videretur ad honorem crinibus tecta, quae propriis fuerat ad contumeliam vestimentis exuta, tu pius offerentium accipe vota, defunctis requiem praesta et cunctos in commune eiusdem virginis prece fac pervenire ad aeternam salutem.

Cod.: *Toledo*³ 230

Rubr.: Missa in die sanctae Agnetis, <oratio> post nomina

Nota: 3 magnam gratiam capillorum] cfr *Gesta S. Agnetis* (BHL 156), 8.

792. Br 142

Conferat nobis, domine, sancti Iohannis utrumque sollemnitas, ut magnifica sacramenta, quae sumpsimus, <et> significata veneremur et in nobis potius edita gaudeamus.

Codd. : *Adelp* 987   *Arbuth* 361⁰   *Avellan*¹ 898⁰   *Bec*
189⁰   *Benevent*¹ 651⁰   *Benevent*² 165⁰   *Cantuar* 108   *Cu-*
ria 197ᵛ   *Engol* 1285   *Fulda* 1269   *GelasV* 1012   *Gel-*
lon 1415   *Gemm* 207   *Gregor* 215*   *Herford* 316⁰   *La-*
teran 264   *Mateus* 2036⁰   *Ménard* 136 C   *Milano* 1121   *Mo-*
*nac*³ VIII, 3   *Monza* 591   *Nivern* 295⁰   *Otton* 109ᵛ   *Ox-*
ford 168⁰   *Pamel* 335⁰   *Paris*¹ 12ʳ⁻ᵐ⁰   *Phill* 795   *Praem*
176⁰   *Prag* 182, 3   *Ratisb* 1062   *Rhen* 815   *Rossian* 181,
3   *Rosslyn* 66⁰   *Sangall* 1144   *Sarum* 889⁰   *Triplex*
2403   *West* II 931⁰   *Winch* 152⁰

Rubr.: IV Kalendas Septembris, in die passionis *seu* decollatio sancti Iohannis Baptistae, oratio ad complendum *seu* post communionem *codd.*

Var. lect. : **1** nobis] quaesumus *praem. Cantuar, add. Arbuth Sarum* sancti] *om. Phill* Iohannis] Baptistae *add. codd.* ⁰ *distincti*, et martyris tui *item add. Benevent*¹ utrumque] *om. Benevent*² *Nivern Praem*, beata *Fulda Pamel* **2/3** ut ... gaudeamus] ut et magnifica sacramenta quae sumpsimus digne veneremur et nobis salutaria sentiamus *Ménard Otton Ratisb* significata] magnifice *Praem-MA*, sanctificata *Avellan*¹ *Praem-M1508 M1578*, patribus nostris *praem. Arbuth*, precibus nostris *praem. Oxford Rosslyn Sarum*

793.

Confessoris tui illius, domine, memoriam facientes, qui te inter adversa confiteri non destitit, actu placuit, oratione quaesivit, perfectione invenit, te quaesumus, te rogamus, ut his victimis, tibi ob honorem eius oblatis, clementer illabi
5 iubeas et ex his sumentibus peccata dimittas atque confessionis gratia glorificandos attollas.

Codd.: *Silos*³ 627   *Silos*⁶ 78   *Toledo*³ 1015

Rubr.: Missa de uno confessore, <oratio> post "Pridie" *codd.*

794.

Confirma, domine, famulos tuos, quos ex aqua et spiritu sancto propitius redemisti, ut, veterem hominem cum suis actionibus deponentes, in ipsius conversatione vivamus, ad cuius substantiam per haec paschalia mysteria transtulisti.

Codd.: *Gallic* 225   *Goth* 307

Rubr.: Missa paschalis, VIa feria, collectio <post nomina> *Gallic*
Missa die sabbato <in> octava Paschae, <praefatio *i.e.* intro-
ductio> *Goth*

Var. lect. : 1 Confirma ... tuos] Conserva domine familiam tuam
Goth   3 actionibus deponentes] actibus expoliantes *Goth*   4 paschalia]
dierum octavarum tuae resurrectionis *add. Goth*

Nota: *Comparez à l'oraison*: "Concede, quaesumus, omnipotens deus,
ut veterem cum suis rationibus ... remediis transtulisti."

795.

Confirma, domine, quaesumus, tuorum corda filiorum et
gratiae tuae virtute corrobora, ut et in tua sint supplicatione
devoti et mutua dilectione sinceri.

Codd.: *Casin*[1] 70$^\mu$ *Coloniensis* c$^{0''}$ *Engol* 1969   *Ful-*
da 1626$^\mu$ *GelasV* 1332$^{0''}$ *Gellon* 1276$^+$. 2780$^{0''}$. 2770   *Gemm*
128$^{+\mu}$ *Gregor* 920   *GregorTc* 2299''. 2306''   *Leofric* 19''
Leon 1050''   *Ménard* 181 A$^{+\mu}$ *Monza* 544$^+$. 982''   *Pamel* 379.
410$^\mu$ *Phill* 1414. 1798$^{0''}$ *Ratisb* 1467$^{+\mu}$ *Salzb* III 25   *San-*
gall[*] 171$^{0''}$ *Trento* 47   *Triplex* 2975   *Udalr* 1358   *Vi-*
cen[1] 1358

Rubr.: Mense Septembris, in natale episcoporum, XIV alia missa,
<oratio super populum> *Leon*
(Alia) missa pro caritate,
- alia collecta *Gellon* 2770
- oratio ad complendum *seu* post communionem *Gregor-*
Tc 2299. 2306 *Monza* 982
- alia oratio *Triplex*
- oratio ad *seu* super populum *codd.* ° *distincti*
Dominica *seu* hebdomada XI^a post Pentecosten (dominica
V^a post natale Apostolorum *Monza* 544), oratio super popu-
lum *codd.* $^+$ *distincti*
Dominica XV^a post Pentecosten, oratio super populum *Fulda*
Pamel 410
Missa pro pace, postcommunio *Leofric*
Litaniae per hebdomadam, feria VI^a, alia oratio *Casin*[1]
Alia oratio cottidiana *ceteri codd.*

Var. lect. : 1 Confirma ... et] Corda nostra, domine *Gellon* 2770
Confirma] Conserva *codd.* '' *distincti*   quaesumus domine *transp. codd.*
$^\mu$ *distincti*   quaesumus] *om. Monza* 982   filiorum] *Leon*, fidelium *ce-*
teri codd.   2 sint] simus *Gellon* 2770   3 dilectione] devotione *Gel-*
lon 1276

796.

Confirma hoc, deus, quod operatus es in nobis et custodi gratiam, quam nobis conferre dignatus es tuorum intercessione sanctorum et donum tuae misericordiae famulae tuae conferre dignare.

Cod.: *Avellan*[1] 902

Rubr.: Missa pro peccatis, communio

Fontes: 1 Confirma ... nobis] cfr Ps. 68 (67), 29 b

797 a.

Confitebimur tibi, domine, confitebimur tibi et credimus pro nostro scelere te mortis corporee subdidisse supplicio et, pro omnium salute prostrato mortis interitu, triumphantibus angelis, caelestis patris mysticam ad mansionem reversum
5 persolide; te petimus et rogamus, ut oblata in conspectu tuo nostrae servitutis libamina ipse tibi acceptabilia facias et accepta, discurrente sancto angelo tuo, nobis sanctificata dividas, ut, dum corda nostra corporis et sanguinis tui communicatione purificas, petitiones nostras in odorem suavitatis
10 accipias.

Cod.: *Toledo*[4] 925 (1359)

Rubr.: Officium de tertio dominico cottidiano, <oratio> post "Pridie"

797 b.

Confitemur, domine, confitemur et credimus pro nostro scelere te et corporaliter mortis subisse supplicium et pro omnium salute, prostrato mortis interitu, triumphantibus angelis, caelestem patris, ex qua veneras, ad mansionem re-
5 versum. Propter quod te, deus omnipotens, rogamus et petimus, ut oblata in conspectu tuo nostrae libamina ipse tibi acceptabilia facias et accepta, discurrente sancto angelo tuo, nobis sanctificata distribuas, ut, dum corda nostra corporis et sanguinis filii tui domini nostri commixtione purificas, peti-
10 tiones nostras in odorem suavitatis accipias.

Codd.: *Toledo*[3] 718   *Toledo*[4] 360   *Toledo*[6] 193

Rubr.: Missa de III° dominico post octavas Resurrectionis Domini, <oratio> post "Pridie" *codd.*

798.

Confitemur nomini tuo, domine, gemino cordis et vocis obsequio, celebrantes gratiam tuam pro triumphis martyris tui Genesii, qui, perficiens in infirmitate virtutem, aeternam vitam prius lavacro sanguinis quam regenerationis accepit,
5 non adoptatus baptismate sed assumptus, non admiscendus neophytorum turbis sed consortiis angelorum. Huius igitur intercessionibus exaudi nos et adesto, domine, benedicturus hiis oblationibus nostris, ut te, quem in sanctis tuis colimus, per sanctos tuos interpellare mereamur.

Codd.: *London*[5] 745   *Toledo*[3] 908

Rubr.: Missa in die sancti Genesii martyris, <oratio> post "Pridie" *codd.*

799.

Congregati in unum in hoc celeberrimo martyris tui Zoili die, fide sincera, spe firma, caritate non ficta intenti, cum omni sobrietate deo patri clementissimo laudes et gratias agamus, orantes eius maiestatem, ut animum convertat ad
5 nos, orationes quoque nostras semper hic et ubique sancti tui precibus exaudire dignetur, ab occultis nostris mundet nos et ab alienis quoque parcat servis suis, det ecclesiae sanctae catholicae per eius patrocinium firmitatem, qua hic per universum mundum est constituta, hanc augeat fide et in pace
10 confirmet, liberet eam ab omni haerese et ab omni scandalo tueatur, sacerdotes suos induat iustitiam, quos speculatores domus Israel constituit, omnem clerum omnemque populum suum in pace custodiat et benedicat.

Codd.: *London*[5] 219   *Toledo*[3] 1266

Rubr.: Officium in die sancti Zoili, <oratio> ad pacem *codd.*

Fontes: 2 spe firma] cfr 2 Cor. 1, 7   caritate non ficta] cfr 2 Cor. 6, 6   6/7 ab occultis ... servis suis] cfr Ps. 19 (18), 13   11 sacerdotes ... iustitiam] cfr Ps. 132 (131), 9a

800 a.

Conscientias nostras, quaesumus, omnipotens deus, cottidie visitando purifica, ut, veniente domino filio tuo, paratam sibi in nobis inveniat mansionem.

Codd.: *Bobbio* 41   *Gallic* 40   *GelasV* 1127

800 b.

Conscientias nostras, quaesumus, omnipotens deus, cottidie visitando purifica, ut, veniente filio tuo domino nostro, paratam sibi in nobis inveniat mansionem.

Codd. : *Engol* 1516°   *Gellon* 1651°   *Phill* 1048°   *Rhen* 955°   *Salzb* 334   *Sangall*[1] 1359°

800 c.

Conscientias nostras, quaesumus, omnipotens deus, cottidie visitando purifica, ut, veniens, filius tuus dominus noster paratam sibi in nobis inveniat mansionem.

Codd. :   *Ariberto* 100   *Bergom* 78   *Biasca* 78   *Pad* 765   *Sangall*[2] 1359°   *Triplex* 116°. 145

800 d.

Conscientias nostras, quaesumus, domine, visitando purifica, ut, veniente filio tuo domino nostro, paratam sibi in nobis inveniat mansionem.

Codd. : *Gregor* 809   *Prag* 222, 1   *Ripoll* 742   *Trento* 847   *Vicen*[2] 49   *Vigil* 461

Var. lect.: **1** visitando] cottidie *praem. Vigil*   **2** domino nostro filio tuo *transp. Prag*   **2/3** in nobis] *om. Prag*

800 e.

Conscientias nostras, quaesumus, domine, visitando purifica, ut, veniens, filius tuus dominus noster paratam sibi in nobis inveniat mansionem.

Codd.: *Aquilea* 2[r]   *Praem* 29/30. 30   *Ratisb* 1593   *Udalr* 1276

Var. lect. : **1** domine quaesumus *transp. Aquilea*   **2** noster] cum omnibus sanctis *add. Praem* 30, cum omnibus sanctis suis *add. Aquilea Praem* 29/30

800 f.

Conscientias nostras, quaesumus, domine, visitando purifica, ut, veniens, Iesus Christus filius tuus dominus noster
paratam sibi in nobis inveniat mansionem.

Codd.: *Fulda* 1772   *Gemm* 143   *Herford* 420   *Leofric*
130   *Mateus* 133   *Ménard* 195 B   *Nivern* 266   *Pamel* 365

Var. lect. : **1** domine quaesumus *transp.*   *Gemm*   **2** noster] cum
omnibus sanctis *add. Herford*   **3** in nobis] *om. Leofric Mateus*

800 a - f.

Rubr.: Alia missa de Adventu Domini, alia collecta *GelasV*
Hebdomada Iᵃ ante Natale Domini, collecta *Prag*
Missa Iᵃ in Adventu Domini, <collectio> post nomina *Bobbio*
Alia missa de Adventu Domini nostri Iesu Christi, collectio
    <quae sequitur praefationem *i.e.* introductionem> *Gallic*
Dominica IVᵃ ante Natale Domini, secreta *Vicen*²
De omnibus sanctis in Adventu, collecta *Aquilea Herford*
Dominica Iᵃ/IIᵃ/IIIᵃ Adventus, oratio ad processionem
    Praem-P1584 29/30
Tempore Adventus, ad horas beatae Mariae virginis, oratio de
    omnibus sanctis *Praem* 30
Hebdomada IXᵃ post <dedicationem basilicae> sancti Angeli
    <Michaelis>, collecta *Pad   Salzb*
Dominica Vᵃ ante Natale Domini (hebdomada XXVIIIᵃ post
    Pentecosten *add. Gellon*), alia collecta *codd.* ° *distincti*
Dominica VIᵃ de Adventu,
    - alia oratio super populum *i.e.* collecta *Triplex* 145
    - oratio super sindonem *Ariberto   Bergom   Biasca*
Alia oratio de Adventu (infra hebdomadam *add. Ripoll*) ce-
    teri codd.

801.

Consecra, quaesumus, domine, quae de terrenis fructibus
nomini tuo dicanda mandasti, ut et gratam tibi nostram
facias servitutem et sacramentum nobis perpetuae salvationis
instituas.

Codd.: *Leon* 433   *Stuttgart*⁵ 11

Rubr.: Mense Iulii, orationes et preces diurnae, IV alia missa, <se-
creta> *Leon*

802.

Consecratum hunc diem, Iesu redemptor noster, mentio
tui martyris Saturnini copiosius innovat, in quo tanti viri,

dum patrocinia quaerimus, translati corporis memoriam dedicamus. Huius proinde meritis largam nostris temporibus
5 commoda pacem et obsequentis populi devotionem perpetuae
caritatis remunera ex mercede.

Codd.: *London*[5] 1144   *Toledo*[3] 994

Rubr.: Missa de translatione corporis sancti Saturnini episcopi, <ora-
tio> ad pacem *codd.*

803.

Consecuti gratiam muneris sacri, supplices, domine, te
rogamus ut, implorantibus pro nobis sanctis martyribus tuis,
divinae virtutis effectum, quem corporaliter sumpsimus, spiritaliter sentiamus.

Cod.: *Leon* 30

Rubr.: Mense Aprilis, XII alia missa, <postcommunio>

804.

Consequatur domine, quaesumus, tuae benedictionis auxilium, quod supplex poscit ecclesia; percipiat indulgentiam,
bonis operibus instruatur, temporalium necessitatum consolatione respiret, ad gaudia sempiterna perveniat et assumat
5 aeterna.

Cod.: *Leon* 503

Rubr. : Mense Iulii, orationes et preces diurnae, XV alia missa,
<oratio super populum>

805.

Conserva, deus, in nobis tuae misericordiae donum, qui in
Iacobo et meritorum et nominis beneficium gratiae conservasti collatum, cum non immerito cognominatus est iustus,
qui iustitiae operibus habebatur idoneus. Et ideo te rogamus
5 et petimus, ut in hac sollemnitate passionis eius hoc sacrificium serenus aspicias, sanctifices et pietate solita benedicas
sumentibusque ex eo donum sanctificationis impendas.

Codd.: *London*[4] 286   *Toledo*[3] 143

Rubr. : Missa in die sancti Iacobi fratris Domini, <oratio> post "Pridie" *codd.*

Nota: 3 cognominatus est iustus] *cfr* Eusebius, *Historia ecclesiastica*, II, 23, 4.

806.

Conserva, domine, familiam tuam, bonis semper operibus eruditam, et sic praesentibus consolare subsidiis, ut ad superna perducas dona propitius.

Codd. : *Ariberto* 297   *Bergom* 359   *Biasca* 330   *Engol* 425   *Fulda* 498   *GelasV* 200   *Gellon* 302. 412   *Mé-nard* 67 A   *Pamel* 231   *Phill* 415   *Prag* 60, 1   *Ratisb* 387   *Rhen* 301   *Sangall* 362   *Sens* 63   *Triplex* 850   *West* III 1459 (York)

Rubr.: Alia oratio in quadragesima ad vesperum *Gellon* 302
        Sabbato in quinquagesima, oratio super populum *West*
        Feria II^a hebdomadae III^ae quadragesimae,
        – collecta *GelasV Prag*
        – oratio super sindonem *Ariberto Bergom Biasca*
        – oratio super populum *Ménard Ratisb Sens*
        – oratio ad vesperum *Fulda Pamel*
        – alia collecta *ceteri codd.*

Var. lect.: 2/3 superna] sempiterna *Gellon* 302, aeterna *Sangall*[2] *Triplex*

807.

Conserva, domine, in pace tua, quos redemisti effusi sanguinis unda; libera ab scandalo, pro quibus pependisti in ligno; efficito caritatis opere dignos, quos tibi, praeeunte gratia, adoptasti in filios, ut, quotquot resurrectionis tuae
5 victorias celebramus, ultimo iudicii tempore resurgentes, coronandi a dextris tuis cum ovibus collocemur.

Codd.: *Toledo*[3] 724   *Toledo*[4] 390   *Toledo*[6] 218

Rubr. : Missa de IV° dominico post octavas Paschae, <oratio> ad pacem *codd.*

Var. lect.: 6 cum ovibus] cum sanctis omnibus *Toledo*[4], *om. Toledo*[6]

Fontes: 5/6 ultimo ... collocemur] cfr Matth. 25, 31-46

808.

Conserva, domine, populum tuum et, quem salutaribus praesidiis non desinis adiuvare, perpetuis tribue gaudere beneficiis et mentis et corporis.

Codd. : *Engol* 1966 *Fulda* 1632 *Gellon* 1626 *Gregor*
907 *GregorTc* 3111 *Leofric* 244 *Leon* 70 *Ménard*
183 B *Nivern* 339 *Pamel* 378. 411 *Phill* 1411 *Ra-*
tisb 1491 *Salzb* III 17 *Tegernsee*[2] 14 *Trento* 34 *Udalr*
1345 *Vicen*[1] 1345

Rubr.: Mense Aprilis, XIX alia missa, <oratio super populum> *Leon*
Hebdomada XXVI[a] post Pentecosten, oratio super populum
Gellon
Dominica XV[a] post Pentecosten, oratio super populum *Mé-nard Ratisb Tegernsee*[2]
Dominica XVI[a] post Pentecosten, oratio super populum *Fulda Pamel* 411
Missa pro salute vivorum vel defunctorum, oratio ad complendum *GregorTc*
Alia missa pro amico, oratio ad complendum *Nivern*
Alia oratio cottidiana *ceteri codd.*

Var. lect. : **1** domine] *Leon*, quaesumus domine *ceteri codd.* populum tuum] famulum tuum illum *GregorTc Nivern* **3** et mentis et corporis] *om. Nivern*

Nota: *Comparez à l'oraison*: "Tuere, domine, populum tuum et salutaribus praesidiis ... mentis et corporis."

809.

Conserva, domine, populum tuum et, quem sanctorum tuorum praesidiis non desinis adiuvare, perpetuis tribue gaudere remediis.

Codd.: *Adelp* 032[+]. 1166[+] *Bec* 224 *Biasca* 1367. 1410 *Can-*
tuar 126 *Casin*[1] 490 *Engol* 1624 *Fulda* 1489[0] *Ge-*
lasV 1090 *Gellon* 1761 *Gemm* 231 *Gregor* 303* *Her-*
ford 227. 372 *Iena* 36vo *Leofric* 170 *Ménard* 152 C *Mi-*
lano 846 *Nivern* 267 *Pamel* 365 *Paris*[1] 207 *Phill*
1154 *Praem* 101. 145 *Prag* 221, 3 *Ratisb* 1253[0] *Rhen*
1027 *Rossian* 228, 3 *Salzb-A* 34 *Sangall* 1459 *Tren-*
to-A 376*[+] *Triplex* 114 *Vigil* 279[0]. 433[+] *Winch* 193

Rubr.: In natale unius apostoli, oratio ad complendum *seu* postcommunio *Herford* 372 *Salzb-A*
In natale plurimorum martyrum, alia oratio *Casin*[1]
V Nonas Iulii, natale *seu* translatio sancti Thomae, oratio ad complendum *seu* postcommunio *Praem-MP* 145 *Vigil* 279

XII Kalendas Ianuarii, in natale *seu* translatio (*Adelp* 032 *Biasca* 1410) sancti Thomae apostoli,
- oratio ad *seu* super populum *Gellon   Leofric*
- oratio ad complendum *seu* post communionem *ceteri codd.*

Var. lect. : **1** domine] quaesumus *praem. Rossian*   **1/2** sanctorum tuorum] sanctorum martyrum tuorum *Casin*[1], sancti apostoli tui Thomae *Adelp* 032, beati Thomae apostoli tui *Bec*, sancti Thomae apostoli tui *Adelp* 1166   *Cantuar   Praem-MP* 145, apostoli tui Thomae sollemnia celebrantem *Trento-A   Vigil* 433   **3** remediis] meritis *Praem-MP* 145, praesidiis *Rossian*, subsidiis *codd.* ⁰ distincti, suffragiis *codd.* ⁺ *distincti*

Nota: *Comparez à l'oraison*: "Tuere, domine, populum tuum et salutaribus praesidiis ... mentis et corporis."

810.

Conserva, domine, populum tuum sub umbra protectionis tuae per invocationem nominis sancti et summi pontificis tui Cuthberti, ut illius adiuvemur exemplis et nos esse participes regni mereamur caelestis.

Cod.: *Leofric* 206

Rubr. : XIII Kalendas Aprilis, in natale sancti Cuthberti pontificis, alia oratio

811.

Conserva, domine, quaesumus, familiam tuam et benedictionum tuarum propitius ubertate purifica, ut eruditionibus tuis multiplicetur et donis.

Codd.: *Engol* 119	*Fulda* 294. 2232	*Gellon* 119	*Gemm*
56 *Gregor* 916⁰	*GregorTc* 2458	*Leon* 1127	*Mé-*
nard 40 B. 169 C	*Pamel* 379⁰. 398	*Phill* 122	*Ratisb* 97.
1379 *Rhen* 103	*Sangall* 111	*Trento* 43⁰	*Triplex*
376 *Udalr* 1354⁰	*Vicen*[1] 1354⁰		

Rubr.: Mense Octobris, de siccitate temporis, III alia missa, <oratio super populum> *Leon*
Missa votiva pro amico, oratio ad complendum *seu* postcommunionem *Fulda* 2232   *GregorTc*
Missa in vigilia plurimorum confessorum, oratio super populum *Ménard* 169 C   *Ratisb* 1379
Alia oratio cottidiana *codd.* ⁰ *distincti*
Dominica I[a] post Theophaniam, oratio ad *seu* super populum *ceteri codd.*

Var. lect. : **1** domine quaesumus] *Gemm Leon*, quaesumus domine *transp. ceteri codd.*   familiam tuam] famulum tuum illum *Fulda* 2232 *GregorTc*   **2** propitius] *om. Vicen¹*   ubertate propitius *transp. Fulda* 2232   ut] per intercessionem beatorum confessorum tuorum illorum et *add. Ménard* 169 C   *Ratisb* 1379   **3** tuis] *Leon*, semper *add. ceteri codd.*

* * *

Conserva, domine, quaesumus, tuorum corda fidelium ... dilectione sinceri.

Nota: *Cfr l'oraison*: "Confirma, domine, quaesumus, tuorum corda ... dilectione sinceri."

812 a.

Conserva in nobis, domine, munus tuum et, quod, te donante, pro sollemnitate beati martyris tui Laurentii percepimus, et salutem nobis praestet et pacem.

Codd. : *Ariberto* 829   *Bergom* 1053   *Biasca* 987   *Milano* 1086   *Triplex* 2287

812 b.

Conserva in nobis, domine, munus tuum, quod, te donante, pro sollemnitate beati Laurentii levitae percepimus, ut et salutem nobis praestet et pacem.

Cod.: *Ragusa* 566

812 c.

Conserva, quaesumus, domine, munus tuum in nobis, ut, quod, te donante, pro beati Laurentii martyris tui sollemnitate percepimus, et salutem nobis operetur et pacem.

Codd. : *Arbuth* 347   *Sarum* 858   *West* III 1578 (Abingdon Whitby)

812 d.

Conserva, domine, munus tuum in nobis, ut, quod, te donante, pro sollemnitate beati Laurentii martyris tui percepimus, et salutem nobis operetur et pacem.

Codd.: *Oxford 163*   *West* II 824

Var. lect. : **2** beati ... tui] beatorum martyrum tuorum Bonifatii sociorumque eius *West*

812 a - d.

Rubr.: Nonas Iunii, in natali sancti Bonifatii sociorumque eius martyrum, postcommunio *West* II 824

V Idus Augusti, vigilia sancti Laurentii, postcommunio *Arbuth Oxford Sarum West* III 1578

IV Idus Augusti, natale sancti Laurentii levitae et martyris, ad missam in die, oratio ad complendum *seu* post communionem *ceteri codd.*

813.

Conserva in nobis, omnipotens deus, tanti pignoris sacramentum, ut, qui annua revolutione celebramus in passione domini nostri veneranda mysteria, ab omnibus peccatorum sordibus emundemur.

Cod.: *Milano 270*

Rubr.: Orationes et preces in Cena Domini, oratio super sindonem

814.

Conserva in · nobis, quaesumus, domine, misericordiam tuam et, quos ab erroris liberasti caligine, veritatis tuae firmius inhaerere facias documento.

Codd. : *Engol 860   Fulda 826   GelasV 531   Gellon 823   Ménard 99 A   Milano 377   Pamel 282   Phill 638   Sangall 659   Sangall* 105   Triplex 1532*

Rubr.: Alia oratio paschalis (vespertinalis *add. GelasV*, ad vesperum, ad matutinum *add. Gellon*) *codd.*

Var. lect.: **1** in nobis quaesumus domine] nobis domine *Sangall Sangall* Triplex*

815.

Conserva populum tuum, deus, et tuo nomini fac devotum, ut, divinis subiectus officiis, et temporalis vitae pariter et aeternae dona percipiat.

- A -

Codd. : *Adelp* 185   *Aquilea* 27ʳ   *Benevent*² 26   *Engol*
225   *Fulda* 319   *GelasV* 1309   *Gellon* 218   *Gemm* 59   *Gre-*
gor 51*   *Leofric* 70   *Mateus* 556   *Ménard* 49 D   *Mon-*
za 90   *Nivern* 150   *Otton* 1ᵛ   *Pamel* 400   *Phill* 232
Praem 40   *Prag* 29, 1   *Ratisb* 188   *Rhen* 161   *Ripoll*
45   *Rossian* 38, 1   *Salzb-A* 42   *Sangall* 205   *Suppl*
IIII   *Trento* 1067   *Triplex* 525   *Udalr* 208   *Vicen*² 125

Rubr.: Alia missa cottidiana, alia collecta *GelasV*
    Dominica Vᵃ post Theophaniam, secreta *Vicen*²
    Dominica VIᵃ post Theophaniam *seu* Epiphaniam (Vᵃ post oc-
    tavam Theophaniae *Nivern*),
    - oratio super populum *Ménard Ratisb*
    - collecta *ceteri codd.*

Var. lect. : **1** deus] *om. Gemm*   2/3 et temporalis ... percipiat] *Be-*
*nevent*² *Fulda Otton Praem Udalr*, et temporalia pariter et aeterna dona
percipiat *Monza*, et temporalia utiliter et aeterna dona feliciter accipiat
*Adelp Aquilea Salzb-A Sangall*² *Triplex*, et temporalia viriliter et
aeterna dona percipiat *Sangall*¹ *ceteri codd.*

- B -

Codd.: *Leofric* 190   *Otton* 192*   *Ripoll* 1571   *Vicen*¹ 1003

Rubr.: Pro omni populo christiano, oratio ad complendum *Otton*
    Alia missa pro fideli amico,
    - alia oratio *Leofric*
    - collecta *Ripoll Vicen*¹

Var. lect. : **1** deus] domine *Otton*   2/3 et temporalis ... percipiat] et
temporalia utiliter et aeterna dona feliciter accipiat *Otton*, et temporalia
viriliter et aeterna dona percipiat *Leofric Ripoll Vicen*¹

816.

Conserva, quaesumus, domine deus, longaeva prosperitate
populo tuo rectorem, quem dedisti, et nobis famulis tuis tuae
caritatis spiritum infunde et populum christianum potentiae
tuae dextera ab omni adversitate custodi.

Codd.: *GregorTc* 1999   *Ratisb* 1976   *Trento* 1294

Rubr.: Missa in *seu* pro concilio, oratio super populum *codd.*

817.

Conserva, quaesumus, domine, filiorum tuorum tibi subditam servitutem, ut, intervenientibus sanctis, tua redemptione sint digni, tua semper gratia sint repleti.

Cod.: *Leon* 690

Rubr.: Mense Augusti, IV Nonas Augusti, natale sancti Stephani in coemeterio Callisti via Appia, VI alia missa, <oratio super populum>

818.

Conserva, quaesumus, domine, plebem tuam per merita beati Botulphi confessoris tui atque abbatis, et, quam sacramentorum tuorum admirabili dulcedine reficis, perpetuis tribue gaudere remediis.

Codd.: *West* II 834   *West* III 1583 (St-Alban's)

Rubr.: <XV Kalendas Iulii>, in natali sancti Botulphi abbatis, postcommunio *West* II 834
Die XX° mensis Augusti, in natali sancti Philiberti, postcommunio *West* III 1583

Var. lect.: 2 beati Botulphi] sancti Philiberti *West* III 1583

819.

Conserva, quaesumus, domine, populum tuum et ab omnibus, quas meretur, adversitatibus redde securum, ut, tranquillitate percepta, devota tibi mente deserviat.

Codd.: *Benevent*[2] 780"   *Engol* 557⁰"   *Fulda* 425⁺. 2094   *Gellon* 524⁰"   *Gemm* 144   *Gregor* 844   *Leofric* 242   *Ménard* 61 B⁺. 107 A   *Nivern* 328   *PaDarm* 23-25⁰"   *Pamel* 222⁺. 373   *Ratisb* 324⁺. 751   *Rhen* 372⁰"   *Ripoll* 766   *Rossian* 80, 4⁰   *Sangall* 462⁰"   *Sangall** 30⁰"   *Splitt* 10⁰"   *Trento* 893   *Triplex* 1087⁰   *Udalr* 1285   *Vicen*[1] 1284   *Vigil* 26⁰"

Rubr.: Sabbato hebdomadae Vae quadragesimae, oratio ad *seu* super populum *codd.* ⁰ *distincti*
Feria VIª hebdomadae Iae quadragesimae, oratio super populum *codd.* ⁺ *distincti*
In Litania minore, feria IIIª, oratio prima *Ménard* 107 A   *Ratisb* 751
Alia oratio pro peccatis *ceteri codd.*

Var. lect.: **1** quaesumus domine] domine *Benevent*[2] *Splitt Vigil*, domine quaesumus *Gellon Rossian*   **2** adversitatibus] adversis *codd.* " *distincti*

820.

Conserva, quaesumus, domine, populum tuum et gratiae tuae in eo dona multiplica, ut, ab omnibus liber offensis, et temporalibus non destituatur auxiliis et sempiternis gaudeat institutis.

Codd.: *Ménard* 68 B   *Ratisb* 402   *Sens* 75

Rubr.: Feria Vª hebdomadae IIIªe quadragesimae, oratio super populum *codd.*

Nota: *Comparez à l'oraison*: "Rege, domine, populum tuum et gratiae ... gaudeat institutis."

821 a.

Conserva, quaesumus, domine, populum tuum, intercessione beati Bricii confessoris tui atque pontificis in tuo amore confisum, ut mereamur, ipso intercedente, consortes fieri caelestium gaudiorum.

Codd. : *Arbuth* 394   *Bec* 213   *Cantuar* 121   *Herford* 357   *Mateus* 2268   *Praem–MA* 209   *Sarum* 967   *West* II 999   *West* III 1608 (Durham St–Alban's Whitby)

Rubr. : Idibus Novembris, in natali sancti Bricii episcopi et confessoris, collecta *codd.*

Var. lect.: **1** quaesumus domine] domine *Praem–MA*, domine quaesumus *transp. West*   **2** beati] sancti *Cantuar*

821 b.

Conserva, quaesumus, domine, populum tuum, in tua misericordia confisum, et intercessione beatorum Maximi et Philiberti confessorum tuorum mereamur cum illis participes fieri caelestium gaudiorum.

Cod.: *Mateus* 1997

Rubr. : Die XXº mensis Augusti, <in festo sanctorum> Maximi et Philiberti, postcommunio

822.

Conserva, quaesumus, omnipotens deus, vitam nostram immaculatam et incremento cunctarum virtutum, ut, interveniente beatissimo apostolo tuo Petro, et tua misericordia universorum veniam percipiamus delictorum et ad patriam
5 tuae repromissionis aeternam quandoque pervenire mereamur illaesi.

Cod.: *Gemm* 315

Rubr.: Missa pro sacerdotibus, oratio super populum

823 a.

Conservent nos, quaesumus, domine, munera tua et aeternam vitam tribuant nobis.

Codd.: *Fulda* 1748+"   *Gellon* 1683". 1954⁰   *Leofric* 248   *Ménard* 193 A+"   *Monza* 700"   *Pad* 895⁰   *Pamel* 361+". 417 *Phill* 1300⁰   *Ratisb* 1259+"   *Rossian* 280, 4+"   *Salzb* 475⁰   *Sangall* 1568⁰   *Suppl* 1220   *Triplex* 53⁰

Rubr.: <Ordinarium missae>, alia oratio ad complendum *codd.* ⁰ *distincti*
Alia missa cottidiana,
   – alia oratio ad complendum *seu* post communionem *Pamel* 417 *Suppl*
   – oratio ad populum *Leofric*
Orationes de Adventu Domini cottidianis diebus ad missam, oratio post communionem *Gellon* 1683 *Monza*
<Orationes et preces in ieiunio> mensis decimi, feria IVᵃ, oratio ad complendum *codd.* + *distincti*

Var. lect.: 1 quaesumus domine nos *transp. Rossian* et] per adventum unigeniti tui *add. codd.* " *distincti* 1/2 et aeternam ... nobis] et aeternam nobis tribuant vitam *Pad*, et vitam aeternam tribuant nobis *Monza*, et vitam nobis tribuant aeternam *Sangall* ² *Triplex*, et tribuant nobis vitam aeternam *codd.* + *distincti*, deprecantibus *add. Leofric Pamel* 417 *Suppl*

823 b.

Conservent nos, domine, quaesumus, munera tua et, intercedente beato Marco confessore tuo atque pontifice, vitam nobis aeternam conferant supplicantibus.

Codd.: *West* II 969   *West* III 1598 (St-Alban's)

Rubr. : Nonas Octobris, in natali sancti Marci papae et confessoris, postcommunio

824.

Conspirantes, domine, contra tuae plenitudinis firmamentum dexterae tuae virtute prosterne, ut iustitiae non dominetur iniquitas sed subdatur semper falsitas veritati.

Codd. : *Adelp* 1536   *Bergom* 1358   *Biasca* 1373   *Fulda* 1979   *GelasV* 1527   *Gellon* 2732   *GregorTc* 2663   *Metz*[3]
3   *Milano* 1288   *Phill* 1763   *Sangall** 145   *Trento* 1374   *Triplex* 3036   *Vicen*[1] 1258

Rubr.: Missa in contentione, collecta *Adelp*
> Orationes ad missam contra obloquentes (vel conspirantes add. *Triplex*),
> - collecta *Bergom Metz*[3] *Milano Triplex*
> - oratio super sindonem *Biasca*
> - alia collecta *ceteri codd.*

825.

Consummati ac refecti cibo caelesti, eucharistiae mysterio in substantiam gloriosae immortalitatis admixti, agamus deo patri omnipotenti gratias, quod terrenae nos originis atque naturae sacramenti sui dono in caelestem vivificaverit de-
5 mutationem, ut, per alimoniam corporis et sanguinis Iesu Christi consecratos, ad incrementum immortalitatis eveheret, cuius muneris apud nos maneat illaesa communio.

Codd.: *Arbuth* xix (Book of Dimma)   *London*[4] 69 (1487)   *Monac*[1] 19   *Stowe* 36

Rubr.: <Communio infirmorum, oratio post communionem> *Arbuth Stowe*
Missa in die sanctae Mariae, completuria *London*[4]
Missa Natalis Domini, praefatio post eucharistiam *i.e.* postcommunio *Monac*[1]

Var. lect. : **1/2** Consummati ... admixti] *et* **5/7** ut per ... communio] *om. Arbuth Stowe*

826.

Contere, quaesumus, domine, hostes populi tui et delicta nostra, quorum merito nobis dominantur, emunda, ut, cum tibi placitam puritatem mentibus nostris infuderis, largiaris et pacem.

Codd. : *Bergom* 1351   *Engol* 2331   *GelasV* 1483   *Leon* 462   *Nivern* 29   *Phill* 1780   *Triplex* 3025   *Vigil* 539

Rubr.: Mense Iulii, orationes et preces diurnae, IX alia missa, <alia collecta> *Leon*
Missa contra hostes,
– collecta *Vigil*
– alia collecta *Triplex*
Alia missa tempore belli, collecta *ceteri codd.*

Var. lect. : **1** populi tui] nostros *Vigil*   **2** dominantur] adversantur *Triplex*   **3** tibi] *om. Nivern*

827.

Contriti spiritus tibi, deus, hostiam immolantes internae precis, te supplicatione rogamus, ut sic ieiunia nostra tibi acceptabilia fiant, qualiter pacis et caritatis in nobis multiplices incrementa.

Cod.: *Toledo³* 449

Rubr.: Missa de IIIᵃ feria post vicesima, <oratio> ad pacem

828.

Contueri tuam, Christe, cupientes praesentiam, qui, humana non deserens, appetisti superna, petimus et rogamus, ut, qui pignus assumptae carnis intulisti in caelos, consolationem nobis sancti spiritus largiaris, cuius nunc praesentia et apposita haec tibi oblata sanctifices et nostrorum cordium arcana perlustres.

Codd.: *London⁴* 616   *London⁶* 743   *Toledo³* 763   *Toledo⁴* 620   *Toledo⁶* 378

Rubr. : Missa de (sequenti) dominico post Ascensionem (Domini), <oratio> post "Pridie" *codd.*

829.

Convaluisti, domine Iesu Christe, in gratia et incredulis gentibus sedula testatione claruisti. Te annuntians, beatissi-

mus doctor ille Iohannes, tam incomparabilis sanctitate quam
singularis magisterii assertor, fontem lavacri sitientibus da-
5 bat, sed esse venturum te procul dubio nuntiabat.

Ille descenderat aquis, corpora purgaturus; sperabaris tu,
domine, animas corporum redempturus. Ex huius enim voce
cognovimus unigenitum te, domine, in corporis forma et carne conspicuum, de quo nobis dixit, "Ecce agnus dei, ecce, qui
10 tollit peccatum mundi". Hic est enim, cui et nomen, antequam conciperetur, dedisti, quem et spiritu sancto, priusquam nasceretur, implesti, qui et sterilitatem matris, con-
ceptus, abstersit et patris linguam, natus, absolvit.

Oramus ergo te, domine, ut hanc oblationem nostram
15 respicere et benedicere digneris, sicut benedicere dignatus es
munus Abel iusti pueri tui.

Codd.: *London*[5] 187   *Toledo*[3] 809   *Toledo*[6] 591   *Toledo-B* 27

Rubr.: Missa in nativitate sancti Iohannis, <oratio> post "Pridie" *codd.*

Fontes : 9/10 Ecce ... mundi] cfr Ioh. 1, 29   10/13 Hic ... absolvit]
cfr Luc. 1, 13. 57-64   15/16 sicut ... tui] cfr Gen. 4, 4

830 a.   Br 143

Converte nos, deus salutaris noster, et, ut nobis ieiunium
corporale proficiat, mentes nostras caelestibus institue disciplinis.

Codd.: *Engol* 1620   *GelasV* 1170   *Gellon* 1742

Rubr.: Dominica I[a] ante Natale Domini, oratio ad populum *Engol*
     Orationes et preces <ieiunii> mensis decimi, sabbato in XII
     lectionibus, alia oratio *GelasV Gellon*

Var. lect.: 2 institue] instrue *Engol*

830 b.   Br 143

Converte nos, deus salutaris noster, et, ut nobis ieiunium
quadragesimale proficiat, mentes nostras caelestibus instrue
disciplinis.

Codd. : *Adelp* 325   *Aquilea* 37[v]   *Arbuth* 65   *Ariberto*
236   *Bec* 27   *Benevent*[2] 45   *Bergom* 285   *Biasca* 264   *Cantuar* 23   *Casin*[1] 279   *Curia* 35   *Engol* 307   *Fulda*
404   *Gellon* 306   *Gemm* 64   *Gregor* 171   *Herford*

47	Lateran 45	Leofric 76	Mateus 659	Ménard 58
D	Milano 63	Monac² 7	Monza 133	Nivern 164
Otton 25ᵛ	PaAng 3	PaAug 29, 1	Pad 142	Pamel
219	PaMon-Ben 33, 1	PaMon-Alp 1, 1	Paris¹ 8ᵛ⁻ᵐ	Phill
315	Praem 47	Ratisb 298. 365	Rhen 220	Ripoll
95	Rossian 47, 1	Salzb 17	Sangall 279	Sarum
149	Trento 227	Triplex 649. 655. 659	Udalr 246	West I
107				

Rubr.: Missa quadragesimalis Iᵃ, collecta *PaMon-Alp*
Feria Vᵃ hebdomadae IIᵃᵉ quadragesimae, oratio ad vesperos
Ratisb 365
Feria IIᵃ hebdomadae Iᵃᵉ quadragesimae, collecta *ceteri codd.*

Var. lect.: 1/2 ieiunium quadragesimale nobis *transp. Herford*

Fontes : 1 Converte ... noster] cfr Ps. 85 (84), 5 a

831.

Converte nos, domine, tuae propitiationis auxilio, ut castigatio, peccatoribus convenienter adhibita, fiat correctio salutaris.

Cod.: *Leon* 564

Rubr. : Mense Iulii, orationes et preces diurnae, XXVII alia missa, <collecta>

Fontes: 1 Converte ... domine] Lam. 5, 21 a

832.

Convertere, domine, ad preces familiae tuae, quas pro tuo honore per eum deferimus, per cuius confessionem et mortem te praedicatum incredulis sine cunctatione cognovimus. Ideoque clementia patientiae tuae ita nostris adsit petitio-
5 nibus, ut nostris per eum patiatur se imprecari orationibus. Quidquid enim per eum speratur, a te, domine, exspectatur. Ipse nobis de te, quod in se redundat, exhibeat; ipse ad te preces nostras portitor deferat; ipse nobis placabilitatem tuam intercessor obtineat.
10   Te autem, alme Vincenti, vernule martyr, cuncta cohors alumna lacrimabili prece circumdat; te huius catervae toga submissa flagitat mente. Universis de te pluralis devotio singulisque in se diversa necessitudo est. Alius ovans vota persolvit; alius plorans maestitudinis quaestus exponit. Tua
15 sanctitas et vota suscipiat et taediosis succurrat. Beatitudo

enim tua omnibus anxiis remedia te faenerare compellit.
Obtinendi namque pro singulis apud dominum Iesum
Christum et nostrum est fidere sine cunctatione opem ferre,
quod posceris, et tuum est libenter praestare, quod imploraris.
20 Tuo freti intercessu recurrant ad paenitentiam lapsi, ad
indulgentiam rei, ad laetitiam maesti, ad medelam languidi,
ad caespites exsules, ad portum tranquillitatis naufragi,
regiones ad proprias peregrini, ad redemptionem captivi, ad
sospitatem cives, ad quietem hospites. Tuo obtentu iugis
25 adhaereat regibus clementia, potestatibus patientia, militibus
modestia. Tuo interventu adsuescant avari misericordiam,
luxuriosi continentiam, petulantes pudicitiam. Tuo suffragio
perfruantur caeci corde fidei lucem, Hebraei catholicam
fidem, erectionem oppressi, solutionem vincti, correctionem
30 devii, salutem inconvulsibilem furiosi. Tuo adiuti auxilio,
ambiant teneantque clerici sanctitatem, monachi custodiam,
religiosi castimoniam, perfectissimam laici honestatem. Teque
intercedente, perfectum habeat sapientia intellectum, terra
proventum, anima lucrum, vita iudicium.

Cod.: *Toledo*[3] 247

Rubr.: Missa in die sancti Vincentii, <oratio> "Alia"

833.

Convertere, domine, cor nostrum in bonis operibus tuis
et, quidquid pro fragilitate excedimus, tu indulge propitius.
Plenitudinem indulgentiae concede et defunctis requiem tribue. Intercessu quoque sanctorum tuorum occurrat nobis
5 miserationis tuae suffragium et remissio peccatorum conferat
praemium.

Cod.: *Toledo*[4] 1361 (1436)

Rubr.: Officium de XV° dominico de cottidiano, <oratio> post nomina

834 a.

Copiosa beneficia, quaesumus, domine, christianus populus assequatur, ut, qui in honorem sanctorum sacrandis tibi
liminibus devotus occurrit, et vitae subsidia praesentis accipiat et gratiam sempiternae redemptionis inveniat.

Codd.: *Engol* 2134   *Freiburg* 113   *GelasV* 708   *Gellon* 2455   *Leofric* 264   *Ménard* 161 D   *Nivern* 47   *Phill*
1492   *Triplex* 3176   *Udalr* 1134

Rubr.: III Idus Maii, dedicatio ecclesiae sanctae Mariae ad martyres,
   oratio super populum *Leofric*
   Orationes et preces ad missam in dedicatione basilicae novae,
   - oratio super populum *Ménard Nivern*
   - oratio ad complendum *seu* post communionem *ceteri codd.*

Var. lect.: 2 sanctorum] tuorum *add. Ménard Nivern*   3 praesentis
vitae subsidia *transp. Triplex*, vitae praesentis subsidia *transp. Udalr*

834 b.

Copiosa protectionis tuae beneficia, quaesumus, domine
deus, familia tua consequatur, ut, quae sacris tibi liminibus
devota consistit, intercessione beati illius atque omnium
sanctorum, et vitae praesentis subsidio gratuletur et gratiam
5 aeternae benedictionis inveniat.

   Codd. : *Alcuin* 76   *GregorTc* 2259   *Ratisb* 1989   *Trento*
   1388   *Triplex* 2980   *Udalr* 1552

   Rubr.: Missa pro ipsa familia *seu* congregatione (cuiuslibet sancti
      add. Ratisb, sancti Vigilii *add. Udalr*),
      - alia oratio *Triplex   Udalr*
      - oratio super populum *ceteri codd.*

   Var. lect. : 3 beati illius] beatae Mariae semper virginis *Triplex
   Udalr*, et sancti Vigilii martyris *item add. Udalr*

835.

Cor populi tui, quaesumus, domine, converte propitius, ut
ab his muneribus non recedant, quibus maiestatem tuam
magnificari deposcimus.

   Codd. : *Fulda* 1974   *GelasV* 1532   *Gellon* 2719   *Gre-*
   gorTc 2667   *Monza* 1009   *Phill* 1750   *Ratisb* 2140   *San-*
   gall* 132   *Triplex* 3053   *Vicen*[1] 1248   *Vigil* 552

   Rubr. : Orationes ad missam pro irreligiosis, oratio super oblata
   seu secreta *codd.*

   Var. lect.: 1 domine quaesumus *transp. Monza*

836.

Coram altario tuo, domine, et fidelium deferuntur vota et
ieiuniorum obsequia. Propter quod te humili prece rogamus,

ut huius ieiunii litatione ita acceptentur a te obsequia
familiae tuae, qualiter et universitas fidelium tuis remune-
5 retur ex donis et defunctorum animae amoenitate foveantur
indultae beatitudinis.

Codd.: *Toledo*³ 338   *Toledo*⁵ 41

Rubr. : Missa de IVᵃ feria in prima hebdomada de quadragesima,
<oratio> post nomina *codd.*

837 a.

Corda nostra, quaesumus, domine, venturae festivitatis
splendor illustret, quo (et) mundi huius tenebris carere valeamus et perveniamus ad patriam claritatis aeternae.

Codd. : *Adelp* 153⁰   *Aquilea* 19ᵣ⁰   *Arbuth* 35   *Benevent*²
12   *Cantuar* 15   *Casin*¹ 241   *Engol* 97   *Fulda* 115   *Ge-*
lasV 57   *Gellon* 97   *Gemm* 54   *Gregor* 20*   *Herford*
26   *Lateran* 27   *Leofric* 66   *Mateus* 268   *Ménard*
38 B   *Monza* 54   *Nivern* 146   *Otton* 4ᵛ   *PaAug* 15, 1
Pad 55   *Pamel* 195   *Phill* 102   *Praem* 37   *Prag* 12, 1   *Ra-*
gusa 36   *Ratisb* 75   *Rhen* 83   *Ripoll* 17   *Rossian*
14, 1   *Rosslyn* 9   *Salzb* 386   *Sangall* 91   *Sarum* 80   *Te-*
*gernsee*² 4⁰   *Triplex* 339⁰   *Udalr* 111   *West* I 62

Rubr.: Nonas Ianuarii, in vigiliis de Theophania *seu* Epiphania, collecta *codd.*

Var. lect. : 2/3 carere valeamus et perveniamus] carere valeamus et
pervenire *Cantuar*, carere et pervenire valeamus *Sangall*²   *codd.* ⁰ *dis-*
tincti

837 b.

Corda nostra, quaesumus, domine, sanctus splendor tuae
incarnationis, nativitatis, passionis, resurrectionis, ascensionis
et adventus spiritus sancti clementi respectu illustret, quo
mundi huius tenebris carere valeamus et, ipso ducente, per-
5 veniamus ad patriam claritatis aeternae.

Codd. : *Arbuth* 457   *Bec* 245   *Cantuar* ˙132   *Drumm*
23   *Gemm* 241   *Herford* 412   *Praem* 223   *Sarum*
825*   *Red Book of Derby* 129 (273)   *West* II 1140   *Winch* 208

Rubr.: In commemoratione incarnationis, nativitatis, passionis, resurrectionis, ascensionis et adventus spiritus sancti, collecta *codd.*

Var. lect. : **1** tuae] dominicae *Praem West*   **2** nativitatis] apparitionis *add. Praem*, circumcisionis *add. Arbuth West* resurrectionis] gloriosae *praem. Praem* ascensionis] admirabilis *praem. Praem*
4 ipso ducente] ipso nos ducente in omnem viam veritatis *Praem*.   **5** aeternae claritatis *transp. Praem*.

838.   Br 145

Cordibus nostris, domine, benignus infunde ut, peccata nostra castigatione voluntaria cohibentes, temporaliter potius maceremur, quam suppliciis deputemur aeternis.

Codd. : *Adelp* 461	*Aquilea* 70ʳᵒ⁺	*Arbuth* 1180⁺	*Bec*
55	*Benevent*² 770⁺	*Bergom* 447	*Cantuar* 34⁰	*Curia*
50ᵛᵒ	*Engol* 542	*Fulda* 609	*Gellon* 516	*Gemm*
83⁺	*Gregor* 304	*Herford* 77⁰	*Lateran* 74⁰⁺	*Leofric*
89⁺	*Luzern* XXIV, 1⁰	*Mateus* 999⁰⁺	*Ménard* 76 A	*Mi-*
lano 225	*Monac*² 24⁰	*Monza* 245	*Nivern* 183⁰⁺	*Otton*
40ᵛ	*PaAng* 77	*PaAug* 45, 1	*Pad* 277	*PaDarm*
108	*Pamel* 243	*Panorm* 200⁰	*Praem* 59⁰⁺	*Ratisb*
476	*Rhen* 363⁰	*Ripoll* 262	*Rossian* 79, 1⁰⁺	*Salzb*
74	*Salzb-A* 11	*Sangall* 453	*Sangall** 21	*Sarum*
248⁰	*Splitt* 9	*Trento* 360	*Triplex* 1072. 1078	*Udalr*
381⁰	*West* I 222⁰⁺			

Rubr.: Feria VIᵃ hebdomadae Vᵃᵉ quadragesimae,
- alia collecta *Gellon*
- collecta *ceteri codd.*

Var. lect. : **1** domine] domine quaesumus *Bec*, quaesumus domine *Pad*² *codd.* ⁰ *distincti* benignus infunde] effunde benignus *PaAng*, clementer infunde *Udalr*, amorem tuum *praem. Monac*², effectum *praem. Panorm*, auxilium gratiae tuae *praem. Herford Sarum*, gratiam tuam *praem. codd.* ⁺ *distincti* **2/3** maceremur potius *transp. Bec* potius ... aeternis] maceremur, ut a suppliciis liberemur aeternis *Salzb-A Trento*
3 deputemur] affligamur *Luzern*

839.   Br 146

Cordibus nostris, quaesumus, domine, benignus infunde ut, sicut ab escis corporalibus temperamur, ita sensus quoque nostros a noxio retrahamus excessu.

- A -

Codd.: *Engol* 318   *GelasV* 115   *Gellon* 416   *Leon* 1307

Rubr.: Mense Decembris, in ieiunio mensis decimi, III alia missa, <alia collecta> *Leon*

Feria III[a] hebdomadae I[ae] quadragesimae, alia collecta *Engol*
GelasV
Feria III[a] hebdomadae III[ae] quadragesimae, collecta *Gellon*

– B –

Codd. : *Adelp* 386   *Aquilea* 51[v+"]   *Arbuth* 88[+"]   *Ari-*
berto 296   *Bec* 40   *Benevent*[2] 59[+"]   *Bergom* 358   *Bias-*
ca 329   *Cantuar* 28   *Casin*[1] 291   *Curia* 42[+]   *Engol*
424[o]   *Fulda* 493   *Gemm* 72[+]   *Gregor* 232   *Herford*
61[+]   *Lateran* 59[+"]   *Leofric* 82[+"]   *Mateus* 817[+"]   *Mé-*
nard 66 C   *Milano* 135   *Monac*[2] 15[+]   *Monza* 185[o]   *Ni-*
vern 172[+"]   *Otton* 32[r+]   *PaAug* 37, 1   *Pad* 205   *Pamel*
230   *PaMog* 11[v]   *Panorm* 19[+]   *Phill* 414[o]   *Praem*
52[+"]   *Ratisb* 383   *Rhen* 300[o]   *Ripoll* 169   *Rossian* 61, 1[+]
Salzb 43   *Sangall* 361   *Sarum* 193[+]   *Sens* 60   *Trento*
288[+]   *Triplex* 849. 855   *Udalr* 308   *West I* 157[+]

Rubr.: Feria II[a] hebdomadae III[ae] quadragesimae, collecta *codd.*

Var. lect. : **1** domine quaesumus *transp. Mateus* benignus infun-
de] rorem tuae gratiae *praem. Pad*[1] *Salzb*, gratiam tuam *praem. codd.*
[+] *distincti*, spiritus sancti donum *add. Adelp* (gratiam tuam quaesumus
domine *transp. Otton*) **2** corporalibus] carnalibus *codd.* " *distincti*
temperamur] *Sangall*[1] *codd.* [o] *distincti*, abstinemus *ceteri codd.* **3** noxio *et* excessu] *Sangall* [1] *codd.* [o] *distincti*, noxiis *et* excessibus *ceteri*
codd.

840.

Cordibus nostris, quaesumus, domine, caelestis gloriae in-
spira desiderium et praesta, ut in dextris illuc feramus mani-
pulos iustitiae, ubi tecum sidus aureum sanctus coruscat abba
Bertinus.

Codd. : *Arbuth* 308   *Cantuar* 72[n]   *West II* 937. III 1383. III
1588 (Sherborne)   *Winch* 156

Rubr.: <Die IX[o] mensis Iunii, in festo> sancti Columbae abbatis, col-
lecta *Arbuth*
[Début janvier], in festo sancti Adriani abbatis, collecta
Cantuar
Nonis Septembris, in natali sancti Bertini abbatis, collecta
West II 937 *West III* 1588 *Winch*
<In natali unius abbatis, collecta> *West III* 1383

Var. lect.: **4** Bertinus] beatissimus *West III* 1383

841.

Corpora mentesque nostras, omnipotens deus, dignanter emunda, ut, tua benedictione firmati, ab unigenito tuo domino nostro, quem exspectamus, veniente semper illuminemur et protegamur.

Cod.: *Bobbio* 42

Rubr.: Missa in Adventu Domini I[a], <alia collectio> post nomina

842 a.

Corpore et sanguine tuo, domine, satiati, quaesumus, ut pro nostris semper peccatis nobis compunctionem cordis et luctum fluminaque multa lacrimarum largiaris, quatenus caelestem in futuro consolationem mereamur.

Codd:	*Arbuth* 452	*Avellan*[2] 939	*Engol* 2301	*Fulda*
1836	*Gemm* 259	*GregorTc* 2338	*Herford* 417	*Leo-*
fric 186	*Milano* 1204	*Monza* 918	*Nivern* 356	*Pad*
1073	*Pamel* 532	*Rossian* 305, 3	*Sangall** 243	*Sarum*
819*	*Triplex* 3383	*Vicen*[1] 1029		

Rubr.: Orationes pro petitione lacrimarum, oratio ad complendum *seu* post communionem *codd*.

842 b.

Corpore et sanguine filii tui satiatus, domine, quaeso, ut pro meis peccatis compunctionem mentis et corporis atque flumina lacrimarum mihi peccatori largiaris, quatenus hic et in futuro caelestem consolationem accipere merear.

Cod.: *Ripoll* 1566

Rubr.: Alia missa pro seipso <sacerdote>, postcommunio

843.

Corpore tuo sacro et sanguine pretioso satiati, te, domine, deprecamur, ut, sicut, ex mortuis resurgendo, carissimae matris tuae maerorem in gaudium et planctum in iubilum commutasti, sic et nos te, pro nobis temporaliter mortuum, cum
5 ea lugere facias, ut, in aeternum viventem, laeti videre mereamur.

Codd.: *Praem-M1508 M1578* 227

Rubr.: De septem doloribus *seu* de compassione beatae Mariae, extra tempus paschale, postcommunio *codd.*

844.

Corporis et sanguinis Iesu domini et redemptoris nostri communione percepta, tuam, omnipotens pater, precamur clementiam, ut intercessione sanctarum virginum tuarum ab omni angustia liberare digneris clerum ac populum, tibi sub-
5 iectum, et ad regnum perducere, fidelibus tuis praeparatum in aeternum.

Cod.: *Mateus* 2379

Rubr.: In natale plurimarum virginum, postcommunio

Fontes: 5/6 ad regnum ... in aeternum] cfr Matth. 25, 34b

845.

Corporis et sanguinis sacrosancti, domine, quaesumus, gratia nos sumpta vivificet et, quod mysticis actionibus pollicetur, aeternis effectibus largiatur.

Codd. : *Arbuth* 77　　　*Rosslyn* 21　　　*Sarum* 173　　　*West* I
133　　*West* III 1462 (St-Alban's Tewkesbury)

Rubr.: Dominica IIᵃ quadragesimae, postcommunio *codd.*

Var. lect.: 1 quaesumus domine *transp. Arbuth*

846.

Corporis et sanguinis tui, domine Iesu Christe, venerabile sacramentum, dilecti tui Blasii opitulantibus meritis, nos ad caelestis mensae perducat convivium.

Cod.: *Bec* 134

Rubr.: Die IIIᵒ mensis Februarii, <in festo> sancti Blasii episcopi et martyris, postcommunio

847 a.   Br 150

Corporis sacri et pretiosi sanguinis repleti libamine, quaesumus, deus noster: quod pia devotione gerimus, certa redemptione capiamus.

Cod.: *Leon* 16

Rubr.: Mense Aprilis, VIII alia missa, <postcommunio>

·847 b.   Br 150

Corporis sacri et pretiosi sanguinis repleti libamine, quaesumus, domine deus noster, ut, quod pia devotione gerimus, certa redemptione capiamus.

– A –

Codd. : *Bec* 242°. 254   *Cantuar* 130°   *Casin*[2] XXXVIII, 3
Curia 227   *Drumm* 72°. 89   *Gemm* 237   *GregorTc* 3352.
3371   *Herford* 393   *Iena* 41[v]   *Lateran* 306   *Leofric*
173°   *Metz*[1] 97   *Pamel* 421   *PaMon-Alp* 38, 3   *Praem*
217   *Suppl* 1238   *Vicen*[1] 817   *Vicen*[2] 377   *Winch* 204

Rubr.: <Missa votiva> de confessoribus, postcommunio *Bec* 254
        Drumm 89
        In natale plurimorum confessorum, oratio ad complendum
        seu post communionem *ceteri codd.*

Var. lect.: **3** gerimus] intercedentibus sanctis tuis illis *add. codd.* ° *distincti*, intercedentibus sanctis confessoribus tuis *add. Bec* 254 *Drumm* 89

– B –

Codd. : *Adelp* 874   *Aquilea* 222[v]   *Bec* 162   *Benevent*[2]
143   *Cantuar* 95   *Curia* 180[v]   *Engol* 1094   *Fulda*
1124   *Gellon* 1210   *Gemm* 187   *Gregor* 612   *Herford*
281   *Lateran* 231   *Leofric* 149   *Mateus* 1866   *Mé-*
nard 126 B   *Nivern* 280   *Otton* 92[v]   *PaAng* 233   *Pad*
553   *Pamel* 318   *PaMog* 23[v]   *Praem* 145   *Ratisb* 923   *Ri-*
poll 1057   *Rossian* 146, 3   *Sangall* 975   *Trento* 655   *Tri-*
plex 2111   *Udalr* 776   *Vicen*[1] 424   *Vigil* 275

Rubr: VI Nonas Iulii, natale sanctorum Processi et Martiniani, oratio ad complendum *seu* post communionem *codd.*

Var. lect.: **3** gerimus] intercedentibus sanctis martyribus tuis Processo et Martiniano *add. Bec*, intercedentibus sanctis tuis Processo et Martiniano *add. Cantuar*   certa] aeterna *Gellon*

- C -

Codd. : *Adelp* 918   *Aquilea* 228^v *Bec* 173° *Benevent*[2]
149   *Cantuar* 101° *Curia* 184   *Fulda* 1154   *Gemm*
193   *Gregor* 624   *Herford* 295° *Lateran* 245   *Leofric*
151° *Ménard* 128 C^o *Nivern* 284   *PaMog* 26^r *Praem*
160   *Ratisb* 952° *Ripoll* 1120   *Rossian* 157, 3° *Tren-*
to 667   *Triplex* 2204   *Udalr* 849   *Vicen*[1] 491   *Winch* 131

Rubr. : Kalendas Augusti, ad sanctum Petrum ad vincula, oratio ad complendum *seu* post communionem *codd.*

Var. lect. : 3 gerimus] intercedente beato Petro apostolo tuo *add. codd.* ^{o} *distincti*

- D -

Codd. : *Aquilea* 248^v *Cantuar* 123   *Curia* 214   *Gemm*
227   *Gregor* 756   *Herford* 362   *Lateran* 293   *Leofric*
167   *Mateus* 2292   *Metz*[1] 90   *Nivern* 312   *Otton*
124^r *Pad* 758   *Pamel* 354   *Praem* 211   *Ripoll* 1360   *Ros-*
sian 219, 3   *Salzb-A* 32   *Trento* 795   *Triplex* 2735   *Udalr*
1049   *Vicen*[1] 698   *Vigil* 397

Rubr.: IX Kalendas Decembris, natale sancti Clementis,
  - alia oratio ad complendum *Triplex*
  - oratio ad complendum *seu* post communionem *ceteri codd.*

Var. lect. : 2 ut] interveniente beato Clemente martyre tuo *add. Rossian*, intercedente beato Clemente martyre tuo atque pontifice *add. Vigil* 3 gerimus] intercedente beato Clemente martyre tuo *add. Aquilea Lateran Nivern*, atque pontifice *item add. Lateran Nivern*, intercessione beati Clementis martyris tui atque pontificis *add. Otton*

- E -

Codd. : *GregorTc* 2706   *Ratisb* 1644   *Trento* 1330   *Udalr*
1709   *Vigil* 601

Rubr.: Missa pro peccatis,
  - alia oratio ad complendum *Udalr*
  - oratio ad complendum *ceteri codd.*

Var. lect.: 3 gerimus] intercedente beato illo martyre tuo *add. Vigil*

- F -

Codd.: *Arbuth* 293   *Herford-M* 228   *Mateus* 2204   *Mon-*
za 348. 814   *Milano* 613   *Praem* 104. 116. 126. 137. 190. 192   *Sa-*
rum 723   *Schir* 42   *Vicen*[1] 790   *West* III 1528 (Paris). 1554
(Paris Rouen). 1597 (Cisterciens)

Rubr.: <Die XII° mensis Martii, in festo> sancti Gregorii papae,
postcommunio *Arbuth Sarum*
Idus Ianuarii, in natali sanctorum Hilarii et Remigii epi-
scoporum, postcommunio *Herford-M Praem* 104 *West* III
1528
Die XXV° mensis Octobris, <in festo sanctorum> Crispini et
Crispiniani, postcommunio *Mateus*
XII Kalendas Aprilis, natale sancti Benedicti, oratio post com-
munionem *Monza* 348. 814
Dominica XXIIª post octavam Pentecostes, oratio post com-
munionem *Milano*
Die VI° mensis Februarii, <in festo> sanctorum Vedasti et
Amandi, postcommunio *Praem-MP* 116
Die XVIII° mensis Aprilis, <in festo> sancti Eleutherii, post-
communio *Praem-M1508 M1578* 126
Die VIII° mensis Iunii, <in festo> sanctorum Medardi et
Gildardi, postcommunio *Praem-MP* 137 *West* III 1554
Die I° mensis Octobris, <in festo> sanctorum Remigii, Ger-
mani, Nicaei, Vedasti, Bavonis, Wasnulfi et Piati, post-
communio *Praem* 190 *West* III 1597
Die II° mensis Octobris, <in festo> sancti Leudegarii, post-
communio *Praem-MC* 192
IV Idus Iulii, natale sanctorum Naboris et Felicis, oratio ad
complendum *Schir*
In natale plurimorum martyrum, alia oratio ad complendum
Vicen[1]

Var. lect. : **1** et pretiosi] pretiosique *Arbuth Sarum*   **3** gerimus] intercedente beato Gregorio confessore tuo atque pontifice *add. Arbuth
Sarum*

Nota: *Comparez à l'oraison*: "Sacri corporis et sanguinis ... redemptione capiamus."

848.

Corporis sacri et pretiosi sanguinis repleti libamine,
quaesumus, domine deus noster, uti gratiae tuae munus, quod
immeritis contulisti, intercedente beato Petro apostolo tuo,
propitius muniendo custodias.

- A -

Codd. : *Adelp* 1419   *Fulda* 2124   *Gregor* 827   *GregorTc* 2004. 2073   *Ménard* 225 B   *Nivern* 345   *Pamel*
369   *Trento* 985   *Triplex* 3061

Rubr.: In ordinatione presbyteri, oratio post communionem *Adelp*
Missa in ordinatione episcopi, oratio ad complendum *Fulda*
Alia missa sacerdotis, oratio post communionem *GregorTc* 2073
Missa in natali pontificis, oratio ad complendum *Nivern*

Missa in natalitio consecrationis papae, oratio ad complendum
seu post communionem *ceteri codd.*

Var. lect.: *Adelp formam adhibet singularis*   **3** Petro apostolo tuo]
Cyrico martyre tuo cum omnibus sanctis *Nivern*

– B –

Codd. : *Biasca* 1225   *Fulda* 2201   *Gemm* 240   *Gregor*
832   *GregorTc* 2054   *Leofric* 267   *Monza* 1015   *Pa-*
mel 370   *Trento* 990

Rubr.: Alia missa sacerdotis propria, alia oratio ad complendum
    Fulda
    Missa propria pontificis in ordinatione ipsius, postcommunio
    Leofric
    Orationes in ordinatione presbyteri, oratio ad complendum
    seu post communionem *ceteri codd.*

Var. lect. : **3** intercedente ... tuo] intercedente beato Bonifatio
martyre tuo *Fulda*, intercedentibus sanctis tuis *Leofric*, intercedente
beato illo *ceteri codd.*

849.

Corporis sacri et pretiosi sanguinis repleti libamine,
quaesumus, omnipotens deus, ut per haec sancta mysteria
anima famuli tui illius aeternae beatitudinis gloriam consequatur.

Codd.: *Aquilea* 293ᵛ   *Avellan²* 947   *GregorTc* 2860   *Otton* 199*

Rubr.: Pro pluribus sacerdotibus <defunctis>, complenda *Aquilea*
    Missa pro episcopis et clericis <defunctis>, communio *Avellan²*
    Missa pro defuncto diacono, oratio ad complendum *GregorTc*
    Alia missa pro defuncto episcopo, oratio ad complendum *Otton*

Var. lect.: *Aquilea Avellan² formam adhibent pluralis*   **2** omnipotens deus] domine deus noster *Otton*   mysteria] *om. Avellan²*   **3** famuli
tui illius] famulorum tuorum sacerdotum *Aquilea*, famulorum tuorum episcoporum, sacerdotum, diaconorum et omnium clericorum *Avellan²*, episcopi *add. Otton*   gloriam aeternae beatitudinis *transp. Otton*

850 a.

Corpus tuum, domine, quod accepimus, et calicem tuum,
quem potavimus, haereat in visceribus nostris: praesta, deus
omnipotens, ut non remaneat macula, ubi pura et sancta in-
traverunt sacramenta.

Cod.: *Goth* 519

Rubr.: Missa dominicalis IVª, oratio post communionem

850 b.

Corpus tuum, domine, quod accepi, et sanctus calix tuus, quem potavi, adhaereat, obsecro, in visceribus animae meae et praesta, ut in me non remaneat macula peccati, in quem pura et sancta introierunt sacramenta corporis et sanguinis
5 tui.

Cod.: *Arbuth* 163

Rubr.: <Ordinarium missae>, "<sanguine> sumpto, dicat sacerdos hanc orationem cum inclinatione"

851.

Corripe nos, domine, in misericordia et non in furore, qui et corripiendo parcis et parcendo remittis, qui et flagellando non perdis et miserando convertis, ut et correptione tua corrigamur et indulgentia consolemur, ut et disciplina eru-
5 diamur et medicina curemur, ut et verbere castigemur et pietate sanemur. Placeat ergo tibi, domine, liberare nos; placeat corrigere, non perdere nos.

Cod.: *Silos*[3] 267

Rubr.: Missa de infirmis, <oratio> "Alia"

852.

Cottidiani, domine, quaesumus, munere sacramenti perpetuae nobis tribue salutis augmentum.

Codd. : *Engol* 1744   *Fulda* 1993   *GelasV* 1189   *Gellon* 1925   *Leofric* 247   *Pad* 867   *Pamel* 417   *Paris*[1] 276 *Phill* 1275   *Prag* 159, 3   *Ratisb* 2145   *Rossian* 315, 3   *Salzb* 458   *Sangall* 1543   *Suppl* 1216   *Triplex* 26   *Udalr* 1222

Rubr.: Orationes et preces cum canone per dominicas dies, III alia missa, oratio post communionem *GelasV*
Dominica IIIª post octavam Apostolorum, oratio ad complendum *Prag*

Missa contra iudices male (perverse *Rossian*) agentes, oratio
ad complendum *Fulda Ratisb Rossian*
Alia missa cottidiana, oratio ad complendum *seu* post communionem *ceteri codd.*

Var. lect. : 1 domine quaesumus] domine *Prag*, quaesumus domine
Leofric

853.

Creator et conditor omnium, deus, qui per summum sacerdotem atque pontificem filium tuum dominum nostrum Iesum Christum sacerdotale culmen et pontificale sceptrum super servum tuum beatum Ambrosium hodierno die et tem-
5 pore consecrasti, consecrationis nostrae initia, eo intercedente, sanctifica et plebem tuam benedicere dignare de caelesti tuae gloriae regno.

Codd. : *Ariberto* 60   *Bergom* 48   *Biasca* 48   *Milano*
836   *Monza* 1121

Rubr. : VII Idus Decembris, ordinatio beati Ambrosii, mane ad missam, oratio super sindonem *codd.*

854.

Creator populi tui, deus, atque reparator, tuere supplices, tuere misericordiam postulantes, ut, satisfactione pro se intercedente sanctorum illorum, et instituta bona recipiant et restaurata custodiant.

Cod.: *Leon* 56

Rubr.: Mense Aprilis, XVII alia missa, <oratio super populum>

855.

Creaturarum omnium auctor, deus et domine, qui universa per coaeternum tibi filium, cooperante sancto spiritu, condidisti, da populis tuis scire, quod praecipis, custodire, quod praestas, ut et tua inspiratione credaris et. nostra semper
5 voce lauderis.

Cod.: *Franc* 142

Rubr. : Orationes et preces communes cottidianae cum canone, alia missa, <alia collectio> ante nomina

856.

Credentes, domine, universa mirabilia domini nostri Iesu Christi filii tui atque incarnationis suae et divinitatis potentiam confitentes, ipsisque laudibus exsultamus tibique sacrificium laudis offerimus, rogantes clementiam tuam, summa
5 trinitas deus et infinita maiestas, ut haec oblatio, quam in sancto altario tuo deferimus pro nostrorum expiatione facinorum, sit tuis oculis placita, sit accepta; simulque effice, illo sancto spiritu superveniente, septiformis benedicta, quae ubique deus manifestat in eis, ut, te benedicente, si quis ex
10 ea libaverit, te largiente, et in hoc saeculo percipiat medicinam et in futuro consequatur vitam aeternam.

Cod.: *Toledo*[4] 1157 (1386)

Rubr.: Officium de IX° dominico de cottidiano, <oratio> post "Pridie"

857.

Credimus, domine, adventum tuum, recolimus passionem tuam. Corpus tuum in peccatorum nostrorum remissionem confractum, sanguis sanctus tuus in pretium nostrae redemptionis effusus est.

Cod.: *Goth* 19

Rubr. : Ordo missae in die Nativitatis Domini nostri Iesu Christi, <collectio> post secreta

858 a.

Credimus, domine, credimus in hac confractione corporis et effusione tui sanguinis nos esse redemptos; confidimus etiam, ut, quod spe hic interim iam tenemus, in aeternum perfrui mereamur.

Cod.: *Goth* 516

Rubr.: Missa dominicalis IV[a], <collectio> post secreta

858 b.

Credimus, domine, credimus in hac confractione corporis et effusione sanguinis nos esse redemptos et confidimus

sacramenti huius assumptione munitos, ut, quod spe interim
hic tenemus, mansuri in caelestibus, veris fructibus perfrua-
5 mur.

Codd.: *Bonifatius* 14   *Stowe* 17

Rubr.: <Ordinarium missae, collectio ad confractionem hostiae et ad
commixtionem in calice> *codd.*

859.

Credimus, domine Iesu Christe, quia et tuo vescimur
corpore et tuum corpus effici vis fideles. Fac nobis in
remissionem peccatorum esse, quod sumpserimus, ut caro,
spiritui subdita et in concessu pacifico subiugata, obtem-
5 peret, non repugnet.

Cod.: *Silos*[3] 343

Rubr.: Missa de uno defuncto, <oratio> post "Pridie"

860.

Credimus te, domine Iesu Christe, omnium esse virtutem.
Rogamus te, domine piissime, ut precem nostram iubeas exaudiri propitius, omnibus, in te credentibus, peccata iubeas
dimitti et huius sacrificii munera per manus angeli tui iubeas
5 sanctificari. Defunctis quoque illis vel omnibus, qui, credentes te, ab hac discesserunt luce, locum tribue electorum in
regione vivorum.

Cod.: *Silos*[3] 912

Rubr.: Missa de defunctis, <oratio> post "Pridie"

861.

Credimus, domine Iesu Christe, unigenite a patre, divinitati tuae, credimus corporeae assumptioni, credimus passioni,
applaudemus redeunti ab inferis, prostrata morte, invictis-
sime, maiestati, rogantes te per ipsius diei magna et mira-
5 bilia sacramenta, ut, sicut nos resurrectio tua non habet
dubios, ita nos nostra per misericordiam tuam habeat ab-
solutos et eo modo exsultemus te fuisse regressum, quomodo
non ambigimus rediturum sicque nos sine poena iubeas

manere, dum venis, ut ad veniam facias pervenire, cum ve-
10 neris.

Codd. : *GaM* 31* 3, 16   *London*[6] 118   *Toledo*[3] 640   *Tole-*
do[6] 20

Rubr.: Pascha Domini, collectio <quae sequitur praefationem *i.e.* in-
troductionem> *GaM*
Missa de IV[a] feria Paschae, <oratio> "Alia" *ceteri codd.*

862.

Credimus, domine, sancte pater, aeterne omnipotens deus,
Iesum Christum filium tuum dominum nostrum pro nostra
salute incarnatum fuisse et in substantia deitatis tibi semper
esse aequalem, per quem te petimus et rogamus, ut accepta
5 habeas et benedicas haec munera et sanctifica illibata, quae
tibi offerimus pro tua ecclesia sancta catholica, quam pacificare digneris, per universum orbem terrarum diffusam.
    Memorare etiam, quaesumus, domine, famulorum tuorum,
quorum oblationem benedictam, ratam rationabilemque fa-
10 cere digneris, quae est imago et similitudo corporis et sanguinis Iesu Christi filii tui domini ac redemptoris nostri.

Cod.: *Toledo*[4] 1365 (1440)

Rubr.: Officium de XV[o] dominico de cottidiano, <oratio> post "Pridie"

Fontes : 10 imago et similitudo] cfr Gen. 1, 26 a

Nota : Cfr le début du canon romain

863 a.

Credimus, facimus et intellegimus, quae docuisti, domine
deus noster, confitentes unum deum patrem, a quo sunt
omnia, et unum dominum nostrum Iesum Christum, per quem
sunt omnia, et unum spiritum, in quo sunt omnia, depre-
5 cantes copiosissimam misericordiam tuam, omnipotens deus
pater, per principium, quod in tempore ex virgine nasci
dignatus est, qui adfuit tecum, antequam mundum faceres in
principio, ut, exaudias preces nostras et unicum paracliti tui
pignus, qui ex te inseparabiliter descendit et filio, quem non
10 ad mensuram hominis peccati dedisti et quem in columbae
specie in eodem manere voluisti, illabi et descendere, sanctificaturus haec, quae tibi offerimus, iubeas, quae in corporis
et sanguinis domini nostri filii tui similitudinem a solis ortu

et occasu offerri tibi ecclesiam tuam catholicam praecepisti,
15 ut conformem efficiat claritatem eius, ut, gustantes, quam
suavis est dominus, satiemur mane misericordia tua, dum
apparuerit manifestata gloria tua.

Cod.: *London*[5] 222

Rubr.: Officium in die sancti Zoili, <oratio> post "Pridie"

Fontes: 10/11 in ... manere] cfr Luc. 3, 22 a; Ioh. 1, 32 b   13/14 a ...
offerri] cfr Ps. 107 (106), 3; Mal. 1, 11   15 conformem ... eius] cfr Phil. 3,
21   15/16 gustantes ... dominus] cfr Ps. 34 (33), 9 a   16 satiemur ... tua]
cfr Ps 90 (89), 14 a   16/17 satiemur ... tua²] cfr Ps. 17 (16), 15 b

Nota: Cfr le Symbole *Quicumque.*

863 b.

Credimus, facimus, intellegimus, domine deus noster, quae
docuisti, confitentes unum deum patrem, ex quo sunt omnia,
et unum dominum nostrum Iesum Christum, per quem sunt
vera, et unum spiritum sanctum, in quo sunt clara, depre-
5 cantes copiosissimam misericordiam tuam, omnipotens deus,
per principium, quod in tempore ex virgine nasci dignatus
est, qui adfuit tecum, etiam antequam mundum faceres in
principio, ut exaudias preces nostras, et unicum paracliti tui
pignus, qui ex te inseparabiliter procedit et filio, quem non
10 ad mensuram hominis peccati dedisti et quem in columbae
specie in eodem manere voluisti, illabi et descendere, haec,
quae tibi offerimus, sanctificaturus, iubeas in corporis et
sanguinis filii tui similitudinem a solis ortu et occasu offerri
tibi tuam catholicam ecclesiam praecipisti, ut conformem
15 efficias claritatis eius, ut, si quis nostrum hunc, qui de caelo
descendit, manducaverit panem et biberit eius novi testamenti calicem, efficiatur in eo fons aquae salientis in
vitam aeternam. Obtineat etiam in eo virtutem ad repellenda
omnia, quae inimicus suggesserit, ut donet superbis humi-
20 litatem, virginibus coronam, castis perseverantiam, lapsis
veniam, superbis disciplinam, stultis sapientiam, sapientibus,
ne extollantur, castum timorem; Petri lacrimas sic effundant
post culpam, ut omnibus dextera tua sublevatura miserearis
post ruinam, ut, gustantes, quam suavis es, domine, satiemur
25 mane misericordia tua, cum apparueris et cum manifestata
nobis fuerit gloria tua.

Cod.: *London*[5] 28 (1323)

Rubr.: Officium sanctorum Vincentii et Laeti, <oratio> post "Pridie"

Fontes: Cfr l'oraison précédente   **14/15** hunc ... panem] cfr Ioh. 6, 33
16/17 novi ... calicem] cfr Luc. 22, 20; 1 Cor. 11, 25   **17/18** in eo ...
aeternam] cfr Ioh. 4, 14   **22** Petri lacrimas] cfr Matth. 26, 75
23 dextera tua sublevatura] cfr Matth. 14, 31

864.

Credimus pariter et fatemur ac purae credulitatis impulsu
tacere non sinimur te dominum redemptoremque nostrum pro
nobis miseris in cruce fuisse suspensum, descendisse etiam in
infernum, ut nos, resurgens, elevares ad caelum, reliquisse
5 etiam nobis exemplum, ut, te sequentes dominum, passiones
toleremus in mundo. Quo exemplo beatus Andreas discipulus
tuus ac martyr et apostolus informatus, crucis pro te
supplicium devota mente portavit. Fac <nos>, quaesumus,
ipso intercedente, hoc tui corporis sanguinisque mysterium,
10 spiritus tui rore sanctificatum, ad nostrarum remedium
sumere animarum.

Cod.: *Toledo³* 70

Rubr.: Missa in die sancti Andreae apostoli, <oratio> post "Pridie"

865.   Br 153

Crescat, domine, semper in nobis sanctae iucunditatis
affectus et beatae Agnes virginis atque martyris tuae veneranda festivitas augeatur.

Codd.: *Avellan¹* 893⁺". 895⁺"   *Casin¹* 258⁰. 494⁰"   *Engol*
162   *Fulda* 164   *GelasV* 822. 1064"   *Gellon* 167. 1632"   *Lateran* 177. 237⁺"   *Monza* 796⁰   *Pamel* 202   *Paris¹* 35   *Phill*
171   *Praem-MB* 122⁺   *Prag* 21, 1   *Ragusa* 328⁰   *Rhen*
128   *Sangall* 147   *Triplex* 427

Rubr.: X Kalendas Decembris, in natale sanctae Caeciliae, alia col-
lecta *GelasV* 1064 *Gellon* 1632
[Début juillet], in festo sanctae Mustiolae, collecta *Avel-
lan¹* 893
IX Kalendas Augusti, in festo sanctae Christinae, collecta
Avellan¹ 895 *Lateran* 237
<IV Idus Februarii>, in <natale> sanctae Scholasticae, collecta
Casin¹ 258
In natale virginum, alia oratio *Casin¹* 494
Die XVII⁰ mensis Martii, <in festo> sanctae Gertrudis, col-
lecta *Praem-MB*

XII Kalendas Februarii, in natale sanctae Agnes virginis, "de passione sua",
- alia oratio *Pamel*
- collecta *ceteri codd.*

Var. lect. : **1** domine] quaesumus *add. codd.* ° *distincti* domine semper in nobis] in nobis domine quaesumus semper *Ragusa* , in nobis domine semper *transp. codd.* ⁺ *distincti* sanctae] *om. Pamel Praem- MB* **2** beatae ... tuae] beatae illius virginis (tuae) *Casin* ¹ 258 *Praem. MB*, beatae illius martyris tuae *codd.* " *distincti* **2/3** veneranda festivitas augeatur] cuius diem passionis annua devotione recolimus etiam fidei constantiam consequamur *Lateran* 177 (par homoioiteleuton avec l'oraison qui suit dans *GelasV* 822 [*cfr l'oraison*: "Praesta, quaesumus, domine, mentibus nostris cum exsultatione ... constantiam subsequamur."])

866.

Cuius nos praecepti tenaces, et iussa meminimus et gesta memoramus, omnipotens pater: tu, de caelis tuis propitius favens, hoc sacrificium nostrum indulgentissima pietate prosequere, ut per sanctorum tuorum illorum obtentu et maies-
5 tatis tuae plenitudo ad sanctificationem huius hostiae de tuis sedibus sanctis descendat et nostrorum pectorum intima per holocaustum reddat per omnia munda.

Codd.: *Silos*³ 510   *Toledo*³ 1022 bis a

Rubr.: Missa omnimoda vel de sanctis, <oratio> post "Pridie" *codd.*

867.

Cum gaudio et exsultatione, dilectissimi fratres, dominum prosequamur atque insuper nobis beatissimorum patriarcharum, prophetarum, apostolorum et martyrum omniumque sanctorum suffragia <sive> patrocinia coniungamus, ut indul-
5 gentiam criminum et delictorum veniam consequi mereamur.

Cod.: *Silos*⁶ 204

Rubr.: Officium de secundo dominico, <oratio> post nomina

868.

Cum sanctorum tuorum, domine, supplicationibus imploramus, ut sacris muneribus offerendis gratam tibi nostri ministerii facias servitutem.

Cod.: *Leon* 763

Rubr. : IV Idus Augusti, natale sancti Laurentii, VIII alia missa, <secreta>

869.

Cum tibi, omnipotens pater, omne, quod in nobis vel
creatoris ope vel munere redemptoris rationale potest esse et
vividum, iugi inservire famulatu rerum magnitudine provocetur, hodierno praesertim vel die vel tempore, ut affec-
5 tiosius aliquid, cum nihil egeas, tuae bonitati votis ac studiis
offerre possimus, faenerare dignare, quod conveniat reddi-
disse, quia maioris multo est gratiae reformasse perditum
quam fecisse futurum. Ut enim crearemur vel non crearemur,
non praecesserat culpa iudicem, non praevenerat materia
10 creatorem.
 At vero, ut, offensus, postmodum ad misericordiam veritatis et vas, peccatorum praecipitatione confractum, tuis de-
nuo manibus redderes solidatum, quid nisi infinitus pietate,
immensus misericordia, inenarrabilis bonitate in omni pro-
15 genie et generatione praedicandus es et colendus? Unde precamur, ut, quibus conditionis et redemptionis praerogasti
beneficia, tribuas indulgentiam criminum manifestam.

Codd.: *Toledo*[3] 722   *Toledo*[4] 388   *Toledo*[6] 216

Rubr.: Missa de IV° dominico post octavas Paschae, <oratio> "Alia"
codd.

870.

Cuncta credimus, domine, quae instituisti nobis, ut serva-
remur. Idcirco petimus, ut, qui in hoc tempore resurrectionis
tuae adsumus, mereamur in futuro consortium angelorum.

Cod.: *London*[6] 249

Rubr.: Missa in die sabbati post Pascha, <oratio> post "Pridie"

871.

Cuncta, domine, quaesumus, his muneribus a nobis semper
diabolica figmenta seclude, ut nostri redemptoris exordia
purificatis mentibus celebremus.

Codd.: *Casin*[1] 226 *Engol* 13 *Fulda* 47 *GelasV* 13 *Gel-lon* 21 *Monza* 14 *PaAug* 4, 2 *Phill* 23 *Prag* 3, 2 *Rhen* 19 *Sangall* 20 *Triplex* 189

Rubr.: In Natale Domini, alia oratio *Casin*[1]
In Vigilia Domini, mane prima,
- alia secreta *GelasV*
- oratio super oblata *seu* secreta *ceteri codd.*

Var. lect. : **1** quaesumus] *om. Engol Prag* quaesumus domine *transp. Fulda* his muneribus *et* semper] *om. Casin*[1]

872.

Cuncta famuli tui illius, quaesumus, domine, per hanc oblationem purgentur delicta, ut, qui tuae dispositionis flagello in hac atteritur vita, in futuro ei requies tribuatur.

Codd. : *Bergom* 1391 *Biasca* 1281 *Milano* 1358 *Mon-za* 1047 *Rossian* 340, 2 *Triplex* 3468

Rubr.: Missa pro infirmo de cuius salute desperatur (in extremis posito *Rossian*), oratio super oblata *seu* secreta *codd.*

Var. lect.: **3** tribuatur] aeterna *add. Biasca Monza*

873.

Cunctas, domine, semper a nobis iniquitates repelle, ut ad viam salutis aeternae secura mente curramus.

Codd. : *Casin*[1] 4 *Engol* 1911 *Gellon* 2149 *Gregor* 947 *Ménard* 199 C *Milano* 605 *Pad* 908 *Pamel* 381 *Phill* 1353 *Ratisb* 2495 *Rhen* 1124 *Ripoll* 810 *Trento* 936 *Udalr* 1387

Rubr.: Ordo officii per hebdomadam, feria III[a], ad nonam, oratio *Casin*[1]
Dominica XXI[a] post octavam Pentecostes, oratio super sindonem *Milano*
Alia oratio cottidiana *Ménard Ratisb*
Alia oratio vespertinalis seu matutinalis *ceteri codd.*

Var. lect.: **1** domine] quaesumus *add. Milano* ad] *om. Pamel*, per *Milano*

* * *

Cunctis nos, quaesumus, domine, reatibus ... esse consortes.

Nota: *Cfr l'oraison*: "A cunctis nos, quaesumus, domine, reatibus ... esse consortes."

874.

Custodi, domine, populum tuum et, ut eidem perpetuam misericordiam largiaris, tuo semper nomini fac devotum.

Cod.: *Leon* 665

Rubr.: Mense Iulii, preces diurnae cum sensibus necessariis, XLV alia missa, <collecta>

875.   Br 154

Custodi, domine, quaesumus, ecclesiam tuam propitiatione perpetua et, quia sine te labitur humana mortalitas, tuis semper auxiliis et abstrahatur a noxiis et ad salutaria dirigatur.

Codd. :	*Adelp* 1295[+]	*Aquilea* 174[V+]	*Arbuth* 239	*Bec*
III	*Cantuar* 63	*Casin*[1] 422[o]	*Curia* 144[+]	*Engol*
1293	*Fulda* 1621	*GelasV* 1213	*Gellon* 1423	*Gemm*
130	*Herford* 197	*Iena* 214	*Lateran* 145	*Leofric*
121[+]	*Mateus* 2636	*Ménard* 183 B	*Monza* 593[o]	*Ni-*
vern 251	*Otton* 140[V]	*Pamel* 410	*Panorm* 764	*Phill*
803	*Praem* 90	*Ratisb* 1492	*Rhen* 820	*Ripoll*
649	*Rossian* 265, 1	*Salzb* I 73[o]	*Salzb-A* 62	*Sangall*
1152	*Sarum* 504	*Suppl* 1171	*Tegernsee*[2] 15	*Trento*
1124[o]	*Triplex* 2416	*Udalr* 1184	*Vicen*[2] 259	*West* I
430	*Winch* 38			

Rubr.: Orationes et preces cum canone per dominicas dies, X alia
missa, collecta *GelasV*
Dominica XV[a] post (octavam) Pentecosten (IV[a] post <natale>
sancti Laurentii *codd.* ° *distincti*, XV[a] post Trinitatem
Arbuth Herford Sarum), collecta *ceteri codd.*

Var. lect. : **1** quaesumus domine *transp. codd.* [+] *distincti*   **2** perpetua] continua *Udalr*   humana] universa *Pamel*   mortalitas] fragilitas
Adelp   **3** et[1]] *om. Pamel*   salutaria] cuncta *add. Aquilea*

876.

Custodi intra nos, domine, gloriae tuae munus, ut adversus omnia praesentis saeculi mala sanctae eucharistiae, quam percepimus, viribus muniamur.

Codd.: *Arbuth* xxi (Book of Moling)   *Goth* 509   *Monac*[1] 20

Rubr.: <Communio infirmorum>, oratio post sumptam eucharistiam *Arbuth*
Missa dominicalis III[a], consummatio missae *Goth*
Natalis Domini, <in die>, <consummatio missae> *Monac*[1]

Var. lect.: 1/2 adversus] contra *Goth*   2 mala] macula *Goth*   3 viribus quam percepimus *transp. Goth*

877.

Custodi nos, domine, in tuo servitio constitutos, et, quibus famulatum esse vis sincerum, propitius largire quod praecipis.

Codd. : *Engol* 1126   *Fulda* 1582   *GelasV* 1187   *Gellon* 1243   *Leofric* 118   *Rhen* 745   *Sangall* 1000   *Triplex* 2141

Rubr.: Orationes et preces cum canone per dominicas dies, III alia missa, alia collecta *GelasV*
Dominica *seu* hebdomada IX[a] post Pentecosten,
- secreta *Gellon*
- oratio ad populum *Leofric*
- alia collecta *ceteri codd.*

Var. lect. : 1 domine] *GelasV Leofric*, quaesumus *add. ceteri codd.* quibus] quorum *Fulda*   2 vis esse *transp. Fulda*

878.

Custodi nos, domine, quaesumus, ne in vitiis proruamus, et, quia his carere non possumus, intervenientibus semper apostolis tuis, conscientiam nostram benignus absolve.

Cod.: *Gellon* 1577

Rubr.: V Kalendas Novembris, natale apostolorum Simonis et Iudae, <oratio super populum>

879 a.

Custodi nos, omnipotens deus, ut, tua dextera gubernante, nec nostra nobis praevaleant nec aliena peccata.

Codd.: *Engol* 1407   *Fulda* 1661   *GelasV* 1227   *Gellon* 1544   *Leofric* 124   *Pad* 717   *Phill* 945   *Rhen* 891   *Salzb* 312   *Sangall* 1262   *Triplex* 2574

Rubr.: Orationes et preces cum canone per dominicas dies, XIII alia
missa, alia collecta *GelasV*
Dominica *seu* hebdomada XX^a post (octavam) Pentecosten
(III^a post <dedicationem basilicae> sancti Angeli <Michae-
lis> *Pad Salzb*),
- collecta *Pad Salzb*
- oratio ad populum *Leofric*
- alia collecta *ceteri codd.*

879 b.

Custodi me, quaesumus, domine, famulum tuum, ut, tua
dextera gubernante, nec mea mihi praevaleant nec aliena
peccata.

Cod.: *GregorTc* 2235

Rubr.: Alia missa sacerdotis, collecta

880.

Custodi nos, quaesumus, domine, sanctorum tuorum natalitia frequentantes, et, ad salutifera mandatorum tuorum ex-
sequenda praecepta, nostras semper excita voluntates.

Codd. : *GregorTc* 3488   *Pad* 1217   *Ratisb* 6 A (p. 43)
Udalr 1241

Rubr.: II Idus Aprilis, missa in natale sancti Zenonis, alia oratio *codd.*

TABLE DES MATIÈRES

Composition, impression et reliure: Usines Brepols S.A. – Turnhout (Belgique)
Printed in Belgium
D/1992/0095/60
ISBN 2-503-01601-4 relié
ISBN 2-503-01602-2 broché
ISBN 2-503-00000-2 série